PAR ACTION ET PAR OMISSION

Couronnée « nouvelle reine du crime » par les Anglo-Saxons (le *Time Magazine* lui a consacré sa *cover-story* le 6 octobre 1986), l'Anglaise P.D. James est née à Oxford en 1920. Elle est l'auteur de plusieurs romans, tous des best-sellers. Son style impeccable, ses intrigues imprévisibles, ses protagonistes non-conformistes ont fait d'elle la virtuose du roman policier moderne.

P.D. JAMES

Par action et par omission

roman

TRADUIT DE L'ANGLAIS PAR
DENISE MEUNIER

FAYARD

Cet ouvrage est la traduction intégrale, publiée pour la première fois en France, du livre de langue anglaise :

DEVICES AND DESIRES
édité par Faber and Faber Limited, Londres.

NOTE DE L'AUTEUR

L'histoire se passe sur un cap imaginaire de la côte nord-est du Norfolk. Les fervents de cette région reculée et fascinante de l'Est-Anglie la situeront entre Cromer et Great Yarmouth, mais qu'ils ne comptent pas reconnaître sa topographie, ni trouver la centrale nucléaire de Larksoken, le village de Lydsett ou le moulin de Larksoken. D'autres noms de lieux sont exacts, mais ce n'est là qu'une ruse de la romancière pour donner plus d'authenticité à des personnages et des événements fictifs. Dans ce roman, seuls le passé et l'avenir sont réels; le présent comme les personnages et le cadre n'existent que dans l'imagination de l'auteur et de ses lecteurs.

LIVRE UN

Vendredi 16 septembre
à mardi 20 septembre

1

La quatrième victime du Siffleur fut aussi la plus jeune, Valerie Mitchell, quinze ans huit mois quatre jours, et elle mourut parce qu'elle avait manqué le car de vingt et une heures quarante Easthaven-Cobb's Marsh. Comme toujours, elle avait attendu la dernière minute pour quitter la discothèque et la piste n'était encore qu'un magma serré de corps virevoltant sous les projecteurs de fortune quand elle s'arracha aux mains exigeantes de Wayne, cria ses indications à Shirley au sujet de leurs projets pour la semaine suivante, assez fort pour dominer les pulsations rauques de la musique, et quitta la salle. La dernière image qu'elle emporta fut celle de Wayne, son visage pâle tressautant, bizarrement zébré de rouge, de jaune et de bleu, sous les lumières tournoyantes. Sans prendre le temps de changer ses souliers, elle arracha sa veste à la patère du vestiaire et se lança en courant dans la rue qui menait à la station d'autobus, les côtes martelées par le gros sac qu'elle portait en bandoulière. Mais quand elle tourna le dernier coin avant son but, elle vit avec horreur que les lumières juchées au sommet de leurs immenses poteaux n'éclairaient qu'un vide décoloré, silencieux, et elle arriva sur place juste pour voir l'autobus brillamment éclairé déjà au milieu de la montée d'une colline. Elle avait encore une chance, si les feux étaient pour elle, et elle se lança à sa poursuite, gênée par ses hauts talons. Mais ils étaient au vert et elle resta clouée sur place, haletante, pliée en deux par une crampe soudaine, tandis qu'il gravissait lourdement la pente avant d'être englouti comme un vaisseau. « Oh, non ! hurla-t-elle comme s'il pouvait l'entendre. Oh, mon Dieu, non, non ! » Et elle sentit des larmes de colère et de consternation lui monter aux yeux.

C'était la catastrophe ultime. Pour le père qui faisait la loi dans sa famille, pas de recours, jamais de deuxième chance. Après de longues discussions et des supplications réitérées, il avait autorisé cette sortie du vendredi soir à la discothèque animée par le club paroissial des jeunes, à condition qu'elle prenne sans faute le car de vingt et une heures quarante. Il la déposait à Cobb's Marsh devant l'auberge à cinquante mètres de chez elle. A partir de dix heures et quart, son père commençait à guetter le passage du bus devant la pièce où il regardait la télévision d'un œil avec sa femme, les rideaux ouverts. Quel que soit le temps ou le programme, il enfilait alors son pardessus et venait à la rencontre de Valerie sans jamais la perdre de vue. Depuis que le Siffleur du Norfolk avait commencé à tuer, le père avait eu une justification supplémentaire pour cette anodine tyrannie familiale qu'il jugeait à la fois tout à fait appropriée vis-à-vis d'une fille unique et assez plaisante pour lui, elle s'en rendait vaguement compte. L'accord avait été tout de suite conclu : « Tu fais ce que je te dis de faire et je ne te laisserai pas tomber. » Elle l'aimait et elle craignait un peu ses colères. Il allait y avoir une de ces scènes terribles où elle ne pouvait espérer le soutien de sa mère. Ce serait la fin de ses soirées du vendredi avec Terry et Shirl et la bande. Déjà ils la taquinaient et la plaignaient parce qu'elle était traitée en enfant. Désormais, l'humiliation serait totale.

Sa première idée, désespérée, fut de prendre un taxi pour essayer de rattraper l'autobus, mais elle ne savait pas où se trouvait la station et elle n'avait pas assez d'argent, elle en était sûre. Elle pourrait retourner à la discothèque, voir si en se réunissant Terry,

Shirl et la bande arriveraient à lui prêter une somme suffisante. Mais Terry était toujours raide comme un passe-lacet, Shirl, trop grippe-sou, et quand elle aurait fini de prier et de supplier, ce serait trop tard.

Et puis vint le salut. Les feux étaient de nouveau passés au rouge et une voiture, dernière d'une file de quatre, s'arrêta doucement. Valerie se trouva à la hauteur de la portière gauche exactement devant deux dames d'un certain âge. Empoignant la glace à demi baissée elle balbutia, haletante : « Pourriez-vous m'approcher de Cobb's Marsh ? N'importe où dans cette direction. J'ai manqué l'autobus. Je vous en prie. »

Cette dernière supplication laissa la conductrice de marbre. Les yeux fixés droit devant elle, elle secoua la tête, puis embraya. Sa compagne hésita, la regarda, puis ouvrit la porte arrière.

« Montez vite. Nous allons jusqu'à Holt. Nous pourrions vous déposer au carrefour. »

Valerie monta et la voiture démarra. Elles allaient au moins dans la bonne direction et il ne lui fallut que quelques secondes pour dresser son plan. Depuis le carrefour, il n'y avait guère que sept cent cinquante mètres pour arriver à la jonction avec l'itinéraire du bus. Elle pourrait les franchir à pied et prendre le véhicule à l'arrêt devant l'auberge. Il mettait au moins vingt minutes à serpenter d'un village à l'autre, donc elle n'aurait pas de difficulté pour l'attraper.

La femme qui conduisait parla la première. Pour dire : « Vous ne devriez pas faire du stop comme ça. Votre mère sait que vous êtes sortie ? De nos jours les parents ont l'air de n'avoir aucune autorité sur leurs enfants. »

« Vieille taupe, se dit-elle. Ça te regarde ce que je fais ? » Elle n'aurait accepté la rebuffade d'aucun des professeurs à l'école. Mais elle refoula la tentation d'impolitesse qui était sa réaction d'adolescente aux critiques adultes. Elle était obligée de faire un bout de route avec ces deux vestiges. Il fallait les amadouer. Elle dit donc : « Mon père me tuerait s'il savait que je fais du stop. Je ne serais pas montée si vous aviez été un homme.

— J'espère bien. Et votre père a tout à fait raison d'être très strict. Indépendamment du Siffleur, c'est une époque dangereuse pour les jeunes personnes. Où habitez-vous exactement ?

— A Cobb's Marsh. Mais j'ai une tante et un oncle à Holt. Si vous me déposez au carrefour, ils pourront m'emmener. Ils habitent tout près. Si vous me déposez là, je ne risquerai rien, je vous assure. »

Le mensonge, qui lui était venu si facilement aux lèvres, fut accepté tout aussi facilement et personne ne dit plus rien. Elle regardait les nuques grises aux cheveux coupés court, les mains tachées de vieillesse sur le volant. Des sœurs, probablement, à en juger d'après les apparences. Le premier regard lui avait révélé les mêmes têtes carrées, les mêmes mentons énergiques, les mêmes sourcils arqués au-dessus d'yeux inquiets, courroucés. Elle se dit qu'elles venaient de se disputer. Elle sentait la tension vibrer entre elles et fut soulagée quand la conductrice, sans un mot, s'arrêta au carrefour. Elle descendit prestement en marmonnant des remerciements et les regarda s'éloigner. Ce furent les derniers êtres humains, sauf un, à l'avoir vue vivante.

Elle s'accroupit pour changer de souliers, heureuse d'enfiler les mocassins que ses parents l'obligeaient à porter pour l'école et de sentir son sac plus léger, puis se mit à marcher vers la station où elle attendrait le bus. La route, étroite et sans éclairage, était bordée à droite par une rangée d'arbres, silhouettes noires plaquées sur le ciel piqué d'étoiles, et à gauche par une mince frange de buissons assez serrés et assez proches parfois pour plonger le chemin dans l'obscurité. Jusqu'à ce moment, elle n'avait éprouvé qu'un immense soulagement : tout allait s'arranger, elle attraperait ce car. Mais désormais, tandis qu'elle marchait dans le silence inquiétant où ses pas légers résonnaient trop fort, une crainte différente, plus sournoise, s'empara d'elle et les premiers picotements de la peur se firent sentir. Une fois identifiée, et sa puissance perfide reconnue, elle s'empara de la jeune fille et s'enfla inexorablement jusqu'à devenir terreur.

Une voiture approchait, à la fois symbole de sécurité et de normalité et menace nouvelle. Tout le monde savait que le Siffleur devait avoir une voiture. Autrement, comment aurait-il pu tuer dans des régions aussi éloignées les unes des autres, puis se sauver, sa terrible besogne accomplie ? Elle s'enfonça dans l'abri des buissons, échangeant une peur contre une autre. Une houle de bruit, un éclair de phares, et l'automobile passa devant elle dans une bourrasque de vent. Et puis elle se retrouva seule dans l'obscurité et le silence. Seule, vraiment ? La pensée du Siffleur s'empara de son esprit, rumeurs et demi-vérités, le tout amalgamé en une terrible réalité. Il étranglait des femmes, trois pour l'heure. Après quoi il leur coupait les cheveux qu'il bourrait dans leur bouche comme de la paille débordant d'un mannequin de Guy Fawkes, le 5 novembre. Les gamins de l'école se moquaient de lui, sifflant dans le hangar des bicyclettes comme il sifflait, disait-on, sur le corps de ses victimes. Ils lui criaient : « Le Siffleur va t'attraper ! » Il pouvait être partout. Il rôdait toujours la nuit. Il pouvait être là. Elle eut envie de se jeter par terre, de presser son corps contre la terre molle à l'odeur entêtante, de se boucher les oreilles et de rester là, raidie, jusqu'à l'aube. Mais elle parvint à dominer sa panique. Il fallait qu'elle aille au carrefour pour attraper l'autobus. Elle se contraignit à sortir de l'ombre et à reprendre sa marche presque silencieuse.

Elle aurait voulu se mettre à courir, mais parvint à résister. La créature, homme ou bête, tapie dans les broussailles, reniflait déjà cette peur, attendant que la panique explose. Alors, elle entendrait les craquements des buissons écrasés, les pieds pressés, elle sentirait l'haleine chaude sur son cou. Il lui fallait continuer à marcher, vite mais sans bruit, son sac serré sous le bras, respirant à peine, les yeux fixés droit devant elle. Et tout en marchant elle priait :

« Mon Dieu, je vous en supplie, faites que j'arrive sans mal chez moi et je ne mentirai plus jamais. Je partirai toujours à l'heure. Aidez-moi à arriver au carrefour. Faites que l'autobus passe vite. Oh, mon Dieu, aidez-moi, je vous en supplie. »

Et puis, miraculeusement, la prière fut exaucée. Tout à coup, à une trentaine de mètres devant elle, une femme surgit. Valerie ne prit pas le temps de se demander comment cette silhouette mince, à la démarche lente, s'était matérialisée. Elle était là, cela suffisait. Tandis qu'elle s'approchait en pressant l'allure, la jeune fille distinguait la longue mèche de cheveux blonds sous un béret ajusté, et ce qui ressemblait à un trench-coat ceinturé. A côté de l'apparition, plus rassurant encore que tout le reste, un petit chien noir et blanc trottinait docilement. Elles pourraient aller ensemble jusqu'au carrefour. L'inconnue prenait peut-être le même bus. Elle faillit crier tout haut : « Me voilà ! me voilà ! » et, se mettant à courir, elle se précipita vers la sécurité et la protection comme un enfant dans les bras de sa mère.

Alors la femme se baissa et détacha le chien, qui se glissa dans les buissons comme s'il obéissait à un ordre. Elle jeta un regard rapide derrière elle, puis attendit tranquillement, tournant à moitié le dos, la laisse du chien pendant de sa main droite. Valerie se jeta presque sur ce dos qui attendait. Et alors, lentement, la femme se retourna. Ce fut une seconde d'horreur totale, paralysante. Elle vit le visage livide, tendu, qui n'avait jamais été celui d'une femme, le sourire simple, engageant — presque un sourire d'excuse —, les yeux étincelants et impitoyables. Elle ouvrit la bouche pour hurler, mais la terreur l'avait rendue muette. D'un seul mouvement, la laisse fut jetée à la façon d'un lasso et serrée autour de son cou et elle fut tirée hors de la route, dans l'ombre des buissons. Elle se sentit tomber dans l'abîme du temps, de l'espace, dans une éternité d'horreur. Et le visage brûlant était sur le sien, elle sentait la boisson, la sueur, et une terreur semblable à la sienne. Ses bras battirent l'air, impuissants. Et puis son cerveau explosa et, s'ouvrant comme une grande fleur rouge, la douleur dans sa poitrine éclata en un hurlement silencieux, muet : « Maman, Maman! » Ensuite, plus de terreur, plus de douleur, simplement l'obscurité miséricordieuse qui efface tout.

2

Quatre jours plus tard, le commandant Adam Dalgliesh de New Scotland Yard dicta une dernière note à sa secrétaire, déblaya ses papiers en attente dans son casier, ferma le tiroir de son bureau à clef, composa la combinaison de son coffre-fort et se prépara à partir pour deux semaines de vacances sur la côte du Norfolk. Il attendait ce répit depuis longtemps et il en éprouvait le besoin. Mais il avait aussi là-bas des affaires qui réclamaient son attention. Sa dernière parente — une tante — était morte deux mois auparavant, lui laissant une fortune et un moulin aménagé à Larksoken sur la côte nord-est du Norfolk. La première, d'une importance inattendue, avait entraîné l'apparition de problèmes encore à résoudre; le second, moins contraignant, n'était pas complètement exempt de complications non plus. Dalgliesh sentait qu'il avait besoin de vivre seul là-bas pendant une semaine ou deux avant de prendre sa décision : garder le moulin pour y passer à l'occasion quelques vacances, le vendre, ou le céder pour un prix symbolique au Norfolk Windmill Trust, toujours à l'affût de vieux moulins à remettre en état de marche. Et puis, il y avait les papiers de famille, les livres de sa tante, en particulier une importante bibliothèque d'ornithologie à laquelle il fallait trouver une destination, après l'avoir examinée et triée. Autant de tâches agréables. Même très jeune, il avait toujours détesté les vacances sans but. Il ne savait trop d'où lui venait ce curieux masochisme resurgi avec une force accrue durant sa maturité. Mais il était heureux d'avoir quelque chose à faire dans le Norfolk — surtout parce qu'il savait que ce voyage ressemblait un peu à une fuite. Après quatre années de silence, son dernier recueil de poèmes, *Une affaire à résoudre et autres poèmes*, avait été accueilli avec enthousiasme par la critique, ce qui était aussi étonnant que gratifiant, et mieux encore par le public, ce que — moins étonnant — il trouvait plus difficile à accepter. Après ses affaires criminelles les plus notoires, le bureau de presse de la police métropolitaine s'était employé à le protéger d'une publicité outrancière et les priorités assez différentes de son éditeur lui semblaient exiger une certaine accoutumance : en fait, il était carrément ravi d'un prétexte pour y échapper au moins pendant deux semaines.

Il avait déjà dit au revoir à l'inspecteur Kate Miskin, partie mener une enquête sur le terrain : l'inspecteur principal Massingham avait été envoyé suivre des cours au collège de la police à Bramshill — une étape de plus vers sa promotion à l'échelon supérieur — et Kate l'avait provisoirement remplacé comme adjoint de Dalgliesh à la Section Spéciale. Il entra dans le bureau de celle-ci pour laisser une note avec son adresse de vacances. Comme toujours, on y sentait un ordre impressionnant, une efficacité dépouillée, et pourtant l'élément féminin était là : un seul tableau abstrait peint par elle, une étude de bruns tourbillonnants relevés par un seul trait de vert acide que Dalgliesh appréciait de plus en plus chaque fois qu'il l'étudiait. Sur le bureau presque complètement dégagé, un petit vase de freesias dont le parfum, d'abord fugitif, monta soudain vers lui, renforçant l'impression que ce bureau vide était plus plein de la présence physique de Kate que quand elle y était assise en train de travailler. Il posa sa note bien exactement au milieu du buvard propre et sourit en refermant la porte avec une précaution inutile. Il ne lui restait plus qu'à passer la tête chez son chef pour un dernier mot, après quoi il se dirigea vers l'ascenseur.

La porte se refermait déjà quand il entendit une galopade, un appel jovial, et Manny Cummings bondit dans la cabine en évitant de justesse les mâchoires d'acier qui se refermaient. Comme toujours, il avait l'air de tourbillonner dans un maelström d'énergies presque trop puissantes pour être contenues entre les quatre parois de l'ascenseur. Il brandissait une grande enveloppe brune : « Heureusement que je t'ai attrapé, Adam. C'est bien dans le Norfolk que tu t'évades ? Si la PJ du coin met la main sur le Siffleur, jette-lui un coup d'œil, hein, pour vérifier que ce n'est pas notre gus de Battersea.

— L'étrangleur de Battersea ? Tu crois que c'est vraisemblable, si on tient compte des dates et de la façon d'opérer ?

— Pas vraisemblable du tout, mais comme tu le sais, Tonton n'est content que si on a exploré toutes les avenues et retourné toutes les pierres. J'ai indiqué quelques détails et mis le portrait-robot, au cas où, simplement. Comme tu le sais, on a eu quelques témoignages. Et j'ai prévenu Rickards que tu serais sur ses terres. Tu te rappelles Terry Rickards ?

— Oui.

— Inspecteur principal maintenant, paraît-il. Il a bien réussi là-bas. Mieux que s'il était resté avec nous. Et on me dit qu'il est marié. Ça l'aura peut-être un peu adouci. Du genre pas commode. »

Dalgliesh dit : « Je serai chez lui, mais heureusement pas dans son équipe. Et s'ils mettent la main sur le Siffleur, pourquoi est-ce que je te priverais d'une journée à la campagne ?

— Je déteste la campagne et je déteste particulièrement la campagne plate. Pense à l'argent du contribuable que tu vas épargner. J'irai s'il vaut le déplacement. Merci, Adam, c'est gentil de ta part. Bonnes vacances. »

Il n'y avait que Cummings pour être doté d'un toupet pareil. Mais enfin la demande n'était pas déraisonnable, adressée comme c'était le cas à un collègue qui n'avait que quelques mois d'ancienneté de plus et prônait toujours la coopération ainsi que l'usage du bon sens dans l'utilisation des ressources. Peu probable, d'ailleurs, que ses vacances soient interrompues par la nécessité de jeter ne fût-ce qu'un coup d'œil au Siffleur, mort ou vivant. Il était à l'œuvre depuis quinze mois et sa dernière victime — Valerie Mitchell ? — était la quatrième. Ces affaires étaient invariablement difficiles, longues et décevantes, dépendant souvent plus de la chance que de l'efficacité des enquêteurs. Tout en descendant dans le parking souterrain, il jeta un coup d'œil à sa montre. Dans trois quarts d'heure il serait sur la route. Mais auparavant, il avait encore quelques affaires à régler chez son éditeur.

3

L'ascenseur de Herne & Illingworth, Bedford Square, était presque aussi vieux que la maison, monument à la gloire d'un attachement obstiné aux élégances révolues et d'une efficacité légèrement excentrique derrière lesquelles une politique plus entreprenante était en train de prendre forme. Propulsé vers les sommets par une série de cahots déconcertants, Dalgliesh se disait que le succès, plus agréable certes que l'échec, avait pourtant des inconvénients, et l'un d'eux l'attendait sous les espèces de Bill Costello, chef du service de la publicité dans un bureau étouffant du quatrième étage.

Le changement intervenu dans son propre destin poétique avait coïncidé avec celui qui secouait la maison. Herne & Illingworth existaient encore dans la mesure où leurs noms étaient imprimés ou gravés sur les couvertures au-dessous de l'élégant colophon traditionnel, mais la maison faisait désormais partie d'une multinationale qui venait d'ajouter les livres aux conserves, aux sucres et aux textiles. Le vieux Sebastian Herne avait vendu huit millions et demi de livres une des rares maisons d'édition indépendantes existant encore à Londres et aussitôt épousé une attachée de presse ravissante qui n'attendait que la conclusion de la transaction pour échanger son statut récemment acquis de maîtresse contre celui d'épouse — avec quelques appréhensions, mais aussi un œil prudent sur l'avenir. Herne était mort au bout de trois mois, suscitant beaucoup de commentaires égrillards, mais peu de regrets. Pendant toute sa vie cet homme précautionneux et conventionnel avait réservé fantaisie, imagination et audace (occasionnelle) à ses éditions. Il avait été pendant trente ans un mari fidèle, encore que peu inspiré, et Dalgliesh se disait que si un homme vivait ainsi pendant près de soixante-dix ans, banal et à peu près irréprochable, c'était sans doute ce qui convenait à sa nature. Herne avait succombé moins à l'épuisement — à supposer le phénomène aussi crédible médicalement que les puritains aimeraient à le croire — qu'à la contagion fatale de la moralité sexuelle à la mode.

La nouvelle direction poussait vigoureusement ses poètes, les considérant peut-être comme un contrepoids nécessaire à la vulgarité et à la pornographie douce des romanciers à gros tirages qu'elle présentait avec des soins infinis, voire quelque distinction, comme si l'élégance de la jaquette et la qualité de l'impression pouvaient transformer la vulgarité commerciale en littérature. Bill Costello, nommé responsable de la publicité l'année précédente, ne voyait pas pourquoi Faber & Faber aurait le monopole de l'imagination dans ce domaine et il avait réussi à promouvoir efficacement le rayon poésie, malgré les mauvaises langues qui prétendaient qu'il n'avait jamais lu une ligne des modernes. Le seul intérêt connu qu'il prenait à la poésie était la présidence du McGonagall Club, dont les membres se réunissaient tous les premiers mardis du mois dans une brasserie de la City pour déguster la célèbre tourte steak-et-rognons de la patronne, arrosée d'une quantité incroyable de liquides divers, et réciter à tour de rôle les élucubrations les plus risibles de celui qui était peut-être le plus déplorable poète que l'Angleterre eût jamais eu. Un collègue en poésie avait un jour donné cette explication à Dalgliesh : « Le pauvre diable est obligé de lire tant de vers modernes incompréhensibles qu'on ne peut pas s'étonner si de temps en temps il a besoin d'une dose de niaiseries compréhensibles. Comme un mari fidèle qui s'offre parfois un petit traitement thérapeutique au bordel du patelin. » Dalgliesh avait jugé la théorie ingénieuse, mais peu convaincante. Rien n'indiquait que Costello lût jamais une ligne des œuvres qu'il faisait si assidûment valoir. Il accueillit son dernier candidat à la célébrité médiatique avec un mélange d'optimisme tenace et de légère appréhension, comme s'il savait que la partie ne serait pas facile.

Son petit visage un peu songeur et enfantin contrastait bizarrement avec sa silhouette à la Oliver Hardy. Son principal problème était apparemment de savoir s'il porterait sa ceinture au-dessus ou au-dessous du ventre. La première position était considérée comme un signe d'optimisme, la seconde marquant la dépression. Ce jour-là, elle surmontait tout juste les bourses, proclamant un pessimisme que la conversation qui suivit allait amplement justifier.

Dalgliesh finit par dire fermement : « Non, Bill, je ne vais pas me parachuter dans la gare de Wembley en tenant le bouquin d'une main et un micro de l'autre. Je ne rivaliserai pas non plus avec les annonces du haut-parleur en beuglant mes vers aux banlieusards de Waterloo. Les pauvres diables essaient d'attraper leur train — pas autre chose.

— Ça, on l'a déjà fait. Très vieux jeu. Et pour Wembley, ça ne tient pas debout. Je ne sais pas où vous avez pu pêcher cette idée-là. Non, écoutez-moi bien, c'est vraiment génial. J'en ai parlé à Colin McKay et il est très emballé. Nous louons un autobus à impériale qui parcourra le pays. Enfin, ce qu'on peut faire en dix jours. Je dirai à Clare de vous montrer la première ébauche et les horaires. »

Dalgliesh dit gravement : « Comme une campagne électorale : affiches, slogans, haut-parleurs, ballons.

— Inutile d'organiser tout ça si on ne fait pas savoir aux gens que nous arrivons.

— Avec Colin à bord, ils le sauront sûrement. Comment allez-vous l'empêcher de rouler sous son siège ?

— Un beau poète, Adam. Il vous admire énormément.

— Ce qui ne veut pas dire qu'il m'apprécierait comme compagnon de voyage. Et comment allez-vous appeler ça ? Poètes en voyage ? Sur les pas de Chaucer ? Vers sur roues ? Poétobus ?

— On trouvera bien. J'aime assez Poètes en voyage.

— Et les arrêts, où ?

— Salles de réunion, écoles, auberges, cafés, relais de routiers, partout où il y a un public. C'est une idée très emballante. Nous avions pensé à louer un train, mais l'autocar donne plus de souplesse.

— Et puis c'est moins cher. »

Costello fit semblant de ne pas avoir entendu. Il reprit : « Des poètes en haut, des boissons en bas. Lectures sur la plate-forme. Publicité nationale, radio et TV. Nous partons du quai de la Tamise. Une chance d'avoir Canal Quatre et bien entendu *Kaléidoscope*. Nous comptons sur vous, Adam.

— Non, dit l'intéressé, définitif. Pas même pour les ballons.

— Mais enfin, nom d'un tonnerre, Adam, vous les écrivez ces bouquins, on peut penser que vous souhaitez les faire lire — ou du moins acheter. Il y a un intérêt énorme pour vous dans le public, surtout depuis l'affaire Berowne.

— Il s'intéresse à un poète qui arrête des assassins, ou à un policier qui écrit de la poésie, pas aux vers.

— Qu'est-ce que ça peut faire du moment qu'il est intéressé ? Et ne me racontez pas que le préfet de police protesterait. La ficelle est usée.

— Très bien, moi je ne le ferai pas, mais lui, si. »

Après tout, rien de nouveau à dire. Il avait déjà entendu les questions d'innombrables fois et fait de son mieux pour y répondre honnêtement, sinon avec enthousiasme. « Pourquoi un poète sensible comme

vous passe-t-il son temps à arrêter des meurtriers ? »
« Qu'est-ce qui est le plus important pour vous, la
poésie ou votre profession ? » « Être un enquêteur,
ça vous aide, ou ça vous gêne ? » « Pourquoi un
enquêteur qui réussit aussi bien écrit-il de la poésie ? » « Quelle a été votre affaire la plus intéressante ? Est-ce que vous avez jamais eu envie d'écrire
un poème à son sujet ? » « La femme pour qui vous
écrivez des poèmes d'amour, est-elle vivante ou
morte ? » Dalgliesh se demandait si l'on avait pareil-
lement harcelé Philip Larkin, pour savoir ce qu'il
éprouvait à être poète et bibliothécaire, ou Roy Ful-
ler sur la manière dont il conciliait poésie et droit.

Il dit : « Toutes les questions sont prévisibles. Ça
épargnerait beaucoup de peine à tout le monde si
j'enregistrais les réponses. Vous pourriez ensuite les
diffuser depuis le bus.

— Ce ne serait pas du tout la même chose. C'est
vous personnellement que le public veut entendre.
On croirait vraiment que vous ne voulez pas être
lu. »

Le voulait-il ? Pour certaines personnes, oui, certainement, une en particulier, et avoir son approba-
tion. Humiliant, mais vrai. Quant aux autres, ce qu'il
souhaitait probablement, c'est qu'ils lisent ses
poèmes, mais sans être contraints de les acheter, et il
ne pouvait attendre une aussi excessive délicatesse
de la part de Herne & Illingworth. Il sentait sur lui
les yeux de Bill, inquiets, suppliants comme ceux
d'un petit garçon qui voit un sac de bonbons lui
échapper. Ce refus de coopérer lui semblait révélateur de beaucoup de choses qui lui déplaisaient dans
son propre caractère. Il n'était pas logique assurément de vouloir être publié, mais sans se soucier
d'être acheté. Le fait de trouver particulièrement
désagréables les manifestations les plus publiques de
la célébrité ne signifiait pas qu'il ignorât la vanité,
mais seulement qu'il la maîtrisait mieux et que chez
lui elle se nuançait de réticence. Après tout, il avait
une situation, une retraite assurée et désormais la
fortune considérable de sa tante. Il n'était pas obligé

de se faire le moindre souci. Il s'estimait outrageusement privilégié comparé à Colin McKay qui le considérait sans doute — et qui pouvait blâmer Colin ? — comme un dilettante snobard jouant les écorchés vifs.

Il éprouva un certain soulagement quand la porte s'ouvrit devant Nora Gurney, directrice de la collection des livres de cuisine ; elle lui faisait toujours penser à un insecte intelligent, impression renforcée par les yeux brillants un peu saillants derrière les énormes lunettes rondes, le chandail à côtes horizontales fauves et les ballerines pointues. Elle n'avait pas changé d'un iota depuis que Dalgliesh l'avait rencontrée pour la première fois.

Nora Gurney était devenue une puissance dans l'édition britannique grâce à sa longévité (personne ne se rappelait à quelle époque elle était entrée chez Herne & Illingworth) jointe à la ferme conviction que cette puissance lui était due. Il était très probable qu'elle continuerait à l'exercer avec la nouvelle direction. Dalgliesh l'avait rencontrée trois mois auparavant lors d'un des cocktails périodiques de la maison, donné sans raison particulière pour autant qu'il pût se rappeler, sinon confirmer aux auteurs par le moyen des vins et canapés familiers que la firme était toujours active, toujours aussi appréciable que par le passé. La liste des invités avait surtout compris les auteurs les plus prestigieux des divers départements, procédé qui ajoutait à l'ambiance générale d'inadvertance et de gêne atomisée : les poètes avaient trop bu, devenant pleurards ou libidineux selon leur nature ; les romanciers s'étaient agglomérés dans un coin comme des chiens récalcitrants auxquels on a défendu de mordre ; les universitaires, sans prêter la moindre attention à leurs hôtes ou aux autres invités, avaient discuté entre eux avec volubilité, et les cuisiniers jeté ostensiblement leurs canapés à peine touchés sur la surface dure la plus proche avec des expressions de dégoût, de surprise peinée ou de vague intérêt quelque peu perplexe. Dalgliesh avait été bloqué dans un coin par Nora Gurney, qui voulait discuter des possibilités d'une théorie qu'elle venait d'élaborer : puisqu'il n'existe pas deux empreintes digitales identiques, pourquoi ne pas relever celles de toute la population, stocker les informations dans un ordinateur et faire des recherches pour découvrir si certaines combinaisons de tourbillons et de boucles indiquaient des tendances au crime ? De cette façon, on pourrait prévenir plutôt que guérir. Dalgliesh lui avait fait remarquer que ces tendances étaient universelles, à en juger d'après la façon dont les autres invités avaient garé leur voiture, que les informations ne seraient donc pas exploitables, sans compter que cette opération de masse poserait des problèmes logistiques aussi bien qu'éthiques et que le crime, même en supposant valide la comparaison avec une maladie, était tout comme celle-ci plus facile à diagnostiquer qu'à guérir. Il s'était presque senti soulagé quand une redoutable romancière, vigoureusement sanglée dans un deux-pièces en cretonne fleurie qui lui donnait l'air d'un canapé ambulant, l'avait enlevé de vive force pour tirer de son volumineux sac à main une poignée de PV chiffonnés et lui demander avec indignation ce qu'il se proposait de faire à leur sujet.

Chez Herne & Illingworth, les livres de cuisine étaient peu nombreux mais de qualité, et leurs meilleurs auteurs, réputés pour leur sérieux, leur originalité et leur style. Miss Gurney se vouait à sa tâche et à ses écrivains avec passion, considérant les romans et la poésie comme des adjuvants irritants mais nécessaires à la principale activité de la maison : nourrir et publier ses chéris. On murmurait qu'elle était assez piètre cuisinière, exemple supplémentaire de l'inébranlable conviction britannique (au reste également très présente dans des domaines plus élevés encore que moins utiles de l'activité humaine), qui veut que rien ne soit plus désastreux que la connaissance du sujet traité. Dalgliesh ne fut pas étonné de constater qu'elle avait jugé son arrivée fortuite, et la mission de remettre en mains propres les épreuves d'Alice Mair, comme un privilège quasi sacré. Elle lui dit : « Je suppose qu'on a fait appel à vous pour aider à arrêter le Siffleur ?

— Non, fort heureusement, c'est l'affaire de la PJ du Norfolk. Faire appel au Yard se produit plus souvent dans la fiction que dans la vie réelle.

— Ça tombe admirablement que vous alliez dans le Norfolk, quelle qu'en soit la raison. Je ne voudrais pas confier ces épreuves à la poste. Mais je croyais que votre tante habitait le Suffolk ? Et quelqu'un m'a bien dit que Miss Dalgliesh était morte.

— Elle habitait en effet le Suffolk avant d'aller s'installer dans le Norfolk, il y a cinq ans. Et, oui, en effet, elle est morte.

— Enfin, Suffolk ou Norfolk, la différence n'est pas grande. » Elle sembla méditer un instant sur la fragilité humaine et comparer les comtés au désavantage des deux, puis : « Si Miss Mair n'est pas chez elle, vous ne laisserez pas ça à sa porte, n'est-ce pas ? Je sais que les gens sont extraordinairement confiants, dans les campagnes, mais si ces épreuves se perdaient, ce serait un désastre. Si Alice n'est pas chez elle, vous trouverez peut-être son frère, le docteur Alex Mair. Il est directeur de la centrale atomique à Larksoken. Mais, en somme, réflexion faite, il vaudrait peut-être mieux ne pas les lui remettre non plus. Les hommes peuvent être incroyablement négligents. »

Dalgliesh fut sur le point de lui dire qu'on pouvait supposer l'un des physiciens les plus réputés du pays, responsable d'une centrale atomique et, à en croire les journaux, favori pour le nouveau poste de directeur général des installations nucléaires, capable de prendre en charge un paquet d'épreuves. Mais il se contenta de répondre : « Si elle est chez elle, je lui remets le paquet en mains propres. Sinon je le garde jusqu'à ce qu'elle revienne.

— J'ai téléphoné pour la prévenir qu'il était parti, donc elle vous attendra. J'ai écrit l'adresse très lisiblement. Martyr's Cottage. Je pense que vous savez comment y aller ? »

Non sans quelque aigreur Costello coupa : « Il sait lire une carte. C'est un policier, au cas où vous l'auriez oublié. »

Dalgliesh assura qu'il connaissait Martyr's Cottage et qu'il avait déjà rencontré Alex Mair, mais pas sa sœur. Sa tante avait vécu très retirée, mais dans une région reculée les voisins font inévitablement connaissance, et si Alice Mair avait été absente à ce moment-là, son frère avait fait une visite de condoléances dans les formes au moulin, après la mort de Miss Dalgliesh.

Il prit possession du paquet, étonnamment gros et lourd, bardé d'un impressionnant lacis de papier adhésif, après quoi un ascenseur le conduisit lentement au sous-sol, qui donnait accès au petit parking de Herne & Illingworth où l'attendait sa Jaguar.

4

Une fois dégagé des tentacules noueux de la banlieue ouest, Dalgliesh put filer à bonne allure, et à trois heures il traversait le village de Lydsett. Là, un virage à droite le fit sortir de la route côtière pour s'engager sur ce qui n'était guère plus qu'un sentier macadamisé, bordé de fossés pleins d'eau qu'estompait le halo doré des roseaux aux têtes pesantes agitées par le vent. Et là, pour la première fois, il crut sentir la mer du Nord, l'odeur tonique, puissante mais à moitié imaginée, évoquant les souvenirs nostalgiques de vacances enfantines, les marches solitaires tandis qu'il se débattait avec son premier poème d'adolescent, la longue silhouette de sa tante à côté de lui, les jumelles en sautoir, pressée de retrouver les retraites de ses oiseaux bien-aimés. Et là, coupant la route, la vieille barrière familière toujours en place. Sa présence immuable le surprenait immanquablement, car elle ne servait à rien sauf peut-être, symboliquement, à couper l'accès du cap et à donner aux promeneurs le temps de savoir s'ils voulaient vraiment aller plus loin. Elle s'ouvrit à la première poussée, mais comme toujours il eut plus de mal à la refermer, et il dut la soulever à moitié avant de glisser l'anneau de fil de fer sur le poteau, avec l'impression bien connue de tourner le dos au monde du quotidien pour pénétrer dans un pays où, quelle que soit la fréquence de ses visites, il resterait toujours un étranger.

Il parcourait désormais une vaste étendue découverte, vers la frange de pins qui bordait la mer du Nord. A sa gauche, une seule maison, le vieux presbytère victorien, cube rouge brique insolite derrière sa haie souffreteuse de rhododendrons et de lauriers. A sa droite, le sol s'élevait doucement vers les falaises et il apercevait l'entrée béante d'une casemate en béton, survivante de la guerre, et apparemment aussi indestructible que les grands blocs gris battus par les vagues, vestiges des vieilles fortifications à demi englouties dans le sable le long d'une partie de la grève. Au nord, les arcs rompus et les moignons de l'abbaye bénédictine en ruine ressortaient tout dorés sur le bleu froissé de la mer et en arrivant au sommet d'une petite crête, il aperçut pour la première fois les ailes de Larksoken Mill, puis à l'horizon, la masse grisâtre de la centrale nucléaire. La route qu'il suivait finirait par y aboutir, mais il savait qu'elle était rarement utilisée, les véhicules de tout tonnage empruntant la nouvelle voie d'accès au sud. Le cap était vide et presque nu ; les quelques arbres tordus par le vent luttaient pour conserver leurs prises incertaines dans le sol ingrat et, alors qu'il passait devant une deuxième casemate, encore plus démolie, il se dit que l'endroit ressemblait à un vieux champ de bataille ; les cadavres avaient été évacués depuis longtemps mais l'air vibrait encore des tirs d'engagements perdus, cependant que la centrale dominait la scène, tel un grandiose monument moderne aux morts inconnus.

Lors de ses précédentes visites, il avait vu Martyr's Cottage à ses pieds, tandis qu'avec sa tante il contemplait le cap depuis une petite pièce juste sous le toit conique du moulin, mais il n'était jamais allé plus loin que la route, et ce jour-là, alors qu'il y était presque arrivé, il se dit une fois de plus que le qualificatif de « cottage » ne lui convenait guère. C'était une importante maison en L, à deux étages, située à l'est du sentier, aux murs mi-partie silex, mi-partie appareil cimenté, entourant par-derrière une cour pavée de pierre du Yorkshire qui donnait sur cinquante mètres de dunes herbeuses et la mer. Personne n'apparut quand il stoppa et, avant de sonner, il prit le temps de lire l'inscription que portait une plaque de pierre enchâssée à droite de la porte.

> *Dans un cottage à cet emplacement vécut Agnes Poley, martyre protestante, brûlée à Ipswich le 15 août 1557 à l'âge de 32 ans.*
> *Ecclésiaste; chap. 3, vers. 15.*

Aucun ornement, mais des caractères élégants profondément gravés, et Dalgliesh se rappela sa tante lui racontant que la plaque avait été posée par les propriétaires qui avaient agrandi le cottage vers la fin des années vingt. L'un des avantages d'une formation religieuse, c'est la possibilité d'identifier au moins les textes les plus connus de l'Écriture, et celui-là en particulier ne nécessitait aucun effort de mémoire. Écolier de neuf ans souvent puni, Dalgliesh s'était vu obligé par le principal de copier tout le troisième chapitre de l'Ecclésiaste; économe dans ce domaine comme dans tous les autres, le vieux Panaris estimait que ce genre de pensum combinait heureusement la sanction avec l'instruction littéraire et religieuse. Les mots, dans son écriture enfantine toute ronde, lui étaient toujours restés et le choix du texte semblait intéressant :

> *Ce qui est a déjà été; et ce qui sera a déjà été; et Dieu va rechercher ce qui a disparu.*

Il sonna et très vite Alice Mair ouvrit la porte. Il vit

une grande et belle femme, habillée avec une simplicité coûteuse et très étudiée d'un chandail en cachemire noir, éclairé par une écharpe de soie au cou et un pantalon chamois. Il l'aurait reconnue à une ressemblance marquée avec son frère, bien qu'elle fût visiblement l'aînée de quelques années. Tenant pour acquis que la connaissance était faite, elle s'écarta afin de le laisser passer et dit : « C'est très aimable à vous de vous être dérangé ainsi. Nora Gurney est implacable. De la minute où elle a su que vous veniez dans le Norfolk, vous étiez la victime désignée. Voulez-vous déposer ces épreuves dans la cuisine ? »

C'était un visage distingué, avec des yeux enfoncés très écartés sous des sourcils rectilignes, une bouche bien dessinée un peu secrète, une masse de cheveux grisonnants roulée en chignon. Les photographies de la publicité l'avaient fait paraître belle, il s'en souvenait, d'un type un peu intimidant, intellectuel et typiquement anglais. Mais vue face à face, dans la familiarité de sa propre maison, l'absence de la moindre étincelle de sexualité et la réserve profonde qu'il sentait la rendaient moins féminine et plus redoutable qu'il s'y était attendu ; elle se tenait d'ailleurs toute raide, comme si elle repoussait l'invasion de son espace personnel. La poignée de main, lors de l'accueil, avait été fraîche et ferme, le bref sourire, étonnamment plaisant. Il se savait hypersensible au timbre de la voix humaine, et celle qu'il entendait, si elle n'était ni discordante ni désagréable, semblait un peu forcée, comme si le registre n'en était pas naturel.

Il la suivit jusqu'au fond de l'entrée, dans la cuisine, qui lui parut avoir presque six mètres de long et remplir un triple usage. La moitié droite était occupée par une cuisine bien équipée avec un gros poêle à gaz et une Aga, un billot de boucher, un dressoir contenant un assortiment d'ustensiles étincelants, et un long plan de travail avec un triangle de bois pour engainer toute une panoplie de couteaux. Au milieu de la pièce, sur une grande table en bois, une jarre de grès contenait un bouquet de fleurs séchées. Le mur de gauche était creusé d'une cheminée encadrée par des rayonnages de livres du sol au plafond; de chaque côté, un fauteuil d'osier à haut dossier tressé en dessins compliqués était garni de coussins recouverts de patchwork. Un bureau à cylindre faisait face à l'une des larges fenêtres et à sa droite, une porte d'écurie, dont la moitié supérieure était ouverte, donnait sur la cour pavée. Dalgliesh apercevait ce qui était évidemment la plantation d'herbes aromatiques de son hôtesse, dans d'élégantes jarres en terre cuite soigneusement disposées pour profiter au maximum du soleil. La pièce, qui ne contenait rien de superflu, rien de prétentieux, était aussi agréable qu'extraordinairement réconfortante, et pendant un moment il se demanda pourquoi. Était-ce l'odeur discrète des herbes et de la pâte cuite depuis peu, le tic-tac très doux de la pendule accrochée au mur qui semblait scander le passage des secondes tout en tenant le temps sous son joug, le mugissement rythmé de la mer entré par la porte à demi ouverte, l'impression de confort bien nourri donnée par les deux fauteuils à coussins, l'âtre ouvert? Ou cette cuisine rappelait-elle à Dalgliesh celle du presbytère où l'enfant solitaire avait trouvé chaleur et accueil, sans exigence ni critique, et les petites friandises défendues?

Il posa les épreuves sur le bureau, refusa le café proposé et retourna avec Alice Mair jusqu'à la porte d'entrée. Elle l'accompagna à la voiture et lui dit : « Je suis désolée pour votre tante, désolée pour vous, je veux dire. Je pense que pour un ornithologue, la mort cesse d'être une terreur, quand la vue et l'ouïe commencent à faiblir. Et mourir dans son sommeil, sans angoisse pour soi ni dérangement pour les autres, est une fin enviable. Mais vous la connaissiez depuis si longtemps que vous deviez la croire immortelle. »

Il se dit que les condoléances protocolaires, en général banales ou peu sincères, étaient toujours aussi difficiles à formuler qu'à accepter. Alice Mair avait vu juste : Jane Dalgliesh lui avait effectivement semblé immortelle. Il se dit que c'étaient les vieillards qui faisaient notre passé. Quand ils partent, il semble pendant un moment que ni ce passé ni nous n'avons plus d'existence réelle. Il dit : « Je ne crois pas que la mort ait jamais été une terreur pour elle. Je ne suis pas sûr de l'avoir vraiment connue et je reste maintenant avec le regret de n'avoir pas fait plus d'efforts pour y parvenir. Mais elle me manquera. »

Alice Mair dit : « Je ne la connaissais pas non plus. J'aurais peut-être aussi dû faire plus d'efforts. Elle était très réservée, sans doute une de ces privilégiées qui ne trouvent pas de compagnie plus agréable que la leur. Il semble toujours présomptueux de s'immiscer dans cette indépendance satisfaite. Peut-être êtes-vous dans les mêmes dispositions. Mais si vous pouvez tolérer la société, je reçois quelques personnes à dîner jeudi soir, surtout des collègues d'Alex. Voudriez-vous vous joindre à nous ? Sept heures et demie-huit heures. »

Il se dit que l'on eût cru un défi plutôt qu'une invitation. A son propre étonnement il s'entendit accepter, mais toute la rencontre avait été un peu étonnante. Elle resta là, à le regarder avec une intensité grave tandis qu'il débrayait, puis braquait, et il eut l'impression qu'elle observait d'un œil critique la manière dont il s'en tirait. Mais au moins elle ne lui avait pas demandé s'il était venu dans le Norfolk pour aider à arrêter le Siffleur.

5

Trois minutes plus tard, il leva le pied. Devant lui, un petit groupe d'enfants marchait lentement sur le côté gauche du chemin, une fillette pilotant non sans mal une poussette à laquelle deux enfants plus jeunes s'accrochaient. Entendant le bruit de la voiture, elle se retourna, et il vit un délicat visage maigrichon, dans un halo de cheveux d'or rouge. Il reconnut les enfants Blaney, rencontrés une fois auparavant sur la grève avec leur mère. Visiblement, l'aînée avait fait des courses : sous la poussette pliante une tablette était chargée de sacs en plastique. Instinctivement il ralentit. Ils n'étaient sans doute pas en danger ; le Siffleur opérait la nuit, non pas en plein jour, et aucune voiture ne l'avait dépassé depuis qu'il avait quitté la route côtière. Mais les enfants semblaient beaucoup trop chargés et ils n'auraient pas dû être si loin de chez eux. Il n'avait jamais vu leur cottage, mais sa tante lui avait dit qu'il se trouvait à quelque trois kilomètres et demi vers le sud. Il essaya de se rappeler ce qu'il savait d'eux : le père gagnait — fort mal — sa vie en peignant de mièvres aquarelles vendues dans les cafés et les boutiques pour touristes le long de la côte et la mère se mourait d'un cancer. Il se demanda si elle vivait encore. Sa première idée fut d'empiler les enfants dans la voiture et de les conduire chez eux, mais il pensa que ce n'était pas la bonne solution. Presque certainement on avait bien recommandé à l'aînée — n'était-ce pas Theresa ? — de ne pas accepter les offres d'étrangers, surtout des hommes, et il était pratiquement un étranger pour eux. Sans plus réfléchir, il fit demi-tour et repartit à vive allure vers Martyr's Cottage. Cette fois, la porte était ouverte et une fauchée de soleil jonchait le pavage rouge. Alice Mair, qui avait entendu la voiture, sortit de la cuisine en s'essuyant les mains.

Il lui dit : « Les enfants Blaney rentrent chez eux à pied. Theresa pousse la voiture du bébé tout en remorquant les jumelles. J'ai pensé que je pourrais leur proposer de les prendre si j'avais une femme avec moi. Quelqu'un qu'ils connaissent. »

Elle dit brièvement : « Ils me connaissent. »

Sans un mot de plus, elle rentra dans la cuisine puis revint, ferma la porte d'entrée derrière elle sans tourner la clef et monta dans la voiture. En embrayant, il effleura du bras le genou de sa passagère et sentit un mouvement de recul presque imperceptible, réaction émotive plus que physique, petit geste délicat de réserve un peu hautaine. Il ne lui parut pas que cette crispation, à demi imaginée, avait quoi que ce fût à voir avec lui personnellement et il ne trouva pas non plus le silence de sa passagère déconcertant. Leur conversation, quand ils parlèrent, fut fort brève. Il demanda : « Est-ce que Mrs Blaney vit encore ?

— Non, elle est morte il y a six semaines.

— Ils s'en tirent ?

— Plutôt mal, j'imagine. Mais Ryan Blaney n'accepte guère les ingérences. Il a toute ma sympathie. S'il abaisse ses défenses, il aura dans la minute suivante tous les services sociaux bénévoles et professionnels du Norfolk sur le paletot. »

Quand ils s'arrêtèrent à la hauteur de la petite bande, ce fut Alice Mair qui ouvrit la portière et parla :

« Theresa, voilà Mr Dalgliesh, à Larksoken Mill. Je vais prendre une des jumelles sur mes genoux. Le reste pourra tenir derrière avec la poussette. »

Theresa regarda Dalgliesh sans un sourire et remercia gravement. Elle lui rappelait les portraits d'Elizabeth Tudor jeune ; même chevelure d'or rouge encadrant un visage curieusement adulte à la fois secret et assuré, même nez pointu et même regard méfiant. Les visages des jumelles, répliques adoucies du sien, se tournèrent vers elle, l'air interrogateur, puis se fendirent de larges sourires. On aurait dit qu'elles avaient été habillées à la hâte et assez mal pour une longue marche sur un chemin exposé, même par un automne chaud. L'une portait une robe d'été dépenaillée en cotonnade rose à pois avec deux volants, l'autre un tablier sur une blouse à carreaux ; leurs jambes, d'une maigreur attendrissante, étaient nues. Theresa, elle, avait des jeans et un sweat-shirt sale avec un plan du métro de Londres imprimé sur le devant. Dalgliesh se demanda s'il avait été ramené d'une quelconque sortie de classe dans la capitale. Il était trop grand pour elle et les larges manches de coton flasque pendaient de ses bras criblés de taches de rousseur comme des chiffons jetés sur des baguettes. Contrairement à ses sœurs, Anthony, lui, était trop couvert — guêtres, chandail et douillette surmontés d'un bonnet de laine à pompon si bien tiré sur le front que le bébé avait juste la place de considérer l'agitation autour de lui avec la gravité d'un César rondouillard.

Dalgliesh sortit de la Jaguar et tenta de l'extraire de la poussette, dont l'anatomie commença par le mettre en déroute. Elle avait une barre qui coinçait obstinément les jambes raides du bébé et le ballot massif, sans réactions, était étonnamment lourd; autant essayer de manipuler un emplâtre assez malodorant. Theresa lui sourit d'un air apitoyé, tira les sacs de plastique tassés sous le siège, puis libéra adroitement son frère et le cala sur sa hanche gauche tout en repliant la poussette de l'autre, d'un seul coup vigoureux. Dalgliesh reprit le bébé pendant qu'elle faisait monter les autres enfants dans la Jaguar en leur ordonnant avec une brusque férocité : « Tenez-vous tranquilles. » Anthony, conscient d'être à la merci d'un incompétent, empoigna d'une main poisseuse les cheveux de Dalgliesh, qui sentit le contact d'une joue douce comme le pétale tombant d'une fleur. Pendant toutes ces manœuvres, Alice Mair était restée assise dans la voiture, attentive mais sans faire un geste pour aider. Impossible de savoir ce qu'elle pensait.

Mais une fois la Jaguar en mouvement, elle se tourna vers Theresa et lui demanda d'une voix étonnamment douce : « Ton papa sait que vous êtes sortis seuls ?

— Il a conduit la fourgonnette chez Mr Sparks pour le contrôle technique. Mr Sparks ne croit pas qu'elle passera. Et puis je me suis aperçue qu'il n'y avait plus de lait pour Anthony. Il nous faut du lait. Et puis des couches jetables. »

Alice Mair dit : « J'ai un dîner jeudi soir. Si ton papa veut bien, tu pourrais peut-être venir m'aider pour la table, comme le mois dernier ?

— Qu'est-ce que vous allez faire comme menu, Miss Mair ?

— Approche-toi que je te dise ça tout bas. Mr Dalgliesh est invité et je veux que ce soit une surprise. »

La chevelure d'or pâle se pencha vers la grise et Miss Mair chuchota. Theresa sourit, puis hocha la tête, grave mais satisfaite de ce bref instant de conspiration féminine.

Ce fut Alice Mair qui le guida jusqu'au cottage. Au bout de quinze cents mètres environ, ils obliquèrent vers la mer et la Jaguar se mit à tanguer sur un étroit sentier entre des haies sauvages de mûriers et de sureaux. Il ne menait qu'à Scudder's Cottage, le nom grossièrement peint sur une planche clouée à la barrière. Au-delà de la petite maison, il s'élargissait pour former un cul-de-sac mal nivelé, adossé à un talus de galets derrière lequel on entendait battre la mer. Le petit bâtiment, pittoresque avec ses fenêtres étroites sous un toit de tuile très en pente, était précédé d'une friche fleurie qui avait été autrefois un jardin. Theresa leur fraya un chemin jusqu'au porche à travers des herbes qui arrivaient presque au genou, bordées par une orgie de rosiers non taillés, puis se haussa sur la pointe des pieds pour attraper une clef accrochée à un clou — moins pour des raisons de sécurité, se dit Dalgliesh qui portait toujours le bébé, que pour éviter qu'elle soit perdue. Ils entrèrent.

L'intérieur était beaucoup plus clair qu'il l'aurait cru, surtout à cause d'une porte ouverte dans le mur du fond sur une sorte de véranda donnant elle-même sur le cap. Il aperçut le désordre, la table de bois encore couverte des restes du déjeuner, assiettes tachées de sauce tomate, saucisse à moitié grignotée, grande bouteille d'orangeade sans bouchon, les vêtements des enfants jetés sur une chaise de nourrice devant la cheminée, l'odeur de lait et de corps, et de fumée de bois. Mais ce qui retint son attention, ce fut une grande peinture à l'huile calée sur une chaise, devant la porte : un portrait de femme, vue de trois quarts, exécuté avec une rare puissance. Il dominait si bien la pièce qu'Alice Mair et lui restèrent un moment à le regarder en silence. Le peintre avait évité la caricature, bien que de justesse, mais, selon Dalgliesh, le portrait avait visé moins la ressemblance physique que l'allégorie. Derrière la grande bouche charnue, le regard arrogant, la chevelure noire et frisée de pré-raphaélite flottant au vent, le cap était représenté dans ses moindres détails avec le soin méticuleux d'un primitif du XVIe siècle : le presbytère victorien, l'abbaye en ruine, la casemate à moitié démolie, les arbres estropiés, le petit moulin blanc comme un jouet d'enfant et la silhouette farouche de la centrale découpée sur un ciel en feu, tous étaient là. Mais c'était la femme, peinte plus librement, qui dominait le paysage, bras étendus, paumes en l'air dans une parodie de bénédiction. Dalgliesh jugea *in petto* le tableau techniquement brillant, mais trop poussé et peint dans la haine. Blaney avait voulu faire une étude du mal et l'intention était aussi claire que si elle avait été annoncée par une étiquette. L'œuvre était si différente de ce que produisait en général l'artiste que sans la grande signature hardie, Dalgliesh se serait demandé si elle était bien de lui. Il se rappelait les aquarelles pâlottes et insipides confectionnées pour les boutiques de l'endroit qui semblaient peintes d'après des cartes postales et l'étaient peut-être. Il se rappela aussi une ou deux petites huiles accrochées dans les restaurants et les cafés des alentours, au faire négligé et à la peinture chiche, mais si différentes des aquarelles fadasses qu'on avait peine à croire qu'elles fussent elles aussi de la même main. Et ce portrait était différent des unes comme des autres. Comment l'artiste capable de créer cette orgie disciplinée de couleurs, de faire montre d'une telle imagination et d'une technique aussi subtile, pouvait-il se satisfaire de fabriquer à la grosse des souvenirs de pacotille pour touristes ?

« Vous ne saviez pas que j'étais capable de faire ça, hein ? » Absorbés par le tableau, ils ne l'avaient pas entendu entrer presque silencieusement par la porte ouverte. Il vint les rejoindre et fixa le tableau aussi intensément que s'il le voyait pour la première fois. Ses enfants, comme s'ils obéissaient à un ordre inexprimé, se groupèrent autour de lui dans ce qui aurait pu être, s'ils avaient été plus grands, un geste conscient de solidarité familiale. Dalgliesh, qui avait vu Blaney six mois auparavant en train de patauger le long de la grève, son attirail de peintre en bandoulière, fut frappé par le changement intervenu. Grand, décharné, la chemise de laine à carreaux ouverte presque jusqu'à la taille, ses longs pieds poussiéreux semblables à des ossements brunis dans des sandales, il avait un visage qui était une étude de férocité dans un camaïeu de rouges : rouge des cheveux hérissés, rouge des yeux injectés de sang, rouge de la peau brûlée par le soleil et le vent, rouge des cernes de fatigue sous les yeux. Dalgliesh vit Theresa glisser sa main dans celle de son père, tandis que l'une des jumelles lui serrait une jambe des deux bras, et il se dit que malgré l'aspect farouche qu'il présentait au monde extérieur, ses enfants n'avaient pas peur de lui.

Alice Mair dit tranquillement : « Bonjour, Ryan », mais sans paraître attendre une réponse, car, montrant le tableau d'un signe de tête, elle poursuivit : « Remarquable, certainement. Qu'avez-vous l'intention d'en faire ? Je ne peux pas supposer qu'elle a posé pour ce portrait, ni qu'il a été commandé.

— Elle n'avait pas besoin de poser. Je connais ce visage-là. Il sera à l'Exposition des Arts contemporains à Norwich, le 3 octobre, si je peux y aller. La fourgonnette est fichue. »

Alice Mair lui dit : « Je vais à Londres la semaine prochaine. Je pourrais le prendre et le déposer si vous me donnez l'adresse.

— Si vous voulez. » La réponse était peu aimable, mais Dalgliesh crut y déceler un certain soulagement. Puis il ajouta : « Je le laisserai emballé et étiqueté à gauche de la porte dans le cabanon où je peins. La lumière est juste au-dessus. Vous pourrez le prendre quand ça vous arrangera. Inutile de frapper. » Ces derniers mots avaient la force d'un ordre, presque d'un avertissement.

Miss Mair dit : « Je vous téléphonerai quand je

saurai la date de mon départ. Mais il me semble que vous ne connaissez pas Mr Dalgliesh. Il a vu les enfants sur la route et il a voulu les ramener. »

Blaney ne remercia pas, mais après un instant d'hésitation, il tendit la main à Dalgliesh, qui la serra, puis il dit, d'un ton rogue : « J'aimais bien votre tante. Elle a téléphoné pour proposer d'aider quand ma femme était malade, et quand je lui ai dit que ni elle ni personne d'autre n'y pouvait rien, elle n'a pas insisté. Il y a des gens qui ne peuvent pas laisser les mourants tranquilles. Comme le Siffleur, ce qui les excite, c'est de voir mourir.

— Non, dit Dalgliesh. Elle ne s'est jamais imposée. Elle me manquera. Pour votre femme, je suis désolé. »

Blaney ne répondit pas, mais regarda attentivement Dalgliesh comme s'il voulait évaluer la sincérité de cette déclaration si simple, puis dit sèchement : « Merci d'avoir aidé les enfants », et prit son fils sur l'épaule de Dalgliesh. Le congé était clair.

Pas un mot ne fut échangé avant que la voiture eût parcouru le sentier pour déboucher sur la grand-route, comme si le cottage avait jeté un sort qu'il était important de rompre avant de parler. Puis Dalgliesh demanda : « Qui était la femme du portrait ?

— Je ne m'étais pas doutée que vous ne saviez pas. Hilary Robarts, directeur administratif par intérim à la centrale. Vous allez la rencontrer jeudi soir, d'ailleurs. Elle a acheté Scudder's Cottage quand elle est arrivée ici, il y a trois ans, et elle essaie d'en expulser les Blaney depuis un certain temps. L'opinion est assez montée dans le pays au sujet de cette affaire-là.

— Pourquoi veut-elle entrer en possession des lieux ? Elle a l'intention d'y habiter ?

— Je ne crois pas. A mon avis, elle a acheté ça comme placement et elle veut revendre. Même un cottage isolé — surtout un cottage isolé — a une certaine valeur sur cette côte. Et elle n'est pas sans arguments. Blaney avait dit qu'il ne resterait pas longtemps. Je crois qu'elle lui en veut d'avoir utilisé la maladie de sa femme, sa mort, et maintenant les enfants comme excuses pour revenir sur l'engagement qu'il avait pris de partir quand elle voudrait récupérer le cottage. »

Dalgliesh constata avec intérêt qu'Alice Mair était très au courant des affaires locales. Il l'avait considérée comme une personne essentiellement réservée, très peu occupée de ses voisins ou de leurs problèmes. Et lui ? Quand il se demandait s'il vendrait le moulin ou le garderait comme résidence secondaire, il y voyait un refuge assez loin de Londres pour lui assurer le moyen d'échapper pour un temps aux exigences de ses tâches et aux servitudes du succès. Mais dans quelle mesure même un visiteur occasionnel comme lui pourrait-il s'isoler de la communauté, de ses tragédies intimes et de ses dîners privés ? Éviter l'hospitalité de ses voisins serait assez simple, à condition d'y mettre la dose voulue de cruauté, et il n'en avait jamais manqué pour sauvegarder sa vie privée. Mais les exigences moins tangibles des rapports de voisinage ne pourraient peut-être pas être rejetées d'un haussement d'épaules. C'était à Londres que l'on pouvait vivre dans l'anonymat, créer sa propre ambiance, fabriquer délibérément le personnage que l'on avait décidé de présenter au monde. A la campagne, on vivait en qualité d'être social et selon l'appréciation des autres. C'est ainsi qu'il avait passé son enfance et son adolescence dans le même presbytère rural, participant tous les dimanches à une liturgie familiale qui reflétait, interprétait et sanctifiait les saisons successives de l'année agricole. C'était un monde qu'il avait quitté sans grand regret et il ne s'était pas attendu à le retrouver à Larksoken. Pourtant, certaines de ses obligations étaient là, profondément enracinées même dans ce sol aride. Personne n'avait vécu aussi retiré que sa tante, mais même elle était allée voir les Blaney et avait essayé de les aider. Il songea à cet homme qui vivait son deuil enfermé dans un cottage encombré derrière la grande digue de galets, écoutant nuit après nuit le gémissement ininterrompu de la mer en remâchant les torts réels ou supposés qui avaient dû inspirer ce portrait plein de haine. Cela ne pouvait guère être sain ni pour lui ni pour ses enfants. Ni pour Hilary Robarts, d'ailleurs, si l'on voulait aller par là. Il demanda : « Il reçoit de l'aide des autorités pour ses enfants ?

— Autant qu'il est disposé à en tolérer. La municipalité a pris des dispositions pour que les jumelles aillent dans une sorte de garderie. On vient les chercher presque tous les jours. Et, bien entendu, Theresa va à l'école. Elle prend le car au bout du petit chemin. Avec Ryan, ils arrivent à s'occuper du bébé. Meg Dennison — elle tient la maison du Révérend Copley et de sa femme au Vieux Presbytère — trouve que nous devrions faire davantage pour eux, mais on ne voit pas bien quoi. En tant qu'ancienne institutrice, on pourrait penser qu'elle a eu assez d'enfants dans sa vie, et moi je ne prétends pas du tout les comprendre. » Dalgliesh, se rappelant ses confidences chuchotées à Theresa dans la voiture, le visage attentif de celle-ci et le bref sourire qui l'avait transformée, se dit qu'elle comprenait au moins une enfant beaucoup mieux qu'elle ne l'admettrait sans doute.

Mais ses pensées revinrent au portrait. Il dit : « Ce doit être pénible, surtout dans une petite communauté, d'être l'objet de tant de malveillance. »

Elle comprit aussitôt ce qu'il voulait dire. « De la haine plutôt que de la malveillance, vous ne pensez pas ? Pénible et assez effrayant. Non pas que Hilary Robarts s'effraie facilement, mais elle est devenue une vraie obsession pour Blaney, surtout depuis la mort de sa femme. Il a décidé que Hilary l'avait pratiquement harcelée à mort. Je suppose que c'est compréhensible. Les humains ont besoin de trouver quelqu'un à qui imputer leurs malheurs et leurs fautes. Hilary Robarts est un bouc émissaire commode. »

L'histoire était déplaisante et, venant après le choc du portrait, elle provoqua chez Dalgliesh un mélange de dépression et d'appréhension qu'il essaya de dissiper en le traitant d'irrationnel. Il fut content de laisser tomber le sujet et le silence régna jusqu'à la porte de Martyr's Cottage. Là, à son grand étonnement, elle lui tendit la main, avec de nouveau ce sourire extraordinairement séduisant. « Je suis heureuse que vous vous soyez arrêté pour les enfants. Je vous verrai donc jeudi soir. Vous pourrez vous former une opinion sur Hilary Robarts et comparer le portrait avec la femme. »

6

Au moment où la Jaguar traversait le cap, Neil Pascoe jetait dans l'une des deux boîtes à ordures à côté de la caravane deux sacs en plastique bourrés de boîtes de soupe vides, de petits pots pour bébé, de couches sales, d'épluchures et de cartons écrasés, déjà malodorants malgré le soin qu'il avait mis à les ficeler. Tout en refermant énergiquement le couvercle, il s'émerveilla comme toujours de la différence que pouvait faire pour le volume d'ordures ménagères la présence d'une jeune femme et d'un bébé de dix-huit mois. Revenu dans la caravane, il annonça : « Il vient de passer une Jag. On dirait que le neveu de Miss Dalgliesh est revenu. »

Amy, qui changeait le ruban récalcitrant d'une vieille machine à écrire, ne prit pas la peine de lever la tête.

« L'enquêteur. Il est peut-être venu aider à pincer le Siffleur.

— Pas son boulot. La police métropolitaine n'a rien à faire du Siffleur. Probablement juste des vacances. Ou peut-être qu'il est venu pour décider de ce qu'il veut faire du moulin. Il ne peut pas bien habiter ici et travailler à Londres.

— Eh bien, pourquoi tu ne lui demandes pas si on peut l'avoir ? Gratis, bien sûr. On l'entretiendrait, on surveillerait qu'il vienne pas de squatters. Tu dis toujours que c'est antisocial d'avoir des résidences secondaires, ou de laisser des maisons vides. Vas-y, parle-lui, chiche! Ou alors c'est moi qui le ferai si tu as les jetons. »

Il savait bien que c'était moins une suggestion qu'une menace mi-plaisante mi-sérieuse. Mais l'espace d'un instant, tout heureux de voir qu'elle les considérait si naturellement comme un couple qu'elle ne songeait pas à le quitter, il alla jusqu'à essayer d'y voir la solution de tous leurs problèmes. Enfin, presque tous. Mais un regard à l'intérieur de la caravane le ramena à la réalité. Il devenait difficile de se rappeler l'aspect qu'elle avait eu quinze mois auparavant, alors qu'Amy et Timmy n'avaient pas encore fait irruption dans sa vie. Ces rayonnages en caisses à oranges rangés contre le mur, qui avaient contenu ses livres, les deux tasses, deux assiettes et un bol suffisants pour ses modestes besoins, bien empilés dans le placard, la propreté méticuleuse de la petite cuisine et des W-C, son lit bien lisse sous la couverture en carrés de laine tricotés, la penderie qui contenait sans peine sa maigre garde-robe, ses autres possessions rangées bien en ordre dans le grand tiroir sous le siège. Ce n'était pas qu'Amy fût sale, elle se lavait et lavait continuellement ses quelques vêtements. Il passait des heures à transporter de l'eau depuis le robinet à l'extérieur de Cliff Cottage dont ils avaient la disposition. Il était continuellement obligé d'aller chercher des bouteilles de gaz à l'épicerie de Lydsett, et la vapeur d'une bouilloire presque sans cesse en ébullition suspendait un brouillard humide dans la caravane. Mais elle était le désordre fait femme : vêtements laissés là où ils étaient tombés, souliers envoyés sous la table d'un coup de pied, culottes et soutiens-gorge fourrés derrière les coussins et jouets traînant partout. Les fards, qui semblaient être son seul luxe, encombraient l'unique étagère dans la salle de douches, et il retrouvait des pots et des flacons à moitié vides dans le garde-manger. Il sourit en se représentant le commandant Adam Dalgliesh, veuf sans aucun doute maniaque, se frayant un chemin à travers cet amoncellement chaotique pour examiner leur aptitude à prendre soin de Larksoken Mill.

Et puis il y avait les animaux. Incurablement sentimentale, elle ramassait tous les abandonnés, les estropiés, les affamés. Les mouettes mazoutées étaient nettoyées, puis libérées. Il y avait eu un bâtard perdu qu'ils avaient appelé Herbert, avec un grand corps désuni et un air de désapprobation lugubre, qui s'était attaché à eux pendant quelques semaines et dont l'appétit vorace pour la viande et les biscuits avait eu des effets désastreux sur l'équilibre budgétaire. Fort heureusement, il avait fini par disparaître sans retour, au grand chagrin d'Amy, bien que sa laisse pendît toujours à la porte de la caravane, flasque rappel de son deuil. Et désormais il y avait deux chatons noir et blanc trouvés dans l'herbe au bord de la route en revenant d'Ipswich. Amy avait poussé des hurlements pour qu'il s'arrête, ramassé les bestioles et vociféré un chapelet d'obscénités dirigées contre la cruauté des humains. Ils couchaient sur le lit de la jeune femme, vidaient sans façons toutes les soucoupes de lait ou de thé qu'on leur donnait, subissaient avec une remarquable docilité les caresses tumultueuses de Timmy et se contentaient heureusement des boîtes les moins chères. Mais il était content de les avoir, parce que eux aussi semblaient donner quelque assurance qu'Amy resterait.

Il l'avait trouvée — et il utilisait le terme comme s'il s'était agi d'une pierre particulièrement belle apportée par la mer — un après-midi de juin, l'année précédente. Assise sur les galets, elle regardait la mer, Timmy endormi sur la petite couverture à côté d'elle. Il portait un pyjama bleu brodé de canards dont débordait son visage tout rond, immobile et rose comme une poupée de porcelaine, ses joues rebondies caressées par des cils délicats. Elle aussi avait quelque chose de la précision et du charme étudié d'une poupée, avec sa tête presque ronde posée sur un long cou délicat, un nez court éclaboussé de taches de rousseur, une petite bouche à la lèvre supérieure charnue d'un dessin superbe et une tignasse de cheveux courts, blonds à l'origine mais teintés d'orange vif aux extrémités qui accrochaient le soleil et tremblaient dans le vent, si bien que la tête semblait par instants mener une vie intense, indépendante du reste du corps. Puis, l'image changeant, il l'avait vue comme une éclatante fleur exotique. Il se rappelait les moindres détails de cette première rencontre. Elle portait des jeans bleu passé, un sweat-shirt blanc collé contre les bouts pointus des seins dressés, et il s'était dit que le coton la protégeait bien mal contre la brise de mer qui fraîchissait. Quand il s'était approché précautionneusement, voulant paraître amical sans lui faire peur, elle avait tourné vers lui des yeux remarquables, obliques, bleu-violet, et l'avait regardé longuement, avec curiosité.

Debout près d'elle, il lui avait dit : « Je suis Neil Pascoe. Je loge dans cette caravane au bord de la falaise. Je vais faire du thé. Je me demandais si vous en prendriez une tasse.

— Je veux bien, si vous en faites. » Aussitôt, elle s'était détournée et remise à regarder la mer.

Cinq minutes plus tard, s'étant laissé glisser sur la pente, une tasse débordante dans chaque main, il s'entendait demander : « Je peux m'asseoir ?

— Si vous voulez. La plage est à tout le monde. »

Il s'était donc assis à côté d'elle et ensemble ils avaient fixé l'horizon sans dire un mot. Par la suite, il s'était émerveillé à la fois de sa hardiesse et de la simplicité de cette première rencontre, apparemment inéluctable. C'est au bout de plusieurs minutes seulement qu'il avait trouvé le courage de lui demander comment elle était arrivée à la plage. Elle avait haussé les épaules.

« Avec le bus jusqu'au village. Ensuite j'ai marché.

— Ça fait loin en portant le bébé.

— J'ai l'habitude de marcher loin en portant le bébé. »

Et puis, l'histoire avait fini par émerger des questions hésitantes qu'il lui posait, une histoire dite sans amertume, presque, semblait-il, sans intérêt particulier, comme si elle était arrivée à quelqu'un d'autre. Il se dit qu'elle ne devait pas être exceptionnelle. Elle logeait dans un petit hôtel à Cromer aux frais de la Sécurité sociale. Auparavant dans un squat de Londres, elle s'était dit que l'air de la mer ferait du bien au bébé pendant les mois d'été. Seulement, tout allait de travers. En fait, la bonne femme de l'hôtel ne voulait pas d'enfant et, les vacances approchant, espérait tirer un meilleur prix de ses chambres. Elle ne pensait pas qu'on pouvait la mettre dehors, mais elle n'avait pas l'intention de rester, pas avec cette vieille rosse.

Il demanda : « Le père du bébé ne pourrait pas vous aider ?

— Il a pas de père. Il en a bien eu un — je veux dire : c'est pas Jésus-Christ. Mais maintenant il en a plus.

— Vous voulez dire qu'il est mort ou qu'il est parti ?

— Probablement l'un ou l'autre, hein ? Si je savais qui c'est, je saurais peut-être où il est, non ? »

Nouveau silence tandis qu'elle buvait son thé par grosses gorgées et que le bébé, qui dormait toujours, se tortillait en poussant de petits grognements de porcelet. Au bout de quelques minutes, il avait repris : « Écoutez, si vous ne trouvez rien d'autre à Cromer, vous pouvez venir un peu dans ma caravane. » Il ajouta très vite : « Je veux dire : il y a une deuxième chambre. Toute petite, juste la place de la couchette, mais elle pourrait faire l'affaire pour un bout de temps. C'est isolé ici, je sais bien, mais c'est près de la plage, ce serait commode pour le bébé. »

Elle avait tourné vers lui de nouveau ce regard remarquable où il avait décelé pour la première fois un bref éclair d'intelligence et de rouerie, ce qui n'avait pas manqué de le déconcerter.

« Entendu, avait-elle dit, si je ne peux pas trouver ailleurs, je reviendrai demain. »

Et il était resté éveillé une partie de la nuit, espérant et craignant tout à la fois qu'elle revînt. Et elle était revenue l'après-midi suivant, Timothy sur la hanche, le reste de ses possessions dans un sac à dos. Elle s'était emparée de la caravane et de la vie de Neil. Il ne savait pas trop si ce qu'il éprouvait pour elle était de l'amour, de l'affection, de la pitié ou un mélange des trois. Il savait seulement que dans sa vie accablée de soucis, sa deuxième crainte par ordre de grandeur était qu'elle partît.

Il vivait dans la caravane depuis un peu plus de deux ans grâce à une bourse de recherche accordée par une université du Nord pour étudier les effets de la révolution industrielle sur l'artisanat rural en Est-Anglie. Sa thèse était presque finie, mais depuis six mois il avait pratiquement cessé d'y travailler pour se consacrer entièrement à sa passion, une croisade contre la puissance nucléaire. De sa caravane au bord de la mer, il voyait la centrale de Larksoken découpée sur le ciel, aussi farouche et intraitable que sa propre volonté de s'y opposer, symbole et menace à la fois. C'était de la caravane qu'il dirigeait Le Peuple contre la Puissance Nucléaire, avec son sigle PCPN, petite organisation dont il était le fondateur et le président. Là, il avait eu un coup de chance. Le propriétaire de Cliff Cottage était un Canadien qui, revenant à ses racines aveuglé par la nostalgie, l'avait acheté sur un coup de foudre comme possible maison de vacances. Une cinquantaine d'années auparavant, un meurtre y avait été commis, assez banal puisqu'il s'était agi d'un mari poussé à bout par une virago en forme d'épouse qui s'en était débarrassé au moyen d'une hache. Ni intéressant ni mystérieux, donc, mais certainement sanglant. Une fois le cottage acheté, la femme du Canadien avait entendu des histoires hautes en couleur de cervelle fendue et de murs éclaboussés de sang et déclaré qu'elle n'avait pas la moindre intention de vivre là l'été, non plus d'ailleurs qu'à n'importe quelle autre saison. Son isolement, d'abord jugé attrayant, semblait désormais sinistre et repoussant. Et pour compliquer encore la situation, les autorités locales avaient considéré d'un œil désapprobateur les projets de rénovation trop ambitieux du propriétaire. Déçu par la maison et ses problèmes, ce dernier avait condamné les fenêtres et s'était envolé pour Toronto avec l'intention de revenir prendre une décision finale au sujet de son achat malencontreux. Le précédent propriétaire avait garé une vieille caravane derrière le bâtiment et le Canadien n'avait fait aucune difficulté pour la louer deux livres par semaine à Neil, y voyant le moyen commode d'avoir quelqu'un sur place qui surveillerait la propriété. Et c'était de ce véhicule, logis et bureau, que Neil menait sa campagne. Il essayait de ne pas penser au moment où, dans six mois, la bourse étant épuisée, il lui faudrait chercher du travail. Il savait qu'il devait rester là, sur le cap, pour ne pas perdre de vue ce monstrueux édifice complexe qui dominait son imagination comme il dominait le paysage.

Mais désormais, à l'incertitude de son avenir s'ajoutait une menace nouvelle et plus terrifiante. Deux mois plus tôt environ il s'était rendu à une journée portes ouvertes à la centrale, au cours de laquelle Hilary Robarts avait prononcé un petit discours de présentation. Il avait contredit presque tout ce qu'elle avançait, puis rapporté dans son bulletin en termes pour le moins imprudents, il s'en rendait compte désormais, ce qui n'était qu'une manière d'introduire un exercice de relations publiques. Elle l'avait attaqué en diffamation. L'affaire devait venir devant un tribunal dans quatre semaines et il savait que gagnant ou perdant, il se retrouverait ruiné. A moins qu'elle meure dans les quelques semaines à venir — et pourquoi mourrait-elle ? — ce pourrait être la fin de sa vie sur le cap, la fin de son organisation, la fin de tout ce qu'il avait projeté et espéré faire.

Amy tapait des enveloppes pour envoyer la dernière édition du bulletin. Il y en avait déjà une pile et il se mit à plier les feuillets pour les glisser dedans. La tâche n'était pas facile. Il avait essayé d'économiser sur la taille et la qualité, si bien que les enveloppes risquaient de se déchirer. Il avait désormais

250 personnes sur sa liste dont seule une petite minorité était des militants actifs du PCPN ; la plupart ne payaient jamais leur cotisation et la majeure partie des bulletins allait à des services publics, des firmes et des industries dans le voisinage de Larksoken et Sizewell qui ne les avaient, bien entendu, jamais réclamés. Il se demandait combien des 250 exemplaires étaient lus et pensait avec un brusque accès d'anxiété et de dépression au coût total de l'entreprise, si modeste fût-elle. Et puis, ce dernier numéro n'était pas le meilleur. En relisant un avant de le mettre dans l'enveloppe, il l'avait trouvé touffu et sans thème cohérent. Le but principal était désormais de réfuter un argument de plus en plus répandu, à savoir que la puissance nucléaire évitait les dommages causés à l'environnement par l'effet de serre ; mais le pot-pourri des propositions de remplacement, qui allaient de l'énergie solaire à l'emploi d'ampoules utilisant 75 % de courant en moins, semblait naïf et peu convaincant. L'article soutenait que l'électricité produite par le nucléaire ne pourrait se substituer au pétrole et aux matériaux fossiles, à moins que tous les pays construisent seize nouveaux réacteurs par semaine pendant cinq ans à partir de 1995 — programme impossible à réaliser et qui, s'il l'était, accroîtrait intolérablement la menace atomique. Mais les statistiques, comme tous ses autres chiffres, étaient puisées à des sources diverses et manquaient de crédibilité. Le reste du bulletin était un méli-mélo des habituelles histoires affolantes dont il avait déjà utilisé la plupart ; mesures de sécurité défaillantes ou non respectées, mise en doute de la fiabilité des centrales Magnox vieillissantes, problèmes jamais résolus du stockage et du transport des déchets radioactifs. Et pour ce numéro, il avait eu toutes les peines du monde à trouver une ou deux lettres sensées à mettre dans la rubrique correspondance ; il lui semblait parfois que tous les mabouls dans le nord-est du Norfolk — et eux seuls — lisaient le bulletin du PCPN.

Amy démêlait les lettres de la machine à écrire qui

avaient tendance à se coincer. Elle lui dit : « Neil, c'est une foutue machine, on irait plus vite à écrire les adresses à la main.

— Elle marche mieux depuis que tu l'as nettoyée, et le nouveau ruban a l'air très bien.

— Au diable ! Pourquoi t'en achètes pas une neuve ? Ça économiserait du temps.

— Pas les moyens !

— T'as pas les moyens d'acheter une machine à écrire et tu crois que tu vas sauver le monde.

— Il n'y a pas besoin de posséder de grands biens pour sauver le monde, Amy. Jésus-Christ n'avait rien — ni maison, ni argent, ni propriétés.

— Je croyais que tu avais dit, quand je suis venue ici, que t'étais pas croyant. »

Il était toujours surpris de constater que tout en ne faisant apparemment aucune attention à lui, elle se rappelait des remarques vieilles de plusieurs mois. Il répondit : « Je ne crois pas que le Christ était Dieu. Je ne crois pas qu'il y ait un Dieu. Mais je crois en ce qu'il a enseigné.

— S'il n'était pas Dieu, je ne vois pas en quoi ce qu'Il a enseigné peut être important. Tout ce que je me rappelle, c'est un truc sur l'autre joue qu'il faudrait tendre et là, moi je marche pas. C'est dingue. Si quelqu'un te gifle du côté gauche, tu le gifles du côté droit, seulement plus fort. D'ailleurs, ce que je sais, c'est qu'on l'a crucifié, alors ça lui a fait une belle jambe de tendre l'autre joue. Voilà ce que ça vous rapporte.

— J'ai une Bible quelque part ici. Tu pourrais lire des choses sur lui, si tu veux. En commençant par l'Évangile de saint Marc.

— Merci. J'en ai eu ma claque au foyer.

— Quel foyer ?

— Un foyer. Avant la naissance du petit.

— Tu y es restée longtemps ?

— Deux semaines. Deux foutues semaines de trop. Après, je me suis sauvée et j'ai trouvé un squat.

— Où ça ?

— Islington. Camden, King's Cross, Stoke Newington. Quelle importance? Je suis ici maintenant, OK?

— C'est OK pour moi, Amy. »

Perdu dans ses pensées, il ne s'était pas rendu compte qu'il avait cessé de plier les bulletins.

Amy lui dit : « Si tu m'aides pas pour ces enveloppes, tu pourrais aller mettre une rondelle neuve à ce robinet qui goutte depuis des semaines. Timmy tombe tout le temps dans la boue.

— Bon, dit-il. Je vais le faire tout de suite. »

Il prit sa trousse à outils dans le haut du placard où elle était rangée à l'abri des petites mains du bébé, heureux de sortir de la caravane. Il s'y sentait devenir claustrophobe depuis quelques semaines. Dehors, il se mit à parler à Timmy, enfermé dans son parc. Avec Amy, il avait ramassé sur la plage de gros galets troués et les avait enfilés sur une ficelle solide attachée à un côté du parc. Le bébé passait des heures à les cogner les uns contre les autres, ou contre les barreaux du parc, ou, comme à ce moment-là, à baver sur l'un d'eux qu'il essayait de se mettre dans la bouche. Parfois, il communiquait avec eux, en jabotant indéfiniment sur le mode admonitif, coupé par de brusques cris aussi triomphants que suraigus. S'agenouillant, Neil empoigna les barreaux et se frotta le nez contre celui de Timmy, qui le récompensa par un de ses immenses sourires si attendrissants. Il ressemblait beaucoup à sa mère : même tête ronde sur un cou mince, même bouche admirablement dessinée. Seuls ses yeux, très écartés, étaient différents, grosses boules bleues surmontées d'épais sourcils droits qui évoquaient pour Neil de délicates chenilles pâles. La tendresse qu'il éprouvait pour l'enfant était égale, bien que différente, à celle qu'il éprouvait pour sa mère. Désormais, il ne pouvait imaginer la vie sur le cap sans eux.

Mais le robinet le vainquit. Impossible de le dévisser, malgré ses efforts désespérés. Apparemment, même cette petite tâche domestique dépassait ses moyens. Il entendait déjà la voix moqueuse d'Amy :

« Tu veux changer le monde et t'es pas fichu de changer une rondelle. » Au bout de quelques minutes, il abandonna la partie, laissa la boîte à outils près du mur du bungalow et alla jusqu'au bord de la falaise, d'où il se laissa glisser sur la grève. Trébuchant sur les galets, il parvint jusqu'à l'eau et arracha presque violemment ses souliers. C'était ainsi qu'il trouvait la paix, quand le poids de l'anxiété née de ses ambitions déçues et de son avenir incertain devenait trop lourd : à regarder, immobile, la courbe striée de la vague en suspens, le tumulte de l'écume écrasée sur ses pieds, les larges arcs qui se recoupaient en léchant le sable lisse tandis que la vague se retirait pour laisser son mince liséré d'écume. Mais ce jour-là, même cette merveille sans cesse répétée ne le réconfortait pas. Fixant sur l'horizon des yeux sans regard, il pensait à sa vie actuelle, à son avenir sans espoir, à Amy, à sa famille. Plongeant la main dans sa poche, il sentit l'enveloppe froissée de la dernière lettre envoyée par sa mère.

Il savait qu'il décevait ses parents, bien qu'ils ne l'eussent jamais dit ouvertement, les allusions obliques étant tout aussi efficaces : « Mrs Reilly me demande continuellement ce que tu fais. Je ne veux pas dire que tu vis dans une caravane sans situation digne de ce nom. » Elle ne voulait sûrement pas dire qu'il y vivait avec une fille. Il avait écrit pour leur parler d'elle puisqu'ils menaçaient continuellement de venir le voir et, si peu probable qu'elle fût, cette perspective avait ajouté une anxiété intolérable à une vie qui en était déjà écrasée.

« J'héberge provisoirement une mère célibataire qui fait de la dactylographie pour moi en échange. Ne vous inquiétez pas. Je ne vous ferai pas tout à coup cadeau d'un petit bâtard. »

Une fois la lettre postée, il avait eu honte. Ce piètre essai d'humour ressemblait trop à la répudiation de Timmy, qu'il aimait. D'ailleurs, sa mère ne l'avait trouvée ni drôle ni rassurante. La nouvelle avait déclenché un salmigondis presque incohérent d'avertissements, de reproches douloureux et d'allusions voilées aux possibles réactions de Mrs Reilly si jamais elle apprenait la chose. Seuls ses deux frères avaient approuvé, mais en sous-main. Ils n'étaient pas allés à l'université, et leur vie confortable — maisons dans des domaines select, chambres avec salles de bains attenantes, cheminée dans ce qu'ils appelaient le petit salon, épouse au travail, voiture neuve tous les deux ans et parts dans une villa à Majorque — tout cela leur assurait des heures de comparaisons béates qui aboutissaient toujours, il le savait bien, à la même conclusion : il devrait se secouer après tous les sacrifices que les parents avaient faits pour l'envoyer au collège, c'était moche, que d'argent gaspillé !

Il n'avait rien dit de tout cela à Amy, encore qu'il se fût volontiers confié si elle avait manifesté le moindre intérêt, mais elle ne lui posait jamais de questions sur la vie qu'il avait eue, et ne lui disait rien de la sienne. La voix, le corps, l'odeur de la jeune femme lui étaient aussi familiers que les siens, mais sur l'essentiel il ne savait rien de plus que le jour où elle était arrivée. Elle refusait de toucher les allocations, disant qu'elle ne voulait pas des fouinards de l'assistance dans la caravane pour voir si elle couchait avec Neil. Celui-ci ne les souhaitait pas non plus, mais il trouvait que, dans l'intérêt de Timmy, elle devrait prendre tout ce qui était proposé. S'il ne lui donnait pas d'argent, il les nourrissait tous les deux, et c'était déjà assez lourd pour sa modeste bourse. Personne ne venait la voir et personne ne téléphonait. De loin en loin elle recevait une carte postale, en général des vues de Londres avec des messages nuls, sans signification, et auxquels, pour autant qu'il le sût, elle ne répondait pas.

Ils avaient si peu de chose en commun. Elle aidait par à-coups au PCPN, mais il se demandait toujours dans quelle mesure elle était vraiment engagée. Et il savait qu'elle trouvait stupide le pacifisme qu'il professait. Le matin même, il y avait eu une discussion à ce sujet.

« Écoute, si j'habite à côté d'un ennemi qui a un

couteau, un fusil et une mitrailleuse, et si j'ai la même chose, je ne vais pas balancer mes armes avant qu'il ait balancé les siennes. Je dirai : Bon, d'accord, jette le couteau, et puis peut-être le fusil et puis la mitrailleuse. Tous les deux en même temps. Pourquoi est-ce que je jetterais les miens alors qu'il garderait les siens ?

— Mais il faut bien que l'un des deux se lance, Amy. Il faut que la confiance ait un commencement. Qu'il s'agisse de gens ou de pays, il nous faut trouver assez de confiance pour ouvrir nos cœurs, nos mains et dire : "Voyez, je n'ai rien, rien que mon humanité. Nous vivons sur la même planète, le monde est plein de souffrance, n'en ajoutons pas. Il faut mettre fin à la peur." » Butée, elle avait répété : « Je vois pas pourquoi il jetterait ses armes une fois qu'il saurait que moi j'en ai plus.

— Pourquoi les garderait-il ? Il n'a plus rien à craindre de toi désormais.

— Il les garderait parce que ça lui ferait plaisir de sentir qu'il les a et qu'il pourrait avoir envie de s'en servir un jour. Il aimerait la puissance qu'elles donnent et l'idée qu'il me tient sous sa botte. Honnêtement, Neil, tu es d'une naïveté quelquefois ! Les gens sont comme ça.

— Mais on ne peut plus raisonner de la sorte aujourd'hui, Amy. Il ne s'agit plus de couteaux, de fusils et de mitrailleuses. Il s'agit d'armes que personne ne peut utiliser sans se détruire, ni détruire toute la planète. Mais c'est bien gentil à toi de collaborer au PCPN, alors que tu ne l'approuves pas.

— Le PCPN, c'est différent et je l'approuve. Simplement, je pense que tu perds ton temps à écrire des lettres, à faire des discours, à envoyer tous ces bulletins. Ça servira à rien. Il faut combattre les gens avec leurs armes.

— Mais ça a déjà servi. Partout dans le monde on organise des défilés, des manifestations ; les gens font entendre leur voix, ils font savoir aux pouvoirs en place qu'ils veulent un monde en paix pour eux et pour leurs enfants. Des gens ordinaires comme toi. »

Et alors elle avait presque hurlé : « Je ne suis pas ordinaire! M'appelle pas ordinaire! S'il y a des gens ordinaires, j'en suis pas!

— Je suis désolé Amy. Je ne l'entendais pas comme ça.

— Alors, le dis pas. »

La seule cause qu'ils avaient en commun, c'était le refus de manger de la viande. Peu après l'arrivée d'Amy dans la caravane, il lui avait dit : « Je suis végétarien, mais je ne vous demande pas de l'être, ni l'un ni l'autre. » Il s'était d'ailleurs demandé, tout en parlant, si le bébé était d'âge à manger de la viande. Puis il avait ajouté : « Tu peux t'acheter de temps à autre une côtelette à Norwich, si tu en as envie.

— Ce que tu as, ça me suffit. Les bêtes me mangent pas et je les mange pas.

— Et Timmy?

— Timmy prend ce que je lui donne. Il est pas difficile. »

En effet, Neil ne pouvait imaginer enfant plus accommodant, ni, la plupart du temps, plus satisfait. Il avait trouvé le parc d'occasion grâce à une petite annonce placardée chez un marchand de journaux à Norwich et l'avait ramené sur le toit de la camionnette. Timmy y restait pendant des heures, se traînant à quatre pattes, ou debout dans un équilibre précaire, sa couche lui battant invariablement les genoux. Quand il s'estimait brimé, il fermait les yeux, ouvrait la bouche et retenait son souffle avant d'émettre un beuglement d'une puissance si terrifiante que Neil s'attendait presque à voir tout Lydsett accourir au triple galop pour savoir lequel des deux martyrisait le bébé. Amy, qui ne le frappait jamais, l'empoignait alors pour le déposer sans douceur sur le lit en disant : « Bougre de gueulard! »

« Tu ne devrais pas rester près de lui? En retenant son souffle comme ça, il pourrait se tuer.

— Ça va pas, non? Il va pas se tuer, ça n'arrive jamais. »

Et il savait désormais qu'il la désirait, alors qu'il était évident qu'elle ne le désirait pas et ne risquerait plus jamais un refus. La deuxième nuit dans la caravane, elle avait fait glisser la séparation entre les deux lits, s'était approchée silencieusement de celui de Neil et était restée là, à le regarder gravement. Elle était complètement nue. Il lui avait dit : « Tu sais, Amy, tu n'as pas à me payer.

— Je paie jamais rien — du moins pas comme ça. Mais comme tu veux. » Après un silence, elle avait dit : « Tu es gay ou quoi ?

— Non, mais je n'aime pas les aventures... au petit bonheur la chance.

— Tu veux dire que tu les aimes pas, ou que tu crois que tu dois pas en avoir ?

— Je veux dire : je pense que je ne dois pas en avoir.

— Religion ?

— Non, pas au sens ordinaire. C'est qu'à mon avis le sexe est trop important pour être traité avec désinvolture. Tu comprends, si nous couchions ensemble et si... si je te décevais, nous pourrions nous quereller, et puis alors tu t'en irais. Tu aurais l'impression que c'est ce qu'il faut que tu fasses. Tu partirais avec Timmy.

— Et après ?

— Je ne voudrais pas que tu fasses ça, à cause de quelque chose que j'aurais fait.

— Ou pas fait. Bon, je pense que tu as raison. » Un autre silence, puis elle ajouta : « Ça te ferait quelque chose si je partais ?

— Oui, sûrement. »

Elle s'était déjà détournée. « Je pars toujours à la fin. Ça n'a encore jamais rien fait à personne. »

C'était la seule invite sexuelle qu'elle lui avait jamais faite et il savait que ce serait la dernière. Ils couchaient désormais avec le berceau de Timmy coincé entre la séparation et le lit de Neil. Parfois la nuit, réveillé par des mouvements de l'enfant, il empoignait les barreaux, possédé par le désir de secouer le frêle obstacle qui symbolisait le gouffre infranchissable entre eux. Elle était là, lisse et arquée, comme un poisson ou une mouette, si près qu'il entendait sa respiration en écho aux soupirs soyeux de la mer. Il pressait le visage contre l'oreiller bosselé en gémissant, le corps raidi par le douloureux besoin qu'il avait d'elle, un besoin qu'il désespérait d'assouvir jamais. Que pouvait-elle lui trouver qui lui fit le désirer, sauf, comme cette première nuit, la reconnaissance, la pitié ou l'ennui ? Il haïssait son corps, les jambes maigrichonnes aux rotules saillantes comme des difformités, les petits yeux clignotants trop rapprochés, la barbe rare qui ne pouvait dissimuler la faiblesse de la bouche et du menton. Parfois aussi il était torturé par la jalousie. Sans preuve, il s'était convaincu qu'il y avait quelqu'un d'autre. Elle disait qu'elle voulait se promener seule sur le cap. Et il la regardait partir avec la certitude qu'elle allait rencontrer un amant. Et quand elle revenait, il s'imaginait qu'il voyait l'éclat de la peau, le sourire satisfait du bonheur remémoré, qu'il pouvait presque sentir qu'elle avait fait l'amour.

L'université l'avait déjà averti que sa subvention de recherche ne serait pas prolongée. La décision n'était pas surprenante, il avait été prévenu qu'il devait s'y attendre et il économisait le plus possible dans l'espoir d'amasser une petite somme qui lui permettrait de subsister jusqu'à ce qu'il ait trouvé du travail dans la région. N'importe quoi. Théoriquement, il aurait pu diriger le PCPN à partir de n'importe quel endroit dans le Royaume-Uni, mais il se savait irrévocablement lié au cap de Larksoken, à la caravane, à cette masse de béton qui avait, semblait-il, le pouvoir de dominer sa volonté comme son imagination. Il avait déjà tâté les employeurs locaux, mais ils n'étaient guère disposés à embaucher un agitateur bien connu, et même ceux qui paraissaient partisans de l'antinucléaire n'avaient pas de travail à proposer. On craignait peut-être que la campagne détournât une trop grande part de son énergie. Le petit capital fondait, avec les dépenses supplémentaires provoquées par Amy, Timmy, les chats, et voilà que se profilait la menace du procès — non pas une menace, mais une certitude.

Quand il revint dans la caravane dix minutes plus tard, Amy avait cessé de travailler, elle aussi. Allongée sur son lit, elle regardait le plafond, les chatons pelotonnés sur son ventre.

Il lui dit brusquement : « Si Robarts maintient sa plainte, j'aurai besoin d'argent. Nous n'allons pas pouvoir continuer comme ça. Il faut faire des plans. »

Elle se redressa prestement et le dévisagea. Les chatons, vexés, protestèrent et s'enfuirent. « Tu veux dire que nous serions obligés de partir d'ici ? »

Normalement le « nous » lui aurait fait chaud au cœur, mais ce jour-là, il le remarqua à peine. « C'est possible.

— Mais pourquoi ? Tu trouveras rien de meilleur marché que la caravane. Tu peux toujours essayer de trouver une simple chambre pour deux livres par semaine. C'est une sacrée chance d'avoir ça.

— Mais il n'y a pas de travail ici, Amy. Si j'ai d'énormes dommages à payer, il faudra que je trouve un emploi. Ça veut dire Londres.

— Quel genre d'emploi ?

— N'importe. J'ai ma maîtrise.

— Ma foi, moi je vois pas l'avantage qu'on pourrait avoir à s'en aller. Tu peux toujours t'inscrire au chômage.

— Ça n'est pas ça qui paiera les dommages.

— Eh bien, si tu es obligé de t'en aller, moi je resterai peut-être. Je peux payer le loyer. Après tout, qu'est-ce que ça peut faire au propriétaire ? Il touchera son fric, même si c'est une autre qui le paie.

— Tu ne pourrais pas vivre seule ici.

— Pourquoi ? J'ai vécu dans des endroits bien pires.

— Avec quoi ? Comment ferais-tu pour l'argent ?

— Eh bien, si tu es parti, je m'adresserai à l'Assistance publique. Ils pourront envoyer leurs mouchards, aucune importance ; ils seraient bien empêchés de dire que je couche avec toi si t'es pas là. D'ailleurs j'ai un petit quelque chose sur mon compte à la poste. »

La cruauté désinvolte de la suggestion lui donna un coup au cœur. Il perçut avec dégoût la note geignarde qu'il ne pouvait supprimer de sa voix : « C'est ça que tu veux vraiment, Amy ? Que je ne sois pas là ?

— Ça va pas, non ? C'était pour blaguer. Franchement, si tu voyais ta tronche ! A faire chialer. D'ailleurs ça n'arrivera peut-être pas — le procès, je veux dire.

— Ça arrivera forcément à moins qu'elle retire sa plainte. La date de l'audience est fixée.

— Elle peut la retirer, ou elle peut mourir. Se noyer, par exemple, pendant un de ses bains de minuit qu'elle prend après les titres des infos à neuf heures, réglés comme papier à musique jusqu'en décembre.

— Qui t'a dit ça ? Comment sais-tu qu'elle va nager le soir ?

— C'est toi qui me l'as dit.

— Je ne me rappelle pas du tout ça.

— Alors c'est quelqu'un d'autre, un des habitués du *Local Hero* peut-être. C'est pas un secret, je suppose ? »

Il dit : « Elle ne se noiera pas. Elle est bonne nageuse. Elle ne prendrait pas de risques. Et puis, je n'en veux pas à sa vie. On ne peut pas prêcher l'amour et pratiquer la haine.

— Moi je peux — souhaiter sa mort, je veux dire. Le Siffleur lui fera peut-être son affaire ! Ou alors tu pourrais gagner le procès et c'est elle qui serait obligée de payer. Tu parles d'une rigolade.

— Pas très vraisemblable. J'ai consulté un type à l'assistance judiciaire gratuite quand je suis allé à Norwich, vendredi dernier. J'ai bien vu qu'il avait l'air de trouver ça sérieux, qu'elle avait des arguments solides. Il m'a dit que je devrais prendre un avocat.

— Eh bien, fais-le.

— Comment ? Ça coûte de l'argent.

— Demande de l'aide. Fais passer une note dans le bulletin pour demander des contributions.

— Je ne peux pas faire ça. C'est déjà assez difficile

d'en assurer la parution avec le prix du papier et du timbrage. »

Soudain sérieuse, Amy lui dit : « Je trouverai bien quelque chose. Il y a encore quatre semaines. Tout peut arriver en quatre semaines. Arrête de te faire du souci. Ça va s'arranger. Écoute, Neil, je te promets que ce procès viendra jamais devant le tribunal. » Et, en tout illogisme, il se sentit pour l'heure rassuré et réconforté.

7

Il était six heures et, à la centrale de Larksoken, la conférence interdépartementale hebdomadaire touchait à sa fin. Elle avait duré trente minutes de plus qu'à l'accoutumée. Selon le Dr Alex Mair, normalement en mesure de faire triompher son point de vue car il était un président remarquablement expéditif, peu d'idées originales émergeaient après trois heures de discussion, mais l'ordre du jour avait été très chargé : plan de sûreté révisé encore à l'état de projet, réorganisation des structures internes pour ne faire que trois des sept départements existants — ingénierie, production, ressources — rapport du laboratoire régional sur le contrôle de l'environnement, préparation de l'agenda pour le comité de liaison local. Il s'agissait là d'une manière de jamboree lourd et contraignant mais utile, qui exigeait une préparation poussée, car il faisait intervenir les départements ministériels intéressés, les autorités locales, les responsables de la police et des pompiers, le syndicat national des exploitants agricoles et l'association des propriétaires terriens. Mair, qui regrettait parfois le travail et le temps consacrés à cette réunion, reconnaissait néanmoins son importance.

La conférence hebdomadaire avait lieu dans son bureau autour de la grande table placée devant la fenêtre sud. La nuit était tombée et l'énorme panneau de verre était un rectangle noir dans lequel il voyait les visages reflétés comme les têtes sans corps des voyageurs dans un train de nuit brillamment éclairé. Il se doutait que certains de ses chefs de service, en particulier Bill Morgan (travaux) et Stephen Mansell (maintenance), auraient préféré une ambiance plus détendue dans son salon privé juste à côté, de confortables fauteuils bas, quelques heures de conversation sans ordre du jour précis, peut-être ensuite un verre ensemble au bar du coin. C'était évidemment un style de direction ; ce n'était pas le sien.

Il referma la chemise dans laquelle son assistante avait méticuleusement classé tous les documents et références, puis dit : « Autre chose ? » sur un ton qui était à lui seul un congé.

Mais il ne devait pas s'en tirer si facilement. A sa droite, comme d'habitude, Miles Lessingham, chef des opérations, projetait sur la vitre une sorte de tête de mort hydrocéphale et, passant de l'image à l'original, Mair se dit qu'il ne voyait pas beaucoup de différence. Les lumières dures des spots au-dessus d'eux projetaient des ombres épaisses, et sous les yeux enfoncés la sueur brillait sur le large front un peu bossué, avec sa mèche de cheveux blonds indisciplinés. Il s'étira dans son fauteuil et dit alors : « Ce poste proposé — ou dont on dit qu'il a été proposé plutôt —, je suppose que nous sommes en droit de demander s'il vous a été officiellement offert, ou est-ce indiscret ? »

Mair répondit calmement : « Il ne l'a pas été, la publicité était prématurée. La presse s'en est emparée on ne sait trop comment, comme elle le fait en général, mais il n'y a encore rien d'officiel. Un des résultats fâcheux de notre habitude actuelle de divulguer tous les renseignements importants, c'est que les plus directement intéressés sont les derniers à être au courant. Si elle devient officielle, vous sept, vous serez les premiers à être avertis. »

Lessingham reprit : « C'est que les conséquences ici seront sérieuses, Alex, si vous partez. Le contrat déjà signé pour le nouveau réacteur, la réorganisation interne qui provoquera forcément des perturbations, la privatisation de l'électricité — c'est un mauvais moment pour des changements au sommet. »

Mair dit : « Est-ce qu'il y a jamais un bon moment ? Mais avant qu'il se produise, s'il se produit, je ne vois pas l'utilité d'en discuter. »

John Standing, le chimiste de la centrale, dit : « Mais selon toute probabilité, la réorganisation intérieure va se poursuivre ?

— Je l'espère, compte tenu du temps et de l'énergie que nous avons consacrés à sa préparation. Je serais étonné qu'un changement au sommet modifie une réorganisation nécessaire et déjà engagée. »

Lessingham demanda : « Qui nommeront-ils : un directeur ou un manager ? » La question était moins innocente qu'il y paraissait.

« Un manager, j'imagine.

— Vous voulez dire que la recherche ne sera pas poursuivie ? »

Mair dit : « Quand je partirai, tôt ou tard, la recherche partira aussi, vous l'avez toujours su. Je l'ai apportée avec moi et je n'aurais pas accepté le poste si je n'avais pas pu la continuer ici. J'ai demandé certaines facilités et je les ai obtenues. Mais la recherche a toujours été une manière d'anomalie à Larksoken. Nous avons fait du bon travail et nous en faisons encore, mais logiquement il devrait être fait ailleurs, à Harwell ou Winfrith. Autre chose ? »

Mais Lessingham ne se laissait pas intimider. « Vous dépendrez de qui ? Du ministre de l'Énergie directement, ou de l'Agence pour l'énergie atomique ? »

Mair connaissait la réponse, mais n'avait pas la moindre intention de la donner. Il se contenta de dire tranquillement :

« Le point est encore en discussion.

— De même, sans aucun doute, que des questions subsidiaires comme salaire, étendue des responsabilités et titre. Contrôleur de la puissance nucléaire a un certain cachet. Ça me plairait, mais qu'allez-vous contrôler, exactement ? »

Il y eut un silence. Puis Mair dit : « Si l'on connaissait la réponse à cette question, la nomination aurait certainement déjà été faite. Je ne veux pas étouffer la discussion, mais est-ce que nous ne ferions pas mieux de nous limiter aux sujets qui sont de la compétence de cette conférence ? Bien, y a-t-il autre chose ? » Et cette fois, personne ne répondit.

Hilary Robarts avait déjà refermé son dossier. Elle n'avait pas pris part aux interrogations, mais les autres, Mair le savait, étaient persuadés que c'était parce qu'il lui avait déjà donné les réponses.

Avant même que le groupe fût parti, Caroline Amphlett, l'assistante personnelle du directeur, était venue enlever les tasses à thé et débarrasser la table. Lessingham avait l'habitude de laisser son ordre du jour — protestation personnelle contre l'amoncellement de paperasse produit par la conférence hebdomadaire. Le Dr Martin Goss, chef du service de pathologie, avait, comme toujours, couvert son bloc-notes de montgolfières décorées de motifs compliqués, occupé au moins en partie par sa passion intime. Caroline Amphlett évoluait comme toujours avec une grâce efficace et discrète. Ni l'un ni l'autre ne dit mot. Elle travaillait depuis trois ans comme assistante personnelle de Mair et il ne la connaissait pas mieux que le jour où il l'avait interrogée sur ses capacités, dans ce même bureau. Grande, blonde, elle avait un teint de porcelaine et des yeux plutôt petits, très écartés, d'un bleu qui aurait été jugé superbe si elle avait fait montre d'un peu plus d'animation. Mair la soupçonnait d'utiliser son poste confidentiel pour maintenir délibérément une réserve réfrigérante. Il n'avait jamais eu de meilleure secrétaire, aussi avait-il été irrité qu'elle eût fait clairement comprendre que s'il était déplacé, elle souhaitait rester à Larksoken. Pour des raisons personnelles, avait-elle dit. Évidemment, Jonathan Reeves, jeune ingénieur de la maison. Mair avait été surpris et chagriné de cette décision, comme de devoir affronter un nouveau poste avec une nouvelle secrétaire, mais il était aussi intervenu une autre réaction, plus troublante. Il n'était pas attiré par son genre de beauté et il l'avait toujours jugée frigide. Il était déconcertant de penser qu'une nullité acnéique avait découvert et peut-être exploré des profondeurs que lui-même, dans leur intimité quotidienne, n'avait même pas soupçonnées. Il s'était parfois demandé, bien que sans réelle curiosité, si elle n'était pas moins accommodante, plus compliquée qu'il l'avait supposé, si la façade qu'elle présentait à la centrale, cette efficacité sans humour, n'avait pas été soigneusement édifiée pour dissimuler une personnalité plus complexe. Mais si la vraie Caroline avait cédé à Jonathan Reeves, si vraiment elle aimait et désirait ce peu séduisant empaillé, alors elle ne méritait même pas l'hommage de sa curiosité.

8

Il laissa à ses chefs de service le temps d'arriver dans leurs bureaux avant de sonner chez Hilary Robarts pour lui demander de revenir. Il aurait été plus habituel de la prier avec une négligence étudiée d'attendre un moment après la réunion, mais ce qu'il avait à lui dire était personnel et il essayait depuis quelques semaines de réduire au maximum le nombre de fois où on les savait seuls ensemble. La perspective de l'entretien ne le réjouissait pas. Elle considérerait ce qu'il avait à lui dire comme une critique personnelle et, d'après son expérience, c'était une chose que les femmes appréciaient rarement. Il se dit : « Elle a été ma maîtresse autrefois. J'ai été amoureux d'elle autant que je me croyais capable de l'être. Et si ce n'était pas de l'amour, quel que soit le sens du terme, au moins je la désirais. Est-ce que ça va rendre ce que j'ai à lui dire plus facile ou plus difficile ? » Il conclut que tous les hommes étaient des pleutres quand il s'agissait d'avoir une explication sérieuse avec une femme. Cette subordination péri-natale née de la dépendance physique était trop enracinée pour être totalement éradiquée. Il n'était pas plus lâche que les autres représentants de son sexe. Cette femme entendue dans un magasin de Lydsett, qu'avait-elle donc dit? « George ferait n'importe quoi pour éviter une scène. » Bien sûr, pauvre bougre. Les femmes, avec leur tiédeur sen-tant la matrice, leur poudre de talc et leurs seins lai-teux, y avaient veillé pendant les quatre premières semaines de la vie.

Il se leva quand elle entra et attendit qu'elle eût pris la chaise de l'autre côté du bureau. Puis il ouvrit le tiroir de droite et sortit la photocopie d'un bulletin qu'il glissa sur le bureau vers elle.

« Tu as vu ça? Le dernier papier de Pascoe pour le PCPN. »

Elle dit : « Le Peuple Contre la Puissance Nucléaire, c'est-à-dire Pascoe et quelques douzaines d'autres hystériques ignares. Évidemment, je l'ai vu. Je suis sur sa liste, il prend bien soin que je le voie. »

Elle y jeta un bref coup d'œil, puis repoussa la feuille sur le bureau. Il la prit et lut : « "De nombreux lecteurs auront probablement appris que je suis traîné en justice par Miss Hilary Robarts, directeur administratif par intérim à la centrale nucléaire de Larksoken, qui se prétend diffamée par ce que j'ai écrit dans le numéro de mai du bulletin. J'ai, bien entendu, l'intention de me défendre de toutes mes forces et comme je n'ai pas les moyens de payer un avocat, je le ferai moi-même. Ce n'est que le plus récent exemple de la menace que représente le lobby de l'énergie nucléaire pour la liberté de l'information et même de la parole. Il semble que désormais la cri-tique, fût-elle la plus modérée, provoque la menace de poursuites judiciaires, mais l'affaire a un aspect positif. La réaction de Hilary Robarts prouve que nous — c'est-à-dire les simples citoyens de ce pays —, nous avons un impact. Est-ce qu'ils se sou-cieraient de notre petit bulletin s'ils n'étaient pas tenaillés par la peur ? Et puis le procès en diffamation, si l'on en arrive au procès, nous fera une magnifique publicité à l'échelle nationale, si nous savons nous y prendre. Nous ne connaissons pas notre force. En attendant, je donne ci-dessous les dates des prochaines opérations portes ouvertes à Larksoken pour que nous y allions aussi nombreux que possible et que nous plaidions notre dossier contre la puissance nucléaire avec la plus extrême vigueur pendant l'heure des questions qui précède normalement la visite de la centrale." »

Elle dit : « Je t'ai dit que je l'avais vu. Je me demande pourquoi tu as perdu ton temps à me le lire. Il a l'air décidé à aggraver son cas. S'il avait une lueur de bon sens, il prendrait un bon avocat et il la bouclerait.

— Il n'a pas les moyens de le payer. Et il ne pourra pas non plus payer des dommages. » Il s'arrêta, puis reprit calmement : « Dans l'intérêt de la centrale, je crois que tu devrais laisser tomber.

— C'est un ordre ?

— Je n'ai aucun pouvoir de te contraindre et tu le sais. Je te le demande. Tu n'en tireras rien, il n'a pas le sou et il ne vaut pas tant de peine.

— Pour moi, si. Ce qu'il qualifie de critique modérée était gravement diffamatoire et largement répandu. Rappelle-toi les termes : "A une femme qui réagit à Tchernobyl en disant qu'il y a eu seulement trente et un morts, qui juge sans importance une des plus grandes catastrophes nucléaires du monde, qui a envoyé des milliers de gens à l'hôpital, en a exposé cent mille ou plus à une radioactivité dangereuse, dévasté d'immenses étendues, et provoquera peut-être cinquante mille morts par cancer au cours des cinquante années à venir, on ne saurait confier le moindre travail dans une centrale atomique. Elle est totalement inapte. Tant qu'elle y reste en poste, n'importe quel poste, nous ne pourrons que nourrir les craintes les plus graves sur le sérieux des mesures de sécurité à Larksoken." C'est une accusation très nette d'incompétence professionnelle. Si on le laisse faire, on ne s'en débarrassera jamais.

— Je ne savais pas que nous étions chargés d'éliminer les critiques incommodes. Quel procédé envisages-tu ? » Il s'arrêta, décelant dans sa voix les premières traces de ce mélange de sarcasme et d'emphase auquel il était maladivement sensible. Il poursuivit : « Pascoe est un citoyen libre qui vit où il veut. Il a droit à ses opinions, Hilary. Ce n'est pas un adversaire qui mérite d'être combattu. Devant un tribunal, il fera de la publicité à sa cause et n'arrangera pas la tienne. Nous essayons de nous concilier les gens du coin, pas de nous les mettre à dos. Laisse tomber avant que quelqu'un ne lance une souscription pour lui payer un avocat. Un martyr à Larksoken, ça suffit. »

Pendant qu'il parlait, elle s'était levée et mise à arpenter le vaste bureau. Puis elle s'arrêta et se tourna vers lui : « C'est tout ce que tu y vois, n'est-ce pas ? La réputation de la centrale, ta réputation. Et la mienne ? Abandonner les poursuites maintenant, c'est admettre clairement qu'il avait raison, que je ne suis pas apte à travailler ici.

— Ce qu'il a écrit n'a pas nui à ta réputation, du moins pour les personnes qui comptent. Et ce n'est pas de lui faire un procès qui arrangera les choses. Il est très imprudent et maladroit de laisser la fierté personnelle influencer, voire surtout compromettre, la ligne de conduite. Or la raison commande de laisser tomber discrètement les poursuites. Les sentiments, quelle importance ? » Ne pouvant rester assis pendant qu'elle parcourait le bureau à grandes enjambées, il se leva et s'approcha de la fenêtre. Ainsi, il entendait la voix furieuse, mais sans être obligé de lui faire face, suivant sur la vitre le reflet de la silhouette et des cheveux virevoltants. Il répéta : « Les sentiments, quelle importance ? C'est le travail qui compte.

— Pour moi, ils ont de l'importance. Et ça, c'est quelque chose que tu n'as jamais compris, n'est-ce pas ? La vie, c'est le sentiment. L'amour, c'est le sentiment. La même chose pour l'avortement. Tu m'y as forcée. Est-ce que tu t'es jamais demandé ce que j'ai éprouvé à ce moment-là, ce dont j'avais besoin ? »

Oh Dieu, se dit-il. Pas ça, pas maintenant, pas encore une fois. Il dit, toujours le dos tourné : « C'est ridicule de dire que je t'ai forcée. Comment aurais-je pu ? Et j'ai cru que tu pensais comme moi qu'avoir un enfant était impossible pour toi.

— Oh non, ça ne l'était pas. Si tu es tellement à cheval sur l'exactitude, soyons exacts. Ç'aurait été embarrassant, incommode, gênant, coûteux, mais ce n'était pas impossible et ça ne l'est toujours pas aujourd'hui. Et puis, pour l'amour du Ciel, tourne-toi, regarde-moi. Je te parle. Ce que je dis, c'est important. »

Il se tourna, revint à son bureau et dit calmement : « Admettons que je me sois mal exprimé. Fais un enfant, si c'est ce que tu veux, j'en serai ravi pour toi du moment que tu ne comptes pas sur moi pour être le père. Mais ce dont il est question en ce moment, c'est de Neil Pascoe et du PCPN. Nous nous sommes donné beaucoup de mal pour établir de bonnes relations avec les gens d'ici et je ne veux pas voir tout ce travail gâché par un procès totalement inutile, en particulier maintenant que les travaux du nouveau réacteur vont bientôt commencer.

— Alors, essaie de l'empêcher. Et puisque nous parlons relations publiques, je suis étonnée que tu n'aies pas fait allusion à Ryan Blaney et à Scudder's Cottage. *Mon* cottage, au cas où tu l'aurais oublié. Qu'est-ce que je dois faire à ce sujet-là ? Lui laisser ma propriété gratuitement, à lui et à ses gosses, dans l'intérêt de bonnes relations publiques ?

— C'est tout autre chose. Ça ne me regarde pas en tant que directeur. Mais si tu veux mon avis, je pense que tu as tort d'essayer de le faire partir simplement parce que tu as la loi pour toi. Il paie régulièrement son loyer, n'est-ce pas ? Et puis, ça n'est pas comme si tu avais besoin du cottage.

— Si, j'en ai besoin. Il est à moi et je veux le vendre. »

Elle se rassit et il en fit autant. Il se força à la regarder dans les yeux où, non sans gêne, il vit plus de souffrance que de colère. Il dit : « Selon toute vraisemblance, il le sait et il s'en ira quand il pourra, mais ce ne sera pas facile. Il vient de perdre sa femme et il a quatre enfants. Je crois savoir que l'opinion est assez montée à propos de cette histoire.

— Je n'en doute pas, surtout au *Local Hero*, où Ryan Blaney gaspille le plus clair de son temps et de son argent. Je ne suis pas disposée à attendre. Si nous partons pour Londres dans les trois mois qui viennent, il n'y a pas beaucoup de temps pour régler la question du cottage. Or c'est le genre de problème que je ne veux pas laisser en suspens. Je veux mettre la propriété sur le marché dès que possible. »

Il savait que c'était le moment où il aurait dû dire fermement : « J'irai peut-être à Londres, mais sans toi. » Seulement, il ne le put pas. Il se dit qu'il était trop tard, la fin d'une journée chargée, le pire moment possible pour une discussion raisonnable. Elle était déjà survoltée. Une chose à la fois. Il l'avait entreprise au sujet de Pascoe et bien qu'elle eût réagi à peu près comme il s'y attendait, elle réfléchirait peut-être et ferait ce qu'il lui conseillait de faire. Et pour l'affaire Blaney, elle avait raison, cela ne le regardait pas. Après cet entretien, deux intentions bien nettes étaient fixées plus fortement que jamais dans son esprit. Elle ne viendrait pas à Londres avec lui et il n'appuierait pas non plus sa titularisation à Larksoken. Malgré son efficacité, son intelligence et ses compétences, elle n'était pas la personne qu'il fallait. L'espace d'un instant, l'idée lui traversa l'esprit qu'il avait là une carte entre les mains : « Je ne t'offre pas le mariage. Mais je t'offre le poste le plus élevé auquel tu puisses prétendre. » Mais il savait qu'il ne le ferait pas. Il ne voulait pas laisser l'administration de la centrale entre ses mains. Tôt ou tard il faudrait qu'elle s'en rende compte : pas de mariage et pas de promotion. Mais ce n'était pas le bon moment, et il se surprit à se demander, sarcastique, s'il y aurait un bon moment.

Au lieu de cela, il dit : « Écoute ! Nous sommes ici pour faire fonctionner une centrale efficacement et avec le maximum de sécurité. Nous faisons un travail nécessaire et important. Bien entendu, nous nous y donnons à fond, autrement nous ne serions pas là, mais nous sommes des savants, pas des évangélistes. Nous ne menons pas une campagne religieuse.

— L'autre camp, si. Lui, si. Tu le vois comme un jobard insignifiant, c'est faux. Il est malhonnête et il est dangereux. Regarde la façon dont il fouille dans les rapports pour trouver des cas de leucémie isolés qu'il croit pouvoir attribuer à l'énergie nucléaire. Et comment il s'est emparé du dernier rapport Comare pour justifier ses inquiétudes bidon. Et le bulletin du mois dernier, ces insanités hystériques sur les trains de la mort qui traversent silencieusement, la nuit, les faubourgs nord de Londres ? On croirait bien qu'ils transportent des déchets radioactifs dans des tombereaux ouverts. Est-ce qu'il tient compte du fait que l'énergie nucléaire a évité au monde de brûler cinq cents millions de tonnes de charbon, est-ce qu'il s'en soucie ? L'effet de serre, est-ce qu'il en a entendu parler ? Est-ce que cet imbécile est totalement ignare ? Est-ce qu'il n'a pas la moindre idée des dévastations causées à la planète par l'exploitation des énergies fossiles ? Personne ne lui a parlé des pluies acides, ou des carcinogènes dans les goudrons ? Et si l'on veut s'en tenir aux dangers, qu'est-ce qu'il fait des cinquante-sept mineurs ensevelis vivants à Borken cette année ? Leurs vies n'ont pas d'importance ? Pense un peu au tollé s'il s'était agi d'un accident nucléaire. »

Il dit : « Il ne représente qu'une voix, lamentablement ignare et mal informée.

— Mais elle fait son effet et tu le sais. Nous devons opposer la passion à la passion. »

Il retint le dernier mot. Il se dit qu'ils ne parlaient pas d'énergie nucléaire mais de passion. Cette conversation aurait-elle eu lieu s'ils avaient encore été amants ? Elle exigeait de lui un engagement infiniment plus personnel que scientifique. Se tournant pour lui faire face, il fut brusquement envahi non pas par le désir, mais par le souvenir désagréablement intense du désir qu'il avait autrefois éprouvé pour elle. Et avec le souvenir, une image fulgurante, les seins lourds penchés sur lui dans le cottage, les cheveux qu'il sentait sur son visage, les lèvres, les mains, les cuisses.

Il dit rudement : « Si tu veux une religion, si tu as besoin d'une religion, prend-en une. Il y a le choix. C'est entendu, l'abbaye est en ruine et je doute que le prêtre impotent du Vieux Presbytère ait grand-chose à offrir, mais trouve quelque chose ou quelqu'un : fais maigre le vendredi, ne mange plus de viande, compte des grains de chapelet, mets-toi des cendres sur la tête, médite quatre fois par jour, agenouille-toi dans la direction de ta Mecque personnelle, mais au nom du Ciel, s'il existe, ne fais jamais une religion de la science ! »

Le téléphone sonna sur le bureau. En partant, Caroline Amphlett l'avait branché sur une ligne extérieure. Au moment où il prenait l'appareil, il vit que Hilary était déjà près de la porte. Elle le regarda une dernière fois, longuement, et sortit en refermant le battant derrière elle avec une force inutile.

L'appel venait de sa sœur, qui lui dit : « J'espérais bien te joindre. J'ai oublié de te rappeler d'aller chercher les canards pour jeudi à la ferme des Bollard. Ils seront prêts. Nous serons six, soit dit en passant. J'ai invité Adam Dalgliesh. Il est de retour sur le cap. »

Il put lui répondre sur un ton aussi calme qu'elle : « Félicitations. Sa tante et lui étaient arrivés non sans adresse à éviter les côtelettes de leurs voisins depuis cinq ans. Comment as-tu fait ?

— En utilisant un procédé très simple : je lui ai demandé. Il pense peut-être garder le moulin pour ses vacances et se dit qu'il serait temps d'admettre qu'il a des voisins ; ou alors il envisage peut-être de vendre, auquel cas il peut risquer un dîner sans être pris au piège de l'intimité ; ou encore pourquoi ne pas lui reconnaître une simple et sympathique faiblesse, l'attrait d'un bon dîner qu'il n'aura pas eu à préparer ? »

Il se dit que cela équilibrerait le plan de table, encore que cette considération n'eût sans doute pas été décisive. Elle méprisait fort la convention digne de Noé et son arche qui posait qu'un homme dépareillé, si peu attirant ou stupide fût-il, était acceptable, alors que, dans le même état, une femme cultivée et spirituelle ne l'était pas.

Il dit : « Est-ce qu'il faudra que je lui parle de sa poésie ?

— J'imagine qu'il est venu à Larksoken pour échapper aux gens qui veulent lui parler de sa poésie. Mais ça ne ferait pas de mal que tu y jettes un coup d'œil. J'ai son dernier volume. C'est de la poésie, pas de la prose disposée en petites lignes inégales.

— Avec les modernes, on voit la différence ?

— Oh oui ! Si on peut lire ça comme de la prose, c'est de la prose. C'est un test infaillible.

— Mais pas du genre que les facultés anglaises approuveraient, j'imagine. Je pars dans dix minutes et je n'oublierai pas les canards. » Il souriait en reposant l'appareil. Elle avait invariablement le pouvoir de lui rendre sa bonne humeur.

9

Avant de partir, il resta un instant à la porte, parcourant la piste du regard comme s'il la voyait pour la première fois. Il ambitionnait son nouveau poste, il avait habilement manœuvré pour l'obtenir et voilà qu'au moment où il le tenait presque, il se rendait compte que Larksoken allait terriblement lui manquer avec son isolement, sa force austère, implacable. Rien n'avait été fait pour enjoliver le site comme à Sizewell sur la côte du Suffolk, ou créer les paysages bien dessinés de pelouses soyeuses, d'arbres à fleurs et d'arbustes qui l'impressionnaient toujours si agréablement quand il allait à Winfrith dans le Dorset. Le mur bas parementé de silex qui s'incurvait du côté de la mer abritait chaque année un ruban éclatant de jonquilles ébouriffées par les vents de mars, et l'on n'avait pas fait grand-chose d'autre pour adoucir l'immensité grise du béton. Mais c'était cela qu'il aimait, la vaste étendue de mer turbulente vert-brun brodée de blanc sous un ciel sans limites, ces fenêtres qu'il pouvait ouvrir d'un simple geste de la main, si bien que le faible grondement continu semblable à un lointain tonnerre se ruait dans son bureau, mué en un rugissement de vagues fracassées. Il aimait surtout les soirées d'hiver par gros temps, quand, travaillant tard, il voyait les lumières des bateaux qui enjolivaient l'horizon, tandis qu'ils longeaient la côte jusqu'aux chenaux de Yarmouth, les éclairs des bateaux-feux et les pinceaux intermittents du phare de Happisburgh qui depuis des générations avertissait les marins des traîtres bancs de sable. Même par les nuits les plus noires, grâce à la lumière que la mer semblait mystérieusement absorber et réfléchir, il pouvait distinguer le splendide clocher Renaissance de l'église de Happisburgh, symbole crénelé des défenses précaires de l'homme contre la plus dangereuse des mers. Et symbole de bien davantage encore. Le clocher avait dû être la dernière vision de la terre pour des centaines de marins disparus en temps de paix et de guerre. Son esprit, toujours accroché aux faits, faisait ressurgir des détails à volonté. L'équipage du HMS *Peggy* drossé à la côte le 19 décembre 1770, les 119 hommes du HMS *Invincible* éventré sur les sables le 13 mars 1801, alors qu'il allait rejoindre la flotte de Nelson à Copenhague, et ceux du HMS *Hunter*, la patache perdue en 1804, tant de corps dont beaucoup étaient enterrés sous les tertres herbeux du cimetière de Happisburgh. Construit à une époque de foi, le clocher proclamait aussi l'espoir inextinguible que la mer elle-même rendrait ses morts et que leur Dieu était le Dieu des eaux comme de la terre. Mais désormais les marins voyaient aussi, écrasant le clocher, l'énorme masse rectangulaire de la centrale. Pour ceux qui cherchaient des symboles dans les objets inanimés, son message était à la fois simple et opportun : par son intelligence et ses efforts, l'homme peut comprendre et maîtriser son univers, rendre sa vie transitoire plus agréable, plus confortable, plus libérée de la souffrance. Pour lui, le défi était assez exigeant et il aurait suffi dans sa nudité s'il avait eu besoin d'une foi pour guider sa vie. Mais parfois, dans les nuits les plus noires, alors que les vagues pilonnaient les galets avec des bruits de mitrailleuses, la science et le symbole lui semblaient aussi transitoires que ces vies noyées et il se prenait à se demander si un jour cette énorme coque céderait à la mer. Comme le ciment broyé par les vagues des fortifications de la dernière guerre, devenant comme elles le symbole brisé de la longue histoire des hommes sur cette côte désolée. Ou alors résisterait-elle même au temps et à la mer du Nord, encore debout quand les ultimes ténèbres s'abattraient sur la planète ? Dans ses moments de pessimisme les plus profonds, une partie de son esprit se disait malignement que ces ténèbres étaient inévitables, bien qu'il ne les attendît pas de son vivant, peut-être même pas de celui de son fils. Il souriait parfois sous cape en se disant qu'avec Neil Pascoe, dans des camps différents, ils se comprendraient bien. La seule différence, c'était que l'un d'eux gardait espoir.

10

Jane Dalgliesh avait acheté Larksoken Mill cinq ans auparavant, quand elle avait quitté la côte du Suffolk. Le moulin, bâti en 1825, était une pittoresque tour en brique haute de trois étages, coiffée d'un toit octogonal et dotée d'un gouvernail réduit à l'état de squelette. Quelques années avant que Miss Dalgliesh l'achetât, il avait été converti en maison

d'habitation par l'adjonction d'un bâtiment parementé de silex comprenant une grande salle de
séjour, un petit bureau et une cuisine au rez-de-
chaussée, trois chambres dont deux avec salle de
bains au premier. Dalgliesh ne lui avait jamais
demandé pourquoi elle était venue dans le Norfolk,
mais il devinait que le principal attrait du moulin
avait été son isolement, sa proximité d'importantes
réserves d'oiseaux et la vue impressionnante sur le
cap, le ciel et la mer depuis l'étage supérieur. Peut-
être avait-elle eu l'intention de le remettre en état de
marche, mais l'âge avançant ne lui avait pas permis
de rassembler assez d'énergie ou d'enthousiasme
pour affronter l'entreprise. Il héritait donc d'une responsabilité agréable mais un peu coûteuse, ainsi que
d'une fortune considérable dont l'origine n'était
apparue qu'après la mort de la vieille dame. Elle lui
avait été léguée par un ornithologue amateur,
renommé autant qu'excentrique, avec lequel elle
avait été amie pendant des années. Les relations
étaient-elles allées au-delà de l'amitié? Désormais
Dalgliesh ne le saurait jamais. Elle avait apparemment peu dépensé pour elle, donné régulièrement à
des œuvres originales qui lui plaisaient et qu'elle
avait couchées dans son testament mais sans générosité excessive, puis laissé tout le reste à Dalgliesh
sans explication, admonition ou protestations
d'affection, bien qu'il ne doutât pas que les mots
« mon neveu très aimé » eussent signifié exactement
ce qu'ils disaient. Il l'avait affectueusement estimée,
respectée, il s'était toujours senti à l'aise dans sa
compagnie, mais il n'avait jamais pensé la connaître
et désormais, il était trop tard. Il fut un peu surpris
de constater à quel point il le regrettait.

Elle n'avait apporté qu'une modification à la propriété : la construction d'un garage et, après y avoir
rentré la Jaguar, puis rapidement déballé ses quelques affaires, il décida de monter en haut du moulin
pendant qu'il faisait encore jour. La pièce du bas,
avec ses deux énormes meules de granit adossées
contre le mur et l'odeur de farine qui s'y attardait

encore, gardait un air de mystère, de temps suspendu, lieu privé de son usage et de sa signification où il n'entrait jamais sans une légère impression de désolation. Seules des échelles reliaient les différents niveaux et, tout en empoignant les barreaux, il revoyait les longues jambes en pantalon de sa tante disparaître dans la pièce au-dessus. Elle n'avait utilisé que celle du dernier étage, où elle avait mis simplement une petite table et une chaise face à la mer, un téléphone et ses jumelles. Il se l'imaginait assise là les jours et les soirs d'été, travaillant aux articles qu'elle envoyait parfois aux revues ornithologiques, levant les yeux de temps en temps pour regarder le cap, la mer et l'horizon lointain ; il croyait voir le visage aztèque bruni par le vent et le soleil avec ses yeux aux paupières lourdes sous la noire chevelure grisonnante, serrée dans un chignon, entendre une voix qui pour lui avait été l'une des plus belles au monde.

L'après-midi était déjà avancé et le cap se dorait dans la somptueuse lumière ; la mer plissait ses bleus rehaussés à l'horizon d'une touche de violet qu'on eût dit posée par un peintre. Couleurs et formes étaient intensifiées par les derniers rayons vigoureux du soleil, si bien que les ruines de l'abbaye semblaient irréelles, rêve d'or sur le bleu de la mer, et l'herbe sèche luisait aussi grassement qu'une prairie luxuriante. Il y avait une fenêtre aux quatre points cardinaux et, jumelles à la main, il fit lentement le tour. A l'ouest ses yeux pouvaient suivre la route étroite entre les roselières et les murets de pierre sèche qui menait jusqu'aux cottages avec leurs allées gravillonnées, les toits pentus de Lydsett et le clocher rond de St Andrew. Au nord, la vue était dominée par l'énorme masse de la centrale, le bâtiment plus bas de l'administration devant celui du réacteur et le grand dôme acier et aluminium de la turbine. A quatre cents mètres de la côte, les plates-formes de la station de pompage par lesquelles l'eau de mer passait dans les circuits de refroidissement. De la fenêtre est, il découvrait les petites habitations du cap, et loin au sud, tout juste visible, le toit de Scudder's Cottage. Plus à l'intérieur des terres, le Vieux Presbytère était posé comme une maison de poupée victorienne dans son grand jardin négligé qui, à cette distance, semblait aussi vert et bien peigné qu'un parc municipal. A sa gauche, les murs en silex de Martyr's Cottage luisaient comme des billes dans le soleil d'été et à quelque cinq cents mètres au nord, en retrait dans les pins de Californie qui bordaient cette partie de la côte, le morne cube loué par Hilary Robarts ressemblait à une villa de banlieue bien proprette qui tournait résolument le dos à la mer.

Le téléphone sonna, suraigu et importun. C'était pour échapper à ce genre d'intrusion qu'il était venu à Larksoken. Mais l'appel n'était pas inattendu. C'était Terry Rickards qui demandait s'il pouvait venir parler un instant avec Mr Dalgliesh et si neuf heures lui conviendrait. Dalgliesh ne put trouver le moindre prétexte pour se défiler et, dix minutes plus tard, il quittait la tour en fermant la porte à clef derrière lui. Cette précaution était un petit geste de piété. Sa tante l'avait toujours prise, craignant que des enfants pussent s'aventurer dans le moulin et se faire mal en tombant des échelles. Laissant la tour à ses ténèbres et à sa solitude, il se rendit dans le cottage pour défaire ses valises et préparer le dîner.

L'énorme salle de séjour avec son sol dallé, ses tapis et sa large cheminée était un mélange confortable et nostalgique de vieux et de neuf. La plus grande partie du mobilier lui était familière depuis les visites que, petit garçon, il faisait à ses grands-parents; sa tante en avait hérité, car elle était la dernière de sa génération. Seuls l'ensemble haute fidélité et le téléviseur étaient relativement récents. La musique avait été importante pour elle et les rayonnages contenaient une collection très variée de disques qui pourraient le distraire ou le consoler pendant ses deux semaines de vacances. Et juste à côté, la cuisine, sans rien de superflu mais avec tout le nécessaire, portait la marque d'une femme qui aimait les bonnes choses mais préférait les préparer avec un minimum de complications. Il mit deux côtelettes d'agneau sur le gril, assaisonna une salade verte et se prépara à jouir de quelques heures de solitude avant l'intrusion de Rickards avec ses préoccupations.

Il était toujours un peu surpris que sa tante eût acheté un téléviseur. Avait-elle été attirée vers ce conformisme par l'excellence des programmes d'histoire naturelle puis, comme la plupart des convertis tardifs qu'il connaissait, absorbé, passive et rivée, pratiquement tout ce qui passait comme pour rattraper le temps perdu ? Cela semblait peu probable. Il tourna le bouton pour voir si l'appareil fonctionnait. Une star pop convulsive maniait la guitare avec des contorsions pseudo-sexuelles si grotesques qu'on avait peine à croire que même les jeunes abrutis pussent les trouver érotiques. Dalgliesh coupa et leva les yeux sur le portrait à l'huile de son arrière-grand-père maternel, l'évêque victorien en robe mais sans mitre, les bras dans leurs manches ballons en fine toile appuyés avec assurance sur les accoudoirs du fauteuil. Il fut tenté de se dire : « C'est la musique de 1988 ; ce sont nos héros, ce bâtiment sur le cap, c'est notre architecture, et je n'ose pas arrêter ma voiture pour aider des enfants à rentrer chez eux parce qu'on leur a appris — et on a eu bien raison — qu'un étranger pourrait les enlever et les violer. » Il aurait pu ajouter : « Et quelque part dans le voisinage il y a un criminel qui jouit en étranglant des femmes dont il bourre la bouche de leurs propres cheveux. » Mais cette aberration-là, au moins, n'était pas liée à des changements de modes et son arrière-grand-père aurait eu sa réponse toute prête — scrupuleuse mais sans compromis. A juste titre : n'avait-il pas été consacré évêque en 1880, l'année de Jack l'Éventreur ? Il aurait probablement trouvé le Siffleur plus compréhensible que la star pop dont les contorsions l'auraient certainement convaincu qu'elle était au stade terminal d'une danse de Saint-Guy démente.

Rickards arriva très à l'heure. Il était exactement neuf heures quand Dalgliesh entendit la voiture et, ouvrant la porte sur la nuit, vit la longue silhouette venir vers lui à grandes enjambées. Dalgliesh ne l'avait pas vu depuis plus de dix ans, alors qu'il venait d'être nommé inspecteur dans la police judiciaire métropolitaine, et il fut surpris de voir comme il avait peu changé : le temps, le mariage, le départ de Londres, la promotion n'avaient laissé aucune marque apparente sur lui. Les deux mètres (ou presque) de sa maigre carcasse sans grâce semblaient toujours aussi incongrus dans un complet classique. Le visage boucané taillé à coups de serpe et exprimant la force d'âme mise à rude épreuve aurait paru plus indiqué au-dessus d'un chandail de pêcheur, préférablement orné d'un écusson de la Royal Navy tissé sur la poitrine. De profil, le long nez légèrement crochu et les sourcils saillants étaient impressionnants. De face, le nez était un peu trop large et aplati à la base, les yeux noirs, presque féroces quand il s'animait, devenaient des lacs de stoïcisme perplexe. Dalgliesh le considérait comme un type de policier moins courant qu'autrefois, mais pas encore rare : l'enquêteur consciencieux et incorruptible, plus intelligent qu'imaginatif, qui n'avait jamais supposé que le mal dût être excusé parce qu'il était souvent inexplicable et son auteur, malchanceux.

Il regarda la grande salle, la longue muraille de livres, le feu pétillant, le prélat victorien au-dessus de la cheminée comme s'il se les gravait délibérément dans l'esprit, puis s'enfonça dans son fauteuil et étendit ses grandes jambes avec un petit grognement de satisfaction. Dalgliesh se rappelait qu'il avait toujours bu de la bière, mais ce soir-là il accepta le whisky, non sans avoir dit qu'il prendrait bien d'abord un peu de café. Donc, une habitude au moins avait changé. Il dit : « Je regrette bien que vous ne puissiez pas rencontrer Susie, ma femme, pendant que vous êtes ici, Mr Dalgliesh. Elle va avoir notre premier enfant dans une quinzaine et elle est à York chez sa mère qui ne voulait pas que sa fille reste dans le Norfolk avec le Siffleur qui rôde, et moi qui suis dehors à n'importe quelle heure. »

Ce fut dit avec une sorte de courtoisie embarrassée comme s'il était l'hôte s'excusant de l'absence inopinée de l'hôtesse. Il ajouta : « Je pense que c'est naturel qu'une fille unique veuille être près de sa mère dans un moment comme ça, surtout pour un premier. »

L'épouse de Dalgliesh n'avait pas voulu être près de sa mère, elle avait voulu être près de lui, elle l'avait voulu avec une intensité telle qu'il s'était demandé par la suite si elle n'avait pas eu un pressentiment. Il se rappelait cela, bien qu'il eût oublié son visage. Le souvenir qu'il avait d'elle, et que, traître au chagrin et à leur amour, il avait résolument essayé d'effacer pendant des années parce que la souffrance semblait intolérable, avait été peu à peu remplacé par un rêve juvénile de douceur et de beauté désormais fixé à jamais, hors des déprédations du temps. Le visage de son fils nouveau-né, il le voyait encore nettement et parfois dans ses rêves, cette blancheur immaculée, cet air de contentement bien informé comme si, dans un court moment de vie, il avait su tout ce qu'il y avait à savoir et l'avait rejeté. Il se dit qu'il était bien le dernier sur qui l'on pût raisonnablement compter pour rassurer à propos de problèmes de grossesse ; il avait d'ailleurs l'impression que si Rickards souffrait tant de l'absence de sa femme, ce n'était pas seulement parce que la compagnie de celle-ci lui manquait ; l'angoisse était plus profonde. Il posa les questions habituelles sur sa santé et s'échappa dans la cuisine pour faire le café.

Quel que fût le mystérieux esprit qui avait fait jaillir la poésie, elle l'avait libéré pour d'autres satisfactions humaines, pour l'amour. Ou était-ce au contraire l'amour qui avait libéré la poésie ? Même son travail en avait paru influencé. Tout en moulant les grains de café, il méditait sur les petites ambiguïtés de la vie. Tant que la poésie n'était pas venue, son travail lui avait paru fastidieux et même rebutant ; désormais il était assez heureux pour laisser Rickards troubler sa solitude et l'utiliser à tester ses propres théories. Tant de bénignité et de tolérance le déconcertaient un peu. Le succès en quantité modérée valait certes mieux pour le caractère que l'échec, mais un excès risquait de lui faire perdre son mordant. Cinq minutes plus tard, il apportait les deux tasses et se carrait dans son fauteuil, non sans jouir du contraste entre les préoccupations de Rickards centrées autour de la violence psychopathique et la paix du moulin. Le feu de bois qui ne pétillait plus répandait de confortables lueurs dansantes, et le vent, rarement absent sur le cap, sifflotait doucement comme un bienveillant esprit dans les taquets immobiles du moulin. Dalgliesh était content de ne pas être chargé d'arrêter le Siffleur. De tous les crimes, les meurtres en série étaient les plus décevants et les plus difficiles, les plus soumis au hasard — les enquêtes, menées sous la pression d'un public vociférant qui exigeait que le démon mystérieux fût exorcisé à jamais. Mais l'affaire ne le regardait pas ; il pouvait en discuter avec le détachement d'un homme qui y prend un intérêt professionnel mais sans responsabilités. Et il comprenait ce que Rickards attendait : non pas des conseils, il connaissait son métier, mais quelqu'un de confiance, parlant le même langage que lui, quelqu'un qui partirait ensuite et ne resterait pas là pour lui rappeler perpétuellement ses incertitudes, un collègue professionnel devant lequel il pourrait penser tout haut sans gêne. Il avait son équipe et il était trop pointilleux pour ne pas partager ses réflexions avec elle. Mais il avait besoin d'articuler ses théories et là il pouvait les exposer, les développer, les rejeter, les creuser sans soupçonner son brigadier, apparemment tout ouïe, le visage soigneusement vidé de la moindre expression, de se dire : « Seigneur, qu'est-ce qu'il va pas chercher le vieux, maintenant ? » Ou : « Le vieux perd les pédales. »

Rickards dit : « On n'utilise pas Holmes. La Met dit qu'il est saturé pour le moment et puis de toute façon on a notre ordinateur. On n'a d'ailleurs pas grand-chose à lui mettre sous la dent. Bien entendu, la presse et le public connaissent Holmes, j'y ai droit à chaque conférence de presse. "Est-ce que vous utilisez l'ordinateur spécial du ministère de l'Intérieur ? Celui qui porte le nom de Sherlock Holmes ?" Je réponds : "Non, nous avons le nôtre." Question sous-entendue : "Alors pourquoi diable n'avez-vous pas pincé votre lascar ?" Ils s'imaginent qu'il suffit d'enfourner les données et pouf ! il sort une fiche complète du gus avec empreintes, encolure de chemise et préférences en musique pop.

— Oui, dit Dalgliesh. Nous sommes tellement repus de merveilles scientifiques que nous nous sentons déconcertés quand nous constatons que la technologie peut tout faire sauf ce que nous voulons.

— Quatre femmes jusqu'à maintenant — et Valerie Mitchell ne sera pas la dernière si nous ne le pinçons pas bientôt. Voilà quinze mois qu'il a commencé. On a trouvé la première victime juste après minuit dans un abri au bout de la promenade à Easthaven — la tapineuse du coin, bien qu'il ne l'ait peut-être pas su. Huit mois, avant qu'il récidive. Qu'il réussisse, je suppose, d'après lui. Cette fois, une institutrice de trente ans qui revenait chez elle à Hunstanton à bicyclette — une crevaison à un endroit désert. Et puis un autre intervalle — exactement six mois — avant qu'il bute une serveuse de bar d'Ipswich qui était allée voir sa grand-mère et a été assez dingue pour attendre le dernier bus toute seule. Il est descendu deux drôles du patelin, pas mal bourrés, donc pas vraiment portés sur l'observation. Rien vu, rien entendu, sauf une espèce de sifflement lugubre qui venait de la profondeur du bois, à ce qu'ils ont dit. »

Il but une gorgée de café et poursuivit : « On a eu l'étude de personnalité par le psy de service. Je me demande pourquoi on perd son temps à ça. J'aurais pu l'écrire moi-même. Il nous dit de rechercher un isolé, sans doute d'un milieu familial éclaté, peut-être une mère dominatrice, relations difficiles avec les autres, surtout les femmes, pourrait être impuissant, célibataire, séparé ou divorcé, rancœur et haine envers le sexe opposé. Évidemment, on ne s'attendait pas à ce que ce soit un directeur de banque roulant sur l'or, heureux en ménage avec quatre beaux enfants. Infernaux, ces meurtres en série. Pas de motif — enfin rien qu'un homme sain d'esprit pourrait comprendre — et il peut venir de n'importe où, Norwich, Ipswich, ou même Londres. Dangereux de supposer qu'il opère nécessairement sur son territoire. Mais enfin, ça en a plutôt l'air. Il connaît bien le coin, c'est évident. Maintenant, il semble s'en tenir plus ou moins au même *modus operandi*. Il choisit un carrefour routier, arrête sa voiture ou sa camionnette sur un côté de la route, traverse le croisement et attend sur une autre voie. Ensuite il traîne sa victime dans le sous-bois, la tue, retourne sur la première route, saute dans sa voiture et file. Dans les deux derniers cas, on croirait que c'est par hasard si une victime idoine s'est présentée. »

Dalgliesh sentit qu'il était temps d'apporter une contribution à l'édifice des hypothèses. Il dit : « S'il ne choisit pas et ne piste pas sa victime — ce qu'il n'a visiblement pas fait dans les deux derniers cas — il doit normalement prévoir une longue attente, ce qui donne à penser qu'il est habituellement dehors la nuit, un genre de boulot comme taupier, forestier, garde-chasse, quelque chose comme ça. Et il est préparé pour une exécution rapide. »

Rickards dit : « C'est ce que je pense aussi. Quatre victimes jusqu'à maintenant dont trois fortuites, mais il est probablement en chasse depuis trois ans ou plus. Ça pourrait faire partie de la jouissance : "Ce soir, je pourrais réussir mon coup, ce soir je pourrais avoir de la chance." Et par Dieu, il en a de la chance. Deux victimes en six semaines.

— Et sa marque, le sifflement ?

— Entendu par les trois personnes arrivées rapidement sur les lieux après le crime d'Easthaven. L'une a juste entendu un sifflement, une autre a dit qu'on aurait cru un cantique et la troisième, qui fréquente l'église, a prétendu qu'elle avait très bien reconnu "Maintenant la journée est finie". Ça, on ne l'a pas dit. Ça pourra être utile quand on écopera de la tapée habituelle de cinglés qui prétendront être le Siffleur ; mais il siffle, ça ne semble pas douteux. »

Dalgliesh dit : « Maintenant la journée est finie, / La nuit approche, / Les ombres du soir / Voilent déjà le ciel. C'est un hymne du catéchisme, pas vraiment le genre que réclament les "Enfants du Rock" il me semble. »

Il se rappelait, surgi de son enfance, un air lugubre, sans caractère, qu'il pianotait à dix ans sur l'instrument du salon. Est-ce qu'on le chantait encore ? Ç'avait été un des favoris de Miss Barnett pendant ces longs après-midi d'hiver, avant que les gamins du catéchisme soient relâchés. Dehors, la lumière faiblissait et le petit Adam Dalgliesh redoutait déjà les vingt derniers mètres à parcourir avant sa maison, là où l'allée du presbytère dessinait une courbe et où les buissons étaient les plus épais. La nuit était différente de la journée — pleine de lumière — les odeurs, les bruits étaient différents, les objets ordinaires prenaient des formes différentes, une puissance étrangère et plus sinistre régnait sur elle. Ces vingt mètres de gravier bruyant où les lumières de la maison étaient momentanément masquées étaient une horreur hebdomadaire. Une fois passée la barrière, il marchait très vite, mais pas trop vite parce que la puissance nocturne sentait la peur comme les chiens la sentent. Sa mère, il le savait, ne lui aurait jamais laissé parcourir ces quelques mètres seul si elle avait su qu'il souffrait d'une telle panique atavique, mais elle ne l'avait pas su et il aurait mieux aimé mourir que de lui en parler. Et son père ? Son père lui aurait dit que Dieu était maître de la nuit comme de la lumière et il aurait pu citer des douzaines de textes. « Lumière et obscurité sont semblables pour Toi. » Mais elles n'étaient pas semblables pour un petit garçon hypersensible de dix ans. C'est pendant ces courses solitaires qu'il se douta pour la première fois de la justesse d'une idée essentiellement adulte : ce sont ceux qui nous aiment le plus qui nous causent le plus de peine.

Il dit : « Donc, vous recherchez un habitant du coin, un solitaire, quelqu'un qui a un travail de nuit, utilise une auto ou une camionnette et connaît *Hymnes anciens et modernes*. Ça devrait faciliter les choses. »

Rickards dit : « On pourrait le croire, oui. » Il resta silencieux une minute, puis ajouta : « Je crois que j'aimerais bien un petit whisky, maintenant, Mr Dalgliesh, si ça ne vous fait rien. »

Il était plus de minuit quand il s'en alla enfin. Dalgliesh l'accompagna jusqu'à sa voiture, et alors, en regardant vers le cap, Rickards dit : « Il est quelque part non loin qui guette, qui attend. Je pense à lui pratiquement sans arrêt, j'essaie d'imaginer à quoi il ressemble, qui il est, à quoi il pense. La mère de Susie a raison. Je n'ai pas grand-chose à lui donner ces temps-ci. Et quand il sera pris, ce sera la fin. Terminé. Vous allez plus loin. Lui pas, mais vous si. Et à la fin vous savez tout, ou vous le croyez. Où, quand, qui, comment ? Peut-être même pourquoi, si vous avez de la chance. Et pourtant, sur l'essentiel vous ne savez rien. Toute cette perversité, vous n'avez pas à l'expliquer, ni à la comprendre, vous n'avez rien à en foutre sinon la faire cesser. Engagé mais sans responsabilité. Pas de responsabilité pour ce qu'il a fait, ni pour ce qui lui arrivera ensuite, ça revient au juge et au jury. Vous êtes concerné sans l'être. C'est ce qui vous plaît dans ce boulot, Mr Dalgliesh ? »

Ce n'était pas une question que Dalgliesh eût attendue même d'un ami et Rickards n'était pas un ami. Il dit : « Est-ce que quelqu'un d'entre nous peut répondre à cette question ?

— Vous vous rappelez pourquoi je suis parti, Mr Dalgliesh ?

— Les deux affaires de corruption. Oui, je me rappelle pourquoi vous avez quitté la Met.

— Et vous, vous êtes resté. Ça ne vous plaisait pas plus qu'à moi. Pour rien au monde vous ne vous seriez sali les mains, mais vous êtes resté. Vous étiez détaché de tout ça, n'est-ce pas ? Ça vous intéressait. »

Dalgliesh dit : « C'est toujours intéressant quand on voit des hommes qu'on croit connaître se comporter d'une façon qui ne leur ressemble pas. »

Et Rickards avait fui Londres. A la recherche de quoi ? Dalgliesh se le demandait. Le rêve d'une paix bucolique et d'une Angleterre disparue, de méthodes policières plus douces, de l'honnêteté totale ? Il se demanda s'il l'avait trouvé.

LIVRE DEUX

Jeudi 22 septembre
à vendredi 23 septembre

11

Il était sept heures dix. Au *Duc de Clarence*, le bar était déjà rempli de fumée, le niveau sonore grimpait dangereusement et devant le comptoir la foule avait un mètre d'épaisseur. Christine Baldwin, cinquième victime du Siffleur, avait exactement vingt minutes à vivre. Assise sur la banquette contre le mur, elle sirotait son deuxième sherry de la soirée avec une lenteur délibérée, sachant que Colin était impatient de commander la tournée suivante. Croisant le regard de Norman, elle leva le poignet gauche et donna un petit coup de tête en direction de sa montre. Leur heure limite était déjà dépassée de dix minutes et il le savait. Ils avaient convenu que ce serait un apéritif avec Colin et Yvonne, les maximums de temps et d'alcool clairement définis avant de quitter la maison. L'arrangement était typique de leur mariage, vieux de neuf mois et maintenu moins par la comptabilité des intérêts que par une série de concessions minutieusement négociées. Ce soir-là, c'était son tour à elle de céder, mais accepter de passer deux heures au *Clarence* avec Norman et Yvonne n'entraînait pas l'obligation de feindre le plaisir.

Colin lui avait déplu dès la première rencontre et d'un seul coup d'œil les rapports avaient été fixés : antagonisme stéréotypé entre un fiancé nouvellement acquis et un camarade de classe-compagnon de bar pas très recommandable. Garçon d'honneur à leur mariage — un arrangement prénuptial pour cette capitulation avait été nécessaire — il s'était acquitté de ses devoirs avec un mélange d'incompétence, de vulgarité et d'impertinence qui lui avait gâté le souvenir de ce grand jour, ainsi qu'elle se plaisait à le rappeler parfois à Norman. C'était bien de lui de choisir ce bar. Dieu sait qu'il était assez vulgaire. Mais enfin, elle pouvait au moins être certaine d'une chose : ce n'était pas un endroit où elle risquait de rencontrer quelqu'un de la centrale, du moins personne qui comptât. Tout lui déplaisait au *Clarence*, la moquette qui lui grattait les jambes, le velours synthétique sur les murs, les corbeilles de lierre hérissées de fleurs artificielles au-dessus du comptoir, le revêtement de sol criard. Vingt ans auparavant, ç'avait été une hostellerie victorienne douillette à peu près uniquement fréquentée par des habitués, avec un feu dans la cheminée l'hiver et des cuivres blanchis par les astiquages accrochés aux poutres noires. Le lugubre tenancier se faisait un devoir de repousser les étrangers, utilisant à cet effet une impressionnante panoplie de silences moroses, de regards malveillants, de bière tiède et de service négligé. Mais le vieux bâtiment avait brûlé dans les années soixante, remplacé par une entreprise plus profitable et plus ambitieuse. Rien ne restait de l'ancienne maison et la longue annexe qui prolongeait le bar, honorée du nom de salle des banquets, fournissait à ceux qui n'étaient pas trop difficiles un local pour les mariages et les fêtes locales, servant les autres soirs un menu sans surprise : crevettes ou potage, steak ou poulet, salade de fruits avec glace. Enfin, elle avait au moins coupé au dîner. Ils avaient mis au point leur budget mensuel à une livre près et si Norman s'imaginait qu'elle allait manger ces cochonneries hors de prix alors qu'un très bon souper froid les attendait chez eux dans le réfrigérateur et un programme acceptable à la télévision, il se trompait. Et puis ils avaient mieux à faire avec leur argent que de rester là à boire avec Colin et sa dernière goton qui ouvrait les cuisses à la moitié de Norwich s'il fallait en croire la rumeur. Il y avait les traites pour les meubles de la salle de séjour et la voiture, sans parler de l'hypothèque. Elle essaya encore de rencontrer le regard de Norman, mais il fixait cette traînée d'Yvonne avec une attention quasi désespérée. Et ce n'était apparemment pas difficile. Colin se pencha effrontément vers elle, ses yeux brun mélasse mi-moqueurs mi-engageants — Colin Lomas qui croyait que toutes les femmes allaient s'évanouir s'il leur faisait signe.

« On se détend, ma jolie. Ton bonhomme s'amuse. C'est ta tournée, Norm. »

Sans lui prêter attention, Christine dit à Norman : « Il est temps de partir. On avait convenu de partir à huit heures.

— Oh, dis, Chrissie, donne-lui une chance, le pauvre bougre. Encore une tournée. »

Sans la regarder, Norman dit : « Qu'est-ce que tu veux, Yvonne ? La même chose ? Sherry ? »

Colin dit : « Si on passait à l'étage au-dessus ? Pour moi, ça sera un Johnny Walker. »

Il le faisait exprès. Elle le savait, il n'aimait même pas le whisky. Elle dit : « Écoute, j'en ai marre de cette sale boîte, le bruit m'a flanqué la migraine.

— La migraine ? Mariée depuis neuf mois et elle a commencé les migraines ! Pas la peine de te dépêcher de rentrer chez toi ce soir, Norm. »

Yvonne gloussa.

Christine dit, le visage brûlant : « Tu as toujours été vulgaire, Colin Lomas, et maintenant tu n'es même plus drôle. Faites ce que vous voulez, vous trois, moi je rentre. Donne-moi les clefs. »

Colin se rejeta en arrière et sourit : « Tu as entendu ce que madame a dit. Madame veut les clefs de la voiture. »

Sans un mot, l'air honteux, Norman les sortit de sa poche et les fit glisser sur la table. Elle les saisit, repoussa la table, passa non sans peine devant Yvonne et se précipita vers la porte. Elle pleurait presque de rage et il lui fallut une minute pour ouvrir la voiture, après quoi elle resta à trembler derrière le volant jusqu'à ce que ses mains soient assez assurées pour mettre le contact. Elle entendit la voix de sa mère le jour où elle avait annoncé ses fiançailles : « Ma foi, tu as trente-deux ans et si c'est lui que tu veux, je pense que tu sais ce que tu fais. Mais tu n'arriveras jamais à rien avec lui. C'est un faible, mou comme une chiffe, si tu veux mon avis. » Elle avait cru qu'elle pourrait en faire quelque chose et la petite maison mitoyenne dans la banlieue de Norwich représentait neuf mois de travail acharné et de réussite. L'année suivante, il aurait droit à de l'avancement dans sa société d'assurances ; elle pourrait laisser sa place de secrétaire au département de recherche médicale à Larksoken et mettre en chantier le premier des deux enfants qu'elle prévoyait. Elle aurait trente-quatre ans à ce moment-là et tout le monde savait qu'il ne fallait pas attendre trop longtemps.

Elle n'avait passé le permis de conduire que depuis son mariage et c'était la première fois qu'elle se lançait seule la nuit. Elle allait lentement, précautionneusement, les yeux fixés avec appréhension sur la route, heureuse qu'au moins le chemin du retour lui fût familier. Elle se demanda ce que ferait Norman quand il s'apercevrait que la voiture n'était plus là. Presque certainement, il se serait attendu à la trouver dedans, fulminante mais prête à être ramenée à la maison. Il serait obligé de demander ce service à son cher ami, sans doute pas enchanté d'être détourné de son chemin. Et s'ils s'imaginaient qu'elle allait inviter Colin et Yvonne à venir prendre un verre, ils auraient un choc. L'idée de la déconvenue de Norman en constatant qu'elle était partie la rasséréna un peu et elle appuya sur l'accélérateur pour distancer le trio et atteindre la sécurité de sa maison. Mais soudain la voiture fit un soubresaut et le moteur expira. Elle avait dû, sans s'en rendre compte, conduire avec une particulière maladresse, car elle se retrouvait en travers de la route. Mauvais endroit pour s'échouer, une petite route de campagne bordée par un mince ruban d'arbres des deux côtés, et déserte. C'est alors qu'elle se rappela : Norman avait dit qu'il ne fallait pas oublier de faire le plein et de s'arrêter à un garage ouvert la nuit en sortant du *Clarence*. C'était ridicule d'avoir laissé le niveau tomber si bas, mais ils avaient discuté trois jours plus tôt pour savoir lequel devait passer à la pompe et payer l'essence. Toute sa colère et sa frustration revinrent. Pendant un instant, elle resta là à marteler le volant avec une exaspération impuissante, tournant désespérément la clef de contact sans obtenir de réaction. Et puis l'irritation fit place aux premiers frémissements de la peur. La route était déserte et même si un automobiliste s'arrêtait, comment être sûre que ce n'était pas un kidnappeur, un violeur, peut-être même le Siffleur ? Il y avait eu cet horrible crime sur l'A3 cette même année. On ne pouvait plus faire confiance à personne désormais. Et elle ne pouvait pas laisser la voiture où elle était, en travers de la route. Elle essaya de se rappeler quand elle était passée pour la dernière fois devant une maison, un poste de l'Automobile Association, une cabine téléphonique, mais il lui semblait qu'elle traversait une campagne déserte depuis dix minutes au moins, et même si elle quittait l'abri précaire de la voiture, elle n'avait aucune idée de la direction à prendre pour demander du secours. Brusquement, une vague de panique la parcourut comme une nausée et elle dut résister à une envie folle de se ruer hors de la voiture pour aller se cacher dans les arbres. Mais à quoi bon ? Il pouvait être embusqué même là.

Et puis, miraculeusement, elle entendit des pas et, se retournant, vit une femme qui approchait. Elle avait des pantalons et un trench-coat, une masse de cheveux blonds sortait d'un petit béret ajusté. A son côté, un petit chien à poil ras trottinait, tenu en laisse. Enfin quelqu'un qui l'aiderait à pousser la voiture sur le bord de la route, qui saurait dans quelle direction chercher la maison la plus proche, qui l'accompagnerait pendant le trajet. Sans même prendre la peine de claquer la porte de la voiture, elle appela joyeusement et se précipita en souriant vers l'horreur de la mort.

12

Le dîner avait été excellent et le château-potensac 78 accompagnant le plat principal, un choix intéressant. Bien que Dalgliesh connût la réputation d'Alice Mair, il n'avait jamais lu aucun de ses livres de cuisine et n'avait pas la moindre idée de l'école à laquelle elle appartenait — s'il y en avait une. Il n'avait pas vraiment craint d'affronter l'habituelle création artistique nageant dans une flaque de sauce, accompagnée d'une ou deux carottes et de mange-tout pas cuits élégamment disposés sur une assiette à part. Mais les canards découpés par Alex Mair avaient été parfaitement reconnaissables ; la sauce piquante, nouvelle pour lui, rehaussait leur goût plutôt qu'elle ne le dominait et les petits tas de navets persillés en purée constituaient une agréable adjonction aux pois. Ensuite, sorbet à l'orange, plateau de fromages et fruits. Menu classique, mais plutôt destiné, il le sentait, à plaire aux invités qu'à démontrer l'habileté de la cuisinière.

Le quatrième invité, Miles Lessingham, n'était pas venu, et comme Alice Mair n'avait rien modifié à sa table, la chaise et le verre vides évoquaient inconfortablement le spectre de Banquo. Dalgliesh était assis en face de Hilary Robarts. Il se dit que le portrait devait être encore plus puissant qu'il ne l'avait cru s'il pouvait dominer à ce point sa réaction physique à une personne vivante. Ils se rencontraient pour la première fois bien qu'il eût connu son existence, comme celle de tous ceux qui, selon les villageois de Lydsett, « perchaient de l'autre côté de c'te grille ». Il était d'ailleurs étonnant que la rencontre eût tant tardé, car la Golf rouge de Hilary circulait souvent à travers le cap et il avait souvent vu depuis l'étage supérieur du moulin le cottage qu'elle habitait. Désormais proche d'elle, il avait du mal à en détacher les yeux, chair vivante et image remémorée soudées en une présence à la fois forte et troublante. C'était un beau visage, un visage de modèle, se disait-il, pommettes hautes, long nez légèrement concave, lèvres pleines et yeux noirs irrités, enfoncés sous d'épais sourcils. Sa chevelure frisée, élastique, retenue par deux peignes lui tombait sur les épaules. Il se l'imaginait en train de poser, lèvres humides entrouvertes, hanches saillantes, fixant les caméras avec cet air arrogant et boudeur apparemment obligatoire pour la circonstance. Quand elle se pencha pour détacher un grain de raisin, qu'elle se jeta presque dans la bouche, il distingua les légères taches de rousseur qui maculaient le front sombre, le reflet du duvet sur la lèvre supérieure qu'on eût dit sculptée dans le marbre.

De l'autre côté de leur hôte, Meg Dennison pelait son raisin délicatement mais sans afféterie, avec des doigts aux ongles roses. La beauté torride de Hilary Robarts faisait ressortir une joliesse à l'ancienne mode, très soignée encore que libre de toute affectation, qui rappelait à Dalgliesh les photographies des années trente. Le contraste était encore souligné par les vêtements. Hilary portait une robe chemisier en indienne, trois boutons défaits au cou, Meg Dennison une longue jupe noire et une blouse de soie bleue à dessins avec une cravate nouée. Mais leur hôtesse était la plus élégante : la longue tunique en fine laine brun foncé relevée d'un collier d'ambre et d'argent masquait ses lignes anguleuses tout en soulignant la force et la régularité de ses traits énergiques. A côté d'elle, la joliesse de Meg Dennison était presque réduite à l'insipidité et la cotonnade bariolée de Hilary Robarts semblait criarde.

Dalgliesh se dit que la pièce où ils dînaient avait dû faire partie du bâtiment primitif. Agnes Poley avait sans doute suspendu ses flèches de lard et ses bouquets d'herbes aromatiques à ces poutres noircies, cuit les repas de la famille dans une marmite suspendue au-dessus de l'âtre énorme et qui sait, à la fin, entendu dans ses flammes rugissantes les fagots crépitants de son terrible martyre. Devant la longue fenêtre, les casques d'hommes en armes étaient passés. Mais seul le nom du cottage perpétuait le souvenir du passé. La table ovale et les chaises étaient modernes, de même que le service en Wedgwood et les verres élégants. Dans le salon où ils avaient bu leur sherry avant le repas, Dalgliesh avait éprouvé le sentiment d'une pièce qui, rejetant délibérément le passé, ne contenait rien qui pût violer l'intimité sacrée des propriétaires — pas d'histoire familiale dans des photographies ou des portraits, pas de place donnée par nostalgie, sentimentalité ou piété familiale à des vestiges défraîchis, pas d'objets anciens collectionnés au long des années. Même les rares tableaux — dont trois John Piper reconnaissables — étaient modernes. Le mobilier était de prix, confortable, bien dessiné, trop simple dans son élégance pour paraître déplacé. Mais le cœur de la maison n'était pas là — il était dans la grande cuisine, tiède et accueillante.

Jusqu'alors, il n'avait écouté les propos que d'une oreille, mais il se força désormais à entrer dans son rôle d'invité. La conversation était générale, les visages éclairés par des bougies se penchaient au-dessus de la table et les mains, qui pelaient les fruits ou virevoltaient autour des verres, étaient aussi individualisées que les visages : mains robustes mais élégantes aux ongles courts d'Alice Mair, longs doigts noueux de Hilary Robarts, paumes délicates de Meg Dennison un peu rougies par les travaux du ménage. Alex Mair disait : « Bon, prenons un dilemme moderne. Nous savons que nous pouvons utiliser les tissus de fœtus avortés pour soigner la maladie de Parkinson et probablement celle d'Alzheimer. Vous trouveriez sans doute le procédé moralement acceptable si l'avortement avait été naturel ou légal, mais pas s'il avait été provoqué dans le dessein de fournir les tissus. Pourtant, on peut soutenir qu'une femme a le droit d'utiliser son propre corps comme elle l'entend. Si elle a un attachement particulier pour quelqu'un qui a la maladie d'Alzheimer et si elle veut aider celui-ci en produisant un fœtus, qui a le droit de dire non ? Un fœtus n'est pas un enfant. »

Hilary Robarts dit : « Vous présumez, je remarque, que le malade est un homme. Il se croirait probablement le droit d'utiliser le corps d'une femme pour cet usage comme pour n'importe quel autre. Mais pourquoi ? Je ne peux pas imaginer qu'une femme qui a déjà eu un avortement veuille en subir un autre pour la convenance d'un homme quel qu'il soit. »

Ces paroles furent dites avec une extrême amertume. Il y eut un silence, puis Mair répondit tranquillement : « La maladie d'Alzheimer est un peu plus qu'un inconvénient, mais je ne prône pas cette solution. D'ailleurs, de toute façon, elle serait illégale, actuellement.

— Ça vous gênerait ? »

Il regarda droit dans ses yeux furibonds : « Bien sûr, ça me gênerait. Heureusement, ça n'est pas une décision que j'aurai jamais à prendre. Mais nous ne parlons pas de légalité, nous parlons de morale. »

Sa sœur demanda : « Est-ce que c'est différent ?

— Toute la question est là, n'est-ce pas ? Qu'en pensez-vous, Adam ? »

C'était la première fois qu'il employait le prénom. Dalgliesh dit : « Vous supposez donc qu'il existe une morale absolue, indépendante du temps ou des circonstances.

— Pas vous ?

— Je crois que si, mais je ne suis ni philosophe, ni spécialiste de morale. »

Mrs Dennison releva la tête qu'elle avait inclinée sur son assiette et dit, le rose aux joues : « Je me méfie toujours un peu quand on prétend qu'un péché est justifié s'il s'agit d'aider quelqu'un que nous aimons. Nous le croyons peut-être, mais c'est en général dans notre propre intérêt. Je pourrais craindre d'avoir à soigner un patient atteint de la maladie d'Alzheimer. Quand nous prônons l'euthanasie, est-ce que c'est pour éviter des souffrances, ou pour nous éviter de les voir ? Concevoir un enfant uniquement pour le tuer et utiliser ses tissus, c'est une idée absolument répugnante. »

Alex Mair dit : « Je pourrais vous objecter que ce que vous tuez n'est pas un enfant et que la répugnance inspirée par un acte ne prouve pas qu'il est immoral. »

Dalgliesh dit : « Croyez-vous ? Est-ce que la répugnance innée de Mrs Dennison ne nous dit pas quelque chose sur la moralité de l'acte ? »

Elle lui adressa un bref sourire reconnaissant et poursuivit : « Et puis, l'usage d'un fœtus n'est-il pas particulièrement dangereux ? Il pourrait aboutir à ce que les pauvres conçoivent des enfants et vendent les fœtus pour aider les riches. Je crois qu'il y a déjà un marché noir d'organes humains. Croyez-vous qu'un multimillionnaire qui a besoin d'une greffe cœur-poumon soit jamais obligé de s'en passer ? »

Alex Mair sourit : « Le tout est que vous ne souteniez pas que nous devrions supprimer délibérément des connaissances, ou rejeter des progrès scientifiques simplement parce qu'on peut faire un mauvais usage des découvertes. S'il y a des abus, qu'on fasse des lois pour les réprimer. »

Meg protesta : « Vous simplifiez beaucoup trop. S'il suffisait de faire des lois contre les maux de la société, Mr Dalgliesh serait au chômage.

— Pas facile, certes, mais il faut essayer. Être humain, c'est ça, utiliser notre intelligence pour faire des choix. »

Alice Mair se leva de table : « Eh bien, c'est le moment de faire un choix, à un niveau un peu différent. Qui veut du café et de quelle sorte ? Il y a une table et des chaises dans la cour ; je pensais que nous pourrions allumer les lampadaires et le prendre dehors. »

Tout le monde traversa le salon et Alice Mair ouvrit les portes-fenêtres donnant sur le patio. Aussitôt le grondement sonore de la mer déferla dans la pièce et en prit possession comme une force palpitante d'une irrésistible puissance. Mais paradoxalement, une fois qu'ils furent dehors, le bruit parut assourdi — la mer, un lointain rugissement. Le patio était bordé du côté de la route par un haut mur qui s'incurvait au sud et l'est en s'abaissant à un mètre cinquante environ pour permettre de voir jusqu'à la mer de l'autre côté du cap.

Au bout de quelques minutes Alex Mair apporta le plateau du café et, tasse en main, le petit groupe se mit à errer au hasard entre les jarres de terre cuite, tels des étrangers hésitant à être présentés ou des acteurs sur scène, absorbés, qui réfléchissent à leur texte en attendant que la répétition commence.

Ils n'avaient ni vestes ni manteaux et la chaleur de la nuit s'était révélée illusoire, aussi avaient-ils fait demi-tour, comme d'un commun accord, pour rentrer dans la maison quand les phares d'une automobile jaillirent à grande vitesse en haut de la côte, vers le sud, puis ralentirent en approchant de la maison.

Mair dit : « La Porsche de Lessingham. »

Personne ne parla. Ils regardèrent en silence la voiture quitter la route pour freiner brutalement sur l'herbe du cap. Comme s'ils participaient à une cérémonie réglée à l'avance, ils se groupèrent en demi-cercle avec Alex Mair un peu en avant à la manière d'un comité d'accueil, mais qui aurait attendu plutôt des ennuis que du plaisir de la part de l'arrivant. Dalgliesh sentit la tension qui montait : les petits frémissements d'anxiété qui vibraient dans l'air immobile au parfum de mer, polarisés sur la portière et la haute silhouette qui se déployait hors de l'automobile, sautait légèrement par-dessus le mur de pierre bas et traversait la cour d'un pas décidé. Laissant Mair de côté, Lessingham alla droit vers Alice et lui baisa doucement la main, geste théâtral qui la prit par surprise — du moins Dalgliesh en eut-il l'impression — et que les autres observèrent avec une attention anormalement critique.

Lessingham dit doucement : « Toutes mes excuses, Alice. Trop tard pour le dîner mais pas trop tard, j'espère, pour prendre un verre. J'en ai sacrément besoin.

« — Où étiez-vous ? Nous avons attendu quarante minutes pour passer à table. » Hilary Robarts posait cette question évidente, accusatrice comme une épouse acariâtre.

Lessingham continuait de regarder Alice. Il dit : « Voilà vingt minutes que je me demande comment répondre à cette question. Il existe un certain nombre de possibilités intéressantes et sensationnelles. Je pourrais dire que j'ai aidé la police dans son enquête. Ou que j'ai été mêlé à un meurtre, ou qu'il y a eu un pépin sur la route. En fait, il y a eu les trois. Le Siffleur a encore tué. C'est moi qui ai trouvé le corps. »

Hilary Robarts dit vivement : « Comment ça, trouvé ? Qu'est-ce que vous voulez dire ? Où ? »

Une fois encore Lessingham ne lui prêta aucune attention. Il dit à Alice Mair : « Je pourrais avoir quelque chose à boire ? Ensuite je vous donnerai tous les détails horribles. Après avoir démoli votre plan de table et retardé votre dîner de quarante minutes, je ne peux pas faire moins. »

Tandis qu'ils retournaient dans la salle à manger, Alex Mair présenta Dalgliesh à Lessingham, qui lui lança un regard perçant. Ils se serrèrent la main. La paume qui toucha un instant celle du policier était moite et très froide.

Alex Mair dit tranquillement : « Pourquoi n'avez-vous pas téléphoné ? On vous aurait gardé quelque chose à manger. »

La question, conventionnelle et terre à terre, semblait singulièrement déplacée, mais Lessingham répondit : « Figurez-vous que j'ai oublié. Pas tout le temps, bien sûr, mais, honnêtement, l'idée ne m'est pas venue à l'esprit jusqu'à ce que la police ait fini de me questionner et alors le moment ne m'a pas semblé opportun. Ils ont été parfaitement polis, mais j'ai senti que mes rendez-vous mondains n'étaient pas vraiment prioritaires. D'ailleurs, soit dit en passant, ils ne vous savent aucun gré d'avoir trouvé un corps pour eux. Leur attitude c'est plutôt : "Merci beaucoup, monsieur, bien ennuyeux, c'est sûr. Désolé que ça vous ait dérangé, mais maintenant on s'en occupe. Rentrez tranquillement chez vous et tâchez d'oublier tout ça." J'ai comme une impression que ça ne sera pas si facile. »

De retour dans le salon, Alex Mair jeta quelques bûches minces sur les braises rougeoyantes et alla chercher les boissons. Lessingham avait refusé le whisky et demandé du vin. « Mais ne gâchez pas votre meilleur bordeaux pour moi, Alex. C'est purement médicinal. » Presque imperceptiblement, ils rapprochèrent leurs chaises et Lessingham commença son récit, s'arrêtant parfois pour boire une gorgée de vin. Il semblait à Dalgliesh qu'il avait subi un changement subtil depuis son arrivée, désormais chargé d'une puissance à la fois mystérieuse et bizarrement familière. Il se dit que Lessingham avait soudain acquis la mystique du conteur et, regardant le cercle de visages attentifs éclairés par le feu, il se rappela soudain sa première école de village, les enfants serrés autour de Miss Douglas à trois heures un vendredi après-midi pour la demi-heure d'histoires, et il éprouva un douloureux serrement de cœur en pensant à ces jours perdus d'innocence et d'amour. Étonné que le souvenir lui en fût revenu si vif et en un pareil moment. Mais l'histoire allait être très différente et fort peu faite pour des oreilles d'enfant.

Lessingham dit : « J'avais un rendez-vous chez mon dentiste à Norwich à cinq heures, après quoi j'ai fait une courte visite à un ami à côté de la cathédrale. J'arrivais donc de Norwich et non pas de chez moi. J'avais juste quitté la B1150 à Fairstead quand j'ai failli rentrer dans une voiture en travers de la route, tous feux éteints. Je me suis dit que c'était un endroit bougrement idiot pour se garer si quelqu'un voulait se soulager dans les buissons. Et puis j'ai eu l'idée qu'il y avait peut-être eu un accident. La portière droite était ouverte, ce qui paraissait un peu bizarre. Je me suis donc arrêté sur le bas-côté et je suis allé voir de plus près. Personne aux alentours. Je ne sais vraiment pas pourquoi, j'ai eu l'idée de m'enfoncer dans le sous-bois. Une sorte d'instinct, je suppose. Il faisait trop noir pour y voir quelque chose et je me demandais si j'allais appeler, quand je me suis dit que je devais avoir l'air complètement crétin et j'ai décidé de me mêler de ce qui me regardait. C'est à ce moment-là que j'ai failli marcher sur elle. »

Il but une autre gorgée de vin. « Je ne voyais toujours rien, bien sûr, mais je me suis agenouillé et j'ai tâté avec les mains. C'est à ce moment-là que j'ai touché de la chair. Sa cuisse, je crois, je ne peux pas être sûr. Mais la chair, même morte, on ne peut pas s'y tromper. Alors je suis retourné dans ma voiture et j'ai pris ma lampe électrique. J'ai éclairé ses pieds d'abord et puis je suis remonté jusqu'à son visage. Et alors, bien sûr, j'ai vu. J'ai su que c'était le Siffleur. »

Meg Dennison demanda doucement : « Est-ce que c'était bien terrible ? »

Il dut entendre dans sa voix ce qu'elle éprouvait vraiment, aucune curiosité malsaine, mais de la sympathie, l'intuition qu'il avait besoin de parler. Il la regarda un instant comme s'il la voyait pour la première fois, puis prit le temps de réfléchir sérieusement à la question.

« Plus choquant que terrible. Mes émotions, si je m'y reporte, étaient compliquées, un mélange d'horreur, d'incrédulité et — oui — de honte. J'avais l'impression d'être un voyeur. Les morts sont dans une telle situation d'infériorité. Elle avait l'air grotesque, un peu ridicule avec de petites mèches de cheveux qui lui sortaient de la bouche comme si elle les mâchait. Horrible, bien sûr, mais stupide en même temps. J'ai eu une envie de rire presque irrésistible. C'était seulement la réaction après le choc, je le sais, mais enfin ça n'avait rien d'admirable. Et puis toute cette scène était en somme si banale. Si vous m'aviez demandé de décrire une des victimes du Siffleur, je l'aurais vue exactement comme ça. Vous vous attendez à ce que la réalité soit différente de vos inventions. »

Alice Mair dit : « Peut-être parce qu'elles sont généralement pires. »

Meg Dennison dit doucement : « Vous avez dû être terrifié. Je sais que je l'aurais été. Seul et dans le noir avec une telle horreur. »

Il tourna son corps vers elle et parla comme s'il était important que toutes les personnes présentes pussent comprendre. « Non, pas terrifié, c'est ça qui était étonnant. J'ai eu peur, bien sûr, mais seulement pendant une seconde ou deux. Après tout, je ne m'imaginais pas qu'il était toujours là. Il avait eu ce qu'il voulait. D'ailleurs, il ne s'intéresse pas aux hommes. Je me suis mis à penser aux choses ordinaires : ne rien toucher, ne pas détruire d'indices, appeler la police. Alors, en revenant à ma voiture, j'ai commencé à préparer ce que je leur dirais, presque comme si je fabriquais mon histoire de toutes pièces. J'ai essayé d'expliquer pourquoi je m'étais enfoncé dans les buissons, essayé de donner une apparence raisonnable à mon geste. »

Alex Mair dit : « Qu'est-ce qu'il y avait à justifier ? Vous avez fait ce que vous avez fait, ça me paraît assez raisonnable. La voiture en travers de la route était un danger. Il aurait été irresponsable de filer tout droit.

— Eh bien, il a fallu donner beaucoup d'explications, sur le moment et après. Peut-être parce que toutes les phrases des policiers commençaient par "pourquoi". Vous devenez anormalement sensible à vos propres mobiles. Presque comme si vous deviez vous convaincre que vous ne l'avez pas fait. »

Hilary Robarts dit avec impatience : « Mais le corps, quand vous êtes revenu chercher la lampe et que vous l'avez vue, vous êtes sûr qu'elle était morte ?

— Oh, oui, je savais qu'elle était morte.

— Comment pouviez-vous le savoir ? C'était forcément tout récent. Pourquoi est-ce que vous n'avez pas essayé au moins de la ranimer, de lui faire du bouche-à-bouche ? Ça aurait valu la peine de surmonter votre répugnance naturelle. »

Dalgliesh entendit Meg Dennison émettre un petit son entre soupir et gémissement. Lessingham regarda Hilary et dit froidement : « Certainement, si ça avait pu avoir la moindre utilité. Je savais qu'elle était morte. Restons-en là. Mais ne vous inquiétez pas, si jamais je vous trouve *in extremis*, j'essaierai de surmonter ma répugnance naturelle. »

Hilary se détendit et sourit d'un petit air suffisant, apparemment satisfaite de lui avoir arraché une riposte triviale. Sa voix était plus naturelle quand elle dit : « Je suis étonnée que vous n'ayez pas été traité en suspect. Après tout, vous êtes arrivé le premier sur les lieux du crime et c'est la deuxième fois que vous êtes là pour l'hallali, enfin presque ; ça devient une habitude. »

Ces derniers mots furent dits à voix basse, mais les yeux fixés sur Lessingham, qui soutint le regard et répondit tout aussi tranquillement : « Mais il y a une différence, n'est-ce pas ? J'ai vu mourir Toby, vous vous rappelez ? Et cette fois personne ne pourra prétendre que ce n'est pas un meurtre. »

Soudain, le feu craqua bruyamment et la bûche du dessus roula dans l'âtre. Mair, le visage très rouge, la repoussa d'un coup de pied rageur.

Parfaitement calme, Hilary se tourna vers Dalgliesh :

« J'ai raison, n'est-ce pas ? Est-ce que la police ne soupçonne pas en général la personne qui trouve le corps ? »

Il répondit tranquillement : « Pas nécessairement. »

Lessingham avait placé la bouteille de bordeaux près de la cheminée. Il se pencha alors en avant et remplit soigneusement son verre avant de dire : « On aurait pu me suspecter, je suppose, sans un certain nombre de circonstances favorables. J'étais évidemment sorti pour effectuer des démarches parfaitement légales. J'ai un alibi pour deux des crimes précédents au moins. De leur point de vue, j'étais lamentablement indemne de toute trace de sang. Ils pouvaient voir, je suppose, que j'étais en état de choc. Et puis, pas trace du lien qui l'avait étranglée, ni du couteau. »

Hilary dit vivement : « Quel couteau ? Le Siffleur est un étrangleur, tout le monde sait ça.

— Ah, je ne l'ai pas signalé ? Elle a bien été étranglée, ou du moins je le suppose, je n'ai pas éclairé son visage plus longtemps qu'il n'était nécessaire. Mais mis à part les poils qu'il leur enfonce dans la bouche — pubiens, soit dit en passant, je l'ai bien vu — il marque ses victimes. La lettre L était parfaitement nette sur son front. Un enquêteur qui m'a parlé ensuite m'a dit que c'était une des signatures du Siffleur. D'après lui, le L pourrait désigner Larksoken, le Siffleur ferait une sorte de déclaration au sujet de la force nucléaire, une protestation peut-être. »

Alex Mair dit très vite : « Quelle ânerie ! » puis ajouta plus calmement : « On n'a rien dit ni à la télévision ni dans les journaux de cette marque sur le front des victimes.

— La police essaie de garder le secret. C'est le genre de détail qui peut être utile pour repérer les fausses confessions. Il paraît qu'il y en a déjà eu une demi-douzaine. Rien non plus dans les médias sur les poils, mais ce détail répugnant a l'air en général bien connu. Après tout, je ne suis pas le seul à avoir trouvé un corps. Les gens causent. »

Hilary Robarts dit : « On n'a jamais dit ni écrit à ma connaissance qu'il s'agissait de poils pubiens.

— Non, la police n'en souffle pas mot et ce n'est pas le genre de chose qu'on imprime dans les journaux pour les familles. Non pas que ce soit tellement surprenant, d'ailleurs. Ce n'est pas un violeur, mais il fallait bien qu'il y ait un élément de sexualité. »

C'était l'un des détails que Rickards avait révélés à Dalgliesh l'avant-veille, mais qu'à son avis, Lessingham aurait pu garder pour lui, surtout dans une réunion mixte. Cette soudaine sensibilité le surprit. Peut-être fut-ce le regard qu'il jeta au visage ravagé de Meg Dennison. Et puis ses oreilles perçurent un bruit très léger. Il regarda la porte ouverte de l'autre côté de la salle à manger et aperçut la silhouette menue de Theresa Blaney debout dans l'ombre. Qu'avait-elle entendu du récit de Lessingham ? Si peu que ce fût, c'était trop et il dit, sans même se rendre compte de la sévérité qui durcissait sa voix :

« L'inspecteur principal Rickards ne vous avait pas demandé de garder ce renseignement pour vous ? »

Silence embarrassé. Il se dit : Pendant un moment, ils avaient oublié que je suis un policier.

Lessingham se tourna vers lui : « J'ai bien l'intention de le garder, ce secret. Rickards ne voulait pas que ce soit ébruité et ça ne le sera pas. Personne ici ne le répétera. »

Mais cette seule question rappelant qui il était et ce qu'il représentait avait refroidi l'atmosphère et changé leur fascination horrifiée en une gêne très légèrement hostile. Aussi, quand, une minute plus tard, il se leva pour prendre congé et remercier l'hôtesse, l'impression de soulagement fut-elle presque tangible. Il savait que cette gêne n'avait rien à voir avec la crainte qu'il pût questionner, critiquer, espionner. Ce n'était pas son affaire, ils n'étaient pas suspects, et ils devaient bien savoir qu'il n'était pas un jovial extraverti, flatté d'être au centre de l'intérêt pendant qu'ils le bombarderaient de questions sur les méthodes probables de Rickards et ses chances d'arrêter le Siffleur, ses propres théories sur les tueurs psychopathes et son expérience des crimes en série. Mais du simple fait qu'il était là, il augmentait la peur et la répugnance qui les envahissaient de plus en plus. Chacun gardait imprimée dans son esprit l'image de ce visage violenté, la bouche à demi ouverte bourrée de poils, les yeux fixes, sans regard, et sa présence la rendait plus précise encore. L'horreur et la mort étaient son métier et, tel un entrepreneur des pompes funèbres, il portait partout avec lui la contagion de son état.

Il était déjà à la porte quand, sans réfléchir, il se retourna pour dire à Meg Dennison : « Vous avez dit, je crois, que vous étiez venue à pied du presbytère, Mrs Dennison. Est-ce que je pourrais vous raccompagner si ce n'est pas trop tôt pour vous ? »

Alex Mair commençait à dire que, bien entendu, il la ramènerait en voiture, mais elle se dégagea maladroitement de son fauteuil et dit avec un peu trop d'empressement : « Oh, merci beaucoup, j'en serais ravie. La promenade me fera du bien et Alex n'aura pas besoin de sortir la voiture. »

Alice Mair dit : « Et puis, il est temps que Theresa rentre chez elle. Nous aurions dû la reconduire il y a une heure. Je vais passer un coup de fil à son père. Au fait, où est-elle donc ? »

Meg dit : « Je crois qu'elle était en train de débarrasser la table, il y a une minute.

— Bon, eh bien je vais la trouver et Alex la ramènera chez elle. »

Le groupe se dispersait, Hilary Robarts, qui était restée renversée dans son fauteuil, les yeux fixés sur Lessingham, se leva alors et dit :

« Je vais retourner à mon cottage. Je n'ai besoin de personne pour me raccompagner. Comme l'a dit Miles, le Siffleur a eu sa dose de sensations fortes pour ce soir. »

Alex Mair dit : « Je préférerais que vous attendiez. J'irai à pied avec vous une fois que j'aurai emmené Theresa chez elle. »

Elle haussa les épaules et répondit sans le regarder : « Bien, si vous y tenez, j'attendrai. »

Elle s'approcha de la fenêtre comme pour dévisager la nuit noire. Seul Lessingham resta assis, bras tendu pour remplir à nouveau son verre. Dalgliesh vit qu'Alex Mair avait discrètement placé une autre bouteille débouchée dans la cheminée. Il se demanda si Alice Mair demanderait à Lessingham de passer la nuit à Martyr's Cottage, ou s'il serait ramené en voiture chez lui plus tard par elle ou son frère, car il ne serait certainement pas en état de conduire.

Dalgliesh aidait Meg Dennison à enfiler sa veste quand le téléphone sonna, anormalement strident dans la pièce silencieuse. Il sentit la brusque crispation de peur et pendant un instant, presque involontairement, ses mains se firent plus fortes sur les épaules de la jeune femme. Ils entendirent la voix d'Alex Mair.

« Oui, nous sommes au courant. Miles Lessingham est ici et il nous a donné les détails. Oui, je vois.

Oui, merci de m'avertir. » Silence plus long, puis voix de Mair à nouveau :

« Totalement fortuit à mon avis, n'est-ce pas ? Après tout nous employons cinq cent trente personnes. Mais bien entendu, tout le monde à Larksoken sera bouleversé, les femmes surtout. Oui, je serai au bureau demain, si je peux faire quelque chose. Il faudra prévenir sa famille je suppose ? Oui, je vois. Bonsoir inspecteur. »

Il reposa l'appareil et dit : « C'était l'inspecteur Rickards. On a identifié la victime. Christine Baldwin. Sténo à la centrale. Vous ne l'avez pas reconnue, Miles ? »

Miles remplit son verre sans se presser. Il dit : « La police ne m'a pas dit qui c'était. D'ailleurs, même s'ils l'avaient fait, je n'aurais pas retenu le nom. Et non, Alex, je ne l'ai pas reconnue. Je suppose que j'ai vu Christine Baldwin à Larksoken, probablement à la cafétéria, mais ce que j'ai vu ce soir n'était pas Christine Baldwin. Et je peux vous assurer que je n'ai pas promené la lampe sur elle plus qu'il ne le fallait pour m'assurer que je ne pouvais plus rien faire pour elle. »

Sans détourner la tête de sa fenêtre, Hilary Robarts dit : « Christine Baldwin, trente-trois ans, embauchée il y a onze mois seulement, mariée l'an dernier. Tout dernièrement transférée au service de la recherche médicale. Je peux vous donner ses vitesses de frappe et de sténo, si ça a une utilité quelconque. » Puis elle pivota sur ses talons et regarda Alex Mair bien en face : « On dirait que le Siffleur se rapproche, n'est-ce pas, et de plusieurs façons. »

13

Les derniers au revoir dits, ils quittèrent pour l'air frais qui sentait la mer les odeurs de fumée de bois, de cuisine et de vin dans une pièce que Dalgliesh commençait à trouver inconfortablement chaude. Il fallut quelques minutes pour que ses yeux s'habituent à la demi-obscurité et distinguent la courbure du cap aux formes mystérieusement altérées sous les hautes étoiles. Au nord la centrale étincelait telle une galaxie de lumières blanches, sa masse durement géométrique immergée dans le bleu-noir du ciel.

Ils restèrent un moment à la regarder, puis Meg Dennison dit : « Quand je suis arrivée de Londres elle me faisait presque peur, sa masse, la façon dont elle domine le cap. Mais je m'y suis habituée. Elle trouble toujours un peu mais elle a une certaine grandeur. Alex essaie de la démythifier, de dire que sa seule fonction est de produire efficacement et proprement de l'électricité pour le réseau national ; que la seule différence entre elle et n'importe quelle autre centrale, c'est qu'on n'a pas à côté d'elle une gigantesque pyramide de poussier polluant. Mais pour ma génération la puissance atomique est toujours représentée par cet énorme nuage en forme de champignon. Et maintenant elle signifie Tchernobyl. Si c'était un vieux château qui se découpait là sur l'horizon, si demain matin c'était une rangée de tourelles que nous avions sous les yeux, nous nous extasierions sans doute. »

Dalgliesh dit : « Avec une rangée de tourelles la forme serait bien différente, évidemment. Mais je vois ce que vous voulez dire. Je préférerais le cap sans cette présence, mais il semble qu'elle ait finalement acquis le droit d'être là. »

D'un même mouvement, ils se détournèrent des lumières scintillantes pour regarder vers le sud, le symbole en ruine d'une puissance très différente. Devant eux, au bord de la falaise, croulant sur le fond de ciel comme le château de sable d'un enfant rongé par l'avance de la marée, les vestiges de l'abbaye bénédictine. Il pouvait tout juste distinguer la grande arche vide de la fenêtre est et au-delà, le miroitement de la mer du Nord, tandis qu'au-dessus, le disque jaunâtre de la lune semblait se balancer comme un encensoir. Presque involontairement, ils firent quelques pas hors du sentier vers ce lumignon, dans l'herbe rude du cap. Dalgliesh dit : « Voulez-vous ? Avez-vous le temps ? Et vos souliers ?

— Raisonnablement solides. Oui, j'aimerais beaucoup, c'est si beau, la nuit et je ne suis pas vraiment pressée. Les Copley ne m'auront pas attendue. Demain je serai obligée de leur dire que le Siffleur se rapproche et alors je ne voudrai peut-être plus les laisser seuls une fois la nuit tombée. Ce sera sans doute ma dernière soirée libre pendant quelque temps.

— Je ne crois pas qu'ils courraient le moindre danger si vous fermiez bien tout à clef. Jusqu'à présent, toutes ses victimes ont été des jeunes femmes, et il tue dehors.

— C'est ce que je me dis et je ne crois pas qu'ils auraient vraiment peur. Parfois les très vieilles personnes semblent avoir dépassé ce genre de frayeur. Les petits ennuis quotidiens prennent de l'importance, mais les grandes tragédies ne les perturbent pas. Seulement, leur fille téléphone tout le temps pour leur dire de venir chez elle dans le Wiltshire jusqu'à ce qu'il soit arrêté. Eux ne veulent pas, mais elle est très autoritaire, très opiniâtre ; elle appelle après la tombée de la nuit et si je ne suis pas là, ça augmentera les pressions qu'ils subissent déjà. » Elle s'arrêta, puis reprit : « Quelle fin horrible pour un dîner intéressant, mais assez étrange ! J'aurais préféré que Mr Lessingham garde les détails pour lui, mais je pense que ça l'aidait d'en parler, d'autant qu'il vit seul. »

Dalgliesh dit : « Il aurait fallu une maîtrise de soi surhumaine pour ne pas en parler. Mais j'aurais mieux aimé qu'il omette les détails les plus salaces.

— Ça fera une différence pour Alex aussi. Déjà certaines employées exigent d'être raccompagnées chez elles après les postes de nuit. Alice m'a dit qu'Alex allait avoir bien du mal à organiser tout ça. Elles ne veulent être escortées par un homme que s'il a un alibi inattaquable pour un des crimes du Siffleur. Les gens cessent d'être raisonnables même s'il s'agit de quelqu'un avec qui ils travaillent depuis dix ans. »

Dalgliesh dit : « Le meurtre fait cet effet-là, surtout ce type de meurtre. Miles Lessingham a fait allusion à un autre mort : Toby. Est-ce que c'est le jeune homme qui s'est tué à la centrale ? Il me semble avoir vu un entrefilet dans un journal.

— Oh oui, une épouvantable tragédie. Toby Gledhill était l'un des jeunes physiciens les plus brillants d'Alex. Il s'est jeté sur le haut du réacteur.

— Alors rien de mystérieux ?

— Absolument rien, si ce n'est la raison de son geste. Mr Lessingham a assisté au drame. Je suis étonnée que vous vous en souveniez. Il y a eu très peu de chose dans la presse nationale. Alex a essayé de minimiser la publicité pour protéger les parents. »

... Et la centrale, se dit Dalgliesh, non sans se demander pourquoi dans ces conditions Lessingham avait parlé de crime, mais il ne questionna pas davantage sa compagne. L'allégation avait été faite si discrètement qu'il doutait qu'elle l'eût entendue. Au lieu de cela, il demanda : « Est-ce que vous êtes heureuse de vivre ici ? »

Elle ne parut pas surprise par la question, mais lui le fut, comme par l'aisance familière avec laquelle ils se promenaient tous les deux. Elle était curieusement reposante. Il aimait sa douceur calme et cette suggestion de force sous-jacente. Sa voix était agréable, et les voix étaient importantes pour lui. Mais six mois plus tôt, rien de tout cela n'aurait suffi pour qu'il recherchât sa compagnie au-delà des nécessités de la politesse. Il l'aurait raccompagnée jusqu'au Vieux Presbytère puis, cette petite obligation mondaine accomplie, aurait tourné les talons avec soulagement pour aller seul vers l'abbaye, s'entourant de la solitude comme d'un manteau. La solitude lui était encore indispensable. Il ne pouvait tolérer vingt-quatre heures dont il n'aurait pas passé la plus grande partie entièrement seul. Mais un subtil changement en lui, les années inexorables, le retour de la poésie, peut-être le timide renouveau de l'amour semblaient le rendre sociable. Il ne savait trop si c'était une chose à accueillir ou à repousser.

Il se rendait compte qu'elle examinait attentivement sa question.

« Oui, je crois. Très heureuse, parfois. Je suis venue ici pour échapper aux difficultés de ma vie à Londres et sans l'avoir vraiment décidé, aussi loin à l'est que possible.

— Et vous vous êtes trouvée devant deux autres formes de menace, la centrale et le Siffleur.

— Toutes deux effrayantes parce que toutes deux mystérieuses, enracinées dans l'horreur de l'inconnu. La menace n'est pas personnelle, elle n'est pas dirigée spécialement contre moi. Mais enfin j'ai fui, et je suppose que tous les réfugiés emportent avec eux un petit fardeau de culpabilité. Et puis les enfants me manquent. J'aurais peut-être dû rester et lutter, mais la guerre devenait vraiment publique et je n'ai rien de ce qu'il faut pour jouer le rôle d'une héroïne populaire dans la presse la plus réactionnaire. Tout ce que je voulais, c'était qu'on me laisse faire le travail pour lequel j'avais été formée, entraînée, et que j'aimais passionnément. Mais chaque livre que j'utilisais, chaque mot que je prononçais était scruté, passé au crible et on ne peut pas enseigner dans une atmosphère de soupçon fielleux. J'ai fini par constater que je ne pouvais même pas y vivre. »

Elle tenait pour acquis qu'il savait qui elle était : tous ceux qui avaient lu les journaux l'année précédente devaient être au courant.

Il dit : « On peut combattre l'intolérance, la stupidité et le fanatisme quand ils sévissent isolément. Quand on se heurte aux trois réunis, il est sans doute plus sage de quitter la partie, ne serait-ce que pour ne pas perdre la raison. »

Ils approchaient de l'abbaye et l'herbe devenait plus hirsute. Elle trébucha et il étendit la main pour la retenir. Elle dit : « Finalement, tout se résume à deux mots. Ils voulaient que le tableau noir soit appelé tableau à craie. Je ne pensais pas, je ne pense toujours pas qu'une personne raisonnable, quelle que soit sa couleur, puisse se formaliser de cette expression. Il est noir et c'est un tableau. Le mot noir en lui-même n'a rien d'offensant. Je l'ai appelé comme ça toute ma vie, alors pourquoi essayer de m'obliger à changer la manière dont je parle ma propre langue ? En ce moment, sur ce cap, sous ce ciel, cette immensité, tout cela paraît si dérisoire. Peut-être ai-je seulement voulu élever des vétilles au rang de principes. »

Dalgliesh dit : « Agnes Poley vous aurait comprise. Ma tante a fouillé dans les archives et m'a raconté. Elle est montée sur le bûcher, semble-t-il, pour avoir obstinément défendu sa conception de l'univers. Elle ne pouvait accepter que le corps du Christ fût présent dans l'hostie et en même temps, physiquement, au ciel à la droite de Dieu. Selon elle, c'était contraire au bon sens. Alex Mair devrait peut-être la prendre comme patronne de la centrale, une quasi-sainte de la rationalité.

— Mais c'était différent. Elle croyait son âme immortelle en danger. »

Dalgliesh dit : « Qui sait ce qu'elle croyait ? Je pense qu'elle était probablement mue par une divine obstination. Je trouve ça plutôt admirable. »

Meg dit : « Mr Copley trouverait, je crois, qu'elle avait tort non pas pour son obstination, mais sa conception trop matérielle du sacrement. Je ne suis pas vraiment compétente pour en parler. Mais subir une mort horrible parce qu'on a des idées pleines de bon sens sur l'univers est assez merveilleux. Je ne vais jamais voir Alice sans prendre le temps de lire l'inscription. C'est mon petit hommage. Pourtant, je ne sens pas sa présence dans le cottage. Et vous ?

— Absolument pas. Je soupçonne le chauffage central et le mobilier moderne d'être incompatibles avec les fantômes. Vous connaissiez Alice Mair avant de venir ici ?

— Je ne connaissais personne. J'ai répondu à une petite annonce des Copley dans *The Lady*. Ils offraient logement et nourriture à quelqu'un qui ferait ce qu'ils appelaient "un léger travail d'intérieur", euphémisme pour le ménage, mais la réalité est rarement telle qu'on la prévoit. Alice a fait une grande différence. Je ne m'étais pas rendu compte que l'amitié féminine me manquait à ce point. A l'école, il n'y avait que des alliances offensives ou défensives. Rien ne franchissait jamais les frontières politiques. »

Dalgliesh dit : « Agnes Poley aurait compris cette atmosphère aussi. C'était celle qu'elle avait connue. »

Pendant une minute ils marchèrent en silence, écoutant le froissement des longues herbes sur leurs souliers. Soudain, alors qu'ils approchaient de la mer, vint un moment où son rugissement s'enfla comme si une menace latente, quiète, avait soudain perçu et rassemblé ses forces. Regardant le ciel et ses myriades de pointes d'épingles lumineuses, il lui semblait sentir la terre tourner sous ses pieds et le temps mystérieusement arrêté, confondant en un seul moment le passé, le présent et l'avenir, l'abbaye en ruine, les vestiges obstinés de la dernière guerre, les défenses côtières croulantes, le moulin à vent et la centrale. Il se demanda si c'était dans la désorientation de ce temps suspendu, en écoutant la mer éternellement agitée, que les précédents propriétaires de Martyr's Cottage avaient choisi leur texte. Soudain sa compagne s'arrêta et dit : « Il y a une lumière dans les ruines. Deux petits éclairs, comme une lampe électrique. »

Immobiles, ils écoutèrent en silence. Rien n'apparut. Elle dit, presque en s'excusant : « Je suis sûre de l'avoir vue. Et il y a eu une ombre, quelque chose ou quelqu'un qui se déplaçait devant la fenêtre ouest. Vous n'avez pas vu ?

— Je regardais le ciel. »

Elle dit, presque avec une note de regret : « Enfin, c'est parti maintenant. Je suppose que j'ai pu l'imaginer. »

Quand, cinq minutes plus tard, ils pénétrèrent au cœur des ruines, en marchant avec précaution sur l'herbe mamelonnée, il n'y avait effectivement rien ni personne. Sans parler, ils allèrent jusqu'à la brèche ouverte par la fenêtre ouest, puis au bord de la falaise, et ne virent que la grève blanchie par la lune qui s'étendait au nord et au sud, la mince frange d'écume. Dalgliesh se dit que s'il y avait eu quelqu'un là, les recoins ne manqueraient pas pour se cacher derrière les blocs de béton et dans les crevasses de la falaise sableuse. Mais à quoi bon et de quel droit tenter une poursuite, même s'ils avaient vu dans quelle direction l'ombre avait disparu? Rien n'interdisait de se promener la nuit.

Meg dit de nouveau : « Je suppose que j'ai pu l'imaginer. De toute façon, elle est partie.

— Elle?

— Oh oui, je ne vous ai pas dit? J'ai eu l'impression très nette que c'était une femme. »

14

Quand Alice Mair s'éveilla de son cauchemar en poussant un petit cri désespéré, il était quatre heures du matin et le vent se levait. Elle tendit la main pour allumer la lampe de chevet, vérifia de nouveau l'heure, puis s'allongea tandis que la panique refluait et que la terrible proximité du rêve commençait à s'estomper. Les yeux au plafond, elle reconnut le vieux spectre qui ressurgissait évoqué par les événements de la soirée et la répétition du mot « meurtre » qui, depuis que le Siffleur avait commencé son œuvre, semblait vibrer, sonore et omniprésent, dans l'air lui-même. Progressivement, elle réintégra le monde de la réalité manifesté par les petits bruits de la nuit, le gémissement du vent dans les cheminées, la douceur du drap dans ses mains crispées, le tic-tac anormalement fort de sa montre et surtout, ce rectangle de lumière pâle, fenêtre ouverte et rideaux tirés, qui lui révélait un ciel faiblement lumineux.

Pas besoin d'interprétation pour le cauchemar, ce n'était que la nouvelle version d'une horreur ancienne, moins terrible que les rêves de l'enfance, une terreur plus rationnelle, plus adulte. Alex et elle étaient enfants de nouveau, toute la famille logée avec les Copley au Vieux Presbytère — ce qui, dans un rêve, n'était pas si étonnant, puisqu'il n'était qu'une édition plus grande et moins prétentieuse de Mont-Soleil, nom parfaitement ridicule pour une maison située en terrain plat où pas un rayon de soleil ne semblait entrer. Toutes deux étaient de style victorien tardif en briques rouges massives, avec une porte solide sous un porche au toit pointu, isolées au milieu d'un jardin. Dans le rêve elle se promenait dans le bosquet avec son père qui tenait sa serpe, habillé comme par cet épouvantable après-midi d'automne d'un maillot taché de sueur, de shorts au ras des cuisses qui dessinaient la saillie du scrotum, tandis qu'il marchait, un paillasson de poils noirs depuis les genoux sur les jambes blanches. Elle était inquiète parce qu'elle savait que les Copley attendaient qu'elle vînt préparer le déjeuner. Mr Copley, en soutane et surplis ondulant, arpentait la pelouse avec impatience, sans s'apercevoir, semblait-il, de leur présence. Son père lui expliquait quelque chose sur le ton qu'il employait avec sa femme, trop fort, trop appuyé, la voix qui disait : « Je sais que tu es trop bête pour comprendre ça, mais je vais parler lentement, très fort et j'espère que tu ne mettras pas ma patience à trop rude épreuve. »

Il dit : « Alex n'aura pas le poste maintenant. Je ferai ce qu'il faut pour qu'il ne l'ait pas. On ne nommera pas quelqu'un qui a tué son père. »

Tout en parlant, il brandissait la serpe et elle vit que l'extrémité en était rouge de sang. Puis soudain, il se tourna vers elle, les yeux brûlants, la souleva, et elle sentit la pointe lui entailler le front, un jet de sang ruisseler brusquement dans ses yeux. Désormais complètement éveillée et haletante comme si elle avait couru, elle porta la main à son front et se rendit compte qu'il était mouillé de sueur, non pas de sang.

Plus d'espoir de retrouver le sommeil; jamais aux petites heures. Elle pouvait se lever, enfiler sa robe de chambre et descendre faire une tasse de thé, ou corriger ses épreuves, lire, écouter les nouvelles du monde à la BBC, ou prendre un de ses comprimés de somnifère. Ils étaient assez forts pour la plonger dans l'oubli total, mais elle essayait de s'en déshabituer, et céder en cet instant serait reconnaître la puissance du cauchemar. Elle décida de se lever et de faire du thé. Elle ne craignait pas de réveiller Alex. Il dormait profondément, même pendant les grands vents d'hiver. Mais il y avait avant tout un petit exorcisme à pratiquer. Pour que le rêve perde son pouvoir, pour l'empêcher de revenir, il lui fallait affronter de nouveau le souvenir de cet après-midi vieux de trente ans ou presque.

Par une chaude journée d'automne, au début d'octobre, elle travaillait au jardin avec Alex et leur père. Il déblayait à la serpe une haie de ronces et d'arbustes envahissants au fond du bosquet, hors de vue de la maison, pendant qu'Alex et elle traînaient à l'écart les branches coupées pour y mettre le feu. Son père, peu habillé pour la saison, était néanmoins en sueur. Elle voyait le bras s'élever, retomber, elle entendait le craquement des brindilles, les ordres criés à tue-tête, elle sentait de nouveau les épines qui lui écorchaient les doigts. Et puis, soudain, il poussa un cri. Ou la branche avait été pourrie, ou il avait manqué son coup : la serpe s'était enfoncée dans sa cuisse nue et, en se retournant, elle vit un jet de sang rouge gicler dans l'air en arc bouillonnant, puis l'homme s'affaissa lentement tel un animal blessé, les mains battant le vide. La droite laissa tomber la serpe et il la lui tendit, paume tremblante tournée vers le haut, en la regardant d'un air suppliant, comme un enfant. Il essaya de parler, mais elle ne put distinguer les mots. Elle s'avançait vers lui fascinée, quand elle sentit soudain son bras empoigné et Alex qui la traînait avec lui dans le sentier entre les lauriers, vers le verger.

Elle cria : « Alex, arrête! Il saigne. Il va mourir. Il faut demander du secours. »

Elle ne pouvait se rappeler si elle avait vraiment prononcé ces mots. Par la suite, elle ne se rappela que la force des mains qu'il posait sur ses épaules tandis qu'il la poussait contre l'écorce d'un pommier et la maintenait là, prisonnière. Et il dit un seul mot :

« Non. »

Tremblante de terreur, le cœur battant, elle n'aurait pas pu se libérer, même si elle l'avait voulu. Et elle savait désormais que cette impuissance était importante pour lui. L'acte lui appartenait, et à lui seul. Contrainte, absente, elle n'avait pas eu le choix. Trente ans plus tard, allongée toute raide les yeux fixés sur le ciel, elle se rappelait ce seul mot, les yeux de son frère plongeant dans les siens, les mains de celui-ci sur ses épaules, l'écorce de l'arbre qui lui grattait le dos au travers de sa blouse. Le temps semblait s'être arrêté. Elle ne se rappelait plus désormais pendant combien de temps il l'avait tenue prisonnière, seulement que l'attente lui avait paru infinie, sans mesure.

Enfin, il avait poussé un soupir et dit : « Bon, maintenant, on peut y aller. »

Cela aussi, d'ailleurs, l'avait stupéfiée, qu'il eût pensé aussi clairement, calculé aussi juste le temps nécessaire. Il la traîna de nouveau après lui jusqu'à ce qu'ils soient contre le corps étendu, et là, en regardant les bras en croix, les yeux ouverts et vitreux, la grande flaque rouge qui imbibait la terre, elle sut que c'était un cadavre, qu'il était parti pour toujours, qu'elle n'aurait plus rien à craindre de lui, jamais. Alex se tourna vers elle et prononça chaque mot à voix forte et claire comme s'il s'adressait à une enfant retardée.

« Ce qu'il t'a fait, il ne te le fera plus jamais. Écoute-moi, je vais te dire ce qui s'est passé. Nous l'avons laissé et nous sommes allés grimper dans les pommiers. Après, nous avons décidé qu'il fallait revenir et alors là nous l'avons trouvé. C'est tout, c'est aussi simple que ça. Tu n'as pas besoin de dire autre chose. Laisse-moi parler. Regarde-moi, regarde-moi, Alice. Tu as compris ? »

Sa voix, quand elle avait répondu, était cassée et chevrotante comme celle d'une vieille femme et les mots lui déchiraient la gorge : « Oui, j'ai compris. »

Ensuite, il l'entraîna au galop à travers la pelouse, lui arrachant presque le bras, entra en trombe dans la cuisine et se mit à pleurer si fort qu'on eût dit un hurlement de triomphe. Elle vit le visage de sa mère se vider de toutes ses couleurs comme si elle aussi perdait son sang, entendit la voix haletante.

« C'est Papa. Il a eu un accident. Il faut demander un médecin, tout de suite. »

Et puis, elle se retrouva seule dans la cuisine — très froide. Il y avait des dalles froides sous ses pieds. La surface de la table de bois où elle s'appuya la tête était froide contre ses joues. Personne ne vint. Elle entendit une voix téléphoner dans le vestibule, puis d'autres voix, d'autres pas. Quelqu'un pleurait. De temps en temps, d'autres pas et des roues qui écrasaient le gravier.

Alex avait eu raison. Tout avait été très simple. Personne ne l'avait questionnée, personne n'avait eu de soupçons. Acceptée, leur histoire. Elle n'était pas allée à l'enquête publique, Alex si, mais il ne lui avait jamais dit ce qui s'y était passé. Ensuite, certaines des personnes concernées, leur médecin de famille, le notaire, quelques amis de sa mère étaient revenus et il y avait eu une curieuse réunion avec thé, sandwiches et cakes maison. Tout le monde avait été très gentil avec elle et avec Alex. Quelqu'un lui avait même tapoté la tête. Une voix : « Tragique qu'il n'y ait eu personne sur place. Un peu de bon sens et quelques connaissances élémentaires de secourisme l'auraient sauvé. »

Désormais le souvenir délibérément évoqué avait achevé l'exorcisme. Le cauchemar avait perdu ses terreurs. Avec un peu de chance, il pourrait rester enfoui pendant des mois. Elle lança ses jambes hors du lit et attrapa sa robe de chambre.

Elle venait de verser l'eau bouillante sur le thé quand elle entendit les pas d'Alex dans l'escalier et, se retournant, elle vit sa longue silhouette qui bloquait en partie la porte de la cuisine. Il avait l'air d'un gamin, presque vulnérable dans la robe de chambre familière. Il se passa les deux mains dans ses cheveux emmêlés par le sommeil. Étonnée, parce qu'en général il dormait très bien, elle lui demanda :

« Est-ce que je t'ai dérangé ? Désolée.

— Non, il y a déjà un moment que je suis éveillé et je ne peux pas me rendormir. Le dîner a été si retardé à cause de Lessingham que nous l'avons finalement mangé trop tard pour bien le digérer. Il est frais, ton thé ?

— Prêt à être versé. »

Il prit une deuxième tasse sur le vaisselier et versa le thé pour eux deux. Elle s'assit dans un fauteuil d'osier et saisit la tasse sans rien dire.

Il dit : « Le vent se lève.

— Oui, depuis une heure déjà. »

Il alla jusqu'à la porte et ouvrit le panneau du haut. Une froidure blanche entra à flots dans la pièce, sans odeur, mais qui oblitérait la faible âcreté du thé, et elle entendit le grondement sourd de la mer. Tandis qu'elle l'écoutait, il lui sembla augmenter d'intensité, si bien qu'elle put imaginer avec un agréable frisson de terreur simulée que les falaises basses et friables avaient fini par s'écrouler et que la turbulence écumante roulait vers eux à travers le cap, qu'elle allait s'écraser contre la porte et projeter sa mousse sur le visage d'Alex. Le regardant qui fixait la nuit, elle éprouva un élan d'affection aussi simple et aussi net que le flot d'air froid sur son visage. Sa fugitive intensité l'étonna. Il faisait si bien partie d'elle-même qu'elle n'avait jamais besoin ni envie d'examiner de trop près la nature du sentiment qu'elle avait pour lui. Elle savait qu'elle éprouvait toujours une tranquille satisfaction à l'avoir dans la maison, à entendre ses pas sur le plancher du premier étage, à partager avec lui le repas qu'elle avait préparé pour elle à la fin de la journée. Et pourtant, aucun n'imposait à l'autre la moindre exigence. Même le mariage d'Alex n'avait rien changé. Elle n'avait été ni surprise qu'il s'engageât, car elle aimait assez Elizabeth, ni surprise qu'il rompît. Elle jugeait un remariage peu probable. Mais rien ne changerait entre eux, quel que fût le nombre d'épouses entrant ou essayant d'entrer dans sa vie. Parfois, comme cette nuit-là, elle souriait malignement, sachant bien comment les gens de l'extérieur voyaient leurs relations. Ceux qui croyaient que le cottage appartenait à Alex la considéraient comme la sœur célibataire dépendant de lui pour le logement, la société, un but dans la vie. D'autres, plus perspicaces mais encore bien loin de la vérité, étaient intrigués par leur apparente indépendance, leurs allées et venues sans façons, leur non-engagement. Elle se rappelait Elizabeth lui disant pendant les premières semaines de ses fiançailles avec Alex : « Savez-vous que vous êtes un couple assez intimidant ? » Et elle avait été tentée de répondre : « Oh oui, n'est-ce pas ? »

Elle avait acheté Martyr's Cottage avant qu'il fût nommé directeur de la centrale et il s'y était installé, étant entendu — tacitement — que c'était un expédient provisoire, le temps qu'il décide de ce qu'il voulait faire : garder l'appartement londonien comme résidence principale, ou le vendre pour acheter une maison à Norwich et un pied-à-terre plus petit dans la capitale. Pur produit de la ville comme il l'était, elle ne le voyait pas s'installer définitivement ailleurs que dans une ville. Si du fait de son nouveau poste il retournait à Londres, elle ne l'y suivrait pas et d'ailleurs il ne s'y attendait pas, elle le savait. Là, sur cette côte décapée par la mer, elle avait enfin trouvé un endroit qu'elle se plaisait à appeler un chez-soi. Le fait qu'il pouvait y venir et en partir à son gré sans prévenir n'avait jamais diminué ce sentiment d'appartenance.

Tout en buvant son thé, elle se dit qu'il avait dû revenir à plus d'une heure du matin après avoir accompagné Hilary Robarts jusque chez elle et se demanda ce qui avait pu le retenir. Elle avait toujours un sommeil très léger pendant les premières heures de la nuit, aussi avait-elle entendu ses clefs dans la porte et ses pas dans l'escalier avant de se rendormir. Il était presque cinq heures maintenant. Il n'avait pas dû dormir plus de quelques heures. Soudain, comme s'il sentait tout à coup la fraîcheur matinale, il ferma le haut de la porte, poussa le verrou, puis vint s'allonger à demi dans le fauteuil en face d'elle, en entourant sa tasse de thé des deux mains.

Il dit : « C'est assommant que Caroline Amphlett ne veuille pas venir à Londres avec moi. Je ne tiendrais pas du tout à commencer un nouveau boulot, surtout celui-là, avec une secrétaire inconnue. Caroline sait comment je travaille. J'avais compté qu'elle viendrait à Londres avec moi. Très malcommode. »

Et même davantage, se dit-elle. La fierté voire le prestige personnel étaient en jeu. D'autres cadres supérieurs emmenaient leurs assistantes avec eux quand ils changeaient d'affectation. Une secrétaire qui répugnait à se séparer de son patron affirmait ainsi un attachement flatteur. Alice prenait part à son dépit, certes, mais enfin ce n'était pas suffisant pour l'empêcher de dormir.

Il dit : « Des raisons personnelles, du moins c'est ce qu'elle dit. Je suppose que ça signifie Jonathan Reeves. Je me demande bien ce qu'elle peut lui trouver. Ce pauvre type n'est même pas un bon technicien. »

Alice retint un sourire. Elle dit : « Je doute que l'intérêt qu'elle lui porte soit technique.

— Eh bien, s'il est sexuel, elle a moins de discernement que je ne lui en croyais. »

Elle se dit qu'il n'était pas mauvais juge de ses semblables, hommes ou femmes. Il ne commettait que rarement des erreurs fondamentales et jamais sans doute sur leur valeur scientifique. Mais il ne comprenait rien aux extraordinaires complications et illogismes des motivations humaines, du comportement humain. Il savait que l'univers était complexe, mais qu'il obéissait à certaines règles, bien qu'il n'eût sans doute pas employé le terme « complexe » avec ce qu'il implique de choix conscient. C'est ainsi, aurait-il dit, que se comporte le monde tangible. Il est accessible à la raison humaine et, dans certaines limites, au contrôle humain. Les gens le déconcertaient parce qu'ils pouvaient le surprendre et, plus déconcertant que tout, il pouvait parfois se surprendre lui-même. Il eût été dans son élément au XVIe siècle élisabéthain, qui cataloguait les hommes selon leur nature essentielle — sanguin, lymphatique, bilieux, nerveux — autant de caractères qui reflétaient les planètes dominant leur ciel de naissance. Cette donnée fondamentale établie, on savait où on en était. Et pourtant, il s'étonnait encore qu'un homme pût être lucide et fiable dans son travail scientifique et benêt avec les femmes, faire montre de jugement dans un domaine de sa vie et agir en enfant sans raison dans un autre. Il était vexé parce que sa secrétaire qu'il avait cataloguée dans la catégorie intelligente, posée, dévouée, préférait rester dans le Norfolk avec son amant, un homme qu'il méprisait, plutôt que de suivre son patron à Londres.

Elle dit : « Je croyais que tu avais dit un jour trouver Caroline frigide.

— Tu crois ? Sûrement pas. Cela suggérerait un certain degré d'expérience personnelle. J'ai dit, je crois, que je ne pourrais jamais imaginer lui trouver le moindre attrait sexuel. Une secrétaire agréable à regarder et très efficace sans être sexuellement provocante, voilà l'idéal. »

Elle dit sèchement : « J'imagine que pour un homme la secrétaire idéale est celle qui s'arrange pour laisser entendre qu'elle aimerait coucher avec son patron, mais se retient noblement dans l'intérêt du service. Qu'est-ce qu'elle va devenir ?

— Oh, sa place n'est pas menacée. Si elle veut rester à Larksoken, on se la disputera. Elle est intelligente aussi bien que discrète et efficace.

— Mais vraisemblablement pas ambitieuse, sinon pourquoi se contenterait-elle de Larksoken ? » Elle ajouta : « Caroline peut avoir une autre raison pour vouloir rester dans la région. Je l'ai vue dans la cathédrale de Norwich, il y a trois semaines à peu près. Elle a retrouvé un homme dans la chapelle de la Vierge. Ils se sont montrés très discrets mais j'ai eu l'impression que c'était un rendez-vous. »

Il demanda, mais sans réelle curiosité : « Quel genre d'homme ?

— Age moyen. Apparence quelconque. Difficile à décrire. Mais trop vieux pour être Jonathan Reeves. »

Elle n'en dit pas plus, sachant qu'il avait déjà l'esprit ailleurs. Pourtant, en y repensant, ç'avait été une rencontre bizarre. Caroline avait serré ses cheveux blonds dans un grand béret et elle portait des lunettes. Mais le déguisement, si c'en était un, n'avait guère été efficace. Elle-même avait passé très vite, soucieuse de ne pas être reconnue, ou de ne pas avoir l'air d'espionner. Une minute plus tard, elle l'avait vue suivre lentement le bas-côté, guide en main, l'homme derrière elle à une distance soigneusement calculée. Ils s'étaient avancés ainsi jusqu'à un monument, apparemment très absorbés. Et quand Alice s'était retournée dix minutes plus tard en quittant la cathédrale, c'était lui qui tenait le guide.

Il ne dit plus rien de Caroline, mais après un instant de silence, remarqua : « Une soirée pas particulièrement réussie.

— C'est le moins qu'on puisse en dire. Sauf, évidemment, le dîner. Qu'est-ce qui est arrivé à Hilary ? Est-ce qu'elle essaie vraiment d'être désagréable, ou est-ce qu'elle est seulement malheureuse ?

— Les gens le sont en général quand ils ne peuvent pas avoir ce qu'ils veulent.

— En l'occurrence, toi. »

Il sourit à l'âtre vide, mais ne répondit pas.

Au bout d'un moment, elle reprit : « Est-ce qu'elle va être gênante ?

— Un peu plus que ça. Dangereuse, probablement.

— Dangereuse ? Comment ça, dangereuse ? Pour toi personnellement ?

— Pas seulement.

— Mais tu pourras faire face ?

— Je pourrai faire face, mais sûrement pas en la nommant directrice administrative en titre, ce serait un désastre. Je n'aurais jamais dû lui confier cet intérim.

— Tu annonces la nomination quand ?

— Dans dix jours. Les candidats ne manquent pas.

— Donc tu as dix jours pour savoir ce que tu vas faire d'elle.

— Un peu moins. Elle veut une réponse avant dimanche. »

Une réponse à quel sujet ? se demanda-t-elle. Sa situation, une promotion, son avenir avec Alex ? Mais enfin, elle devait bien voir qu'elle n'en avait aucun.

Elle demanda, sachant l'importance de la question, sachant aussi qu'elle était la seule à pouvoir la poser : « Tu seras très déçu si tu n'as pas ce poste ?

— Je serai blessé, ce qui est encore pire pour la tranquillité d'esprit. Je le veux, j'en ai besoin et je suis l'homme de la situation, le meilleur pour l'occuper. Je pense que tout candidat en est convaincu, mais dans mon cas il se trouve que c'est vrai. C'est un poste important, Alice, un des plus importants qui soient. L'avenir appartient à la puissance nucléaire si nous voulons sauver cette planète, mais nous devons la gérer mieux, au plan national et international.

— J'imagine que tu es le seul candidat sérieux. C'est sûrement le genre de poste qu'on ne décide de créer que si l'on a l'homme qui convient sous la main. C'est une première. On s'est parfaitement bien passé d'une autorité nucléaire suprême jusqu'à maintenant. Il est sûr qu'entre de bonnes mains, la situation a des possibilités immenses. Sinon ce ne sera qu'une autre affaire de relations publiques, une de plus et un gaspillage des deniers du contribuable. »

Il était trop intelligent pour ne pas savoir qu'elle essayait de le rassurer. Elle seule pouvait lui apporter ce réconfort, et d'elle seule il pouvait l'accepter.

Il dit : « On se demande si nous n'allons pas vers un gros pépin et on veut quelqu'un pour nous en sortir. Des points de détail comme ses pouvoirs précis, l'autorité devant laquelle il sera responsable et son salaire restent encore à décider. C'est pourquoi ils mettent si longtemps à définir les spécifications de la situation. »

Elle dit : « Tu n'as pas besoin de spécifications écrites pour savoir ce qu'on cherche. Un scientifique estimé, un administrateur éprouvé et un bon spécialiste en relations publiques. On te fera sans doute subir un test à la télévision. Il semble que ce soit la condition requise pour tout et n'importe quoi de nos jours.

— Seulement pour les futurs présidents ou premiers ministres. Je ne pense pas qu'on ira jusquelà. »

Il jeta un coup d'œil à l'horloge. Déjà l'aurore.

« Je crois que je vais essayer de dormir un peu. » Mais une heure s'écoula encore avant qu'ils se séparent enfin et remontent dans leur chambre.

15

Dalgliesh attendit que Meg eût tourné la clef dans la serrure et pénétré dans la maison avant de prendre congé et elle resta un moment sur le seuil à regarder la haute silhouette qui s'éloignait à grands pas, puis se perdait dans la nuit. Elle passa alors dans le vestibule carré pavé de mosaïques avec sa cheminée de pierre, le vestibule où, les soirs d'hiver, semblaient résonner encore faiblement les voix des enfants des recteurs victoriens successifs et qui pour elle gardaient toujours un parfum vaguement ecclésiastique. Après avoir plié son manteau sur le pilastre de bois sculpté au pied de l'escalier, elle se rendit dans la cuisine pour la dernière tâche de la journée : préparer le plateau du thé matinal des

Copley. C'était une grande pièce carrée sur le derrière de la maison, déjà archaïque quand les Copley avaient acheté le Vieux Presbytère et restée telle quelle depuis. Contre le mur gauche, une vieille cuisinière à gaz si lourde que Meg ne pouvait pas la déplacer pour nettoyer derrière et préférait ne pas penser à la graisse accumulée par les décennies qui la collait au mur. Sous la fenêtre, un évier de céramique profond taché par les détritus de soixante-dix ans de vaisselle ne pouvait plus être nettoyé convenablement non plus. Par terre, de vieilles dalles en pierre dures aux pieds dégageaient l'hiver des exhalaisons humides. En face, le mur était occupé par un antique vaisselier qui aurait probablement eu de la valeur si l'on avait pu le dégager sans qu'il s'effondre, et la rangée de sonnettes des origines subsistait toujours au-dessus de la porte, avec ses inscriptions en gothique : salon, salle à manger, bureau, nursery. Une cuisine faite pour mettre au défi plutôt que pour exalter les talents de tout cordon-bleu aux ambitions dépassant l'œuf à la coque. Mais désormais, Meg remarquait à peine ses insuffisances : comme tout le reste du presbytère c'était devenu son chez-elle.

Après les stridences et les agressions de l'école, les lettres d'insultes, elle était heureuse de trouver un refuge provisoire dans ce foyer plein de douceur où les voix ne s'élevaient jamais, où personne ne décortiquait chacune de ses phrases avec un soin maniaque dans l'espoir d'y déceler des sous-entendus racistes, sexistes ou fascistes, où les mots gardaient le sens qu'ils avaient depuis des générations, où les obscénités étaient sinon ignorées du moins tues, où régnait la grâce du bon ordre que symbolisait la récitation de l'office quotidien par Mr Copley — matines et vêpres. Parfois elle se représentait leur trio comme des expatriés échoués dans quelque lointaine colonie, obstinément attachés aux anciennes coutumes, à l'ancien mode de vie, comme aux anciennes formes du culte. Et elle avait fini par aimer ses deux employeurs. Elle aurait plus respecté Simon Copley s'il avait été moins enclin à l'égoïsme véniel, moins préoccupé de son confort matériel ; mais elle se disait que c'était sans doute explicable après avoir été gâté pendant cinquante ans par une épouse dévouée. Et il l'adorait. Il se fiait à elle. Il respectait son jugement. Elle se disait qu'ils avaient bien de la chance, sûrs de leur affection réciproque, et probablement soutenus par la certitude que s'ils n'avaient pas la grâce de mourir le même jour, ils ne connaîtraient pas de longue séparation. Mais le croyaient-ils vraiment ? Elle aurait aimé le leur demander, tout en sachant que c'eût été une inconcevable présomption. Ils devaient bien avoir des doutes, faire quelques réserves à l'égard de la doctrine qu'ils proclamaient avec tant d'assurance matin et soir. Mais à quatre-vingts ans, peut-être le principal était-il l'habitude, le corps détaché du sexe, l'esprit détaché des conjectures, les petites choses de la vie devenues plus importantes que les grandes et finalement la lente réalisation que rien n'avait aucune importance.

Son travail n'était pas pénible, mais elle savait que peu à peu, elle se chargeait de bien plus de choses que n'en avait fait prévoir la petite annonce et elle sentait que la grande crainte dans leur vie était de la voir partir. Leur fille les avait munis de tous les automatismes possibles, lave-vaisselle, machine à laver, séchoir, groupés dans un office inutilisé près de la porte de derrière, mais avant que Meg arrive, les Copley n'osaient guère les utiliser au cas où ils ne sauraient pas les arrêter, hantés par la vision des appareils tournoyant toute la nuit, chauffés au rouge et explosant enfin dans une maison tout entière secouée par une puissance incontrôlable.

Leur fille unique, qui habitait un manoir dans le Wiltshire, venait rarement les voir, bien qu'elle téléphonât souvent, en général à des heures fort incommodes. C'était elle qui avait reçu Meg pour s'assurer de ses capacités et celle-ci avait peine désormais à établir un lien entre cette femme en tweed, si assurée qu'elle en était un peu agressive, et les deux vieilles personnes toutes douces qu'elle connaissait. Elle savait aussi, bien qu'ils n'eussent jamais songé à le lui dire, ni même peut-être à l'admettre eux-mêmes, qu'ils avaient peur de cette tornade qui les houspillait — pour leur bien, comme elle n'eût pas manqué de le proclamer. Leur deuxième grande crainte, c'était d'être obligés de se plier à sa suggestion si souvent téléphonée, et faite uniquement par devoir : aller habiter chez elle jusqu'à ce que le Siffleur soit arrêté.

Contrairement à leur fille, Meg comprenait pourquoi, une fois à la retraite, ils avaient mis toutes leurs économies dans l'achat du presbytère et contracté un lourd emprunt dans leur vieillesse. Jeune, Mr Copley avait été vicaire de Larksoken, alors que l'église victorienne était encore debout. C'était dans cet affreux reposoir de sapin verni, de tuiles acoustiques et de vitraux outrageusement kitsch que sa femme et lui s'étaient mariés, et dans un appartement du presbytère au-dessus de celui du recteur qu'ils avaient installé leur premier foyer. L'église avait été en partie démolie par un ouragan dévastateur dans les années trente, au secret soulagement de la commission ecclésiastique qui se demandait quoi faire d'un bâtiment sans aucune valeur architecturale, où l'assistance ne dépassait jamais six personnes aux grandes fêtes. L'église avait donc été finalement démolie et le Vieux Presbytère, s'avérant plus solide, vendu. Rosemary Duncan-Smith n'avait pas caché sa façon de voir en ramenant Meg à la gare de Norwich après leur entrevue.

« C'est ridicule d'habiter là, bien entendu. Ils auraient dû chercher un petit appartement confortable à Norwich, ou dans un village commode, près des magasins, de la poste et d'une église évidemment. Mais Père peut être remarquablement obstiné quand il croit savoir ce qu'il veut, et quant à Mère, il la ferait passer par un trou de souris. J'espère que vous ne considérez pas cette place comme un expédient temporaire. »

Meg avait répondu : « Temporaire, mais pas de courte durée. Je ne peux pas promettre de rester définitivement, mais j'ai besoin de temps et de paix pour décider de mon avenir. Et puis, je ne conviendrai peut-être pas à vos parents.

— Du temps et de la paix, nous en souhaiterions tous. Enfin, je suppose que c'est mieux que rien, mais je vous serais reconnaissante de prévenir un mois ou deux à l'avance quand vous déciderez de partir. Quant à faire l'affaire, ne vous inquiétez pas. Avec une maison malcommode perdue sur ce cap, plus une abbaye en ruine et une centrale atomique comme seul point de vue, ils ne peuvent pas être difficiles. »

Cela s'était passé seize mois plus tôt et elle était toujours là.

Mais c'était dans la cuisine de Martyr's Cottage, magnifiquement conçue et équipée, tout en restant intime, qu'elle avait trouvé la guérison. Dès le début de leur amitié, alors qu'elle avait dû passer une semaine à Londres et qu'Alex était absent, Alice avait donné une clef à Meg pour qu'elle puisse prendre et faire suivre le courrier. A son retour, Meg avait proposé de la lui rendre, mais elle avait répondu : « Gardez-la donc. Vous pourrez en avoir encore besoin. » Meg ne l'avait jamais utilisée depuis. La porte était généralement ouverte l'été, et dans le cas contraire, elle sonnait. Mais la possession, la vue et le poids de ce bout de métal en étaient venus à symboliser pour elle la solidité et la confiance de leur amitié. Elle avait été si longtemps sans amie. Jamais encore, elle y repensait parfois, elle n'avait connu le confort d'une telle relation, intime, compréhensive, asexuée avec une autre femme.

Avant la mort accidentelle de son mari, qui s'était noyé trois ans auparavant, ils n'avaient eu besoin que d'amicales connaissances occasionnelles pour confirmer qu'ils se suffisaient à eux-mêmes. Ils étaient devenus un de ces couples sans enfants si absorbés en eux-mêmes qu'ils repoussent inconsciemment toute tentative d'intimité. Accepter une invitation à dîner était un devoir social, mais ils n'avaient alors qu'une idée : retrouver le plus vite possible leur petite maison. Après la mort de Martin, elle avait eu l'impression de marcher dans le noir comme une automate le long d'un ravin étroit et profond, où toute son énergie, toute sa force physique avaient été concentrées pour arriver au bout de la journée. Elle pensait, travaillait et pleurait pour une seule journée à la fois, pas plus. Se permettre d'envisager les jours, les semaines, les mois ou les années qui s'étendaient devant elle eût précipité le désastre. Pendant deux ans, elle avait été quasiment folle. Même son christianisme ne l'avait guère aidée. Elle ne le rejetait pas, mais il était devenu hors de propos, et son réconfort, réduit à la lueur d'une chandelle qui n'éclairait l'obscurité que par à-coups. Mais quand, après ces deux années, la vallée s'était presque imperceptiblement élargie, il lui était apparu pour la première fois non ces écrasantes falaises noires, mais la perspective d'une vie normale et même heureuse, un paysage sur lequel on pouvait croire que le soleil brillerait un jour, c'est alors qu'elle s'était trouvée bien malgré elle entraînée dans la politique raciale de son école. Les enseignants les plus âgés avaient changé d'établissement ou pris leur retraite et la nouvelle directrice, spécialement nommée pour imposer les orthodoxies à la mode, s'était lancée avec un zèle de croisé pour détecter, flairer et extirper les hérésies. Meg se rendait compte seulement maintenant qu'elle avait été dès le début la victime évidente, prédestinée.

Elle avait fui vers cette nouvelle vie sur le cap et vers une solitude différente. Et c'est là qu'elle avait trouvé Alice Mair. Elles s'étaient rencontrées une quinzaine de jours après l'arrivée de Meg, quand Alice était venue au presbytère avec une valise de bric-à-brac pour la vente de charité au profit de St Andrew à Lydsett. Une souillarde inutilisée, conduisant à un corridor entre la cuisine et la porte de derrière, servait de dépôt pour les objets usagés du cap : vêtements, bibelots, livres et vieilles revues. Mr Copley remplaçait parfois le desservant à St Andrew quand celui-ci était en congé, participation à la vie locale que Meg jugeait assurément aussi importante pour lui que pour l'église. Normalement, on ne pouvait attendre que fort peu de chose des quelques cottages du cap, mais Alex Mair, qui tenait beaucoup à associer la centrale à la communauté, avait fait placarder une notice sur le tableau de service et les deux caisses étaient généralement assez pleines quand venait le temps de la vente en octobre. La porte du Vieux Presbytère donnant accès à la souillarde était laissée ouverte pendant la journée et la porte communiquant avec l'intérieur de la maison, fermée à clef, mais Alice Mair avait frappé à la porte du devant et s'était fait connaître. Les deux femmes, presque du même âge, toutes deux réservées, indépendantes, qui ne cherchaient ni l'une ni l'autre une amie, s'étaient plu. La semaine suivante, Meg avait été invitée à dîner à Martyr's Cottage, après quoi il s'était rarement passé une journée sans qu'elle parcoure le petit kilomètre à travers le cap pour s'asseoir dans la cuisine d'Alice, parler avec elle et la regarder travailler.

A l'école, ses collègues auraient trouvé ces relations incompréhensibles, elle le savait. Là-bas, l'amitié ou ce qui passait pour tel ne franchissait jamais le grand fossé de l'allégeance politique et pouvait très vite dégénérer en ragots, rumeurs, récriminations et reniements dans les clameurs acrimonieuses de la salle des professeurs. Cette amitié paisible qui ne demandait rien était aussi dépourvue d'intensité que d'anxiété. Pas démonstrative non plus. Elles ne s'étaient jamais embrassées, ni même serré la main après la première rencontre. Meg ne savait trop ce qu'Alice appréciait chez elle, mais elle savait ce qu'elle appréciait chez Alice. Intelligente, cultivée, nullement sentimentale, cette femme que rien ne pouvait choquer était devenue le centre de la vie de Meg sur le cap.

Elle voyait rarement Alex Mair. Pendant la journée il était à la centrale et à la fin de la semaine, inversant la pérégrination normale, il allait dans son appartement de Londres, y restant souvent une partie de la semaine s'il avait des rendez-vous en ville. Elle n'avait jamais eu l'impression qu'Alice les avait délibérément tenus éloignés l'un de l'autre dans la crainte que son frère trouvât son amie ennuyeuse. Malgré tous les traumatismes des quatre dernières années, ses racines profondes étaient trop assurées pour qu'elle fût encline à se dénigrer elle-même, sexuellement ou socialement. Mais elle ne s'était jamais sentie à l'aise avec lui, peut-être parce que, avec sa belle mine assurée et son air d'arrogance, il semblait avoir absorbé quelque chose du mystère et de la puissance de l'énergie qu'il maniait. Il se montrait parfaitement aimable avec elle dans les rares occasions où ils se rencontraient et elle avait même parfois l'impression de lui plaire, mais leur seul terrain commun était la cuisine de Martyr's Cottage et même là, elle se trouvait toujours plus à l'aise quand il n'y était pas. Alice ne parlait jamais de lui sinon en passant, presque négligemment, mais les rares fois où Meg les avait vus ensemble, ils semblaient avoir cette mutuelle intuition de l'autre, cette réaction instinctive aux besoins de l'autre plus typique d'un long mariage réussi que de rapports fraternels apparemment sans grandes exigences.

Et pour la première fois depuis près de trois ans, elle avait pu parler de Martin. Elle se rappelait la journée de juillet, la porte de la cuisine ouverte sur le patio, l'odeur des fines herbes et de la mer, plus forte encore que celle, lourde d'épices et de beurre, des biscuits tout juste sortis du four. Elle était assise en face d'Alice, la théière entre elles sur la table. Elle se rappelait chaque mot.

« Il n'a pas eu beaucoup de remerciements. Oh ! On a bien admiré son héroïsme et le directeur de l'école a dit tout ce qu'il fallait à la cérémonie commémorative, mais on a trouvé que les enfants n'auraient pas dû se baigner là. L'école a décliné toute responsabilité dans sa mort. Ils tenaient plus à se disculper qu'à honorer Martin. Et le garçon qu'il a sauvé n'a pas très bien tourné. Je suppose que je suis stupide de me soucier de ça.

— C'est tout à fait naturel d'espérer que votre mari n'est pas mort pour quelqu'un de médiocre, mais je pense que le garçon ne voit pas les choses comme ça. C'est une redoutable responsabilité de savoir que quelqu'un est mort pour vous.

— J'ai essayé de me dire ça. Pendant un certain temps j'étais presque obsédée par ce garçon. Je rôdais autour de l'école pour attendre sa sortie. J'avais parfois comme un besoin de le toucher. On aurait dit qu'une partie de Martin était passée en lui. Mais bien sûr, il était embarrassé, rien de plus. Il n'avait pas envie de me voir, ou de me parler, et ses parents non plus. En fait, c'était une petite brute assez stupide. Je crois que Martin ne l'aimait pas, quoiqu'il n'en ait jamais rien dit. Il avait des boutons aussi — oh, mon Dieu, ça n'était pas sa faute, je ne sais pas pourquoi j'ai dit ça. »

Elle s'était demandé comment il se faisait qu'elle parlait de lui. Pour la première fois après tant d'années. Et cette obsession qu'elle avait eue, elle ne l'avait jamais révélée à âme qui vive.

Alice avait dit : « Dommage que votre mari n'ait pas laissé ce petit drôle se noyer et sauvé sa vie à lui, mais je pense que sur le moment il n'a pas soupesé la valeur relative d'une carrière d'enseignant et d'une stupidité pustuleuse.

— Laissé se noyer volontairement ? Oh ! Alice, vous savez bien que vous ne pourriez pas le faire.

— Peut-être pas. Je suppose que nous agissons tous instinctivement. Je le tirerais probablement au sec, si je pouvais le faire sans trop de danger pour moi.

— Bien sûr. C'est un instinct humain de sauver les autres, surtout un enfant.

— C'est un instinct humain, et à mon avis profondément sain, de se sauver soi-même. C'est pourquoi, quand les gens ne le font pas, nous les qualifions d'héroïques et nous leur donnons des médailles. Nous savons qu'ils agissent contre la nature. Je ne comprends pas comment vous pouvez considérer l'univers avec une bienveillance aussi extraordinaire.

— Vous trouvez ? Peut-être. Sauf pendant les deux années qui ont suivi la mort de Martin, j'ai toujours pu croire qu'au cœur de l'univers, il y a l'amour.

— Au cœur de l'univers, il y a la cruauté. Nous dévorons et nous sommes dévorés, tous autant que nous sommes. Des prédateurs. Saviez-vous que les guêpes pondent leurs œufs dans le corps des coccinelles en perçant le point faible de leur cuirasse ? Ensuite la larve grossit en se nourrissant de la coccinelle vivante qu'elle ronge jusqu'à se frayer un passage pour sortir. Vous conviendrez que celui qui a inventé ça, quel qu'il soit, a un sens de l'humour particulier. Et ne me lancez pas Tennyson à la tête.

— La coccinelle ne sent peut-être rien.

— Évidemment, c'est une idée réconfortante, mais je n'y compterais pas trop. Vous avez dû avoir une enfance extraordinairement heureuse.

— Oh oui, oui ! J'ai eu beaucoup de chance. J'aurais aimé des sœurs et des frères, mais je ne me rappelle pas avoir jamais souffert de la solitude. Pas beaucoup d'argent, certainement, mais beaucoup d'amour.

— L'amour. C'est si important ? Vous avez enseigné, vous devez savoir.

— C'est vital. Si un enfant le connaît pendant ses dix premières années, plus rien d'autre ou presque n'a d'importance ; sinon, rien n'en a. »

Il y avait eu un moment de silence, puis Alice avait dit : « Mon père est mort, accidentellement, alors que j'avais quinze ans.

— Oh, c'est terrible. Quel genre d'accident ? Vous étiez là ? Vous l'avez vu ?

— Il s'est tranché une artère avec une serpe. Non, nous ne l'avons pas vu, mais nous sommes arrivés peu de temps après. Trop tard bien sûr. Il s'est vidé de son sang.

— Nous ?

— Alex était là aussi, encore plus jeune que moi.

— Ça a dû être terrible pour vous deux.

— Nos vies en ont été affectées, certainement ; la mienne en particulier. Essayez donc un de ces biscuits. C'est une nouvelle recette mais je ne suis pas sûre que ce soit vraiment un succès. Un peu trop sucrés et j'ai peut-être eu la main lourde pour les épices. Dites-moi ce que vous en pensez. »

Rappelée au présent par le froid des dalles qui lui engourdissait les pieds, elle comprit soudain, en alignant machinalement les anses des tasses, pourquoi ce thé estival à Martyr's Cottage lui était revenu à l'esprit. Les biscuits qu'elle ajouterait au plateau le lendemain matin étaient des spécimens de la recette donnée par Alice. Mais elle ne les sortirait pas de leur boîte dès le soir. Il ne lui restait plus qu'à remplir sa bouillotte. Pas de chauffage central dans la maison, et elle branchait rarement le petit radiateur électrique dans sa chambre, sachant combien les Copley étaient préoccupés par leurs factures de chauffage. Enfin, serrant la chaleur de la bouillotte contre son cœur, elle vérifia les verrous des deux portes devant et derrière et gravit l'escalier sans tapis. Sur le palier, elle rencontra Mrs Copley en robe de chambre qui trottinait furtivement jusqu'à la salle de bains. Il y avait bien des toilettes au rez-de-chaussée, mais une seule salle de bains à l'étage, défaut qui nécessitait des questions aussi discrètes qu'embarrassées avant qu'un bain inattendu vînt bouleverser l'ordre soigneusement établi. Meg attendit d'avoir entendu la porte de la chambre principale se refermer avant d'aller faire sa toilette.

Un quart d'heure plus tard, elle était couchée, reconnaissant sa grande fatigue aux symptômes d'un cerveau surexcité dans un corps épuisé : une agitation dans les membres qui l'empêchait de trouver une position confortable. La maison était trop loin à l'intérieur des terres pour que l'on pût entendre les vagues s'écraser, mais l'odeur et la pulsation de la mer étaient toujours présentes. L'été, le cap vibrait au rythme d'un doux bourdonnement qui, lors des tempêtes ou des grandes marées, se changeait en un rugissement furieux. Elle dormait toujours la fenêtre ouverte et glissait en général dans le sommeil bercée par ce murmure lointain. Mais ce soir-là, il n'avait plus aucun pouvoir. Son livre de chevet si souvent relu, *La Petite Maison à Allington* d'Anthony Trollope, ne pouvait plus la transporter dans le monde rassurant, nostalgique du Barsetshire, le croquet sur la pelouse de Mrs Dale et le dîner à la table du châtelain. Les souvenirs traumatisants de la soirée étaient trop excitants, trop récents, pour être aisément apaisés par le sommeil. Les yeux ouverts, elle voyait l'obscurité trop souvent peuplée par les visages enfantins familiers, bruns, noirs et blancs, penchés vers elle pour lui reprocher de les avoir abandonnés, alors qu'ils l'aimaient et s'étaient cru aimés. En général, c'était un soulagement d'être libérée de ces doux fantômes accusateurs qui l'avaient visitée moins souvent ces derniers mois. Parfois ils étaient remplacés par un souvenir plus cruel. La directrice avait essayé de l'obliger à suivre un cours de sensibilisation au racisme, elle qui enseignait depuis plus de vingt ans à des enfants de toutes les couleurs. Il y avait eu une scène qu'elle s'était efforcée pendant des mois de chasser de sa mémoire. Cette dernière réunion dans la salle des professeurs, le cercle des visages implacables, bruns, blancs et noirs, les regards accusateurs, les questions insistantes. Finalement, usée par le harcèlement, elle n'avait pu s'empêcher de fondre en larmes. Jamais déprime (cet euphémisme si commode) n'avait été plus humiliante.

Mais ce soir-là, même ce souvenir lourd de honte avait été remplacé par des visions plus récentes et plus inquiétantes. Elle revoyait cette silhouette juvénile dessinée sur les murs de l'abbaye l'espace d'un instant pour s'effacer ensuite comme un fantôme et se perdre dans les ombres de la plage. Elle était de nouveau assise à la table du dîner, voyant à la lumière des bougies les yeux noirs, amers de Hilary Robarts fixer obstinément Alex Mair, les plans du visage de Miles Lessingham capricieusement éclairés par les flammes bondissantes du feu, sa main aux longs doigts se glissa jusqu'à la bouteille de vin, entendant cette voix mesurée, un peu aiguë, dire l'indicible. Et puis, à la lisière du sommeil, elle se frayait un chemin avec lui dans les buissons de cet affreux bois, elle sentait les bruyères lui égratigner les jambes, les branches basses lui fouetter les joues ; fascinée, elle regardait avec lui la flaque lumineuse de la lampe électrique sur ce visage grotesque et mutilé. Et dans le crépuscule entre veille et sommeil, elle voyait que c'était un visage connu, le sien. Elle s'arracha à cette torpeur avec un petit cri d'effroi, alluma la lampe de chevet, prit son livre et se mit résolument à lire. Au bout d'une demi-heure, le livre lui échappa des mains et elle tomba dans la première période d'assoupissement tourmenté de la nuit.

16

Il n'avait pas fallu plus de deux minutes à Alex Mair étendu rigide sur son lit pour savoir que le sommeil ne viendrait pas. Il n'en avait pas besoin de beaucoup, certes, mais encore fallait-il que celui-ci fût profond. Il lança donc les jambes hors du lit, prit sa robe de chambre et alla à la fenêtre voir le soleil se lever sur la mer du Nord. Il repensa aux quelques heures précédentes, au soulagement de parler, à la conversation avec Alice en sachant que rien ne la choquait, que rien ne l'étonnait, que tout ce qu'il faisait était sinon jugé bon du moins mesuré à une aune différente de celle qu'elle appliquait si rigoureusement au reste de sa vie.

Le secret qu'il y avait entre eux, les minutes pendant lesquelles il avait tenu le corps tremblant d'Alice contre l'arbre et regardé au fond de ses yeux pour la contraindre à l'obéissance les avaient liés avec une corde si solide que rien ne pouvait l'user — ni la culpabilité partagée, ni les petits frottements de la vie commune. Pourtant, ils n'avaient jamais parlé de la mort de leur père. Il ne savait pas si Alice y pensait parfois, ou si le traumatisme l'avait effacée de son esprit si bien qu'elle croyait désormais la version qu'il avait donnée, prenant le mensonge dans son inconscient pour en faire sa vérité. Quand très peu de temps après l'enterrement, voyant comme Alice était calme, il avait envisagé cette possibilité, la répugnance que celle-ci lui inspirait l'avait étonné. Il ne voulait pas d'une telle reconnaissance. Il était dégradant d'imaginer qu'elle pût se sentir une obligation vis-à-vis de lui. Obligation et reconnaissance — autant de mots qu'ils n'avaient jamais eu besoin d'employer. Mais il voulait qu'elle sût et se rappelât. L'acte était pour lui si monstrueux, si étonnant, qu'il eût été intolérable de ne pas le partager avec âme qui vive. Dans les premiers mois, il avait voulu qu'elle sût que ce qu'il avait fait était énorme et qu'il l'avait fait pour elle.

Et puis, six semaines après l'enterrement, il s'était soudain découvert capable de croire que cela ne s'était pas produit, du moins pas de cette façon, et que toute l'horreur était une fantasmagorie enfantine. Resté éveillé le soir, il voyait le corps de son père qui s'écroulait, le jet de sang comme une fontaine écarlate, il entendait le murmure rauque des mots. Dans cette version revue et réconfortante, il y avait eu une seconde d'attente, pas davantage, après quoi il s'était précipité vers la maison en appelant au secours. Et puis il y avait un deuxième scénario plus admirable encore, dans lequel, agenouillé à côté de son père, il avait enfoncé le poing dans l'aine pour arrêter le sang, chuchoté des mots secourables pour rassurer ces yeux mourants. Trop tard, bien sûr, mais enfin il avait essayé. Il avait fait de son mieux. Le coroner l'avait félicité, petit homme précis avec ses demi-lunes et son visage de perroquet grognon. «Je félicite le fils du défunt qui a agi avec une promptitude et un courage dignes d'éloges et fait tout ce qui était possible pour sauver la vie de son père. »

Pouvoir se croire innocent lui apporta un tel soulagement au début qu'il en fut confondu pendant quelque temps. Nuit après nuit, il avait glissé dans le sommeil, porté par un flot d'euphorie. Cependant, même alors, il était bien conscient que cette absolution était comme une drogue injectée dans le sang, réconfortante et facile, mais interdite pour lui. Le danger qu'elle représentait était plus destructeur encore que le remords. Il s'était dit : « Jamais je ne dois croire qu'un mensonge est la vérité. Je pourrai mentir toute ma vie si besoin est, mais en sachant ce que je fais et sans jamais me mentir à moi-même. Les faits sont les faits. Je dois les accepter et les affronter pour apprendre à les dominer. Je peux chercher des raisons à ce que j'ai fait et appeler ces raisons excuses — ce qu'il avait fait à Alice, la façon dont il rudoyait Maman, la haine que j'avais pour lui. Je peux essayer de justifier sa mort, du moins à mes yeux. Mais j'ai fait ce que j'ai fait et il est mort comme il est mort. »

Avec cette acceptation était venue une sorte de paix. Au bout de quelques années, il put croire que le remords était lui-même une complaisance et qu'il n'était pas obligé de souffrir à moins de le souhaiter. Ensuite, il avait été pendant un temps fier de son action, du courage, de l'audace et de la résolution qui l'avaient rendue possible. Mais cela aussi, il savait que c'était dangereux. Ensuite encore, pendant des années, il n'avait presque jamais pensé à son père. Ni sa mère ni Alice ne parlaient de lui, sauf en compagnie de vagues connaissances qui se croyaient obligées de présenter des condoléances embarrassées et là, il n'y avait pas d'échappatoire. Mais dans la famille, son nom n'avait été prononcé qu'une seule fois.

Un an après sa mort, sa mère avait épousé Edmund Morgan, veuf organiste de leur église, d'une nullité crétinisante et s'était retirée avec lui à Bognor Regis où ils avaient vécu sur l'assurance de son père dans une grande villa avec vue sur la mer, momifiés par l'obsession d'une mutuelle dévotion qui reflétait l'ordre méticuleux de leurs univers. Sa mère appelait toujours son nouveau mari Mr Morgan : « Si je ne te parle pas de ton père, Alex, ce n'est pas que je l'aie oublié, mais ça contrarierait Mr Morgan. » La phrase était devenue une vraie scie entre lui et Alice, la conjonction de la profession de Morgan et de son instrument offrant des possibilités infinies aux plaisanteries juvéniles, surtout pendant le voyage de noces. « Je pense que Mr Morgan doit sortir le grand jeu. » « Est-ce que tu crois que Mr Morgan va varier ses combinaisons ? » « Pauvre Mr Morgan, en plein effort. Pourvu que sa soufflerie tienne bon. » Enfants peu communicatifs et réticents, ils n'en prenaient pas moins des crises de fou rire incoercibles qui anesthésiaient l'horreur du passé.

Enfin, vers l'âge de dix-huit ans, une réalité d'une autre sorte s'était imposée ; il avait dit tout haut : « Je ne l'ai pas fait pour Alice, je l'ai fait pour moi », et trouve bien extraordinaire qu'il lui eût fallu quatre ans pour le découvrir. Au reste, était-ce un fait, était-ce la vérité, ou une simple spéculation psychologique qu'il jugeait intéressant d'envisager dans certains états d'esprit ?

Cette nuit-là, regardant de l'autre côté du cap le ciel déjà enluminé par les premiers ors de l'aube, il dit encore une fois tout haut : « J'ai laissé mon père mourir, de propos délibéré, c'est un fait. Tout le reste n'est que vaine spéculation. » Dans un roman, Alice et lui-même auraient dû être torturés par leur secret commun, méfiants, rongés de remords, incapables de vivre séparés et malheureux ensemble. Or, depuis la mort du père, il n'y avait eu entre lui et sa sœur qu'entente, affection et paix.

Seulement, près de trente ans après, alors qu'il pensait être arrivé depuis longtemps à un accommodement avec l'acte et ses propres réactions, le souvenir recommençait à s'éveiller. Tout avait commencé avec le premier meurtre du Siffleur. Le mot lui-même, constamment sur les lèvres des uns et des autres telle une malédiction sonore, semblait avoir le pouvoir d'évoquer ces images à demi refoulées du visage de son père, aussi effacées, aussi dépourvues de vie qu'une vieille photographie. Au cours des six derniers mois, l'image de son père avait commencé à envahir sa conscience à des moments bizarres, au milieu d'une conférence, dans un geste, le mouvement d'une paupière, un ton de voix, la ligne de la bouche d'un orateur, la forme des doigts étendus vers un feu de bois. Le fantôme de son père était revenu dans le fouillis du feuillage d'un été finissant, les premières chutes de feuilles, les prémices des parfums d'automne. Il se demanda s'il arrivait la même chose à Alice. Malgré toute leur sympathie réciproque, malgré sa conviction qu'ils étaient irrévocablement liés l'un à l'autre, c'était la seule question, il le savait, qu'il ne poserait jamais.

Et puis il y en avait d'autres, une en particulier, qu'il n'avait pas à redouter d'elle. Elle ne manifestait aucune curiosité pour la vie sexuelle qu'il menait. Il connaissait assez de psychologie pour avoir au moins quelque idée de ce que ces anciennes expériences honteuses et terrifiantes lui avaient fait. Il se disait parfois qu'elle considérait ses liaisons avec une indulgence légèrement amusée comme si, immunisée elle-même contre cette faiblesse puérile, elle n'était pourtant pas disposée à la critiquer chez les autres. Une fois, après le divorce, elle lui avait dit : « Je trouve extraordinaire qu'un procédé simple et direct bien qu'inélégant pour assurer la survie de l'espèce entraîne les humains dans un tel tohu-bohu de passions. Est-ce qu'il faut vraiment prendre le sexe si au sérieux ? » Et voilà qu'il se demandait si elle savait ou devinait, à propos d'Amy. Au moment où la boule flamboyante surgissait de la mer, l'embrayage du temps se mit à patiner, puis passa la marche arrière, et il se trouva reporté quatre jours plus tôt, couché avec Amy dans le creux profond des dunes, sentant de nouveau l'odeur salée de la mer au moment où la chaleur de l'après-midi finissant s'évaporait dans l'air d'automne. Il se rappelait chaque phrase, chaque geste, le timbre de sa voix, sentait encore les poils se hérisser sur ses bras quand elle le touchait.

17

Elle se tourna vers lui, la tête appuyée sur la main, et il vit la forte lumière de l'après-midi flécher d'or la courte chevelure brillamment colorée. Déjà l'air se vidait de sa chaleur et il savait qu'il était temps de s'en aller, mais allongé là à côté d'elle, écoutant susurrer la marée, les yeux levés vers le ciel aperçu à travers une brume d'herbes, il se sentait rempli non pas de la tristesse qui suit le coït, mais d'une agréable langueur, comme s'ils avaient encore devant eux le dimanche après-midi retenu depuis si longtemps.

Ce fut Amy qui dit : « Il va falloir que je rentre. J'ai dit à Neil que je ne serais pas partie plus d'une heure. Il s'inquiète si je suis en retard, à cause du Siffleur.

— Le Siffleur tue la nuit, pas en plein jour. Et il ne s'aventurerait sûrement pas sur le cap. Trop peu de couvert. Mais Pascoe a raison de s'inquiéter. Il n'y a pas grand danger, sauf si tu sors seule le soir. Aucune femme ne devrait le faire tant qu'il n'a pas été pincé. »

Elle dit : « Je voudrais bien qu'on le prenne, ça ferait toujours un souci de moins pour Neil. »

D'un ton soigneusement désinvolte, il l'interrogea : « Il ne te demande jamais où tu te défiles les dimanches après-midi en lui laissant le petit à surveiller ?

— Non, jamais. Et le petit s'appelle Timmy. Et je me défile pas, je dis que je m'en vais et je m'en vais.

— Mais il doit se poser des questions.

— Oh, ça, sûrement. Mais il pense que les gens ont droit à une vie privée. Il aimerait bien me questionner, mais il le fait jamais. Quelquefois je lui dis : "Je vais m'envoyer en l'air avec mon type dans les dunes." Il prend un air malheureux, parce qu'il aime pas que j'emploie ces mots-là, mais il dit jamais rien.

— Alors pourquoi le tourmenter ? Il tient sans doute à toi.

— Non, pas vraiment. C'est à Timmy qu'il tient. Et puis quel autre mot je peux employer ? On peut pas appeler ça aller au lit. J'y suis allée une seule fois avec toi et tu étais comme un cent de puces, tellement tu avais peur que ta frangine revienne subito. Et tu peux pas dire qu'on dort ensemble. »

Il dit : « Nous faisons l'amour. Ou si tu préfères, nous copulons.

— Honnêtement, Alex, ça, c'est dégoûtant. Je trouve que ce mot-là est vraiment dégoûtant.

— Et toi, qu'est-ce que tu fais avec lui ? Tu dors, tu couches, tu fais l'amour, tu copules ?

— Non, rien de tout ça. D'ailleurs, ça te regarde pas. Il pense que ça ne serait pas bien. Ça veut dire qu'il en a pas envie. Parce que si les hommes en ont envie, ils le font.

— D'après mon expérience, oui, certainement. »

Ils restèrent allongés côte à côte comme des effigies, en regardant le ciel. Ainsi la question avait enfin été posée et elle avait reçu sa réponse. Non sans honte et quelque irritation, il avait reconnu en lui pour la première fois le harcèlement de la jalousie. Plus humiliante encore avait été sa répugnance à risquer l'épreuve. Il y avait d'ailleurs d'autres questions qu'il voulait poser, mais il n'osait pas. « Qu'est-ce que je représente pour toi ? », « Est-ce que c'est important ? », « Qu'est-ce que tu attends de moi ? » Et la plus essentielle de toutes, mais sans réponse : « Est-ce que tu m'aimes ? » Avec sa femme, il avait su très exactement où il en était. Jamais mariage n'avait commencé avec plus de précision dans la définition des exigences de chacun. Leur accord prénuptial, tacite et à peine reconnu pour ce qu'il était, n'avait pas eu besoin de ratification formelle. Il gagnerait la plus grande partie de l'argent, elle travaillerait quand elle le déciderait, sa profession de décoratrice d'intérieur ne l'avait jamais enthousiasmée ; en retour, elle tiendrait la maison avec efficacité et sans dépenses excessives. Ils prendraient séparément des vacances au moins tous les deux ans et auraient au maximum deux enfants au moment choisi par elle; chacun éviterait d'humilier l'autre, le spectre des fautes maritales allant de l'interruption des bonnes histoires du partenaire lors d'un dîner à l'infidélité trop voyante. L'arrangement avait été un succès. Ils s'étaient appréciés et entendus avec un minimum assez remarquable de heurts et il avait été sincèrement blessé — surtout dans son amour-propre — quand elle l'avait quitté. Heureusement, l'échec conjugal avait été atténué par la richesse bien connue de l'amant. Il se rendait compte que pour une société matérialiste, perdre une épouse enlevée par un milliardaire était à peine une défaite. Aux yeux de ses amis, il eût été déraisonnablement possessif de ne pas la libérer avec un minimum d'embarras. Mais pour être juste, Liz avait aimé Gregory et l'aurait suivi en Californie avec ou sans argent. Il revoyait ce visage rieur, transformé, il entendait sa voix qui s'excusait.

« Cette fois, c'est pour de vrai, chéri. Jamais je ne m'y serais attendue et aujourd'hui encore, j'ai peine à y croire. Essaie de ne pas trop te tourmenter, ça n'est pas ta faute. Il n'y a rien à faire. »

Pour de vrai, c'était donc ça cette chose mystérieuse et réelle à laquelle tout cédait : obligations, habitudes, responsabilités, devoirs. Désormais, allongé dans les dunes, regardant le ciel entre les tiges raides des oyats, il y pensait avec une sorte de terreur. Il ne l'avait tout de même pas trouvée enfin et avec une fille moitié plus jeune que lui, intelligente mais inculte, facile et encombrée d'un enfant illégitime. Au reste, il ne se méprenait pas sur la nature de l'emprise qu'elle avait sur lui. Jamais jeux amoureux n'avaient été aussi érotiques ni aussi libérateurs que leurs accouplements semi-illicites sur le sable résistant, à quelques mètres des vagues qui s'écrasaient.

Parfois, il se laissait aller à fantasmer, les voyant tous les deux à Londres dans son nouvel appartement. Celui-ci, qu'il n'avait même pas encore cherché, vague possibilité parmi d'autres, acquérait une horrible crédibilité, si forte qu'il se représentait en train d'accrocher soigneusement ses tableaux sur un mur inexistant, de réfléchir à la disposition de son mobilier, à la place exacte de son ensemble stéréo. L'appartement donnait sur la Tamise. Il voyait les larges baies d'où l'on découvrait le fleuve jusqu'au pont de la Tour, l'énorme lit, le corps cambré d'Amy zébré par les rais de soleil filtrés au travers des stores en lattes. Et puis, ces charmantes images trompeuses se décomposaient pour faire place à la réalité. L'enfant. Elle voudrait avoir l'enfant avec elle. Bien sûr. D'ailleurs, qui d'autre pourrait s'en occuper ? Il voyait déjà l'amusement indulgent sur le visage de ses amis, le plaisir de ses ennemis, l'enfant qui promènerait ses doigts poisseux à travers l'appartement. Il croyait sentir ce que Liz lui avait toujours épargné dans la réalité — l'odeur du lait suri et des couches sales —, se représentait l'épouvantable manque de tranquillité et d'intimité secrète. Il avait besoin de ces réalités délibérément soulignées pour retrouver son bon sens. Horrifié d'avoir sérieusement envisagé fût-ce pendant quelques minutes une stupidité aussi destructrice, il se dit : « Elle m'obsède. Bon, pendant ces quelques dernières semaines, je vais jouir de mon obsession. La fin de l'été sera assez brève, des journées aussi chaudes et ensoleillées ne sont déjà plus de saison, elles ne pourront pas durer. Déjà les soirées s'assombrissent et bientôt je sentirai les premières morsures de l'hiver dans les brises de mer. Plus de coucheries dans les dunes. » Impossible de l'introduire une nouvelle fois à Martyr's Cottage, ce serait une bêtise inexcusable. Il pourrait certes se convaincre aisément qu'en prenant toutes les précautions voulues, à un moment où Alice serait à Londres, ils parviendraient à passer peut-être une nuit entière dans sa chambre, mais il savait qu'il ne s'y risquerait jamais. Rien ne restait longtemps secret sur le cap. C'était son été de la Saint-Martin, une folie automnale, rien que le premier froid de l'hiver ne pût flétrir.

Mais voilà qu'elle dit, comme s'il n'y avait pas eu de silence entre eux : « Neil est mon copain, d'accord ? Pourquoi tu veux parler de lui ?

— Je n'y tiens pas du tout. Mais j'aimerais bien qu'il installe son campement d'une manière un peu plus civilisée. Cette caravane est juste dans l'axe de ma fenêtre. Ce spectacle n'est pas réjouissant.

— Il faudrait des jumelles pour la voir de ta chambre. Et ta foutue bougresse de centrale, tu crois que c'est un spectacle réjouissant ? Celle-là, on l'a en plein dans l'œil, tout le monde est obligé de la voir. »

Il tendit sa main pour toucher l'épaule de la jeune femme, toute chaude sous la pellicule grumeleuse de sable et dit avec une emphase burlesque : « Il est généralement admis que compte tenu des contraintes imposées par sa fonction et par le site, la centrale est plutôt une réussite sur le plan architectural.

— Admis par qui ?

— Par moi, déjà.

— Évidemment, ça, c'est pas vraiment une surprise. Mais enfin, tu devrais être reconnaissant que Neil garde Timmy. Sans ça, je ne serais pas ici.

— Tout ça est d'un primitif ! Il a un poêle à bois là-dedans, n'est-ce pas ? S'il saute, vous n'en aurez pas pour une minute, vous trois, surtout si la porte coince.

— On la ferme pas à clef. T'es dingue. Et puis on laisse le poêle s'éteindre la nuit. Et puis si c'est ton truc qui saute ? Il n'y aura pas que nous trois, hein ? Ah, ça non, il n'y aura pas que nous. Et pas rien que des humains. Et Smudge et Whisky ? Ils existent aussi.

— Rien ne sautera. Tu as écouté ses calembredaines catastrophardes. Si la puissance nucléaire t'inquiète, parles-en plutôt avec moi. Je te dirai ce que tu veux savoir.

— Tu veux dire que pendant que tu me pénétreras, tu m'expliqueras les mystères de l'atome. Ça sera vraiment le moment pour faire tout entrer. »

Elle se tourna alors de nouveau vers lui. Les dessins de sable brillaient sur son épaule et il sentit sa bouche qui lui caressait la lèvre supérieure, les seins, le ventre. Et puis elle s'agenouilla au-dessus de lui et le visage rond, enfantin, avec sa tignasse éclatante, cacha le ciel.

Cinq minutes plus tard, elle roula sur le côté et se mit à secouer le sable collé sur sa chemise et ses jeans, puis tout en remontant ceux-ci sur ses cuisses, elle dit : « Pourquoi tu fais pas quelque chose pour cette garce à Larksoken, celle qui attaque Neil ? Tu pourrais l'arrêter, c'est toi le patron. »

La question — ou était-ce un ordre ? — l'arracha à ses fantasmes aussi brutalement que si elle l'avait giflé sans l'ombre de raison. Lors de leurs quatre rencontres, elle ne l'avait jamais questionné sur sa situation, faisant même rarement allusion à la Centrale sauf, comme cet après-midi-là, pour se plaindre qu'elle gâchait le paysage. Il n'avait pas pris de propos délibéré la décision de la maintenir à l'écart de sa vie privée et professionnelle — il en avait à peine conscience quand ils étaient ensemble. L'homme couché avec Amy dans les dunes n'avait rien à voir avec le savant surmené, ambitieux et calculateur qui dirigeait Larksoken, ni avec le frère d'Alice, l'ex-mari d'Elizabeth, ou l'ex-amant de Hilary. Il se demandait désormais, avec un mélange d'irritation et de consternation, si elle avait choisi délibérément d'ignorer ces signaux « Entrée interdite ». D'ailleurs, s'il n'avait pas fait de confidences, elle non plus. Il n'en savait guère plus sur elle que le soir où ils s'étaient rencontrés pour la première fois dans les ruines de l'abbaye, immobilisés une minute les yeux dans les yeux puis approchés l'un de l'autre, silencieusement émerveillés de se reconnaître. Plus tard, ce soir-là, elle lui avait dit qu'elle venait de Newcastle, que son père, veuf, s'était remarié et qu'elle ne pouvait pas s'entendre avec sa belle-mère. Elle était allée à Londres où elle vivait dans des squats. Une histoire assez banale en somme, mais qu'il n'avait pas tout à fait crue et qu'elle se souciait assez peu, semblait-il, de lui faire croire. Elle avait un accent carrément cockney. Il n'avait jamais posé la question au sujet de l'enfant, en partie par une sorte de délicatesse, mais surtout parce qu'il préférait ne pas se la représenter en mère et elle n'avait donné aucun renseignement ni sur Timmy, ni sur le père de celui-ci.

Elle dit : « Hein, pourquoi tu fais rien ? Comme je dis, c'est toi le patron.

— Pas quand il s'agit de la vie privée de mon personnel. Si Hilary Robarts estime qu'elle a été diffamée et demande réparation, je ne peux pas l'empêcher d'aller en justice.

— Tu pourrais si tu voulais. Neil n'a écrit que la vérité.

— Argument dangereux dans un procès en diffamation. Pascoe aurait bien tort de s'y fier.

— Elle aura pas un rond. Il a rien. Et s'il faut qu'il paie les frais, ça sera sa ruine.

— Il aurait dû y penser plus tôt. »

Elle se rejeta en arrière avec un petit bruit mat et pendant quelques minutes, ils restèrent tous deux silencieux. Puis elle dit négligemment, comme si la précédente conversation n'avait été qu'un échange de banalités déjà oubliées : « Dimanche prochain ? Je pourrai m'en aller en fin d'après-midi. Ça t'irait ? »

Donc, elle ne lui en voulait pas. Pour elle ce n'était pas important, ou si ça l'était, elle avait décidé de laisser tomber, du moins pour l'heure. Il pouvait aussi chasser le traître soupçon d'une première rencontre manigancée par elle et Pascoe pour exploiter son influence sur Hilary. Mais cela, sûrement, c'était ridicule. Il n'avait qu'à se rappeler ce que leur premier corps à corps avait eu d'inéluctable, la passion animale, primitive qu'elle avait mise dans leurs accouplements, pour savoir que l'idée était démente. Il serait là dimanche après-midi. Ce serait leur dernier rendez-vous. Il en avait déjà presque décidé ainsi. Il se libérerait de cet asservissement, si délectable fût-il, comme il s'était libéré de Hilary. Et il savait, avec un regret presque aussi fort que son chagrin, qu'à cette séparation-là il n'y aurait ni protestations, ni supplications, ni rappels désespérés du passé. Amy accepterait le départ aussi calmement qu'elle avait accepté l'arrivée.

Il dit : « D'accord. Vers quatre heures et demie alors. Dimanche 25. »

Sur ce, le temps qui semblait s'être mystérieusement arrêté depuis dix minutes reprit son cours et il se retrouva cinq jours plus tard à la fenêtre de sa chambre, regardant la grosse boule du soleil surgir de la mer pour colorier l'horizon de la nouvelle journée. Dimanche 25. Il avait pris ce rendez-vous cinq jours auparavant et il s'y rendrait. Mais couché dans les dunes, il n'avait pas su ce qu'il savait désormais, qu'il avait encore un autre rendez-vous, très différent, pour le dimanche 25 septembre.

18

Le lendemain après-midi, Meg traversa le cap pour se rendre à Martyr's Cottage. Les Copley étaient montés faire la sieste dans leur chambre et elle se demanda si elle allait leur recommander de fermer la porte à clef. Mais très vite la précaution lui parut inutile et ridicule. Elle allait tirer le verrou de la porte de service, fermer la grande porte à clef en partant et elle ne s'absenterait pas longtemps. D'ailleurs, ils s'accommodaient parfaitement de rester seuls. Il lui semblait parfois que le grand âge diminuait l'anxiété. Ils regardaient la centrale sans la moindre appréhension et les forfaits du Siffleur paraissaient dépasser leur intérêt comme ils dépassaient leur compréhension. Le grand événement de leur vie, qui mobilisait toutes leurs énergies et nécessitait l'établissement de plans méticuleux, c'était une incursion à Norwich ou Ipswich pour y faire les courses.

L'après-midi, superbe, était plus chaud que la plupart l'avaient été durant cet été décevant. Une brise légère soufflait et, de temps à autre, Meg s'arrêtait et levait la tête pour sentir la tiédeur du soleil et l'air odorant lui caresser les joues. Le gazon était élastique sous ses pas, et au sud, les pierres de l'abbaye, ni mystérieuses ni sinistres, luisaient comme de l'or, tranchant sur le bleu sans nuages de la mer.

Inutile de sonner. La porte du cottage était ouverte comme bien souvent par beau temps et elle se contenta d'appeler Alice avant de se diriger vers la cuisine, d'où lui venait la réponse. Toute la maison était envahie par l'odeur piquante du citron qui dominait le mélange plus familier d'encaustique, de vin et de fumée de bois. Odeur si puissante qu'elle lui rappela même, l'espace d'un instant, les vacances passées avec Martin à Amalfi, la montée main dans la main de la route sinueuse jusqu'au sommet de la montagne, les tas de citrons et d'oranges le long du chemin, les rires, le bonheur avec lequel ils avaient mis le nez sur ces peaux dorées, grêlées. L'image ressentie comme un éclat d'or, une bouffée de chaleur au visage, fut si vivante que pendant une seconde elle hésita sur le seuil de la cuisine, désorientée. Puis la vision se dissipa et elle vit les objets familiers, l'Aga et le fourneau à gaz avec les plans de travail voisins, la table de chêne ciré au milieu de la pièce avec ses quatre chaises élégamment ouvragées et à l'autre extrémité, le domaine d'Alice aux murs couverts de livres, les épreuves entassées sur le bureau. La maîtresse de maison se tenait debout à côté de la table, dans sa longue blouse beige.

Elle dit : « Comme vous voyez, je suis en train de faire de la pâte de citron. Nous en mangeons avec plaisir de loin en loin, Alex et moi, et ça m'amuse de la faire, ce qui justifie, je suppose, la peine que j'y prends.

— Nous n'en mangions presque jamais — Martin et moi, je veux dire. Je ne crois pas en avoir goûté depuis mon enfance. Maman en achetait parfois pour le thé du dimanche.

— Si elle l'achetait, vous ne connaissez pas le goût qu'elle doit avoir. »

Meg rit et s'installa dans le fauteuil de rotin à gauche de la cheminée. Elle ne demandait jamais si elle pouvait aider, sachant qu'Alice serait agacée par une offre à la fois peu pratique et peu sincère. L'aide n'était ni nécessaire ni bien accueillie. Mais Meg aimait rester assise tranquillement et regarder faire. Était-ce un souvenir d'enfance qui rendait si extraordinairement rassurant et satisfaisant le tableau d'une femme travaillant dans sa propre cuisine ? Dans ce cas, encore une source de réconfort dont les enfants modernes étaient privés dans un monde de plus en plus déboussolé et inquiétant.

Elle dit : « Maman ne faisait pas de pâte de citron, mais elle aimait cuisiner. Rien que des choses très simples, bien sûr.

— Les plus difficiles. Et je suppose que vous l'aidiez. Je vous vois très bien dans un petit tablier en train de faire des bonshommes de pain d'épice.

— Elle me donnait un morceau de pâte quand elle faisait des gâteaux, mais quand j'avais fini de le pétrir, de le rouler et de le découper, il était devenu brun foncé. Oui, j'ai fait des bonshommes de pain d'épice avec des raisins secs pour les yeux. Et vous ?

— Non, ma mère ne passait pas beaucoup de temps dans la cuisine. Elle n'était pas bonne cuisinière et les critiques de mon père avaient détruit le peu de confiance qu'elle aurait pu avoir en elle. Il payait une femme du pays pour venir tous les jours préparer le repas du soir, pratiquement le seul qu'il prenait à la maison sauf le dimanche. Elle ne venait ni le samedi ni le dimanche, si bien que les agapes familiales tournaient souvent à l'aigre. C'était une organisation bizarre et Mrs Watkins était une femme bizarre — bonne cuisinière, mais perpétuellement écumante de mauvaise humeur, et elle ne supportait pas les enfants dans sa cuisine. Je ne me suis intéressée à ce domaine qu'à l'époque où j'ai passé un trimestre en France pour préparer un diplôme de langues modernes. Tout a commencé comme ça. J'ai trouvé ma nécessaire passion et compris que je n'étais pas obligée d'enseigner, de traduire ou de devenir la secrétaire hyperqualifiée d'un bonhomme quelconque. »

Meg ne répondit pas. Alice ne lui avait parlé qu'une seule fois de sa famille et de sa vie privée et

elle avait l'impression que commenter ou questionner pourrait faire regretter à son amie cet instant de
confidence si rare. Confortablement adossée, elle
regarda les mains familières aux longs doigts habiles
opérer avec assurance. Alice avait devant elle huit
gros œufs dans une jatte bleue peu profonde et à
côté une assiette avec une motte de beurre ainsi
qu'une autre avec quatre citrons. Elle frottait ceux-ci
avec des morceaux de sucre qui finissaient par
s'émietter dans un bol; elle en prenait alors d'autres
et poursuivait patiemment son travail.

Elle dit : « Ça va en faire deux livres. Je vous en
donnerai un pot pour les Copley si vous pensez qu'ils
aimeraient ça.

— J'en suis sûre, mais je le mangerai toute seule,
c'est ce que je suis venue vous dire. Je ne peux pas
rester longtemps, leur fille veut absolument qu'ils
aillent s'installer chez elle tant que le Siffleur n'a pas
été arrêté. Elle a appelé ce matin dès qu'elle a appris
le dernier meurtre. »

Alice dit : « Le Siffleur se rapproche certainement
de façon assez inquiétante, mais ils ne risquent rien.
Il ne rôde que la nuit et toutes ses victimes ont été
des jeunes femmes. Et les Copley ne sortent même
pas, sauf si vous les conduisez en voiture, n'est-ce
pas ?

— Ils vont parfois se promener au bord de la mer,
mais en général, ils restent dans le jardin. J'ai essayé
de convaincre Rosemary Duncan-Smith qu'ils ne
couraient aucun danger et qu'aucun de nous n'avait
peur, mais je crois que ses amis la critiquent parce
qu'elle ne les retire pas d'ici.

— Je vois. Elle ne les veut pas, ils ne veulent pas y
aller, mais les soi-disant amis doivent être contentés.

— Je crois que c'est une de ces femmes auto-
ritaires, efficaces, qui ne peuvent pas tolérer les critiques. Pour être juste, je dois dire qu'elle semble sincèrement inquiète.

— Alors, quand partez-vous ?

— Dimanche soir. Je les conduis à Norwich pour
le train de huit heures trente qui arrive à Liverpool

Street à dix heures cinquante-huit. Leur fille les attendra.

— Pas très commode, non? Voyager le dimanche est toujours difficile. Pourquoi ne pas attendre le lundi matin?

— Parce que Mrs Duncan-Smith est à son club, Audley Square, pour le week-end et elle y a retenu une chambre pour eux. Ils partiront tous ensemble pour le Wiltshire lundi matin de bonne heure.

— Et vous? Ça ne vous fera rien de rester toute seule?

— Absolument rien. Oh! Ils me manqueront sûrement quand ils seront partis, mais pour le moment je pense surtout à tout le retard que je vais pouvoir rattraper. Et puis, j'aurai plus de temps pour être ici, je vous aiderai à relire les épreuves. Je ne crois pas que j'aurai peur. Je comprends la peur et parfois je joue presque avec elle, je m'attarde exprès à l'horreur comme si je mettais mes nerfs à l'épreuve. La journée, ça va bien. Mais quand la nuit tombe et que nous sommes assis auprès du feu, je l'imagine dehors dans le noir, qui guette et qui attend. C'est plutôt cette impression de menace invisible, inconnaissable qui est si inquiétante. C'est un peu l'effet que me produit la centrale : une force dangereuse, imprévisible, que je ne peux ni contrôler ni même comprendre. »

Alice dit : « Le Siffleur n'a rien de commun avec la centrale. On peut comprendre et contrôler la puissance nucléaire. Mais ce dernier meurtre est à coup sûr très ennuyeux pour Alex. Certaines des secrétaires habitent dans le coin et rentrent chez elles en car ou à bicyclette. Il prend des dispositions pour que les membres du personnel qui ont des voitures les emmènent et les ramènent le matin, mais avec le travail posté, cela suppose une organisation plus compliquée que vous ne pourriez croire. Et certaines des filles commencent à paniquer, elles disent qu'elles ne veulent être conduites que par une femme.

— Mais enfin, elles ne peuvent pas penser sérieusement que c'est un collègue, quelqu'un de la Centrale?

— Elles ne pensent pas sérieusement, c'est ça l'ennui. L'instinct prend le dessus, et leur instinct, c'est de soupçonner tous les hommes, en particulier ceux qui n'ont pas d'alibi pour les deux derniers meurtres. Et puis il y a Hilary Robarts. Elle va nager presque tous les soirs jusqu'à la fin d'octobre, parfois pendant tout l'hiver. Et elle a l'intention de continuer. Elle a peut-être une chance sur un million d'être assassinée, mais c'est une bravade qui donne le mauvais exemple. Je regrette pour hier soir, à propos. Pas un dîner très réussi. Je devais un repas à Miles et à Hilary, mais je ne m'étais pas rendu compte qu'ils se détestaient à ce point-là. Je ne sais pas pourquoi. Alex le sait probablement, mais ça ne m'intéresse pas assez pour que je prenne la peine de le lui demander. Comment avez-vous trouvé notre poète résident? »

Meg dit : « Il m'a bien plu. Je l'ai trouvé un peu intimidant, mais il ne l'est pas, n'est-ce pas? Nous sommes allés ensemble jusqu'aux ruines de l'abbaye. Elles sont si belles au clair de lune. »

Alice dit : « Romantique à souhait pour un poète. Je suis heureuse que vous n'ayez pas trouvé sa société décevante. Mais je ne peux pas regarder la lune sans me représenter cette litière de ferraille. L'homme laisse ses ordures polluantes derrière lui comme des crottes de métal. Mais dimanche soir, ce sera la pleine lune. Venez donc dîner tranquillement ici en rentrant de la gare et nous irons jusqu'aux ruines ensemble. Je vous attendrai pour neuf heures trente. Alex va généralement à la centrale après un week-end en ville. »

Meg dit avec regret : « J'aurais beaucoup aimé, Alice, mais les bagages et le départ vont être une redoutable entreprise et quand je rentrerai de Norwich je serai tout juste bonne pour me coucher. Je n'aurai pas faim parce qu'il faut que je leur prépare un goûter dînatoire avant que nous partions. D'ailleurs je n'aurais pu rester qu'une heure, Mrs Duncan-Smith a dit qu'elle téléphonerait de Liverpool Street pour me prévenir qu'ils sont bien arrivés. »

Alice se sécha les mains et l'accompagna jusqu'à la porte, ce qui était inusité. Meg se demanda pourquoi, en parlant du dîner et de la promenade avec Adam Dalgliesh, elle n'avait pas fait mention de la mystérieuse silhouette féminine aperçue dans les ruines. Ce n'était pas seulement qu'elle craignait de donner trop d'importance à ce qui, sans la corroboration de Dalgliesh, risquait fort d'être une erreur de sa part. Autre chose, une répugnance qu'elle ne pouvait ni expliquer ni comprendre, la retenait. En arrivant à la porte, alors que Meg regardait au loin la courbure du cap ensoleillé, elle connut un instant d'extraordinaire perception. Il lui sembla qu'elle avait conscience d'un autre temps, d'une autre réalité qui existaient simultanément avec le moment dans lequel elle se trouvait. Le monde extérieur était toujours le même, encore qu'elle en vît chaque détail avec plus d'acuité : les grains de poussière dansant dans la jonchée de soleil sur le sol dallé, la dureté de chaque carreau usé sous ses pieds, chaque marque de clou grêlant la grande porte de chêne, chaque brin dans les touffes d'herbe à la lisière de la lande. Mais il y avait un autre monde qui s'était emparé de son esprit. Là, pas de soleil, seulement une éternelle obscurité où résonnaient le martèlement des sabots de chevaux et le piétinement des hommes, des voix rauques, un clabaudage incohérent comme si le reflux aspirait les galets sur toutes les grèves du monde. Et puis il y eut un sifflement et un craquement de fagots, une explosion de feu, une seconde de silence effrayant brisé par le long hurlement suraigu d'une femme.

Elle entendit la voix d'Alice : « Meg, vous ne vous sentez pas mal ?

— Je me suis sentie toute drôle pendant un instant, mais c'est passé. Je suis parfaitement bien.

— Vous êtes surmenée. Vous avez trop à faire dans cette maison. Et la soirée d'hier n'a pas été précisément reposante. C'est sans doute un choc en retour. »

Meg dit : « J'ai dit à Mr Dalgliesh que je n'avais jamais senti la présence d'Agnes Poley dans cette maison. Mais je me trompais. Elle est là. Il reste quelque chose d'elle. »

Il y eut un silence avant que son amie répondît : « Cela dépend, je suppose, de la notion que vous avez du temps. Si, comme l'assurent certains savants, il peut retourner en arrière, alors elle est peut-être encore ici, encore vivante, brûlant sur un éternel bûcher. Moi, je ne la sens jamais. Elle ne m'apparaît pas. Elle ne me trouve peut-être pas sympathique. Pour moi, les morts restent morts. Si je ne le croyais pas, je ne pense pas que je pourrais continuer à vivre. »

Meg fit ses derniers au revoir et traversa le cap d'un pas décidé. Les Copley, confrontés aux redoutables choix à faire pour les bagages destinés à une visite d'une longueur indéterminée, devaient commencer à s'inquiéter. Quand elle arriva en haut de la crête, elle se retourna et vit Alice, toujours debout sur le seuil. Celle-ci leva la main dans un geste qui ressemblait plutôt à une bénédiction qu'à un salut et disparut dans la maison.

LIVRE TROIS

Dimanche 25 septembre

19

A huit heures et quart, le dimanche soir, Theresa, qui avait enfin fini ses devoirs bien longtemps diffé-rés, se dit qu'elle pouvait sans danger mettre son livre d'arithmétique de côté et dire à son père qu'elle avait envie d'aller se coucher parce qu'elle était lasse. Il l'avait aidée à faire la vaisselle après le dîner — reste d'un ragoût de mouton auquel elle avait ajouté une boîte de carottes — puis s'était installé comme toujours devant la télévision, tassé dans le fauteuil délabré près de l'âtre vide, sa bouteille de whisky posée par terre à portée de la main. Elle savait qu'il resterait là jusqu'à la fin du dernier programme, les yeux fixés sur l'écran, mais sans voir vraiment ces images noir et blanc papillotantes. Parfois, le jour se levait presque quand elle entendait — si elle ne dor-mait pas — ses pieds lourds dans l'escalier.

Mr Jago avait téléphoné juste après sept heures et demie et elle avait pris un message, disant qu'elle ne pouvait pas déranger son père qui était à l'atelier. Ce n'était pas vrai. Il était aux cabinets dans le fond du jardin, mais elle n'avait pas voulu dire cela à Mr Jago et jamais elle n'aurait songé un instant à aller frap-per à la porte pour l'appeler. Elle se disait parfois avec une lucidité curieusement adulte qu'il prenait sa lampe électrique et allait là-bas sans en avoir vrai-ment besoin, que la cabane délabrée avec sa porte fendue et son large siège confortable était pour lui un refuge loin du cottage, du désordre, des cris d'Anthony, de ses propres efforts si peu efficaces pour remplacer sa mère. Mais il avait dû être sur le chemin du retour parce qu'il avait entendu la sonnerie et demandé en arrivant qui avait appelé.

« Quelqu'un qui se trompait de numéro, Papa », avait-elle dit et, par habitude, récité très vite un acte de contrition. Elle était contente qu'il n'eût pas parlé à Mr Jago. Il aurait peut-être été tenté de le rejoindre au *Local Hero*, sachant qu'il pouvait la laisser seule une heure ou deux sans danger; or ce soir, il ne devait pas quitter le cottage, c'était d'une importance capitale. Il ne lui restait plus qu'une demi-bouteille de whisky, elle avait vérifié. Elle ne serait partie qu'une quarantaine de minutes, si bien que s'il y avait un incendie — la terreur secrète héritée de sa mère — il ne serait pas trop ivre pour sauver Anthony et les jumelles.

Elle embrassa rapidement une joue qui lui piqua les lèvres et sentit l'odeur familière, whisky, térébenthine et sueur mêlés. Comme toujours, il leva la main pour lui ébouriffer doucement les cheveux, seul geste d'affection qu'il se permettait désormais. Il avait toujours les yeux fixés sur le vieil écran où l'on apercevait les visages familiers du dimanche à travers des bourrasques de neige intermittentes. Elle savait qu'il ne la dérangerait pas, une fois fermée la porte de la chambre qu'elle partageait avec Anthony. Depuis la mort de sa femme, il n'était jamais entré quand Theresa y était. Et elle avait remarqué une différence dans son attitude à son égard, presque cérémonieuse, comme si en quelques semaines elle était devenue femme. Il la consultait comme il l'eût fait pour une adulte au sujet des achats, du repas suivant, des vêtements des jumelles et même du problème de la fourgonnette, mais il y avait un sujet qu'il n'abordait jamais : la mort de leur mère.

Son lit était juste sous la fenêtre. Agenouillée dessus, elle ouvrit doucement les rideaux, faisant ruisseler dans la pièce la clarté lunaire qui chercha les coins, étendit ses jonchées de lumière froide, mystérieuse, sur le lit et le plancher. La porte du petit débarras sur le devant où couchaient les jumelles était ouverte et elle s'arrêta un instant pour regarder les deux petites bosses serrées l'une contre l'autre sous les couvertures, puis, se penchant très bas, écouta le sifflotis régulier de leur respiration. Elles ne s'éveilleraient pas avant le matin. Elle ferma la porte et passa dans sa chambre. Anthony était à son habitude étendu sur le dos, les jambes écartées telle une grenouille, la tête penchée d'un côté et les bras tendus vers le haut comme s'il essayait de saisir les barreaux de son berceau. Il avait rejeté la couverture, qu'elle remonta doucement sur son pyjama et à ce moment elle éprouva une envie de le prendre dans ses bras si forte qu'elle en était presque douloureuse. Mais au lieu de cela, elle abaissa soigneusement un des côtés du berceau et posa un instant sa tête à côté du bébé. Il gisait là, comme s'il avait été drogué, la bouche serrée, les paupières délicatement veinées tendues sur des yeux qu'elle imaginait tournés vers le haut, sans regard.

Revenue vers son lit, elle enfonça sous les couvertures les deux oreillers, auxquels elle donna la forme de son corps. Il y avait bien peu de chances que son père vînt voir, mais si l'inattendu se produisait, au moins il ne découvrirait pas un lit trop évidemment vide à la lumière de la lune. Elle prit sous le meuble le petit sac de toile où elle avait déjà mis ce dont elle aurait besoin, la boîte d'allumettes, la bougie blanche qu'ils utilisaient à la maison, le canif bien aiguisé, la lampe de poche. Ensuite elle grimpa sur le lit et ouvrit toute grande la fenêtre.

Le cap baignait dans la lumière argentée qu'elles aimaient tant, sa mère et elle. Tout était métamorphosé, magique : les affleurements rocheux flottaient comme des îles de papier d'étain froissé au-dessus des herbes immobiles et la haie interrompue, mal tenue, au fond du jardin était un bosquet mystique tissé de minces brins de lumière. Au-delà, telle une écharpe de soie, la mer immense, sans entraves. Elle resta un instant le souffle court, rassemblant ses forces, puis escalada l'appui de la fenêtre et passa sur le toit plat de l'annexe ; il était recouvert de bardeaux et elle avança avec une extrême prudence, sentant les aspérités des pierres à travers les semelles de ses tennis. Il n'y avait même pas deux mètres à sauter, ce qu'elle fit aisément avec l'aide du tuyau de descente, puis elle traversa le jardin en courant, presque pliée en deux, jusqu'à l'appentis de bois vermoulu adossé à l'atelier où son père et elle rangeaient leurs bicyclettes. Dans la lumière de la lune qui ruisselait par la porte ouverte, elle dégagea la sienne et la poussa jusqu'à la haie, où elle la souleva pour passer de l'autre côté sans utiliser la barrière. C'est seulement quand elle eut atteint l'abri du sentier creux où le vieux chemin de fer était passé qu'elle osa l'enfourcher et se lancer en cahotant sur l'herbe bosselée vers le nord, vers la frange des pins et vers l'abbaye en ruine.

La vieille voie ferrée passait derrière le bois de pins qui bordait la grève, mais là elle était moins encaissée, guère plus qu'une faible dépression dans le cap ; bientôt, même cela s'effacerait et il n'y aurait plus rien, pas même les vieilles traverses pourries, pour indiquer l'endroit où le petit train était passé autrefois, emportant les familles victoriennes avec pelles et seaux, bonnes d'enfants et malles énormes pour leurs vacances à la mer. Moins de dix minutes plus tard elle débouchait en terrain découvert. Elle éteignit sa lampe de bicyclette, mit pied à terre pour s'assurer qu'il n'y avait personne en vue et commença de traverser le gazon grossier en direction de la mer.

Et voilà que les cinq arches brisées de l'abbaye surgirent, illuminées par la lune. Elle resta un moment à les contempler en silence. Elles semblaient irréelles, éthérées, édifice de lumière immatériel qui s'évanouirait au moindre toucher. Parfois, quand elle arrivait au clair de lune comme ce soir-là, l'impression était si forte qu'elle posait la main sur les pierres et leur dureté rugueuse lui infligeait un choc physique. Appuyant sa bicyclette contre le mur de pierre, elle traversa l'espace où il avait dû y avoir le grand portail ouest et pénétra dans le corps de l'abbaye.

C'était par des nuits de lune très calmes comme celle-là qu'elles faisaient leurs petites expéditions ensemble, elle et sa mère, qui lui disait : « Allons parler avec les moines. » Et elles venaient à bicyclette, puis se promenaient silencieuses et unies au milieu des arches en ruine, ou elles se tenaient main dans la main à l'endroit où l'autel avait dû se dresser autrefois, entendant ce que les religieux morts depuis si longtemps avaient entendu autrefois, mais de plus loin : le grondement mélancolique de la mer. C'était là, elle le savait, que sa mère aimait le mieux prier, plus à l'aise sur cette rude terre consacrée par le temps que dans le vilain bâtiment de brique rouge en dehors du village où le père McKee venait dire la messe tous les dimanches.

Le prêtre lui manquait, ses plaisanteries, ses compliments, son drôle d'accent irlandais, mais depuis la mort de sa mère, il venait rarement et n'était jamais bien reçu.

Elle se rappelait sa dernière visite, si courte, son père qui le raccompagnait jusqu'à la porte et les derniers mots du père McKee. « Sa chère Maman, Dieu ait son âme, souhaiterait sûrement que Theresa assiste régulièrement à la messe et se confesse. Mrs Stoddard-Clark ne demanderait pas mieux que de venir la chercher en voiture dimanche prochain et ensuite elle pourrait aller déjeuner à la Grange. Ça ne ferait pas plaisir à cette enfant ? »

Et la voix de son père : « Sa mère n'est pas là ; votre Dieu a jugé bon de la priver de sa mère. Tess fait ce qu'elle veut maintenant. Si elle a envie d'aller à la messe, elle ira et elle ira à confesse quand elle aura quelque chose à confesser. »

L'herbe était haute à cet endroit-là, hérissée de longues tiges raides et de fleurs séchées, le sol si inégal qu'elle était obligée de marcher avec précaution. Elle passa sous la plus grande arche de toutes, où le vitrail avait brillé autrefois, miracle imaginé de verre multicolore. Désormais ce n'était plus qu'un œil vide au travers duquel elle voyait luire la mer et la lune qui voguait au-dessus d'elle. Alors, à la lumière de sa lampe, elle se mit très silencieusement au travail. Elle alla au mur, canif en main, et se mit à la recherche d'une grande pierre plate qui formerait la base de son autel. Au bout de quelques minutes, elle en trouva une qu'elle descella avec son canif. Mais il y avait quelque chose caché derrière elle, un morceau de carton très mince enfoncé dans le creux ; elle le prit et le déplia : c'était la moitié d'une carte postale en couleurs représentant la façade ouest de Westminster Abbey. Même sans la moitié droite du cliché, elle reconnut les deux tours familières. Retournant la carte, elle vit quelques lignes d'écriture qu'elle ne put déchiffrer à la lumière de la lune, et n'insista pas. La carte semblait récente, mais le timbre de la poste étant illisible, impossible de savoir depuis combien de temps elle était là ; peut-être avait-elle été cachée pendant l'été au cours d'un jeu familial. Non seulement elle ne s'en souciait pas, mais préoccupée comme elle l'était, cela l'intéressait à peine. C'était le genre de message secret que ses camarades se laissaient les uns pour les autres à l'école, cachés dans le hangar des bicyclettes, glissés dans une poche de veste. Elle hésita un instant, fit mine de la déchirer, puis la défroissa et la remit soigneusement en place.

En longeant le mur, elle trouva une autre pierre appropriée et les quelques-unes plus petites dont elle avait besoin pour caler l'unique bougie. L'autel fut bien vite terminé. Elle alluma la bougie, le craquement de l'allumette anormalement fort et le brusque éclair de lumière presque trop brillant pour ses yeux. Elle fit tomber les premières gouttes de cire sur la pierre, puis y enfonça la bougie qu'elle coinça avec des cailloux. Ensuite, elle s'assit devant, jambes croisées, en regardant fixement la flamme qui montait toute droite. Elle savait que sa mère allait venir, invisible mais présente, reconnue, silencieuse mais la parole claire. Il lui suffisait d'attendre dans la patience et de bien regarder la flamme impassible.

Elle voulait vider son esprit de tout sauf des questions qu'elle était venue poser, mais la mort de sa mère était trop récente, le souvenir trop douloureux pour être exclu de ses pensées.

Maman ne voulait pas mourir à l'hôpital et Papa lui avait promis qu'elle n'y mourrait pas. Elle avait entendu ses assurances chuchotées. Elle savait aussi que le Dr Entwhistle et l'infirmière visiteuse y étaient opposés. Il y avait des lambeaux de conversation qu'elle n'était pas censée entendre, mais qui lui parvenaient aussi nettement que si elle avait été au chevet de sa mère, quand elle se tenait silencieuse, dans la pénombre de l'escalier derrière la porte menant à la salle de séjour.

« Vous avez besoin de soins vingt-quatre heures sur vingt-quatre, Mrs Blaney, plus que je ne peux en assurer. Et puis vous seriez mieux installée à l'hôpital.

— Je suis bien ici. J'ai Ryan et Theresa. Je vous ai, vous. Vous êtes tous si bons pour moi. Je n'ai besoin de personne d'autre.

— Je fais ce que je peux, mais deux fois par jour, ça ne suffit pas. C'est beaucoup demander à Mr Blaney et à Theresa. C'est bien joli de dire que vous avez votre fille, mais elle n'a que quinze ans.

— Je veux être avec eux. Nous voulons être ensemble.

— Mais s'ils ont peur... C'est difficile pour des enfants. »

Et puis cette douce voix implacable, frêle et incassable comme un roseau, porteuse de l'égoïsme obstiné des mourants.

« Ils n'auront pas peur. Vous croyez qu'on les laisserait avoir peur ? Il n'y a rien d'effrayant à la naissance ou à la mort, si on les a bien expliquées.

— Il y a des choses qu'on ne peut pas expliquer aux enfants, Mrs Blaney, des choses qu'il faut avoir vécues. »

Alors Theresa avait fait de son mieux pour convaincre tout le monde qu'ils avaient raison, qu'ils pouvaient s'en tirer. Il y avait eu de petits subterfuges. Avant l'arrivée de l'infirmière et du médecin, elle lavait les jumelles, leur mettait des robes propres et changeait Anthony. Il était important que tout ait l'air bien organisé pour que le médecin et l'infirmière ne puissent pas dire que Papa était débordé. Un samedi, elle avait fait des petits pains au lait qu'elle avait offerts gravement sur le plus beau plat, le favori de sa Maman avec des roses délicatement peintes et des trous dans la bordure où l'on pouvait passer un ruban. Elle se rappelait l'air embarrassé du médecin, lui disant :

« Non merci, Theresa. Pas maintenant.

— Mais si, prenez-en un, c'est Papa qui les a faits. »

Et en sortant, elle l'avait entendu qui disait à son père : « Vous pouvez peut-être supporter ça, Blaney. Pour moi je n'en suis pas sûr. »

Seul le père McKee semblait remarquer les efforts qu'elle faisait. Le père McKee qui parlait tellement comme un Irlandais à la télévision, que Theresa pensait qu'il le faisait exprès et qu'elle essayait toujours de le récompenser en riant très fort. « Mais est-ce que ça n'est pas super de voir comme tout est impec ici ? La Vierge Marie en personne pourrait manger sur ce plancher-là. Faits par ton Papa ? Et bien réussis, ma foi. Tu vois, j'en mets un dans ma poche pour plus tard. Tu ne sais pas ce que tu vas faire ? Une bonne tasse de thé pendant que je vais bavarder avec ta Maman. »

Elle essayait de ne pas penser à la nuit où on l'avait emmenée — ces terribles plaintes d'ahan qui l'avaient réveillée, lui faisant croire qu'un animal à l'agonie rôdait autour du cottage ; la découverte que le bruit ne venait pas du tout du dehors ; la brusque terreur ; la silhouette de son père lui ordonnant de rester où elle était, de ne pas sortir et de faire tenir les enfants tranquilles. Debout à la fenêtre de la petite chambre sur le devant de la maison, avec les visages effrayés des jumelles, le regard fixe, sur leur petit lit, elle avait vu l'ambulance arriver, les deux hommes avec un brancard, cette silhouette ensevelie sous une couverture désormais immobile, emportée par l'allée du jardin. C'est alors qu'elle s'était précipitée dans l'escalier et jetée dans les bras de son père.

« Non. Il vaut mieux pas. Faites-la rentrer. »

Elle ne savait plus qui avait dit ces mots-là. Elle s'était dégagée, avait couru après l'ambulance au moment où elle prenait le virage au bout du chemin, martelant les portières de ses poings fermés. Elle se rappelait que son père l'avait prise dans ses bras et portée jusqu'au cottage. Elle se rappelait sa force, l'odeur et le frottement rêche de sa chemise, tandis qu'elle battait l'air de ses bras impuissants. Elle n'avait jamais revu sa mère. Voilà comment Dieu avait répondu à ses prières, à celles de sa mère; sa mère qui demandait si peu. Rien de ce que pouvait dire le père McKee ne lui ferait pardonner à Dieu.

La fraîcheur de la nuit de septembre pénétrait ses jeans, son chandail, et ses reins commençaient à lui faire mal. Pour la première fois, elle sentit l'élancement du doute. Et puis, dans le tremblement de la flamme, sa Maman se trouva près d'elle. Tout était bien.

Elle avait tant de choses à demander. Les couches d'Anthony. Jetables, elles étaient terriblement chères et lourdes à transporter. Papa n'avait pas l'air de se rendre compte de ce qu'elles coûtaient. Sa mère lui dit d'utiliser du tissu-éponge et de les rincer. Ensuite les jumelles n'aimaient pas Mrs Hunter, qui venait les chercher pour les emmener au jardin d'enfants. Il fallait qu'elles soient polies avec Mrs Hunter, qui faisait de son mieux; c'était très important qu'elles continuent d'aller au jardin d'enfants à cause de Papa. Que Theresa leur dise bien. Et puis, il y avait Papa. Tant à dire à son sujet. Il n'allait pas souvent au café parce qu'il n'aimait pas les laisser, mais il y avait toujours du whisky à la maison. Sa mère lui dit de ne pas s'inquiéter pour le whisky. Il en avait besoin. Pour le moment. Mais bientôt il se remettrait à peindre et alors il en aurait moins besoin. Mais s'il était vraiment ivre et s'il y en avait une autre bouteille à la maison, qu'elle la vide. Il ne se mettrait jamais en colère contre elle.

La communication silencieuse continua. Elle était là, comme hypnotisée, les yeux fixés sur la flamme de la bougie qui brûlait lentement. Et puis plus rien. Sa mère était partie. Avant de souffler la bougie, elle gratta les gouttes de cire sur la pierre avec son canif. Aucune trace ne devait subsister, c'était important. Puis elle replaça les pierres dans le mur. Désormais les ruines ne contenaient plus rien pour elle qu'un vide glacé. Il était temps de rentrer.

Soudain, la fatigue l'écrasa. Il lui sembla impossible que ses jambes la portent jusqu'à sa bicyclette, impossible aussi d'affronter le trajet à travers le cap. Sans du tout savoir pourquoi, elle franchit la grande fenêtre est et se trouva au bord de la falaise. Peut-être la nécessité de rassembler ses forces, de regarder au loin la mer sous le clair de lune, de renouer un instant cette communion perdue avec sa mère. Mais au lieu de cela, ce fut un tout autre souvenir qui s'empara de son esprit, un souvenir bien plus récent puisqu'il ne datait que de l'après-midi et si effrayant encore qu'elle n'en avait pas parlé même à sa mère. Elle revoyait la voiture rouge enfilant le chemin vers Scudder's Cottage, rappelait les enfants du jardin, les rassemblait au premier et fermait la porte de la salle. Mais ensuite, elle s'était postée derrière pour écouter et il lui semblait que pas un mot de cette conversation ne pourrait jamais être oublié.

D'abord la voix de Hilary Robarts : « Cet endroit ne pouvait absolument pas convenir à une malade obligée de faire de longs trajets pour sa radiothérapie. Quand vous l'avez pris, vous deviez bien savoir qu'elle était malade. Elle ne pouvait pas s'en tirer. »

Puis son père : « Et vous avez pensé, je suppose, qu'une fois ma femme partie, je ne m'en tirerais pas non plus. Combien de mois vous lui donniez? Vous prétendiez vous inquiéter de sa santé, mais elle savait bien ce que vous maniganciez. Le poids qu'elle perdait chaque semaine, les os qui saillaient de partout, les poignets comme des baguettes, le teint des cancéreux. Vous surveilliez tout ça. Vous vous disiez : plus pour longtemps maintenant. Vous avez fait un fameux investissement dans cette bougresse de bicoque. Vous avez investi dans sa mort et vous lui avez empoisonné ses dernières semaines.

— C'est faux. Ne vous déchargez pas de votre culpabilité sur moi. Il fallait que je vienne, il y avait des choses que je devais régler. La tache d'humidité dans la cuisine, le problème des gouttières du toit. Vous vouliez que les réparations soient faites, je suppose. Vous étiez bien le premier à souligner que j'avais des obligations comme propriétaire. Et si vous ne voulez pas partir, je serai obligée d'augmenter le loyer. Ce que vous payez est dérisoire. Ça ne couvre même pas les réparations.

— Essayez. Allez devant le tribunal. Qu'ils viennent voir. La propriété est peut-être à vous, mais je suis en possession des lieux. Et je paie régulièrement le loyer, vous ne pouvez pas m'expulser, je ne suis pas si dingue.

— Vous payez, c'est entendu, mais jusqu'à quand ? Vous arriviez à vous en tirer quand vous faisiez un peu d'enseignement à temps partiel, mais je ne vois pas comment vous pouvez faire maintenant. Vous vous qualifiez probablement d'artiste, mais vous n'êtes qu'un barbouilleur au rabais, un fabricant de croûtes pour touristes ignares qui pensent qu'un original de trente-sixième zone vaut mieux qu'une excellente gravure. Mais elles ne se vendent pas trop bien maintenant, n'est-ce pas ? Ces quatre aquarelles qu'Ackworth a en montre, elles y sont depuis des semaines, elles commencent à jaunir. Même les touristes deviennent un peu difficiles ces temps-ci. La camelote ne se vend pas simplement parce qu'elle est bon marché. »

Mais les jumelles, lasses de leur incarcération, s'étaient mises à se disputer et elle dut remonter en hâte leur dire que ce ne serait pas long, qu'elles ne devaient pas descendre avant que la sorcière soit partie. Puis elle se glissa de nouveau dans l'escalier, mais elle n'eut pas besoin de descendre plus de quatre marches. Les voix vociféraient désormais.

« Je veux savoir si c'est vous qui avez envoyé cette

bonne femme ici, cette garce d'assistante sociale qui est venue m'espionner et questionner mes enfants sur mon compte. C'est vous qui l'avez envoyée ? »

La voix de la sorcière était froide, mais chaque mot parvenait à Theresa : « Je n'ai pas à répondre. Si je les ai alertés, c'est qu'il était grand temps que quelqu'un le fasse.

— Vous êtes diabolique, vous feriez n'importe quoi pour me sortir de cette maison, moi et mes enfants. Il y a cent ans les gens comme vous, on les brûlait. Si ça n'était pas mes enfants, je vous tuerais. Mais je ne vais pas les voir "placés", comme on dit, simplement pour le plaisir de vous empoigner le cou. Ah nom de Dieu, ne me tentez pas, ne me tentez pas. Sortez, sortez de ma maison et de mon terrain. Prenez votre loyer et dites-vous que vous avez bien de la chance d'être encore en vie pour le prendre. Et ne vous mêlez plus jamais de mes affaires. Jamais, jamais ! »

La sorcière dit : « Essayez de vous contenir. Les menaces et la violence, vous n'êtes bon qu'à cela. Si les autorités locales prenaient ces enfants sous leur protection, ce serait ce qu'il pourrait leur arriver de mieux. Oh ! je pense bien que vous aimeriez me tuer. Vous réagissez toujours à la raison par des menaces et des violences. Tuez-moi et comptez sur l'État pour entretenir vos enfants pendant quinze ans. Vous êtes ridicule et pathétique. »

Et puis la voix de son père, non plus vociférante, mais si basse qu'elle put à peine saisir les mots : « Si je vous tue, personne ne portera la main ni sur moi ni sur mes enfants. Personne. »

A l'évocation de cette terrible rencontre, la colère l'envahit et refluant jusque dans ses jambes parut leur donner de la force. Désormais elle pourrait affronter le trajet de retour. Et il était temps de rentrer. Soudain, elle vit que la grève n'était plus vide et, tremblante comme un jeune chiot, elle se rejeta dans l'abri de l'arche. Au nord, courant des pins vers la mer, une femme, cheveux noirs au vent, corps blanc presque nu, poussait des cris, des cris de triomphe. C'était la sorcière, Hilary Robarts.

20

Hilary dîna de bonne heure. Elle n'avait pas faim, mais elle prit un petit pain au congélateur, le réchauffa dans le four, puis se fit une omelette aux fines herbes. Elle lava ensuite la vaisselle, rangea la cuisine, puis prit des documents dans sa serviette et s'installa à la table de la salle de séjour pour travailler. Elle avait un rapport à rédiger concernant les répercussions de la réorganisation sur son service, des chiffres à collationner et à présenter, des arguments pour le redéploiement du personnel à exposer de façon logique et élégante. La tâche était importante pour elle et normalement elle y aurait pris plaisir. Elle savait qu'on pouvait la critiquer quand il s'agissait de relations personnelles, mais comme organisatrice et administratrice personne ne l'avait jamais prise en faute. Tout en remuant ses papiers, elle se demanda si ce travail lui manquerait quand elle serait à Londres avec Alex et fut étonnée de constater qu'elle s'en souciait fort peu. Cette partie de sa vie était passée et elle la quitterait sans regret — ce cottage trop bien ordonné qui n'avait jamais été à elle et ne pourrait jamais l'être, la centrale et même sa situation. Désormais, ce serait une autre vie, la situation d'Alex, la position qu'elle aurait comme épouse, les gens bien à recevoir bien, du volontariat soigneusement choisi, des voyages. Et puis un enfant, l'enfant d'Alex.

Cet irrésistible besoin d'enfant avait pris une nouvelle intensité depuis un an, à mesure que diminuait le besoin physique qu'il avait d'elle. Elle essayait de se persuader qu'une liaison, comme un mariage, ne pouvait pas toujours se maintenir au même niveau d'excitation sexuelle ou émotionnelle, que rien d'essentiel n'avait changé et ne changerait jamais entre eux. Au début, quel avait été le contenu physique ou sentimental de leur engagement? Elle s'en était très bien accommodée à l'époque, ne souhaitant pas plus que ce qu'il était préparé à donner, un échange de plaisir mutuellement satisfaisant, la gloriole d'être une maîtresse quasi reconnue, les dissimulations précautionneuses quand ils étaient ensemble en société, ni vraiment nécessaires ni vraiment réussies, et d'ailleurs jamais prises vraiment au sérieux, mais qui, au moins pour elle, portaient une puissante charge érotique. C'était un jeu qu'ils jouaient, leurs politesses presque protocolaires avant les conférences ou devant des étrangers, les visites qu'il rendait deux fois par semaine au cottage. Quand elle était arrivée à Larksoken, elle avait cherché un appartement moderne à Norwich et loué quelque chose près du centre. Mais une fois la liaison commencée, il avait fallu être près de lui et elle avait trouvé une petite résidence de vacances à moins de cinq cents mètres de Martyr's Cottage. Elle le savait trop fier et trop arrogant pour venir la voir en cachette, rasant les murs la nuit comme un écolier émoustillé. Mais aucun faux-semblant dégradant n'était nécessaire, le cap étant invariablement désert. Et il ne restait jamais toute la nuit. Le rationnement de la compagnie qu'elle lui offrait semblait être un élément presque nécessaire de leurs rapports. En public, ils se comportaient comme des collègues. Il avait toujours été opposé à la familiarité, à l'usage excessif des prénoms, sauf pour ses collaborateurs immédiats, à trop de camaraderie. La centrale était aussi disciplinée qu'un navire en temps de guerre.

Mais la liaison commencée avec tant d'égards pour les règles de la bienséance sociale et émotionnelle avait dégénéré en désordres, frustrations et souffrances. Elle croyait savoir le moment où le besoin d'un enfant s'était mis à devenir une obsession : quand l'infirmière de cette clinique coûteuse et discrète avait emporté le haricot contenant cette masse tremblante de tissus qui avait été le fœtus. Comme si la matrice cliniquement dépouillée prenait sa revanche. Elle n'avait pas dissimulé son désir à Alex, tout en sachant que cela lui répugnait. Elle entendait de nouveau sa propre voix, geignarde, térébrante comme celle d'un enfant importun, et voyait

l'expression qu'il avait prise, mi-rieuse, mi-conster-
née, qui dissimulait, elle le savait, une véritable
répulsion.

« Je veux un enfant.

— Ne me regarde pas, chérie. Voilà au moins une
expérience que je ne suis pas prêt à répéter.

— Tu as un enfant, bien vivant et qui réussit. Ton
nom, tes gènes se perpétueront.

— Je ne me suis jamais attaché à ça. Charles a *son*
existence, de plein droit. »

Elle avait essayé de s'arracher à l'obsession, en
imposant à son esprit rétif des images importunes —
nuits interrompues, odeurs, exigences continuelles,
liberté diminuée, carrière compromise. Rien à faire.
Elle opposait des raisonnements intellectuels à un
besoin auquel l'intellect n'avait point de part. Parfois
elle se demandait si elle ne devenait pas folle. Et
puis, elle ne pouvait pas maîtriser ses rêves, l'un
d'eux en particulier. L'infirmière, souriante en
blouse et masque, lui mettait le nouveau-né dans les
bras ; elle-même regardait le petit visage doux,
concentré, marqué par le traumatisme de la naissance. Puis l'infirmière entrant en coup de vent, l'air
féroce, pour se saisir du petit paquet : « Ce n'est pas
votre bébé, Miss Robarts. Vous ne vous rappelez pas
que nous avons jeté le vôtre dans les toilettes ? »

Alex n'avait pas besoin d'un autre enfant. Il avait
son fils, espoir vivant, si précaire fût-il, d'une immortalité au second degré. Père peut-être insuffisant et à
peine connu, il n'en était pas moins père. Il avait
tenu son enfant dans ses bras et ce n'était pas sans
importance pour lui, quoi qu'il en pût dire. Charles
était venu le voir l'été précédent, géant de bronze
doré aux cheveux décolorés par le soleil qui rétro-
spectivement semblait avoir traversé la centrale
comme un météore, fascinant le personnel féminin
avec son accent américain et son charme hédoniste.
Quant à Alex, elle l'avait vu étonné, un peu
déconcerté par la fierté que lui inspirait son fils et
qu'il avait essayé — sans succès — de dissimuler
sous un lourd badinage.

« Où est le jeune barbare ? Il nage ? Il trouvera la mer du Nord assez désagréablement différente de Laguna Bay. »

« Il me dit qu'il a l'intention de faire son droit à Berkeley. Il y a, semble-t-il, une place qui l'attend dans l'affaire de beau-papa quand il aura son diplôme. Dans sa prochaine lettre, Liz va m'annoncer qu'il est fiancé à une jeune fille bien sous tous rapports. »

« J'arrive à le nourrir, soit dit en passant. Alice m'a laissé une recette de hamburgers. Toutes les clayettes du réfrigérateur sont occupées par du bœuf haché. Ses besoins en vitamine C semblent anormalement élevés, même pour un gaillard de ses dimensions. Je presse continuellement des oranges. »

Partagée entre l'embarras et le ressentiment, elle avait trouvé que cette fierté et cet humour juvénile lui ressemblaient bien peu, presque dégradants, comme si, de même que les dactylos, il avait été captivé par la présence physique de son fils. Alice Mair était partie pour Londres deux jours après l'arrivée de Charles. Hilary se demandait s'il s'agissait d'une manœuvre pour laisser le père et le fils un certain temps seuls tous les deux, ou si — ce qui paraissait plus vraisemblable d'après ce qu'elle savait d'Alice — celle-ci n'avait voulu ni passer son temps à faire de la cuisine pour son neveu ni assister aux excès de paternalisme embarrassants de son frère.

Elle repensa à sa dernière visite, quand il l'avait raccompagnée chez elle après le dîner. Elle avait volontairement fait semblant de ne pas y tenir, mais il était venu quand même et elle avait bien compté qu'il le ferait. Elle avait parlé, après quoi il avait dit calmement : « Voilà qui ressemble fort à un ultimatum.

— Je n'emploierais pas ce terme-là.

— Lequel, alors, chantage ?

— Après ce qui s'est passé entre nous, je dirais plutôt justice.

— Restons-en à ultimatum. La justice est une

notion trop grandiose pour le commerce entre nous. Et comme tout ultimatum, il faudra l'examiner. On fixe habituellement un délai. Quel est le tien ? »

Elle avait dit : « Je t'aime. Dans ce nouveau poste, tu vas avoir besoin d'une épouse. Je suis celle qu'il te faut. Nous pourrions réussir. Je ferai en sorte que tout réussisse. Je pourrais te rendre heureux.

— Je ne sais pas dans quelle mesure je suis capable d'être heureux. Sans doute plus que je n'y ai droit. Mais le bonheur, personne ne peut en faire cadeau, ni Alice, ni Charles, ni Elizabeth, ni toi. Il n'a jamais été à la disposition de personne. »

Alors il s'était approché d'elle et il l'avait embrassée sur la joue. Elle s'était tournée pour s'accrocher à lui, mais il l'avait doucement repoussée. « J'y penserai.

— J'aimerais les annoncer bientôt, les fiançailles.

— Tu n'envisages pas un mariage à l'église, j'espère. Fleurs d'oranger, demoiselles d'honneur. *Marche nuptiale* de Mendelssohn. »

Elle avait dit : « Je n'envisage pas de nous rendre ridicules, avant ou après le mariage. Tu me connais assez pour le savoir.

— Je vois. Un petit saut rapide et sans douleur au bureau de l'état civil du coin. Je te ferai part de ma décision dimanche soir à mon retour de Londres.

— Présenté comme ça, c'est bien officiel. »

Et il avait répondu : « Mais il faut bien, n'est-ce pas la réponse à un ultimatum ? »

Il allait l'épouser et en moins de trois mois il saurait qu'elle avait eu raison. Elle vaincrait, parce que sa volonté était plus forte que celle d'Alex. Elle se rappelait les mots de son père : « Il n'y a que cette vie, ma petite fille, mais tu peux la vivre comme tu l'entends. Il n'y a que les idiots et les faibles pour vivre comme des esclaves. Tu as la santé, la beauté, l'intelligence. Tu peux prendre ce que tu veux. Tu n'as besoin que de courage et de volonté. » Les salopards avaient bien failli l'avoir, finalement, mais il avait mené sa vie à sa manière et elle en ferait autant.

Elle essaya de mettre de côté la pensée d'Alex et de leur avenir pour se concentrer sur la tâche du moment. Impossible. Elle traversa la cuisine, alla dans le petit office qui contenait sa réserve de vin et sortit une bouteille de bordeaux. Elle prit un verre dans le buffet, versa — et dès la première gorgée sentit une minuscule éraflure au coin de sa lèvre. Elle ne supportait pas de boire dans un verre ébréché. Instinctivement, elle en prit un autre et vida dedans le premier, qu'elle était sur le point de jeter quand elle hésita. Il faisait partie d'un service de six qu'Alex lui avait donné. Le défaut qu'elle n'avait encore jamais remarqué était vraiment minime, guère plus qu'une irrégularité du bord. Il pourrait servir pour y mettre des fleurs. Elle se les représenta, perce-neige, prime-vères, brindilles de romarin. Quand elle eut fini de boire, elle lava les deux verres, les retourna sur l'égouttoir et laissa la bouteille débouchée sur la table : en fait, elle avait été trop froide pour être vraiment appréciée, mais dans une heure elle serait juste bien.

C'était le moment du bain. Montée dans sa chambre, elle ôta tous ses vêtements, enfila le bas d'un bikini et un survêtement bleu et blanc. Aux pieds, de vieilles sandales en cuir tachées par l'eau de mer. D'une patère dans l'entrée, elle décrocha un petit médaillon en acier enfilé à une lanière de cuir juste assez grand pour tenir sa clef Yale et qu'elle portait autour du cou quand elle nageait. Cadeau d'Alex pour son dernier anniversaire. Elle sourit en le touchant et sentit, forte comme le métal sous ses doigts, la certitude de l'espoir. Puis elle prit une lampe électrique dans le tiroir de la table et, refermant soigneusement la porte derrière elle, se lança vers la grève.

Elle sentit la résine des pins avant même de passer devant leurs minces troncs hérissés. Seuls cinquante mètres d'un sentier sablonneux recouvert de leurs aiguilles tombées la séparaient de la plage. Là, il faisait plus sombre ; la lune qui glissait majestueusement au-dessus des hautes flèches des arbres était tantôt visible, tantôt masquée, tel un phare à éclipses, si bien que pendant quelques instants, elle dut allumer sa lampe. Puis elle sortit des ombres et vit devant elle le sable blanchi par la lumière blafarde de la lune et la mer du Nord tremblante. Elle étendit sa serviette à l'endroit habituel, un petit creux à la lisière du bois, laissa glisser son survêtement et étendit bien haut les bras au-dessus de sa tête.

Puis elle rejeta ses sandales en deux coups de pied et se mit à courir sur l'étroite bande de galets, sur le sable pulvérulent au-dessus de la laisse, sur les remous soyeux de l'écume au travers des petites vagues qui semblaient s'ébouler sans un bruit, à courir pour se précipiter enfin dans l'espace purifiant. Le froid, douloureux comme une morsure, lui coupa le souffle, mais ce ne fut qu'un instant, comme toujours, après quoi il lui sembla que l'eau qui glissait sur ses épaules avait absorbé la chaleur de son propre corps et qu'elle nageait dans un cocon bien clos. Au rythme puissant de son crawl, elle s'éloigna du rivage. Elle savait combien de temps elle pouvait rester sans danger : cinq minutes exactement avant que le froid la frappe de nouveau, l'obligeant à rebrousser chemin.

Et puis elle s'arrêta de nager et resta un moment à flotter sur le dos, en regardant la lune. La magie opéra, comme elle le faisait toujours. Les déceptions, les peurs, les colères de la journée furent emportées et elle se sentit aussitôt remplie d'une joie qu'elle aurait appelée extase si le mot n'avait pas été trop ostentatoire pour cette douce sérénité. Et avec la joie, l'optimisme. Tout allait s'arranger pour le mieux. Elle allait laisser Pascoe se ronger les ongles pendant une semaine encore, après quoi elle retirerait sa plainte. Si peu important qu'il ne valait même pas la peine qu'elle le haïsse. Et son notaire avait raison, l'occupation de Scudder's Cottage pouvait attendre ; la valeur de la propriété ne cessait d'augmenter, le loyer était payé, elle ne perdait rien. Et les irritations quotidiennes du travail, les jalousies professionnelles, les rancœurs, quelle importance désormais ? Ce chapitre de sa vie s'achevait. Elle aimait Alex, Alex l'aimait. Il verrait le sens de tout ce qu'elle avait dit. Ils se marieraient. Elle aurait un enfant de lui. Tout était possible. Et puis, l'espace d'un instant, il lui vint une paix plus profonde, telle que rien de tout cela non plus n'était important. On eût dit que toutes les préoccupations dérisoires de la chair avaient été lavées par la mer ; elle était un esprit désincarné qui regardait son corps ouvert sous la lune, émue d'une légère compassion peu exigeante pour cette créature terrestre qui ne pouvait trouver une paix exquise mais transitoire que dans un élément étranger.

Cependant, il était temps de revenir. Elle donna un vigoureux coup de pied, se retourna et reprit son crawl puissant vers le rivage, vers le guetteur silencieux qui l'attendait dans l'ombre des arbres.

21

Dalgliesh avait passé son dimanche matin à revoir la cathédrale de Norwich et St Peter Mancroft avant de déjeuner dans un restaurant à la lisière de la ville où, deux ans auparavant, il avait fait avec sa tante un repas excellent bien que sans prétentions. Mais là encore, le temps avait apporté ses changements. Si extérieur et décor affichaient une similitude trompeuse, il devint vite évident que propriétaire et chef avaient changé. Le repas, servi avec une promptitude suspecte, avait évidemment été cuit ailleurs et réchauffé, le foie grillé était un pavé granuleux et grisâtre d'une viande indéfinissable noyée dans une sauce synthétique autant que glutineuse, accompagné de pommes de terre insuffisamment cuites et de chou-fleur en bouillie. Un repas pareil ne méritait pas de vin, mais il se consola avec du cheddar et des biscuits, avant d'attaquer le programme de l'après-midi, une visite à l'église (xvᵉ siècle) de St Peter and St Paul à Salle.

Au cours des quatre dernières années, il avait rarement rendu visite à sa tante sans l'emmener à Salle et elle avait laissé avec son testament la requête que ses cendres y soient répandues par lui dans le cimetière sans aucune cérémonie. Il savait que l'église avait exercé une forte influence sur elle, mais la religion ne semblait pas tenir une grande place dans sa vie et la requête l'avait un peu étonné. Il se serait bien plutôt attendu qu'elle eût souhaité faire jeter ses restes au vent sur le cap, ou qu'elle n'eût laissé aucune instruction, considérant qu'il s'agissait là d'une simple question d'élimination commode, n'exigeant ni réflexion de sa part à elle, ni cérémonie de sa part à lui. Mais il avait désormais une tâche à remplir, et d'une étonnante importance pour lui. Au cours des dernières semaines il avait été harcelé par le remords d'un devoir négligé, presque d'un esprit inapaisé. Il s'émerveillait, comme cela lui était déjà arrivé dans sa vie, devant le besoin inextinguible qu'ont les hommes de voir chaque rite de passage faire l'objet d'une reconnaissance formelle. Peut-être était-ce là quelque chose que sa tante avait compris et, à sa manière discrète, prévu.

Il quitta la B1149 à Felthorpe pour prendre de petites routes de campagne à travers le plat pays. Inutile de consulter la carte. La magnifique tour du xvᵉ siècle avec ses quatre clochetons était un repère infaillible et il se dirigea vers elle sur les voies presque désertes en ayant l'impression de rentrer au bercail. Il lui semblait étrange que la silhouette anguleuse de sa tante ne fût pas à côté de lui, que le seul reste de cette personnalité secrète mais forte eût été ce paquet de plastique, curieusement lourd, plein de gros sel blanc. Arrivé à Salle, il gara la Jaguar dans le petit chemin et entra dans le cimetière, frappé comme toujours de constater qu'une église magnifique telle une cathédrale pût être aussi isolée et pourtant parfaitement à sa place dans ces champs silencieux, où son effet était moins de grandeur et de majesté que de paix simple et rassurante. Il resta quelques minutes, l'oreille tendue, sans rien entendre, pas même le chant d'un oiseau, ou le froissement d'un insecte dans les hautes herbes. Dans la frêle lumière, les arbres environnants étaient déjà touchés par les doigts d'or de l'automne. Les labours étaient finis et la croûte brune des champs émiettés étendait son calme dominical jusqu'à l'horizon lointain. Il fit lentement le tour de l'église, sentant le poids du paquet qui tirait sa poche de veste, heureux d'avoir choisi une heure entre les services et se demandant s'il n'aurait pas été courtois, voire nécessaire, d'obtenir la permission du prêtre de la paroisse avant d'exécuter la dernière volonté de sa tante. Mais il se dit qu'il était trop tard désormais — satisfait, au fond, d'éviter explications et complications. Tout en se dirigeant vers l'extrémité est du cimetière, il ouvrit le paquet et versa les os broyés à la manière d'une libation. Un éclair argenté, et tout ce qu'il restait de Jane Dalgliesh étincela entre les tiges cassantes. Il connaissait les mots appropriés à ce genre d'occasion, il les avait entendus assez souvent sur les lèvres de son père. Mais ceux qui lui vinrent spontanément à l'esprit, ce furent les versets de l'Ecclésiaste gravés dans la pierre sur Martyr's Cottage : en ce lieu hors du temps, soumis à la dignité de la grande église, il lui sembla qu'ils n'étaient pas malvenus.

Le portail ouest était ouvert et, avant de quitter Salle, il passa un quart d'heure dans l'église à revisiter de vieux plaisirs : les sculptures des stalles en chêne, paysans, animaux, oiseaux, un dragon, un pélican nourrissant son petit, un prêtre, la chaire médiévale qui, cinq cents ans après, portait encore des traces de la peinture primitive, le jubé, la grande fenêtre est — gloire de rouges, de verts et de bleus autrefois, qui ne laissait plus entrer que la lumière claire du Norfolk. Lorsque la porte claqua doucement derrière lui, il se demanda quand il reviendrait — s'il revenait.

Il n'était pas tard lorsqu'il arriva chez lui, mais ce

qu'il avait mangé au déjeuner avait été si bourratif qu'il avait moins faim qu'il ne s'y serait attendu. Il réchauffa le reste de la soupe qu'il avait faite la veille, y rajouta du fromage et des biscuits, des fruits, puis ranima le feu, s'assit devant sur une chaise basse et se mit à trier les photographies de sa tante en écoutant le concerto pour violon d'Elgar. Il vidait les enveloppes sépia sur la table d'acajou, envahi par une douce mélancolie que traversait parfois le coup de poignard d'une identification au dos d'une épreuve, d'un visage ou d'un incident rappelés. Et Elgar était un accompagnement très approprié, les notes plaintives évoquant ces longues soirées édouardiennes très chaudes qu'il ne connaissait que par les romans et la poésie, la paix, la certitude, l'optimisme de l'Angleterre dans laquelle sa tante était née. Et puis, il y avait son fiancé, ridiculement jeune dans son uniforme de lieutenant. La photographie était datée du 4 mai 1918, une semaine seulement avant qu'il fût tué. Il regarda intensément ce beau visage débonnaire qui avait dû voir tant d'horreurs mais ne lui en disait rien. Derrière, un message au crayon, en grec. Le jeune homme avait dû faire des études classiques à Oxford et sa tante étudiait cette langue avec son père. Mais Dalgliesh ne la connaissait pas ; leur secret était en sûreté avec lui et il n'allait pas tarder à l'être définitivement. La main qui avait tracé ces caractères presque effacés était morte depuis près de soixante-dix ans, l'esprit qui les avait créés, depuis près de deux mille. Et là, dans la même enveloppe, une photographie de sa tante vers la même époque. Sans doute une de celles qu'elle avait envoyées à son fiancé sur le front, ou qu'elle lui avait données avant qu'il parte pour la guerre. Un coin était taché de rouge-brun — par ce qui devait être le sang du jeune homme ; peut-être la photographie lui avait-elle été renvoyée avec le reste de ses effets. En pied, dans sa longue jupe avec une blouse boutonnée haut, elle riait, les cheveux partagés en deux ailes qui s'enroulaient sur chaque tempe. Son visage avait toujours été distingué, mais il s'apercevait, presque avec un choc de surprise, qu'elle avait été belle autrefois. Désormais la mort le libérait pour un exercice de voyeurisme qui, lorsqu'elle vivait, eût répugné à l'un comme à l'autre. Pourtant, elle n'avait pas détruit les photographies. Elle avait dû savoir, réaliste comme elle l'était, qu'elles seraient vues par d'autres yeux que les siens. Ou alors, le très grand âge vous affranchissait-il de tous ces soucis dérisoires de vanité, tandis que l'esprit prenait peu à peu ses distances vis-à-vis des actions et des omissions de la chair ? C'est avec une impression illogique de répugnance, presque de trahison, qu'il finit par jeter les deux photographies dans le feu et les regarda s'enrouler, noircir et finalement tomber en cendres.

Et que faire de tous les étrangers anonymes, femmes aux poitrines galbées sous d'immenses chapeaux chargés de rubans et de fleurs, groupes de cyclistes — hommes en knickerbockers, femmes en jupe cloche et canotier de paille — mariages — mariée et demoiselles d'honneur presque cachées derrière leurs immenses bouquets, principaux participants formés en hiérarchies reconnues, fixant l'objectif comme si le déclic de l'obturateur pouvait arrêter le temps une seconde, proclamer que ce rite de passage-là au moins avait de l'importance, liant l'inéluctable passé à l'invisible avenir ? Adolescent, il avait été obsédé par le temps. Pendant des semaines avant les vacances d'été, il avait éprouvé un sentiment de triomphe à l'idée que désormais il le tenait à sa merci : il pouvait lui dire : « File aussi vite que tu voudras et les vacances seront là. Ou va lentement et les jours d'été dureront plus longtemps. » Désormais, parvenu à l'âge adulte, il ne connaissait aucun procédé, aucun plaisir promis qui pût arrêter le martèlement inexorable de ces roues de char. Tiens, une photographie de lui, en uniforme de lycéen, prise dans le jardin du presbytère par son père, étranger ridiculement accoutré d'une casquette et d'un blazer rayé, presque au garde-à-vous, affrontant l'objectif comme pour défier la peur de quitter la maison — celle-là aussi il fut heureux de la faire disparaître.

Le concerto fini, la demi-bouteille de bordeaux vidée, il rebrassa les photographies restantes, les mit dans le tiroir du bureau et décida de chasser la mélancolie par une rapide promenade au bord de la mer avant le coucher. La nuit était trop belle pour la perdre en nostalgie et en regrets futiles. L'air était extraordinairement calme et le bruit de la mer, assourdi, tandis qu'elle s'étirait pâle et mystérieuse sous la pleine lune et les motifs en strass des étoiles. Il resta un instant immobile sous les ailes du moulin, puis se lança d'un pas décidé vers le nord, plus loin que Martyr's Cottage et ses fenêtres éclairées au rez-de-chaussée, plus loin que la frange de pins, jusqu'à ce que, trois quarts d'heure plus tard, il décidât de descendre sur la grève. Il se laissa glisser sur la pente sableuse et vit devant lui les gros blocs de béton à demi enfouis dans le sable avec les boucles de ferraille rouillée qui en jaillissaient comme de bizarres antennes. Le clair de lune, aussi puissant que les dernières lueurs du couchant, avait modifié la texture de la grève, si bien que chaque grain de sable semblait illuminé séparément, chaque galet mystérieusement unique. Soudain, il eut l'envie enfantine de sentir la mer passer sur ses pieds et, après avoir retiré chaussettes et souliers, il bourra les premières dans ses poches et noua les lacets des seconds, qu'il se passa autour du cou. La première piqûre du froid passée, l'eau était presque à la température du sang et il pataugea vigoureusement le long de la frange des vagues, se retournant de temps à autre pour regarder les empreintes de ses pas comme il le faisait, enfant. Il arriva ainsi à l'étroit ruban des pins. Il y avait là, il le savait, un petit sentier qui le traversait pour rejoindre la route en passant devant le cottage de Hilary Robarts. C'était la façon la plus simple de regagner le cap sans avoir à escalader les falaises friables au sud. Assis sur une crête de galets, il s'attaqua au problème familier du pataugeur : comment déloger le saupoudrage de sable tenace collé entre les doigts de pied avec l'aide fort insuffisante d'un unique mouchoir. Le résultat obtenu, chaussettes et souliers remis, il franchit laborieusement le cordon de galets.

Arrivé sur le sable pulvérulent de la partie haute du rivage, il vit que quelqu'un l'avait précédé à sa gauche, une double ligne d'empreintes, marques de pieds nus qui couraient. Ceux de Hilary Robarts, bien sûr. Elle avait dû prendre son bain nocturne comme d'habitude. Sans même en avoir conscience, il remarqua qu'elles étaient remarquablement nettes; elle avait dû quitter la plage depuis près d'une heure et demie et pourtant, par cette nuit sans vent, les indentations étaient aussi visibles dans le sable sec que si elles venaient d'être faites. Le sentier à travers les arbres se trouvait juste en face de lui, menant du clair de lune aux ombres enfermantes du bois de pins. Et soudain la nuit se fit plus sombre. Un nuage bas, bleu-noir, avait momentanément masqué la lune, ses bords ébréchés argentés de lumière.

Il alluma sa lampe, dont le faisceau balaya le sentier, ce qui lui permit d'apercevoir quelque chose de blanc sur sa gauche, une feuille de journal, peut-être un mouchoir, un sac de papier. Sans éprouver plus qu'une curiosité assez distraite, il s'écarta du chemin pour voir ce que c'était. Et c'est alors qu'il la découvrit. Le visage convulsé sembla bondir vers lui et rester suspendu dans l'éclat brutal de la lampe, comme surgi d'un cauchemar. Paralysé l'espace d'un instant, il éprouva un choc où incrédulité, reconnaissance et horreur se fondirent pour lui étreindre le cœur. Elle était étendue dans une dépression peu profonde d'oyats aplatis, à peine un creux et pourtant assez marqué pour que les herbes de chaque côté masquent le corps au point qu'il fallait pratiquement marcher dessus pour le voir. A sa droite et en partie sous elle, une serviette de plage chiffonnée à rayures rouges et bleues, sur laquelle une paire de nu-pieds et une lampe de poche avaient été soigneusement rangées. A côté d'elles, plié, ce qui ressemblait à un survêtement bleu et blanc — sans doute ce qui avait d'abord attiré son attention. Elle était couchée sur le dos, la tête tournée vers lui, les yeux morts levés comme pour le fixer dans un ultime appel muet. La petite touffe de poils enfoncée sous la lèvre supérieure découvrait les dents et faisait penser à un lapin rageur. Un seul poil noir s'était égaré sur sa joue et il eut une envie presque irrésistible de s'agenouiller pour l'enlever. Elle ne portait que le bas d'un bikini noir qui avait été rabattu sur les cuisses — il voyait nettement où les poils avaient été coupés. La lettre L au milieu du front semblait avoir été tracée posément, soigneusement, les deux lignes minces dessinant un angle droit parfait. Entre les seins aplatis qui s'écartaient, avec leurs aréoles foncées et leurs bouts pointés, blancs comme du lait alors que les bras étaient brunis, un médaillon de métal pendait, attaché à une chaîne. Et tandis qu'il la regardait, en faisant lentement glisser le faisceau de sa lampe sur le corps, le nuage dégagea la face de la lune et il la vit aussi nettement que s'il avait fait jour.

Il était aguerri à l'horreur ; rares étaient les manifestations de la cruauté, de la violence ou du désespoir qui eussent échappé à son œil exercé. Trop sensible pour voir un corps violé avec une grossière indifférence, il n'avait pourtant été durablement gêné par cette fragilité que lors de sa dernière affaire. Et pour Paul Berowne au moins, il avait été prévenu[1]. C'était la première fois qu'il trébuchait presque sur une femme assassinée et, tandis qu'il la regardait, son esprit analysait la différence entre les réactions d'un expert appelé sur les lieux d'un crime, sachant donc à quoi s'attendre, et ce heurt soudain contre la violence ultime. La différence et le détachement qui pouvaient analyser celle-ci si froidement l'intéressaient, l'une comme l'autre.

Il s'agenouilla, toucha la cuisse. Froide comme glace et aussi artificielle que du caoutchouc gonflé. S'il appuyait son doigt la marque resterait sûrement imprimée. Doucement, il tâta les cheveux ; encore un peu humides à la racine, mais les extrémités étaient

1. *Un certain goût pour la mort* (Éd. Fayard).

sèches. La nuit était chaude pour septembre. Il regarda sa montre : dix heures trente-trois. Quelqu'un lui avait dit — impossible de se rappeler qui — qu'elle avait l'habitude d'aller nager peu après les titres des informations de neuf heures. Les indices matériels confirmaient ce dont il était persuadé : elle était morte depuis moins de deux heures.

Il n'avait vu que leurs deux empreintes de pas sur le sable, mais la mer se retirait ; elle avait dû être pleine vers neuf heures, bien qu'à voir les parties hautes de la grève, on pouvait penser qu'elle n'arrivait pas jusqu'au lieu où se trouvait le cadavre. Le plus vraisemblable était que le meurtrier avait pris le sentier à travers le bois, comme elle avait dû le faire elle-même. Il aurait été protégé par les arbres et leur ombre, où il pouvait attendre et guetter sans être vu. Le sol, avec son matelas d'aiguilles de pin, n'aurait sans doute pas gardé d'empreintes, mais il était néanmoins important qu'il ne fût pas dérangé. Avec beaucoup de précautions, il s'éloigna du corps à reculons, puis parcourut une vingtaine de mètres vers le sud, le long d'une arête de petits galets. A la lumière de sa lampe, il se fraya un passage entre les troncs serrés, brisant au passage les petites branches basses. Au moins, il pouvait être sûr que personne n'était passé par là récemment. En quelques minutes, il avait regagné la route, encore une dizaine, en marchant d'un bon pas, et il serait au moulin. Le téléphone le plus proche devait être chez Hilary Robarts, mais la maison serait probablement fermée à clef et il n'avait pas l'intention de commettre une effraction. Presque aussi important de ne pas violer le domicile de la victime que de laisser intacts les lieux du crime. Il n'y avait pas eu de sac à main à côté du corps, rien que les sandales et la lampe bien rangées, le survêtement et le drap de bain sur lequel elle avait été en partie couchée. Peut-être avait-elle laissé la clef chez elle, le cottage restant ouvert. Sur le cap, peu de gens s'inquiéteraient de laisser une maison une demi-heure sans la fermer à clef. Il décida de prendre cinq minutes pour vérifier.

Vu des fenêtres du moulin, Thyme Cottage lui avait toujours semblé être la maison la moins intéressante du cap. Tournant le dos à la mer, cette construction impitoyablement cubique était précédée d'une cour gravillonnée au lieu d'un jardin, et des vitraux Art nouveau détruisaient tout le charme d'époque qu'elle aurait pu avoir ; il en résultait une aberration moderne plus à sa place dans un lotissement rural que sur ce promontoire durement sculpté par la mer. Sur trois côtés, les pins la touchaient presque. Il s'était parfois demandé pourquoi Hilary Robarts avait choisi de vivre là malgré la proximité de la centrale. Après le dîner d'Alice, il pensait avoir la réponse. Ce soir-là toutes les lumières étaient allumées dans les pièces du rez-de-chaussée ; à gauche, le grand rectangle de la baie qui descendait presque jusqu'au sol, et à droite, celui plus petit qui correspondait sans doute à la cuisine. Normalement, elles auraient dû être un signe rassurant de vie, de normalité et d'accueil, d'un refuge contre les terreurs ataviques du bois étouffant, du cap vide sous le clair de lune. Mais ce soir-là les fenêtres sans rideaux crûment illuminées ajoutaient à son malaise et, tandis qu'il en approchait, il lui semblait que, telle une épreuve à demi développée, l'image de ce visage mort et violé flottait entre elles et lui.

Quelqu'un l'avait précédé. Il sauta par-dessus le mur bas et vit que la vitre de la grande baie avait été presque complètement brisée. De petits éclats de verre brillaient comme des joyaux sur le cailloutis de la cour. Il regarda, entre les bords déchiquetés du carreau, la salle de séjour en pleine clarté. Le tapis était jonché de fragments de verre, perles miroitantes de lumière argentée. De toute évidence, la force du coup était venue de l'extérieur et il vit aussitôt ce qui avait été utilisé : sur le tapis, le portrait de Hilary Robarts tailladé presque jusqu'au cadre par deux estafilades formant un L.

Il n'essaya pas de voir si la porte était fermée à clef ou non, jugeant plus important de laisser les lieux parfaitement en l'état que d'épargner dix ou quinze minutes pour appeler la police. Elle était morte. La promptitude était un facteur important, mais non pas essentiel. Rejoignant la route, il se dirigea, mi-courant mi-marchant, vers le moulin. C'est alors qu'il entendit le bruit d'une voiture et, se retournant, vit les phares qui s'approchaient de lui à grande vitesse, venant du nord. La BMW d'Alex Mair. Dalgliesh se posta au milieu de la route et agita sa lampe. La voiture ralentit, s'arrêta et, en regardant la portière droite, il vit Mair, le visage blêmi par le clair de lune, qui le fixait avec une intensité grave, comme si cette rencontre était un rendez-vous.

Dalgliesh dit : « J'ai une bien mauvaise nouvelle pour vous. Hilary Robarts a été assassinée. Je viens de trouver le corps. Je dois téléphoner. »

Les mains négligemment posées sur le volant se crispèrent, puis se détendirent. Les yeux fixés sur lui devinrent méfiants, mais quand Mair parla, il maîtrisait parfaitement sa voix. Seul ce spasme involontaire de la main avait trahi son émotion. Il dit : « Le Siffleur ?

— Ça en a tout l'air.

— Il y a un téléphone dans la voiture. »

Sans un mot de plus, il ouvrit la porte, descendit et s'effaça, tandis que Dalgliesh perdait deux minutes irritantes à atteindre le QG de Rickards, qui n'y était pas ; le message laissé, il raccrocha. Mair, qui s'était éloigné de la voiture d'une trentaine de mètres, regardait fixement le scintillement de la centrale, comme s'il se dissociait de tout le processus.

Revenant sur ses pas, il dit : « Nous lui avions tant répété de ne pas aller nager seule, mais elle ne voulait rien entendre. D'ailleurs, je ne croyais pas vraiment à un danger. Je suppose que toutes les victimes en font autant jusqu'à ce qu'il soit trop tard. "Ça ne peut pas m'arriver, à moi." Mais ça peut, la preuve. Tout de même, c'est extraordinaire, presque incroyable. La deuxième victime de Larksoken. Où est-elle ?

— A la lisière des pins, là où elle allait habituellement nager, j'imagine. » Comme Mair esquissait un mouvement vers la mer, Dalgliesh dit aussitôt :

192

« Vous ne pouvez rien faire. Je vais retourner là-bas attendre la police.

— Je sais que je ne peux rien faire. Je veux la voir.

— Il vaudrait mieux pas. Moins il y a de gens pour déranger l'état des lieux, mieux cela vaut. »

Soudain Mair se retourna contre lui : « Grand Dieu, Dalgliesh, vous ne vous arrêtez donc jamais de penser comme un policier ? J'ai dit que je voulais la voir. »

Dalgliesh se dit que ce n'était pas *son* enquête et qu'il ne pouvait l'empêcher par la force, mais il pouvait au moins s'assurer que le chemin menant directement au corps restait intact. Sans un mot de plus, il se mit en route et Mair le suivit. Pourquoi cette insistance pour voir le corps ? Pour être sûr qu'elle était morte, besoin du scientifique de vérifier et de confirmer ? Ou essayait-il de conjurer une horreur qui pouvait être plus terrible en imagination qu'en réalité ? Ou peut-être, nécessité plus profonde de lui rendre l'hommage d'un moment de recueillement devant son corps, dans le silence et la solitude de la nuit, avant l'arrivée de la police avec tout le matériel officiel d'une enquête criminelle pour violer à jamais l'intimité qu'ils avaient partagée ?

Mair ne fit aucun commentaire quand Dalgliesh le conduisit au sud du sentier bien battu jusqu'à la grève, et le suivit toujours sans mot dire tandis qu'il plongeait dans l'obscurité pour se frayer un passage entre les fûts de pins. La flaque lumineuse de sa lampe baignait les branchettes fragiles brisées lors de sa précédente irruption, le tapis d'aiguilles saupoudré de sable, les pommes séchées et la lueur terne d'une vieille boîte de conserve. Dans l'obscurité, l'odeur résineuse semblait s'intensifier et monter vers eux comme une drogue, rendant l'air aussi lourd à respirer que par une nuit d'été torride.

Quelques minutes plus tard, ils sortaient de l'obscurité annihilante pour déboucher sur la blancheur fraîche de la grève et voyaient devant eux, tel un bouclier incurvé d'argent martelé, la splendeur lunaire de la mer. Ils restèrent un moment côte à côte, respirant très fort comme s'ils sortaient de quelque épreuve. Les pas de Dalgliesh étaient encore visibles dans le sable sec au-dessus de la dernière arête de galets et ils les suivirent jusqu'au corps.

Dalgliesh se dit : « Je ne voudrais pas être là, pas avec lui, pas comme ça à détailler impunément sa nudité. » Il lui semblait que toutes ses perceptions étaient anormalement aiguisées dans cette lumière blême, débilitante. Les membres blanchis, l'auréole de cheveux noirs, les rouges et les bleus criards de la serviette, les touffes d'oyats, tout avait la netteté unidimensionnelle d'une gravure en couleurs. Cette indispensable garde auprès du corps jusqu'à l'arrivée de la police aurait été parfaitement tolérable — il était habitué à la compagnie peu exigeante des morts récents — mais avec Mair à ses côtés, il avait l'impression d'être un voyeur. C'est cette répulsion plutôt que la délicatesse qui le poussa à s'écarter un peu et à plonger les yeux dans l'obscurité des pins, tout en restant conscient du moindre mouvement de la haute silhouette.

Puis Mair dit : « Ce médaillon à son cou, je le lui ai donné le 29 août, pour son anniversaire. Juste la taille de sa clef Yale. C'est un des serruriers de l'atelier de Larksoken qui l'a fait. Remarquable, la finesse du travail qu'ils font là. »

Dalgliesh connaissait les diverses formes que peut prendre le choc. Il ne dit rien. La voix de Mair se durcit soudain.

« Bon sang, Dalgliesh, on ne pourrait pas la couvrir ? »

Avec quoi ? se demanda celui-ci. Est-ce qu'il pense que je vais arracher la serviette en dessous d'elle ? Il dit : « Non, désolé. Il ne faut pas la toucher.

— Mais c'est le travail du Siffleur. Grand Dieu, c'est assez évident, non ? Vous l'avez dit vous-même.

— Le Siffleur est un criminel comme n'importe quel autre. Il apporte quelque chose sur les lieux et il laisse quelque chose. Ce quelque chose pourrait être une preuve. C'est un homme, pas une force de la nature.

« — Quand la police va-t-elle arriver ?

— Elle ne devrait pas être loin. Je n'ai pas pu parler à Rickards, mais ses hommes vont bien le trouver. J'attendrai, si vous voulez partir. Vous ne pouvez rien faire ici.

— Je resterai ici jusqu'à ce qu'on l'emmène.

— S'ils ne peuvent pas joindre le pathologiste tout de suite, ça risque d'être long.

— Eh bien, ce sera long. »

Sans un mot de plus, il pivota et descendit jusqu'au bord de l'eau, les empreintes de ses pas parallèles à celles de Dalgliesh. Celui-ci alla s'asseoir sur les galets, les bras autour des genoux, sans quitter des yeux la haute silhouette qui allait et venait inlassablement sur le sable léché par les vaguelettes. S'il y avait eu des traces sur ses souliers, elles auraient disparu désormais. Mais l'idée était ridicule. Aucun criminel n'avait jamais laissé plus clairement sa marque sur une victime que le Siffleur. Pourquoi donc, alors, cette vague inquiétude, l'impression que les choses n'étaient pas aussi simples qu'elles en avaient l'air ?

Il se tortilla pour caler plus confortablement ses fesses et ses talons dans les galets, puis se prépara à attendre. La lumière froide de la lune, l'écroulement continuel des vagues, la présence de ce corps qui se raidissait à côté de lui, tout cela engendrait une douce mélancolie, une méditation sur la mortalité, y compris la sienne. *Timor mortis conturbat me.* Il se dit : dans la jeunesse, nous prenons des risques exorbitants parce que la mort n'a pas de réalité pour nous. La jeunesse est caparaçonnée dans l'immortalité. C'est seulement à l'âge adulte que la conscience du caractère transitoire de la vie nous couvre de son ombre. Au reste, la peur de la mort est sûrement naturelle, qu'on la considère comme une annihilation ou un rite de passage. Chaque cellule du corps est programmée pour la vie, toutes les créatures saines s'accrochent à la vie jusqu'à leur dernier souffle. Combien difficile à accepter et pourtant combien réconfortante l'idée que l'ennemie universelle pourrait venir finalement en amie !

Dalgliesh se dit qu'une partie de l'attirance exercée par son métier venait peut-être de ce que le processus de détection conférait une certaine dignité à la mort individuelle, même celle des moins attachants, des moins méritants, reflétant dans son intérêt excessif pour les indices et les motivations l'éternelle fascination que l'homme éprouve devant le mystère de sa mortalité, apportant aussi la confortable illusion d'un univers moral où l'innocence pouvait être vengée, le droit, justifié, l'ordre, restauré. Mais en fait, rien n'était restauré, sûrement pas la vie, et le seul droit justifié était l'incertaine justice de l'homme. Cette profession avait certes pour lui une fascination qui dépassait de loin l'exigence intellectuelle, ou l'excuse qu'elle lui fournissait, pour mettre sa vie privée rigoureusement à l'abri. Mais désormais, il avait hérité assez d'argent pour qu'elle devînt superflue. Était-ce l'intention que sa tante avait eue en rédigeant ce testament sans nuances ? Voulait-elle en fait lui dire qu'il avait désormais assez d'argent pour rendre inutile toute occupation autre que la poésie ?

L'affaire n'était pas la sienne, ce ne serait jamais la sienne, mais par la force de l'habitude il minuta l'attente et constata que trente-cinq minutes s'étaient écoulées quand il entendit les premiers froissements dans le bois de pins. Ils arrivaient par le chemin qu'il avait indiqué et d'ailleurs en faisant beaucoup de bruit. Rickards apparut le premier avec, à côté de lui, un homme plus jeune mais assez épais et, derrière eux, quatre autres, lourdement chargés, qui s'éparpillaient. Il sembla à Dalgliesh, se levant pour les accueillir, qu'ils étaient immenses, visages anguleux et blêmis dans cette lumière étrangère, avec leur encombrant attirail de pollueurs. Rickards fit un petit signe de tête, mais n'ouvrit la bouche que pour présenter son brigadier, Stuart Oliphant.

Ensemble ils s'approchèrent du corps et regardèrent, tête baissée, ce qui avait été Hilary Robarts. Rickards respirait bruyamment, comme s'il avait couru, et Dalgliesh eut l'impression qu'il émanait de lui une onde puissante d'énergie et de surexcitation. Oliphant et les quatre autres hommes posèrent leur matériel à terre et restèrent immobiles, silencieux, un peu à part.

Alors, les yeux toujours fixés sur le corps, Rickards demanda : « Vous la connaissez, Mr Dalgliesh ?

— Hilary Robarts, directrice administrative par intérim à la centrale de Larksoken. Je l'ai rencontrée une fois, jeudi dernier, à un dîner donné par Miss Mair. »

Rickards se retourna et regarda la silhouette de Mair : il se tenait immobile, le dos à la mer, mais si près des brisants que Dalgliesh eut l'impression que les vagues devaient passer sur ses souliers. Il ne fit pas un geste, comme s'il attendait que Rickards l'invitât, ou s'approchât de lui.

Dalgliesh dit : « Dr Alex Mair. Directeur de Larksoken. J'ai utilisé le téléphone de sa voiture pour vous appeler. Il dit qu'il restera ici jusqu'à ce que le corps soit emporté.

— Alors il attendra un moment. C'est donc le Dr Alex Mair. J'ai lu des trucs sur lui. Qui a trouvé le corps ?

— Moi. Je croyais l'avoir indiqué clairement quand j'ai téléphoné. »

Ou Rickards pêchait de propos délibéré des renseignements qu'il avait déjà, ou ses hommes étaient curieusement inaptes à transmettre les messages les plus simples.

Rickards revint à Oliphant : « Allez lui expliquer que nous allons prendre notre temps. Il ne peut absolument rien faire ici, sauf gêner. Persuadez-le de rentrer chez lui se coucher. Si la persuasion ne suffit pas, essayez l'autorité. Je lui parlerai demain. » Il attendit qu'Oliphant eût commencé à écraser les galets, puis appela : « Oliphant, s'il ne veut pas bouger, dites-lui de garder ses distances. Je ne veux pas qu'il vienne plus près. Ensuite, posez les toiles autour d'elle. Ça lui gâtera son plaisir. »

C'était le genre de cruauté gratuite que Dalgliesh n'aurait pas attendu de sa part. Il y avait là quelque chose qui n'allait pas, quelque chose de plus profond que la tension professionnelle provoquée par la nécessité d'examiner une nouvelle victime du Siffleur. On eût dit que quelque anxiété personnelle, à demi reconnue et imparfaitement maîtrisée, triomphait de la prudence et de la discipline.

Mais Dalgliesh lui aussi était outré : « Cet homme n'est pas un voyeur. Il n'est sans doute pas tout à fait d'aplomb en ce moment. Après tout, il la connaissait ; Hilary Robarts était un de ses chefs de service.

— Il ne peut rien faire pour elle maintenant, même si elle était sa maîtresse. » Puis, comme s'il reconnaissait le reproche sous-entendu, il ajouta : « C'est bon, je vais lui dire un mot. »

Il se mit à courir maladroitement sur les galets ; en l'entendant, Oliphant se retourna et tous deux se dirigèrent vers la silhouette immobile qui attendait sur la frange de la mer. Dalgliesh les vit conférer entre eux, puis faire demi-tour et remonter vers lui, Alex Mair entre les deux officiers de police comme un prisonnier sous escorte. Rickards retourna vers le cadavre, mais de toute évidence, Oliphant allait accompagner Alex Mair jusqu'à sa voiture. Il alluma sa lampe et plongea dans le bois. Alex Mair hésita, puis lança un rapide « Bonsoir », regarda Dalgliesh comme s'il restait une affaire à terminer entre eux et suivit le policier.

Sans commenter le changement d'avis d'Alex Mair ni ses propres méthodes de persuasion, Rickards dit : « Pas de sac à main.

— La clef de sa maison est dans ce médaillon autour de son cou.

— Vous avez touché le corps, Mr Dalgliesh ?

— Juste les cheveux pour voir s'ils étaient humides. Le médaillon était un cadeau de Mair. Il me l'a dit.

— Elle habite tout près, n'est-ce pas ?

— Vous êtes passés devant son cottage en venant ici. Juste de l'autre côté du bois de pins. J'y suis allé après avoir trouvé le corps, pensant qu'il serait peut-être ouvert et que je pourrais téléphoner. Il y a eu un acte de vandalisme. Son portrait a été lancé au travers d'une fenêtre. Le Siffleur et cette déprédation la même nuit. Curieuse coïncidence. »

Rickards se tourna pour le regarder bien en face : « Peut-être. Mais ça n'était pas le Siffleur. Le Siffleur est mort. Il s'est tué dans une chambre d'hôtel à Easthaven vers six heures. J'ai essayé de vous joindre pour vous le dire. »

Accroupi près du corps, il toucha le visage de la jeune femme, puis lui souleva la tête et la laissa retomber. « Pas de raideur cadavérique. Pas même un début. D'après les apparences, la mort remonte à quelques heures. Le Siffleur en avait assez sur la conscience quand il est mort, mais ça... ça » — il frappa violemment le corps du doigt —, « ça, Mr Dalgliesh, c'est autre chose. »

22

Rickards enfila ses gants de caoutchouc qui, en glissant sur ses énormes doigts, les firent ressembler au pis d'un gros animal. Puis il s'agenouilla et tripota le médaillon, celui-ci s'ouvrit instantanément, et Dalgliesh vit la clef à l'intérieur, ajustée au millimètre près. Rickards la sortit et dit : « Bien, Mr Dalgliesh. Allons voir les déprédations. »

Deux minutes plus tard, ils arrivaient devant la porte du cottage, que Rickards ouvrit, après quoi ils entrèrent dans un vestibule menant à l'escalier, avec des portes des deux côtés. Rickards ouvrit celle de gauche et passa dans la salle de séjour, suivi par Dalgliesh. C'était une grande pièce qui occupait toute la longueur du cottage avec une fenêtre à chaque extrémité et une cheminée en face de la porte. Le portrait était à un mètre de la fenêtre à peu près, entouré par des éclats de verre. Les deux hommes s'arrêtèrent sur le seuil pour le détailler.

Dalgliesh dit : « Il a été peint par Ryan Blaney qui

habite Scudder's Cottage plus au sud sur le cap. Je l'ai vu pour la première fois le soir de mon arrivée. »

Rickards dit : « Drôle de façon de le livrer. Elle a posé pour lui ?

— Je ne crois pas. Il a été peint pour sa satisfaction à lui, pas pour celle du modèle. »

Il allait ajouter qu'à son avis Ryan Blaney serait bien le dernier à détruire son travail, mais il s'avisa alors qu'en fait il n'avait pas été détruit. Deux estafilades en forme de L ne seraient pas trop difficiles à réparer — et le dommage avait été aussi précis et calculé que les coupures sur le front de Hilary Robarts. Le tableau n'avait pas été massacré dans un accès de fureur.

Rickards sembla cesser de s'y intéresser : « Alors elle vivait ici. Elle devait aimer la solitude. C'est-à-dire, si elle vivait seule. »

Dalgliesh dit : « A ma connaissance, elle vivait seule. »

Il trouvait la pièce déprimante. Non pas qu'elle fût inconfortable, il y avait bien là les meubles nécessaires, mais ils avaient l'air d'être les rebuts d'une maison appartenant à d'autres personnes et non pas le choix conscient de l'occupant. A côté de la cheminée avec son radiateur à gaz incorporé, deux fauteuils étalaient leur cuir synthétique brun. Au centre de la pièce, quatre chaises discordantes entouraient une table ovale et, de chaque côté de la fenêtre donnant sur le devant de la maison, des rayonnages contenaient ce qui semblait être une collection de manuels et de romans assortis ; deux d'entre eux étaient bourrés de fichiers. Seul le mur le plus long, en face de la porte, portait les traces d'un effort pour faire de cette pièce un espace à vivre. Elle avait évidemment beaucoup aimé les aquarelles — le mur en était couvert, serrées comme dans une galerie. Il crut en reconnaître une ou deux et il aurait bien voulu aller les examiner de plus près, mais peut-être quelqu'un d'autre que Hilary Robarts s'était-il trouvé dans cette pièce avant eux, et par conséquent, il était important de ne rien déranger.

Rickards referma la porte et ouvrit celle de droite dans le vestibule, celle qui donnait dans la cuisine, purement fonctionnelle, assez peu intéressante, plutôt bien équipée, mais aux antipodes de celle de Martyr's Cottage.

Au beau milieu, une petite table de bois recouverte de vinyle avec quatre chaises assorties, toutes bien poussées en dessous ; sur la table, une bouteille de vin débouchée avec le bouchon et le tire-bouchon à côté d'elle ; deux verres ordinaires propres étaient retournés sur l'égouttoir.

Rickards dit : « Deux verres, lavés par elle ou par son assassin. Pas d'empreintes pour nous. Et une bouteille ouverte. Quelqu'un a bu avec elle ici ce soir.

— Dans ce cas, il était bien sobre. Ou elle. »

De sa main gantée, Rickards souleva la bouteille par le goulot et la tourna lentement.

« Manque un verre à peu près. Ils avaient peut-être l'intention de la finir après le bain. » Il regarda Dalgliesh et dit : « Vous n'étiez pas déjà venu ici, Mr Dalgliesh ? Je suis obligé de demander à tous ceux qu'elle connaissait.

— Bien sûr. Non, je n'étais encore jamais venu ; j'ai bu du bordeaux ce soir, mais pas avec elle.

— Dommage. Elle serait encore vivante.

— Pas forcément. J'aurais pu m'en aller au moment où elle montait se changer. Et si elle a eu quelqu'un ce soir, c'est probablement ce qu'il a fait. » Il s'arrêta, se demanda s'il fallait parler, puis dit : « Le verre de gauche a une petite ébréchure sur le bord. »

Rickards le leva pour le regarder devant le plafonnier et le fit tourner lentement.

— Je voudrais bien avoir votre vue. Sans importance, sûrement.

— Certaines personnes détestent boire dans un verre ébréché. C'est mon cas.

— Alors pourquoi ne l'a-t-elle pas cassé et jeté ? À quoi bon garder un verre dans lequel on ne veut pas boire ? Quand je me trouve devant deux possibilités, je commence par prendre la plus vraisemblable. Deux verres, deux buveurs. C'est le bon sens. »

Le bon sens, se dit Dalgliesh, base le plus souvent du travail de la police, l'exploration des thèses moins probables ne devenant nécessaire que si l'évident s'avérait insoutenable. Mais aussi, parfois, premier pas d'une périlleuse facilité dans un labyrinthe d'idées fausses. Il se demanda pourquoi son instinct lui assurait qu'elle avait bu seule. Peut-être parce que la bouteille était dans la cuisine et pas dans la salle de séjour. Un château-talbot 79 n'était pas une piquette quotidienne. Pourquoi ne pas le porter dans la salle de séjour et l'apprécier confortablement? D'un autre côté, si elle était seule et décidée à se contenter de quelques gorgées rapides avant son bain, elle ne s'en serait peut-être pas souciée. Et si deux personnes avaient bu dans la cuisine, elle avait été bien méticuleuse de repousser ainsi les chaises. Mais c'était le niveau du vin dans la bouteille qui lui semblait le plus décisif. Pourquoi déboucher une bonne bouteille pour verser deux demi-verres? Ce qui ne signifiait pas, bien entendu, qu'elle n'attendait pas pour plus tard un visiteur qui l'aiderait à la finir.

Rickards semblait prendre un intérêt démesuré à la bouteille et à son étiquette. Soudain, il dit assez rudement :

« A quelle heure avez-vous quitté le moulin, Mr Dalgliesh?

— A neuf heures quarante-cinq. J'ai regardé la pendulette sur la cheminée et réglé ma montre.

— Et vous n'avez vu personne pendant votre promenade?

— Personne, ni d'autres empreintes de pas que les miennes et les siennes.

— Qu'est-ce que vous faisiez exactement, sur le cap, Mr Dalgliesh?

— Je marchais, je pensais. » Il était sur le point d'ajouter : « Et je pataugeais comme un gosse », mais il se retint.

Rickards répéta d'un ton pénétré « marcher et penser ». Il parvenait à rendre ces activités à la fois excentriques et suspectes, du moins pour les oreilles hypersensibles de Dalgliesh. Il se demanda ce que

dirait son compagnon s'il avait décidé de se confier :
« J'ai pensé à ma tante, aux hommes qui l'ont aimée,
au fiancé tué en 1918, à celui dont elle a été peut-être
la maîtresse. Je pensais aux milliers de gens qui ont
marché le long de cette grève et qui sont morts
aujourd'hui dont ma tante — et combien, étant
jeune, je détestais le faux romantisme de ce poème
stupide sur les grands hommes qui laissent la
marque de leurs pas sur les sables du temps, puisque
c'est précisément tout ce que la plupart d'entre nous
peuvent espérer laisser, des marques éphémères
effacées par la marée suivante. Je pensais que j'avais
bien peu connu ma tante et je me demandais s'il
était possible de connaître un autre être humain
sinon au niveau le plus superficiel, même les femmes
que j'ai aimées. Je pensais au choc des armées igno-
rantes la nuit, puisque aucun poète ne se promène
au clair de lune sans se réciter silencieusement le
merveilleux poème de Matthew Arnold. Je me
demandais si j'aurais été un meilleur poète, voire
tout simplement un poète, si je n'avais pas aussi
décidé d'entrer dans la police. Plus prosaïquement,
je me demandais de temps en temps ce que l'acquisi-
tion imméritée de sept cent cinquante mille livres
changerait, en mieux ou en plus mal, dans ma vie.

Le fait qu'il n'avait pas l'intention de révéler fût-ce
la plus anodine de ces rêveries intimes, le secret puéril du pataugeage, suscitait en lui un sentiment de
culpabilité irrationnel, comme s'il dissimulait volontairement un renseignement d'importance. Après
tout, se disait-il, personne n'aurait pu avoir une
occupation plus innocente. Et puis, ce n'était pas
comme s'il avait été un suspect sérieux. Rickards
aurait sans doute trouvé l'idée totalement ridicule,
tout en étant obligé, en bonne logique, de
reconnaître qu'il ne pouvait exclure de l'enquête
aucune personne habitant le cap et ayant connu
Hilary Robarts. Seulement, Dalgliesh était un
témoin. Il avait des informations à donner ou à taire,
et le fait qu'il n'avait nulle intention de les dissimuler
n'empêchait pas que leurs rapports s'étaient modi-
fiés.

Bon gré mal gré, il était désormais impliqué et il n'avait pas besoin de Rickards pour souligner cette inconfortable réalité. Professionnellement, l'affaire ne le regardait pas, mais en tant qu'homme et être humain, elle le touchait directement.

Il fut étonné et un peu déconcerté de découvrir à quel point cet interrogatoire pourtant bien inoffensif l'avait froissé. Un homme avait bien le droit, assurément, de se promener sur une grève le soir sans avoir à expliquer ses raisons à un officier de police. Il était salutaire pour lui, en somme, de connaître par expérience ce sentiment d'intimité violée, de vertueuse indignation que devait éprouver le plus innocent des suspects interrogés par la police. Et il se rendait compte une fois encore de la répulsion qui l'avait braqué depuis son enfance contre des questions comme : « Qu'est-ce que tu fais ? Où es-tu allé ? Qu'est-ce que tu lis ? Où vas-tu ? » Enfant très désiré de parents déjà âgés, il avait été un peu écrasé par leur sollicitude presque possessive et leur excès de conscience, cela dans un petit village où quasiment rien de ce que faisait le fils du pasteur n'échappait aux investigations. Et soudain, dans cette cuisine anonyme, trop bien rangée, il se rappela avec une intensité douloureuse le moment où son secret le plus précieux avait été trahi. Il se rappela le coin retiré dans les lauriers et les sureaux au fond du bosquet, le tunnel vert menant de son sanctuaire aux trois mètres carrés humides qui étaient son domaine ; il se rappelait cet après-midi d'août, les craquements du buisson, le gros visage de la cuisinière fourré entre les feuilles. « Votre maman pensait bien que vous seriez là, Mr Adam, votre papa vous appelle. Qu'est-ce que vous faites caché là dans ces sales buissons ? Vaudrait bien mieux jouer au soleil. » Ainsi son ultime refuge, celui qu'il avait cru totalement secret, avait été découvert. Ils savaient, ils avaient toujours su.

Il dit : « Oh Dieu, que de Ton regard je puisse être à l'abri. »

Rickards le regarda : « Vous dites, Mr Dalgliesh ?

— Juste une citation qui m'est venue à l'esprit. »

Rickards ne poursuivit pas. Il se disait probablement : « Bon, tu es censé être poète. Tu peux te permettre ça. » Il jeta un dernier regard perçant à la cuisine, comme si par l'intensité de son regard il pouvait contraindre cette table quelconque, les quatre chaises, la bouteille de vin ouverte et les deux verres lavés à livrer leur secret.

Puis il dit : « Je vais fermer à clef et mettre quelqu'un de garde jusqu'à demain. J'ai rendez-vous avec le pathologiste, le Dr Maitland-Brown à Easthaven. Il jettera un coup d'œil au Siffleur et puis il viendra directement ici. Le biologiste du labo sera sans doute arrivé d'ici là. Vous vouliez voir le Siffleur, n'est-ce pas, Mr Dalgliesh ? Le moment en vaut bien un autre. »

Ce n'était pas du tout l'avis de Dalgliesh. Une mort violente suffisait pour une nuit et il fut saisi par un brusque désir de retrouver la paix et la solitude du moulin. Mais les perspectives de sommeil semblaient bien compromises pour lui avant une heure avancée et il n'avait pas de raison valable pour refuser. Rickards dit : « Je peux vous emmener là-bas et vous ramener. »

L'idée de ce tête-à-tête avec Rickards déplut aussitôt à Dalgliesh qui dit : « Si vous voulez bien me déposer au moulin, je prendrai ma voiture. Je n'aurais aucune raison de m'attarder à Easthaven et vous pouvez avoir à attendre. »

Il fut un peu surpris de voir Rickards quitter si volontiers la grève. Certes, il avait Oliphant et ses sbires, le protocole à suivre sur le lieu d'un meurtre était bien établi, ils savaient ce qu'ils avaient à faire et jusqu'à l'arrivée du médecin de la police, on ne pouvait pas bouger le corps. Mais il sentait qu'il était important pour Rickards de voir le Siffleur avec lui et il se demanda quel était l'incident oublié dans leur passé commun qui avait conduit à cette nécessité.

23

Le *Balmoral Private Hotel* était la dernière maison d'une rangée très quelconque bâtie au XIXe siècle à l'extrémité la moins chic de la longue promenade. Les girandoles estivales étaient encore suspendues entre les réverbères victoriens, mais on les avait éteintes et elles se balançaient désormais en boucles inégales comme un collier en toc qui pourrait perdre ses perles noircies au premier coup de vent. La saison était officiellement close. Dalgliesh s'arrêta derrière la Rover de la police sur le côté gauche de la promenade. Entre la route et la mer scintillante, un terrain de jeux pour enfants entouré de grillages, barrière cadenassée, kiosque tapissé avec les affiches fanées et à demi déchirées des spectacles de l'été, avait relevé bien haut ses balançoires, et l'un des sièges, secoué par une brise rafraîchissante, battait la chamade contre le portique de fer. L'hôtel tranchait sur ses voisins plus ternes, peint d'un bleu si vif que même l'éclairage trouble de la rue ne pouvait l'adoucir. Au-dessus du porche, une forte lampe éclairait une grande pancarte : « Changement de direction. Bill et Joy Carter. Bienvenue au Balmoral. » Au-dessous une autre indiquait simplement : « Chambres disponibles ».

Pendant qu'ils attendaient pour traverser que deux voitures à la recherche d'une place pour se garer fussent passées, Rickards dit : « Leur première saison. Assez bons résultats jusqu'à maintenant à ce qu'ils disent, malgré l'été pourri. Cette histoire-là ne les aidera pas. Ils auront des corbeaux évidemment, mais les parents y regarderont à deux fois avant de louer avec les gosses pour de joyeuses vacances. Heureusement, la boîte est à moitié vide pour le moment. Deux annulations ce matin et tout le monde était dehors quand Mr Carter a trouvé le corps. Jusqu'à maintenant, on a pu leur cacher la triste vérité. Ils sont couchés à cette heure-ci et ils dorment sans doute. Espérons qu'ils continueront. »

L'arrivée de la police avait dû alerter quelques voisins, mais l'agent en civil discrètement de garde à l'intérieur du porche avait fait circuler les éventuels curieux et désormais la route était vide, à part un petit groupe de quatre ou cinq personnes à une cinquantaine de mètres. Elles semblaient marmonner ensemble et, quand Dalgliesh les regarda, elles se mirent à bouger sans but, comme agitées par la brise.

Il demanda : « Pourquoi ici, grand Dieu !

— Ça, on le sait. Il y a une tripotée de choses qu'on ne sait pas, mais ça au moins on le sait. Ils ont un barman à mi-temps, Albert Uperaft, soixante-quinze printemps au moins. Un peu vague, pour ce qui s'est passé hier, mais une bonne mémoire pour le long terme. Apparemment, le Siffleur est venu ici tout gosse. Sa tante — la sœur de son père — dirigeait la boîte, il y a vingt ans. Elle le prenait quand il n'y avait pas grand monde, surtout quand la mère avait un nouveau jules qui ne voulait pas avoir le gosse dans les pieds. Il restait quelquefois pendant des semaines. Sans gêner personne. Il donnait un coup de main, ramassait un petit pourliche à l'occasion, et allait même à l'école du dimanche. Cet après-midi, il a loué le 32, toujours la même chambre, apparemment — sur le derrière, le meilleur marché. Les Carter devraient remercier la Providence. Il aurait pu choisir une fin haut de gamme : chambre double avec salle de bains et vue sur la mer. »

Le brigadier posté à l'entrée les salua et ils entrèrent dans le hall, où une odeur de peinture et d'encaustique les accueillit, recouverte par les réminiscences d'un désinfectant à la lavande. La propreté était presque agressive. La moquette à fleurs criardes était recouverte par un chemin de plastique, le papier, visiblement neuf, était différent sur chaque mur et un coup d'œil par la porte ouverte de la salle à manger révélait des tables de quatre avec des nappes blanches étincelantes et des petits vases de fleurs artificielles — narcisses, jonquilles et ellébores. Le couple surgi des profondeurs pour les accueillir était aussi soigné que l'hôtel. Bill Carter semblait tout juste sorti de la planche à repasser, les plis de sa chemise blanche et de son pantalon coupants comme lames de rasoir, la cravate impeccablement nouée ; sa femme portait une robe d'été en tissu fleuri avec une veste tricotée blanche. On voyait qu'elle avait pleuré. Son visage rebondi, un peu enfantin sous la chevelure blonde soigneusement ondulée, était gonflé et meurtri comme si on l'avait frappé. Sa déception en voyant deux hommes seulement avait eu quelque chose de pathétique.

Elle dit : « Je croyais que vous étiez venus pour l'emporter. Pourquoi est-ce que vous ne l'emportez pas ? »

Rickards ne présenta pas Dalgliesh et dit d'un ton apaisant : « Nous allons le faire, Mrs Carter, dès que le pathologiste l'aura vu, ça ne va pas tarder. Il est en chemin.

— Pathologiste. C'est un médecin, n'est-ce pas ? Pourquoi un médecin ? Il est mort, Bill l'a trouvé mort. Il a la gorge tranchée. On ne peut pas être plus mort, il me semble.

— Il va arriver très vite, Mrs Carter.

— Le drap est couvert de sang. Bill ne veut pas me laisser entrer. Je n'ai pas envie de le voir, d'ailleurs. Et le tapis est perdu. Le sang, c'est terrible à enlever, tout le monde sait ça. Qui va payer pour le tapis et le lit ? Mon Dieu, je croyais que les choses s'arrangeaient enfin pour nous ! Pourquoi est-ce qu'il est revenu ici pour faire ça ? Pas très beau, n'est-ce pas ? Aucune considération.

— Ça n'était pas quelqu'un d'attentionné. Mrs Carter. »

Le mari la prit par les épaules et l'emmena. Moins d'une minute après, il reparaissait et dit : « C'est le choc, bien sûr. Elle est bouleversée. Qui ne le serait pas ? Vous connaissez le chemin, Mr Rickards, votre officier est encore là. Je ne monterai pas avec vous, si ça ne vous fait rien.

— Certainement, Mr Carter. Je connais le chemin. »

Soudain, l'homme se retourna et dit : « Enlevez-le vite, pour l'amour du Ciel ! » Et l'espace d'un instant, Dalgliesh eut l'impression que lui aussi pleurait.

Pas d'ascenseur. Dalgliesh monta trois étages à la suite de Rickards, enfila un petit corridor et tourna à droite. Un jeune enquêteur assis sur une chaise devant la porte se leva, l'ouvrit de la main gauche et se plaqua contre le mur pour les laisser passer. Une bouffée d'odeur les assaillit, faite de sang et de mort.

La lumière était allumée et l'ampoule à la tête du lit pendait bas dans son abat-jour rose bon marché, éclairant brutalement l'horreur. C'était une très petite pièce, guère plus qu'un débarras, avec une seule fenêtre placée trop haut pour permettre de voir autre chose que le ciel et juste assez de place pour le lit à une personne, une chaise, une table de nuit et une commode basse surmontée d'un miroir qui servait de coiffeuse. Mais cette pièce-là aussi était d'une propreté obsessionnelle qui rendait plus horrible encore la chose impure gisant sur le lit; la gorge béante avec ses vaisseaux blancs striés et la bouche flasque au-dessus semblaient protester contre un tel outrage à la décence et à l'ordre. Pas d'entailles préliminaires visibles, et Dalgliesh se dit que cet acte unique de violence destructrice avait dû exiger plus de force que n'en pouvait avoir la main enfantine crispée sur le drap dans sa carapace noircie de sang séché. Le couteau, six pouces d'acier ensanglanté, était tout à côté d'elle. Il s'était déshabillé pour mourir (pourquoi ?), ne gardant qu'un maillot, un short et une paire de chaussettes en nylon bleu qui ressemblaient à un début de putréfaction. Sur la chaise à côté du lit, un complet gris foncé à raies était soigneusement plié, une chemise en Tergal rayé bleu et blanc, étendue sur le dossier, la cravate pliée sur le col. Sous la chaise, des souliers usagés, mais brillants comme des miroirs, étaient posés bien droit l'un contre l'autre, minuscules. La taille fillette.

Rickards dit : « Neville Potter. Trente-six ans. Un petit bougre fait au compte-gouttes. On ne croirait pas qu'avec ces bras-là il aurait eu la force d'étrangler même un poulet. Et il est arrivé sapé de première pour rencontrer son Créateur. Seulement, il s'est ravisé. Il a dû se rappeler que sa mère ne serait pas contente s'il mettait du sang sur son plus beau costume. Si vous la voyiez, celle-là, Mr Dalgliesh! Un de ces numéros! Elle explique beaucoup de choses, mais il a laissé les preuves. Tout est là, tout bien arrangé pour nous. On a de l'ordre, ou on n'en a pas, hein? »

Dalgliesh se glissa de l'autre côté du lit en ayant soin de ne pas marcher dans le sang. Sur la commode, les armes et les trophées du Siffleur : une laisse à chien en cuir, bien enroulée, une perruque blonde et un béret bleu, un eustache, une lampe avec une pile ingénieusement fixée au centre d'un serre-tête. Et puis, à côté, une pyramide de cheveux emmêlés — blond, brun foncé, rouge. Devant cet arrangement minutieux, une page arrachée d'un carnet avec un message écrit en caractères d'imprimerie comme par un enfant : « Ça s'aggravait. Je ne connais pas d'autre moyen de m'arrêter. S'il vous plaît, occupez-vous de Pongo. » — « S'il vous plaît » souligné.

Rickards dit : « Son chien. Pongo, je vous jure !

— Qu'est-ce que vous croyiez ? Qu'il l'avait appelé Cerbère ? »

Rickards ouvrit la porte et s'arrêta sur le seuil, respirant profondément, comme avide d'air frais. Il dit : « Il vivait avec sa mère dans un de ces campings pour caravanes à côté de Cramer. Ils étaient là depuis douze ans. Il faisait des petits boulots, les réparations pas trop difficiles, surveillait un peu la nuit, s'occupait des réclamations. Le patron a un autre terrain près de Yarmouth, alors il y allait quelquefois remplacer le permanent. Un solitaire. Une petite camionnette et un chien. Il avait épousé une fille qu'il avait levée sur le camping, il y a trois ans, mais ça n'a duré que quatre mois. Elle s'est tirée, chassée par la mère, ou l'odeur de la caravane. On se demande comment elle a tenu quatre mois, d'ailleurs. »

Dalgliesh dit : « Il était tout désigné comme suspect. Vous auriez dû le filer.

— Sa mère lui avait fourni un alibi pour deux des meurtres. Soit elle était noire et elle ne savait pas s'il était là ou non, soit elle le couvrait. Bien entendu, elle s'en foutait royalement, de toute façon. » Il dit avec une soudaine violence : « Je pensais qu'on avait appris à ne pas prendre ce genre d'alibi pour argent comptant. J'ai deux mots à dire au gus qui les a interrogés, mais vous savez ce que c'est. Des milliers d'interrogatoires, de vérifications, le tout fourgué dans l'ordinateur. J'en donnerais une douzaine, moi, de ces outils-là pour un brigadier capable de sentir quand un témoin ment. Nom de Dieu, on n'a donc rien appris, après le fiasco de l'Éventreur du Yorkshire ?

— Votre gars a fouillé la caravane ?

— Oh oui, bien sûr ! Un petit minimum d'initiative, quand même. Mais il n'y avait rien. Il avait caché son bazar ailleurs. Il le récupérait sans doute tous les soirs, guettait, attendait, choisissait son moment. » Il regarda la lampe. « Ingénieux, hein ? Comme dit sa maternelle, il a toujours été adroit de ses mains. »

Le petit rectangle de ciel devant l'unique fenêtre était bleu-noir, piqué d'une seule étoile. Il semblait à Dalgliesh qu'il avait éprouvé les sensations de la moitié d'une vie depuis qu'il s'était éveillé le matin à l'aube d'automne, aux senteurs de mer, au commencement d'une journée qui avait inclus la promenade méditative sous les hautes voûtes de St Peter Mancroft, la nostalgie facile coulant des photographies jaunies de ces morts lointains, le ruissellement de la marée sur ses pieds nus, le choc devant le corps de Hilary Robarts reconnu sous le rayon de sa lampe. Une journée interminablement étirée qui paraissait avoir englobé toutes les saisons. C'était donc là un moyen d'allonger le temps, ce temps que le Siffleur avait arrêté avec ce jet de sang. Et à la fin de la journée, il était arrivé dans cette cellule bien rangée de condamné à mort imposant à son esprit, comme un souvenir, l'image d'un enfant malingre allongé sur ce même lit qui regardait par la fenêtre haute la même étoile, tandis que les trophées de la journée étaient disposés sur la commode avec un art minutieux : les pourboires en menue monnaie, les coquillages et les galets multicolores de la plage, la jonchée d'algues pustuleuses.

Et lui, lui il était là parce que Rickards l'avait voulu, dans cette pièce et à cette heure. Il aurait pu voir le corps du Siffleur le lendemain à la morgue, ou sur la table d'autopsie, pour confirmer ce qui n'avait guère besoin de l'être, que ce tueur malingre n'était pas l'étrangleur de Battersea, une fois aperçu avec son mètre quatre-vingt-dix. Mais Rickards avait eu besoin d'un auditoire, avait eu besoin de lui, Dalgliesh, du calme redoutablement expérimenté, imperturbable, contre lequel il pouvait lancer les amertumes et les frustrations de l'échec. Cinq femmes mortes — et le meurtrier, un suspect qu'ils avaient interrogé et éliminé dès le début de l'enquête. Les relents de cet échec resteraient au moins dans ses narines longtemps après que l'intérêt des médias et des investigations officielles aurait pris fin. Et puis cette sixième victime, Hilary Robarts, qui ne serait peut-être pas morte — en tout cas certainement pas de cette façon-là — si le Siffleur avait été arrêté plus tôt. Mais, Dalgliesh le sentait bien, quelque chose de plus intensément personnel encore que l'échec professionnel alimentait la colère de Rickards, traversée par des éclats de brutalité verbale qui lui ressemblaient si peu, et il se demanda si cela avait un rapport quelconque avec sa femme et l'enfant à naître. Il demanda : « Qu'est-ce qu'on va faire du chien ? »

Rickards ne sembla pas remarquer l'inconséquence de la question.

« Qu'est-ce que vous croyez ? Qui voudrait d'un animal qui a été où il a été et qui a vu ce qu'il a vu ? » Il regarda le corps qui se raidissait et se tournant vers Dalgliesh, lui dit rudement : « Vous en avez pitié, je suppose ? »

Dalgliesh ne répondit pas. Il aurait pu dire : « Oui, j'en ai pitié. Et j'ai pitié de ses victimes. Et de vous. Et de moi, à l'occasion. » Il pensa que la veille, il lisait l'*Anatomie de la mélancolie*. Bizarre, Robert Burton, ce recteur de Leicestershire, avait dit, au XVIIe siècle, tout ce que l'on peut dire en un pareil moment, et les mots lui parvinrent aussi nettement que s'il les avait prononcés tout haut. « De leurs biens et de leur corps nous pouvons disposer, mais ce qu'il adviendra de leur âme, Dieu seul le sait ; sa miséricorde viendra peut-être *inter pontem et fontem*, *inter gladium et jugulum*, entre le pont et le cours d'eau, entre le couteau et la gorge. »

Rickards frissonna violemment, comme soudain saisi par le froid. Un geste étrange. Puis il dit : « Il a au moins épargné son entretien à l'État pour les vingt ans à venir. Un argument contre la peine de mort pour ses pareils, c'est qu'en les étudiant, on peut apprendre des choses, empêcher que ça recommence. Ouais ? On a Stafford en cabane, Brady, Nielson. Qu'est-ce qu'ils nous ont appris ? »

Dalgliesh dit : « Vous ne pendriez pas un fou, je suppose.

— Je ne pendrais personne. Je trouverais un procédé moins barbare. Mais ils ne sont pas fous. Pas avant d'être pincés. Jusqu'à ce moment-là, ils se débrouillent dans la vie comme n'importe qui, ou à peu près. Après, on découvre que ce sont des monstres et on décide, ô surprise, qu'ils sont fous. Ça rend la chose plus compréhensible. On n'est plus obligé de les considérer comme des humains. Plus obligé d'employer le mot diabolique. Tout le monde se sent mieux. Vous voulez voir sa vieille, Mr Dalgliesh ?

— A quoi bon ? De toute évidence, il n'est pas notre homme. Je n'ai d'ailleurs jamais supposé une minute qu'il l'était.

— Vous devriez la voir. Comme peau de vache, elle peut s'aligner. Et vous savez comment elle s'appelle ? Lillian, L comme Lillian. Le psy va pouvoir se régaler avec ça. C'est elle qui l'a fait ce qu'il est. Mais on ne peut pas vérifier et décider qu'un tel est capable d'avoir des enfants et surtout de les élever et qu'un tel ne l'est pas. Et je suppose que, quand il est né, elle a dû éprouver quelque chose pour lui, avoir des espoirs pour lui. Elle ne pouvait pas savoir ce qu'elle avait mis au monde. Vous n'avez jamais eu d'enfants, n'est-ce pas, Mr Dalgliesh ?

— Un fils. Peu de temps. »

Rickards donna un petit coup de pied à la porte en regardant ailleurs. « Nom de Dieu, j'avais oublié. Désolé. Vraiment pas la question à poser en ce moment ni pour vous, ni pour moi. »

Des pas assurés grimpèrent l'escalier et arrivèrent dans le corridor. Dalgliesh observa : « On dirait que le pathologiste est arrivé. »

Rickards ne répondit pas. Il s'était déplacé jusqu'à la commode et de l'index, doucement, il poussait l'enchevêtrement des poils sur la surface polie.

Il dit : « Il y a un échantillon qu'on ne trouvera pas ici. Celui de Hilary Robarts. Les gars du labo analyseront pour avoir deux sûretés plutôt qu'une, mais ils ne trouveront rien. Maintenant, je me mets à la recherche d'un meurtrier très différent. Et par Dieu, Mr Dalgliesh, cette fois je vais l'épingler. »

24

Quarante-cinq minutes plus tard, Rickards était revenu sur les lieux du crime. Apparemment au-delà désormais de la fatigue consciente, il évoluait dans une autre dimension du temps et de l'espace où son esprit travaillait avec une clarté anormale, tandis que son corps était devenu presque immatériel, aussi irréel que le décor bizarre dans lequel il se déplaçait, parlait et donnait des ordres. Le disque pâle de la lune était éclipsé par la lumière brutale des projecteurs qui solidifiait les contours tranchants des hommes, des arbres et du matériel, tout en les privant — ô paradoxe — de leur essence, si bien qu'ils étaient en même temps révélés et transformés en autre chose, une chose étrange et étrangère. Et toujours, au-delà des voix masculines, du crissement des pieds sur les galets, du claquement brusque de la toile dans la brise hésitante, on percevait le va-et-vient continuel du flot.

Le Dr Anthony Maitland-Brown, venu d'Easthaven dans sa Mercedes, était arrivé le premier, et quand Rickards le rejoignit, il avait déjà enfilé blouse et gants pour travailler, accroupi à côté du cadavre. Rickards ne le dérangea pas. M.-B. détestait qu'on le regarde pendant qu'il procédait à un examen préliminaire *in situ* et protestait volontiers (« Est-ce qu'on a vraiment besoin de tous ces gens plantés là ? ») si quelqu'un approchait à moins de trois mètres — comme si le photographe et le biologiste du labo de la police étaient des touristes en mal de cliché. Grand (plus d'un mètre quatre-vingts), élégant, extraordinairement beau, il avait, à ce qu'on racontait, été comparé à Leslie Howard dans sa jeunesse ; après quoi il avait passé les années suivantes à promouvoir cette image avec assiduité. Divorcé à l'amiable, très au large — sa mère lui avait légué une grosse fortune — il pouvait s'adonner sans problèmes à ses deux passions, les vêtements et l'opéra. Pendant son temps libre, il escortait une succession de jeunes actrices extrêmement jolies à Covent Garden et Glyndebourne, où elles se contentaient, en apparence du moins, d'endurer trois heures d'ennui pour le prestige de sa compagnie, ou peut-être le frisson de savoir que les mains élégantes qui leur versaient du vin ou les aidaient à descendre de la Mercedes étaient en général occupées à des tâches plus insolites. Rickards l'avait toujours trouvé difficile comme collègue, mais reconnaissait sa grande compétence — et elle n'était pas si répandue. Quand il lisait ses rapports d'autopsie lucides, complets et clairs, il lui pardonnait même son aftershave.

Cette nuit-là, il se força à s'éloigner du cadavre pour accueillir les derniers arrivés, photographe, cameraman et biologiste. De chaque côté, cinquante mètres de grève avaient été isolés par des cordes et du plastique était étalé sur le sentier qu'éclairait un chapelet de lumières suspendues. Il sentit l'agitation disciplinée de son brigadier à côté de lui.

Stuart Oliphant dit : « On a trouvé une empreinte, chef. A une quarantaine de mètres dans le bousquet.

— Sur l'herbe et les aiguilles de pin ?

— Non, chef, sur du sable. Quelqu'un a dû le faire tomber d'un seau, peut-être un gosse. Elle est rudement bonne. »

Rickards le suivit. Tout le sentier avait été protégé, mais à un certain endroit, un repère était enfoncé dans le sol spongieux, à droite. Oliphant retira le plastique puis souleva la caisse qui protégeait l'empreinte. A la lueur des guirlandes d'ampoules lancées le long du sentier, on la voyait nettement, du sable humide saupoudré sur les aiguilles de pin et les herbes aplaties, pas plus de dix-huit centimètres sur douze, et imprimée sur cette petite surface, la semelle d'un pied droit aux sculptures compliquées.

Oliphant dit : « On l'a trouvée pas longtemps après votre départ, chef. Rien que celle-là. Mais elle est assez nette. On a pris des photos et les mesures seront au labo ce matin. Du dix, apparemment. Ils pourront nous confirmer ça très vite, mais ça n'est guère nécessaire. C'est une basket, chef. Une Abeille ? Vous connaissez la marque, celle qui a une abeille sur la semelle. On voit le bord de l'aile, là, pas moyen de se tromper. »

Une basket Abeille. En fait d'empreinte, on pouvait difficilement espérer plus caractéristique. Oliphant suivait son idée : « Assez répandue, bien sûr, mais tout de même pas si commune que ça. Ce qu'il y a de plus cher sur le marché, la Porsche des baskets. La plupart des gosses qui ont des sous l'achètent. Un nom bougrement bête, mais une partie de l'affaire appartient à un type qui s'appelle Labeille. Il n'est sur le marché que depuis deux ou trois ans, mais il fait sa promotion à fond de train. Il doit espérer que le nom s'imposera, que les gens réclameront leurs Abeilles comme ils réclament des Wellingtons. »

Rickards dit : « Ça a l'air assez frais. Quand est-ce qu'il a plu pour la dernière fois ? Samedi soir, hein ?

— Vers onze heures. A minuit, c'était fini, mais il en était beaucoup tombé.

— Et pas d'arbres dans cette partie du sentier. L'empreinte est parfaitement lisse. Si elle avait été faite samedi avant minuit, je me serais attendu à quelques traces de gouttes. Intéressant qu'il n'y en ait qu'une et qu'elle soit dirigée vers l'intérieur des terres. Si quelqu'un portant des baskets Abeille a suivi ce chemin-là à n'importe quelle heure, on s'attendrait à trouver au moins une empreinte semblable en haut de la grève.

— Pas forcé, chef. Par endroits, les galets montent presque jusqu'au sentier. Si le type était resté sur les galets, on n'aurait pas d'empreintes, mais si elle a été faite dimanche avant la mort de Robarts, est-ce qu'elle serait encore là ? La victime a dû venir par ce sentier-là.

— Aucune raison pour qu'elle ait marché dessus. L'empreinte est bien à droite du sentier, mais enfin c'est bizarre. Trop nette, trop caractéristique, trop opportune. On pourrait presque croire qu'elle a été faite exprès pour nous induire en erreur.

— Il y a une boutique de sports à Blakeney qui vend de ces baskets-là, chef. Je peux envoyer un gars en acheter une paire de cette taille-là dès l'ouverture.

— Qu'il soit en civil, alors, et qu'il les achète comme un client ordinaire. J'ai besoin d'avoir confirmation pour le dessin des sculptures avant qu'on commence à demander aux gens de vider leurs placards. On aura affaire à des suspects intelligents. Je ne veux pas de cafouillage au commencement de l'affaire.

— Dommage de perdre du temps, chef. Mon frère en a une paire. On ne peut pas se tromper pour le dessin de la semelle. »

Obstiné, Rickards répéta : « J'ai besoin d'une confirmation et je la veux tout de suite. »

Oliphant replaça la caisse et le plastique, puis retourna avec lui sur la plage. Rickards était désagréablement conscient du poids presque tangible de la rancœur, de l'antagonisme et du mépris qui semblaient émaner du brigadier. Mais il ne pouvait pas se débarrasser de lui. Oliphant avait fait partie de l'équipe qui avait soutenu le choc dans l'enquête sur le Siffleur et s'il s'agissait certes d'une autre affaire cette fois, il serait difficile de le remplacer sans provoquer des problèmes personnels ou logistiques que Rickards tenait essentiellement à éviter. Pendant les dix-huit mois de la chasse au Siffleur, son antipathie modérée pour le brigadier était devenue une hostilité qui n'était pas entièrement raisonnable ; il le savait, et il avait essayé de la maîtriser dans l'intérêt de l'enquête et de son amour-propre. Ces meurtres en série étaient assez difficiles sans y ajouter des complications épidermiques.

Il n'avait pas de preuves qu'Oliphant fût une brute, simplement, il en avait l'air. Presque deux mètres de muscles disciplinés, brun, bel homme commun avec des traits plutôt boudinés, des lèvres épaisses, des yeux durs, un menton charnu fendu par une fossette profonde qui fascinait Rickards au point qu'il avait du mal à en détourner les yeux — sa répugnance envers l'homme en avait fait une difformité. Oliphant buvait trop, mais c'était un risque du métier de policier, et le fait que Rickards ne l'avait jamais vu ivre ajoutait encore à l'offense. Personne ne devrait pouvoir absorber une quantité d'alcool pareille tout en restant solide sur ses jambes.

Pointilleux dans son attitude envers ses supérieurs, respectueux sans être servile, Oliphant n'en donnait pas moins à Rickards l'impression qu'il n'était pas à la hauteur des normes que lui, Oliphant, avait fixées dans son for intérieur. Les stagiaires les moins sensibles s'accommodaient assez bien de lui, les autres l'évitaient sagement. Rickards se disait que si jamais il avait des ennuis, Oliphant serait le dernier policier qu'il souhaiterait voir sur son seuil — ce que le susdit considérerait sans doute comme un compliment. Et de la part du public, jamais l'ombre d'une plainte, ce qui paraissait suspect à Rickards — conscient toutefois d'être parfaitement illogique — et donnant à penser que là où ses intérêts étaient en jeu, l'homme était assez retors pour contraindre sa nature profonde. Célibataire, il arrivait, sans se vanter ouvertement, à donner l'impression que les femmes le trouvaient irrésistible. Sans doute était-ce vrai pour un certain nombre, mais au moins il ne s'attaquait pas aux épouses de ses collègues. En bref, il représentait la plupart des traits que Rickards détestait le plus chez un jeune enquêteur : une agressivité contrôlée uniquement par prudence, un goût avoué du pouvoir, trop d'assurance sexuelle et une opinion excessive de ses capacités — lesquelles n'étaient, d'ailleurs, pas négligeables. Oliphant deviendrait inspecteur principal et monterait peut-être même plus haut. Rickards n'était jamais parvenu à utiliser le surnom du brigadier : Rambo. Celui-ci, pourtant, loin d'être vexé par ce sobriquet puéril et déplacé, semblait le tolérer, voire l'aimer, au moins de la part des collègues qu'il avait autorisés à l'employer. Les mortels moins favorisés ne s'y risquaient pas une seconde fois.

Maitland-Brown était prêt à faire son rapport préliminaire. Se redressant de toute sa hauteur, il ôta ses gants, qu'il lança à un agent un peu comme un acteur rejette négligemment une partie de son costume. Il n'avait pas l'habitude de commenter ses conclusions sur les lieux. Mais il condescendit à les exposer.

« Je pratiquerai l'autopsie demain et je vous ferai tenir un rapport mercredi, mais je doute qu'il y ait des surprises. D'après l'examen préliminaire, c'est assez clair. Mort par strangulation. L'instrument était lisse et large de deux centimètres, peut-être une ceinture, une courroie ou une laisse de chien. Elle était grande, musclée. Il a fallu de la force, mais pas une force excessive, étant donné l'avantage de la surprise. Il était probablement caché dans l'ombre des pins et il lui a lancé la courroie par-dessus la tête dès qu'elle est revenue de son bain. Elle a juste eu le temps de ramasser sa serviette. Elle a fait un ou deux mouvements convulsifs avec les pieds, vous voyez où l'herbe en garde la trace. J'estime, d'après les éléments dont je dispose, qu'elle est morte entre huit heures trente et dix heures. »

Maitland-Brown s'était prononcé et de toute évidence n'attendait pas de questions. Au reste, elles eussent été inutiles. Il tendit la main, un agent lui remit obligeamment son pardessus, puis il s'en alla. Rickards s'attendait presque à le voir saluer.

Il regarda le corps. Désormais, la tête, les mains et les pieds recouverts de plastique, elle avait l'air d'un jouet en paquet-cadeau, un jouet pour quelqu'un qui aurait des goûts de luxe un peu particuliers, simulacre en latex et cheveux artificiels d'une femme vivante. La voix d'Oliphant lui parvint — de très loin semblait-il.

« Le commandant Dalgliesh n'est pas revenu avec vous, chef ?

— Pourquoi revenir ? Ça n'est pas son affaire. Il est probablement entre les toiles. »

Et Dieu que je voudrais y être aussi ! se dit-il. Déjà la perspective de la journée l'accablait comme un poids supplémentaire sur son corps éreinté : la conférence de presse sur le suicide du Siffleur, le divisionnaire, sa nouvelle enquête, des suspects à interroger, des faits à établir, toute la lourde machinerie d'une investigation criminelle à mettre en mouvement avec le souvenir du précédent échec comme une pierre sur le cœur. Et puis, d'une façon ou d'une autre, il fallait qu'il trouve le temps de téléphoner à Susie.

Il dit : « Mr Dalgliesh est un témoin, pas le responsable de l'enquête.

— Un témoin, mais pas un suspect, tout de même.

— Pourquoi pas ? Il habite sur le cap, il connaissait la victime, il savait comment le Siffleur opérait. Il n'est peut-être pas un suspect sérieux pour nous, mais il fera une déclaration comme les autres. »

Oliphant le regarda d'un œil lourd et dit : « Ça sera une nouveauté pour lui. Espérons que ça lui plaira. »

LIVRE QUATRE

Lundi 26 septembre

25

Anthony la réveilla comme d'habitude tout de suite après six heures et demie. Theresa s'arracha aux lourdes strates de sommeil pour retrouver les bruits familiers du matin, craquements du berceau, grognements et reniflements d'un bébé empoignant les barreaux pour se mettre debout. Elle sentit l'odeur familière, faite de talc, de lait caillé et de couche mouillée. Elle pressa à tâtons l'interrupteur de la lampe de chevet sous l'abat-jour défraîchi avec sa frise de Bambis dansants et, ouvrant les yeux, eut aussitôt sa récompense : le large sourire édenté d'Anthony et ses petits sauts de plaisir rituels qui secouaient le berceau. Par la porte ouverte, elle voyait les jumelles encore endormies, Elizabeth en tas à l'extrémité du lit, Marie sur le dos, un bras jeté dehors. Si elle pouvait changer Anthony et lui donner à boire avant qu'il se mette à pleurer, elles dormiraient encore une demi-heure — autant de gagné pour leur père.

En souvenir de sa mère, elle s'occuperait d'Elizabeth et de Marie tant qu'elles en auraient besoin et de toutes ses forces, mais c'était Anthony qu'elle aimait. Elle resta immobile un moment à le regarder, jouissant de cet instant de plaisir mutuel. Puis il lâcha le barreau d'une main, leva une jambe, parodie d'un danseur de ballet maladroit, s'écroula sur son matelas, se roula sur le dos et se mit à sucer bruyamment son poing. Il ne tarderait pas à se lasser de ce réconfort factice. Elle lança les jambes hors du lit, attendit un instant avant de sentir le flux de force se répandre dans ses bras et ses jambes, puis alla au berceau et prit le bébé dans ses bras. Elle décida qu'elle le changerait en bas sur la table de la cuisine protégée par un journal, puis l'attacherait dans sa chaise pour pouvoir le surveiller en faisant chauffer le lait. Quand il aurait fini de boire, les jumelles seraient éveillées et elle pourrait aider à les habiller pour qu'elles soient prêtes quand Mrs Hunter, de l'Assistance, viendrait les prendre. Ensuite, déjeuner pour elle et son père avant qu'ils aillent avec Anthony jusqu'au carrefour, où elle prendrait le car de ramassage.

Elle venait d'allumer le gaz sous la casserole de lait quand le téléphone sonna. Son cœur fit un bond, puis se remit à battre violemment, mais à un rythme régulier. Elle attrapa l'appareil en espérant qu'elle avait été assez prompte pour que son père ne s'éveille pas. La voix de George Jago lui parvint, celle d'un conspirateur, voilée par une surexcitation contenue.

« Theresa ? Ton père est levé ?

— Non, pas encore, Mr Jago. Il dort. »

Silence, comme s'il réfléchissait, puis : « Bon, ne le dérange pas. Quand il se réveillera, tu lui diras que Hilary Robarts est morte. La nuit dernière. Assassinée. Sur la grève.

— Vous voulez dire que le Siffleur l'a tuée ?

— Ça en avait l'air, c'était manigancé pour que ça en ait l'air, si tu veux mon avis. Seulement, c'est pas possible. Le Siffleur était mort — mort depuis trois heures ou plus. Comme je te l'ai dit hier soir. Tu te rappelles ?

— Oui, je me rappelle, Mr Jago.

— Heureusement que j'ai appelé hier soir, hein ? Tu l'as dit à ton père ? Tu l'as dit à ton père, pour le Siffleur ? »

Sous l'agitation, elle sentit l'anxiété harcelante. « Oui, dit-elle. Je lui ai dit.

— Bon, alors ça va. Maintenant tu vas lui dire pour Miss Robarts. Tu lui demanderas de me passer un coup de fil. Il faut que j'aille conduire des clients à Ipswich, mais je serai rentré vers midi. Ou alors je pourrais lui dire un mot maintenant s'il fait vite.

— Il ne pourrait pas, Mr Jago. Il dort et moi j'essaie de faire boire Anthony.

— Bon. Mais tu lui diras, hein ?

— Oui, je lui dirai. »

Il répéta : « Heureusement que je l'ai appelé hier soir. Il saura pourquoi. »

Elle reposa l'appareil, les mains si moites qu'elle dut les essuyer sur sa chemise de nuit ; elle s'approcha du fourneau, mais quand elle souleva la casserole, elle tremblait si fort qu'elle se rendit compte qu'elle ne pourrait pas verser le lait dans l'étroit goulot du biberon. Elle se mit au-dessus de l'évier et put, avec force précautions, remplir la bouteille à moitié. Puis elle détacha Anthony et s'assit sur la chaise basse devant l'âtre vide. La bouche du bébé s'ouvrit, elle y enfourna la tétine et le regarda se mettre aussitôt à mâchonner vigoureusement, les yeux soudain vagues fixés sur les siens, ses deux mains grassouillettes levées, paumes tournées vers le bas comme les pattes d'un animal.

C'est alors qu'elle entendit craquer l'escalier et son père entra. Il ne se montrait jamais à elle le matin sans ce qui lui servait de robe de chambre : un vieil imperméable boutonné jusqu'au menton. Au-dessus, le visage surmonté d'une chevelure ébouriffée par le sommeil était gris et gonflé, les lèvres anormalement rouges.

Il dit : « C'était le téléphone ?

— Oui, Papa, Mr Jago.

— Qu'est-ce qu'il voulait donc à une heure pareille ?

— Il appelait pour dire que Hilary Robarts est morte. Elle a été assassinée. »

Il allait sûrement remarquer qu'elle avait une voix toute changée. Elle avait l'impression que ses lèvres étaient sèches au point d'être déformées et elle pencha la tête vers le bébé pour qu'il ne le remarque pas. Mais son père ne la regardait pas et un silence tomba avant qu'il dise, le dos tourné :

« Le Siffleur, alors ? Il l'a eue, hein ? Ma foi, elle l'a cherché.

— Non. Papa, ça ne peut pas être le Siffleur. Rappelle-toi, Mr Jago nous a téléphoné hier soir à sept heures et demie pour dire que le Siffleur était mort. Il a dit ce matin qu'il était bien content de nous avoir prévenus, que tu saurais pourquoi. »

Il ne disait toujours rien. Elle entendit le sifflement de l'eau du robinet dans la bouilloire et le vit la porter sur la table, la brancher et prendre une grande tasse sur l'étagère. Elle sentait battre le cœur du petit corps tout chaud d'Anthony contre son bras et, le menton appuyé doucement sur la tête duveteuse, elle demanda : « Qu'est-ce qu'il voulait dire au juste. Mr Jago ?

— Il voulait dire que la personne qui a tué Miss Robarts voulait faire croire que c'était le Siffleur le coupable. Donc la police ne soupçonnera que ceux qui ne savaient pas qu'il était mort.

— Mais toi, tu savais, Papa, parce que je te l'avais dit. »

Alors seulement il se retourna et dit sans la regarder : « Ta maman ne serait pas contente que tu dises des mensonges. »

Mais il n'était pas en colère et il ne la grondait pas. Elle n'entendit rien dans sa voix qu'une immense lassitude. Elle dit tranquillement : « Mais ça n'est pas un mensonge, Papa. Mr Jago a téléphoné pendant que tu étais dehors, aux cabinets. Quand tu es revenu, je te l'ai dit. »

Leurs yeux se rencontrèrent enfin. Jamais elle ne lui avait vu un air aussi désespéré, aussi vaincu. Il dit : « C'est bon, tu me l'as dit. Et c'est ce que tu diras quand la police t'interrogera.

— Bien sûr, Papa. Je dirai ce qui s'est passé. Mr Jago m'a dit pour le Siffleur et je te l'ai dit.

— Et tu te rappelles ce que j'ai dit ? »

La tétine s'était aplatie. Elle l'extirpa de la bouche

du bébé et secoua le biberon pour faire entrer de l'air. Il poussa instantanément un hurlement de rage qu'elle obtura avec le morceau de caoutchouc.

Elle dit : « Je crois que tu as dit que tu étais content, que maintenant on serait tous à l'abri.

— Oui, dit-il. Nous sommes tous à l'abri maintenant.

— Ça veut dire qu'on ne sera pas obligés de partir ?

— Ça dépend. De toute façon, pas tout de suite.

— A qui elle va appartenir la maison, maintenant, Papa ?

— Je ne sais pas. A la personne qu'elle aura désignée dans son testament, je suppose. Ils voudront peut-être vendre.

— On pourrait l'acheter, Papa ? Ce serait joliment bien si on pouvait.

— Dépend du prix qu'ils en voudront. Pas la peine d'y penser déjà ; pour le moment, on est tranquilles. »

Elle dit : « Tu crois que la police va venir ?

— Sûrement. Très probablement aujourd'hui.

— Pourquoi ?

— Pour voir si je savais que le Siffleur était mort. Pour te demander si je suis sorti de la maison hier soir. Ils seront sans doute là quand tu reviendras de l'école. »

Mais elle avait décidé de ne pas aller à l'école. Il était important qu'elle soit près de son père un jour comme celui-là et elle avait une excuse toute prête, une colique. Au reste, cela au moins c'était vrai, ou partiellement vrai. Accroupie aux cabinets, elle avait vu presque avec joie la première trace rose de ses règles.

Elle dit : « Mais tu n'es pas sorti, n'est-ce pas, Papa ? Jusqu'à ce que j'aille me coucher à huit heures moins le quart, j'étais ici et je t'entendais aller et venir en bas. J'entendais la télévision. »

Il dit : « La télévision n'est pas un alibi.

— Mais je suis descendue, Papa. Rappelle-toi. Je me suis couchée de bonne heure, à huit heures et quart, mais je ne pouvais pas dormir et j'avais soif.

Je suis descendue juste avant neuf heures pour boire un peu d'eau. Je me suis assise pour lire dans le fauteuil de Maman. Tu dois bien te rappeler, Papa ? Il était neuf heures et demie quand je suis remontée me coucher. »

Il poussa une sorte de gémissement : « Oui, je me rappelle. »

Soudain, Theresa s'aperçut que les jumelles étaient entrées dans la cuisine et se tenaient côte à côte sur le seuil, silencieuses, fixant sur leur père des yeux sans expression. Elle leur dit rudement : « Remontez vite et allez vous habiller. Il ne faut pas descendre déshabillées comme ça, vous allez prendre froid. »

Obéissantes, elles tournèrent les talons et grimpèrent l'escalier.

La bouilloire crachait sa vapeur. Son père la débrancha, mais sans faire mine de préparer le thé. Au lieu de cela, il s'assit à la table, la tête baissée, et elle crut l'entendre chuchoter : « Je ne suis bon à rien, je ne peux rien faire sans toi. » Elle ne voyait pas son visage, mais pendant un instant — terrible — elle crut qu'il pleurait. Tenant toujours le biberon et le bébé, elle se leva et s'approcha de lui. Elle n'avait pas de main libre, mais se serra contre lui et dit : « Ne t'inquiète pas, surtout ne t'inquiète pas. Tout va s'arranger. »

26

Le lundi 26 septembre, Jonathan Reeves, qui travaillait de huit heures quinze à quatorze heures quarante-cinq, arriva comme d'habitude en avance. Mais c'est à huit heures cinquante-cinq que le téléphone sonna et qu'il entendit la voix attendue. Caroline. Le ton était parfaitement calme. Seuls les mots parlaient d'urgence.

« Il faut que je te voie. Maintenant. Tu peux te libérer ?

— Je pense. Mr Hammond n'est pas encore arrivé.

— Alors, je te retrouve dans la bibliothèque tout de suite. C'est important, Jonathan. »

Pas besoin de lui dire ça. Elle ne lui donnerait pas rendez-vous pendant les heures de travail si ce n'était pas important.

La bibliothèque était logée dans l'aile de l'administration, à côté de l'enregistrement. Elle servait aussi de salle de réunion aux cadres avec trois murs recouverts de rayonnages, deux casiers indépendants et huit fauteuils confortables disposés autour de tables basses. Quand il arriva, Caroline l'attendait déjà, debout à côté du présentoir des revues, en train de feuilleter le dernier numéro de *Nature*. Il n'y avait personne d'autre. Il s'approcha d'elle, se demandant si elle comptait qu'il l'embrasserait, mais dès qu'elle se fut retournée, il vit que ce serait une erreur. Pourtant, c'était leur première rencontre depuis ce vendredi soir qui avait tout changé pour lui. Quand ils étaient vraiment seuls comme cela, ils n'étaient pas obligés de se comporter en étrangers.

Il demanda humblement : « Tu as quelque chose à me dire ?

— Dans une minute. Il est juste neuf heures. Faisons silence pour entendre la voix de Dieu. »

Il releva brusquement la tête, aussi surpris de ce ton que si elle avait dit une obscénité. Ils n'avaient jamais parlé du Dr Mair, sauf d'une manière extrêmement superficielle, mais il avait toujours été persuadé qu'elle l'admirait et qu'elle était très heureuse d'être sa secrétaire particulière. Il se rappelait avoir surpris les paroles chuchotées de Hilary Robarts quand Caroline était arrivée à une réunion publique, à côté de Mair. « Voici la Servante du Seigneur. » C'était ainsi que tous la voyaient, comme l'ombre intelligente, discrète et belle, mais subalterne d'un homme qu'elle était heureuse de servir parce qu'elle le trouvait digne de l'être.

Le téléphone intérieur grésilla. Une voix off indéchiffrable, puis celle de Mair, mesurée, sérieuse. « Personne dans cette centrale ne peut ignorer que

Hilary Robarts a été trouvée morte hier soir sur la plage. Assassinée. On a d'abord cru qu'elle était la deuxième victime du Siffleur à Larksoken, mais il semble désormais presque certain que celui-ci est mort avant elle. Nous trouverons en temps voulu le moyen d'exprimer collectivement notre tristesse, comme nous le ferons pour Christine Baldwin. En attendant, sa mort fait l'objet d'investigations de la police et l'inspecteur principal Rickards de la PJ du Norfolk a été chargé de l'enquête. Il viendra à la centrale dans le courant de la matinée et demandera peut-être à interroger ceux d'entre vous qui connaissaient Hilary Robarts et pourraient éclairer certains détails de sa vie. Au cas où l'un d'entre vous aurait quelque renseignement, si minime soit-il, qui pourrait aider la police, qu'il veuille bien se mettre en rapport avec l'inspecteur Rickards soit quand il sera ici, soit au poste de police d'Hoveton, numéro de téléphone 499 623. »

Après divers crachotements, le téléphone se tut. Elle dit : « Je me demande combien il a fait de brouillons avant de mettre ça au point. Inoffensif, neutre, rien d'affirmé crûment, mais tout sous-entendu. Et il ne nous a pas insultés en disant qu'il comptait que tout le monde continuerait à travailler, comme si nous étions une bande de gamins agités. Il fera un haut fonctionnaire de toute beauté, pas de doute. » Jonathan dit : « Cet inspecteur Rickards, tu crois qu'il nous interrogera tous ?

— Tous ceux qui la connaissaient. Et ça nous comprend. C'est à ce sujet que je voulais te parler. Quand il me verra, je me propose de lui dire que nous avons passé la soirée ensemble, toi et moi, depuis six heures jusqu'à dix heures et demie environ. J'aurai besoin que tu me soutiennes, bien entendu. Et le tout est de savoir si quelqu'un peut apporter un témoignage contraire. C'est de ça que nous avons à discuter. »

Il resta un instant silencieux, atterré.

« Mais nous n'étions pas ensemble ! Tu me demandes de mentir. C'est une enquête criminelle.

C'est très dangereux de mentir aux policiers, ils s'en aperçoivent toujours. »

Il se rendait compte qu'il avait l'air d'un enfant apeuré, pétulant, qui ne voudrait pas participer à un jeu dangereux. Il regardait droit devant lui pour ne pas rencontrer les yeux de Caroline, redoutant ce qu'il pourrait y voir — supplication, colère, mépris.

Elle dit : « Tu m'as dit vendredi que tes parents allaient passer le dimanche à Ipswich avec ta sœur mariée. Ils y sont allés, n'est-ce pas ? »

Il dit lamentablement : « Oui, ils y sont allés. » C'était à cause de cela qu'il avait espéré, presque compté, que Caroline proposerait une nouvelle rencontre dans le bungalow. Il se rappelait ses mots : « Écoute, il y a des moments où une femme a besoin d'être indépendante. Tu ne comprends pas ça ? Ce qui s'est passé hier ne signifie pas que nous devions passer chaque minute de notre temps ensemble. Je t'ai dit que je t'aimais. Je pense que je te l'ai montré. Ça ne te suffit pas ? »

Elle dit : « Donc, tu étais seul dans l'appartement hier soir, non ? Évidemment, si quelqu'un est venu, ou a téléphoné, il faudra que je trouve autre chose.

— Personne n'est venu. Je suis resté seul jusque vers deux heures, après le déjeuner. Ensuite j'ai fait un tour en voiture.

— A quelle heure es-tu rentré ? Est-ce que quelqu'un t'a vu garer la voiture ? Ce n'est pas un grand immeuble. Tu n'as rencontré personne en revenant ? Et la lumière, les fenêtres étaient éclairées ?

— J'ai laissé les lumières allumées. Nous le faisons toujours quand l'appartement est vide. Maman trouve que c'est plus sûr, ça lui donne l'air d'être occupé. Et je ne suis rentré qu'à la nuit. Je voulais être seul, pour penser. Je suis allé à Blakeney et j'ai marché dans les marais. Je ne suis rentré qu'à dix heures et demie. »

Elle poussa un petit soupir de satisfaction : « Alors ça a l'air d'aller. Tu as vu quelqu'un en te promenant ?

— De loin seulement. Un couple avec un chien. Je ne crois pas qu'ils me reconnaîtraient, même s'ils me connaissaient.

— Où as-tu mangé? » La voix était dure, l'interrogatoire impitoyable.

« Nulle part. J'ai attendu d'être rentré. Je n'avais pas faim.

— Bon, alors, tout va bien. Nous sommes tirés d'affaire. De mon côté, personne ne m'a espionnée au bungalow. Et personne ne risquait d'appeler ou de venir. Personne ne le fait jamais. »

Espionnée. Il trouva le mot étrange. Mais elle avait raison. Le bungalow, aussi peu attrayant que son nom, « Les champs », était complètement isolé sur une morne route de campagne vers Hoveton. Il n'y était jamais entré, n'avait même jamais été autorisé à la raccompagner chez elle avant ce vendredi soir où ils étaient arrivés ensemble. Il avait été non seulement surpris, mais un peu choqué. Elle lui avait dit qu'elle l'avait loué meublé à des gens partis pour l'Australie voir une fille mariée et qui avaient décidé d'y rester. Mais elle, pourquoi était-elle restée là? Elle aurait sûrement pu trouver une maison ou un cottage plus agréable à louer, un petit appartement à acheter à Norwich. Une fois entré, il avait été frappé par le contraste entre la médiocrité, la vulgarité du cadre et la sereine beauté de la jeune femme. Il revoyait en cet instant le tapis brun foncé de l'entrée, le papier rayé rose sur deux des murs, les énormes bouquets de roses des deux autres, le divan si dur et les deux fauteuils aux housses crasseuses, la petite reproduction de la charrette à foin de Constable accrochée trop haut pour qu'on la voie commodément, à côté de la banale reproduction d'une Chinoise à la face plate, le vieux radiateur à gaz. Elle n'avait rien fait pour changer cela, rien pour imprimer sa propre personnalité, comme si elle remarquait à peine les insuffisances et la laideur de cet environnement. Il remplissait son usage, elle ne demandait rien de plus. Il leur avait en tout cas servi. Mais Jonathan avait été glacé dès le hall. Il aurait voulu crier : « C'est la première fois, pour nous deux. Pour moi, la première fois de toutes. Est-ce que nous ne pourrions pas aller ailleurs ? »

Il dit lamentablement : « Je ne crois pas que je pourrai le faire. L'inspecteur Rickards saura que je mens. J'aurai l'air embarrassé, coupable. »

Mais elle avait décidé d'être gentille avec lui, rassurante. Elle dit patiemment : « Il s'attendra à ce que tu sois embarrassé. Tu lui diras que nous avons passé la soirée seuls à faire l'amour. C'est assez convaincant. Assez naturel. Il trouverait plus suspect que tu ne sois pas gêné. Tu ne vois pas que ça rendra ton histoire plus convaincante ? »

Ainsi même son inexpérience, son insécurité, oui, sa honte même, devaient être utilisées pour les fins qu'elle poursuivait.

Elle dit : « Il suffit de décaler les deux nuits. Vendredi soir devient hier soir. N'invente rien. Dis-leur ce que nous avons fait, ce que nous avons mangé et bu, ce dont nous avons parlé, ça sonnera vrai parce que ce sera vrai. Et on ne pourra pas te piéger avec les programmes de la télé, que nous n'avons pas regardée.

— Mais ce qui s'est passé ne regarde que nous. C'est personnel.

— Ça ne l'est pas. Le crime viole l'intimité. Nous avons fait l'amour. Les policiers utiliseront certainement un mot plus grossier, ou s'ils ne le disent pas, ils le penseront. Mais nous avons fait l'amour dans ma chambre, sur mon lit. Tu te rappelles ? »

S'il se rappelait, oh oui, il se rappelait ! Son visage s'embrasa. Il eut l'impression que tout son corps brûlait, même les larmes qui jaillissaient malgré ses efforts désespérés étaient brûlantes. Il ferma les yeux et serra les paupières pour ne pas avoir à les essuyer. Bien sûr qu'il se rappelait. La vilaine petite chambre carrée, anonyme, comme celle d'un hôtel bon marché, le mélange de terreur et d'excitation qui le paralysait à moitié, ses tâtonnements maladroits, les tendresses chuchotées devenues des ordres. Patiente, experte, elle avait fini par prendre l'initiative. Il n'avait jamais été assez naïf pour croire que c'était la première fois pour elle. Pour lui, pas pour elle. Mais ce qui s'était passé était, il le savait, irrévocable. C'était elle qui l'avait possédé et cette possession était plus que physique. Pendant un instant, il ne put parler. Difficile de croire que ces contorsions grotesques, mais contrôlées, avaient quelque chose à voir avec la Caroline qui se tenait à côté de lui, si proche et pourtant si distante. Il remarqua avec une acuité accrue la netteté impeccable du chemisier rayé gris et blanc à la coupe masculine, la longue jupe grise, les escarpins vernis, la chaîne d'or tout unie et les boutons de manchettes assortis, la chevelure couleur de blé sculptée en une natte unique. Était-ce cela qu'il avait aimé, qu'il aimait encore, cette froide perfection lointaine? Et il se rendit compte avec un gémissement presque audible que leur premier accouplement avait détruit plus qu'il n'avait affirmé, que ce qu'il avait désiré et perdu à jamais, ce qu'il désirait encore, était une inaccessible beauté. Mais il savait aussi qu'elle n'avait qu'à tendre la main et qu'il la suivrait encore dans ce bungalow, sur ce lit.

Il dit lamentablement : « Mais pourquoi? Pourquoi? On ne te soupçonnera pas, on ne peut pas, c'est ridicule. Tu t'entendais bien avec Hilary comme avec tout le monde à la centrale, d'ailleurs. Tu es la dernière à qui la police s'intéressera. Tu n'as même pas de motif.

— Mais si. Je l'ai toujours détestée et je haïssais son père. Il a ruiné Maman, il l'a obligée à vivre ses dernières années dans la pauvreté. Et j'ai perdu la possibilité d'avoir une instruction décente. Je suis une secrétaire, une dactylo, et je ne serai jamais rien de plus.

— J'ai toujours pensé que tu pourrais être ce que tu voudrais.

— Pas sans formation. Entendu, je sais qu'on peut avoir une bourse, mais j'ai été obligée de quitter l'école pour gagner ma vie le plus vite possible. Et il ne s'agit pas seulement de moi. C'est ce que Peter

Robarts a fait à Maman. Elle avait confiance en lui. Elle avait mis dans sa fabrique de plastique tout ce qu'elle possédait, tout ce que Papa avait laissé. Toute ma vie je l'ai haï, lui, et je l'ai haïe, elle, à cause de lui. Une fois que la police aura découvert ça, je n'aurai pas une minute de paix. Mais si je peux fournir un alibi, alors ils nous laisseront tranquilles, tous les deux. Nous n'avons qu'à dire que nous étions ensemble et tout sera fini.

— Mais on ne pourra pas considérer ce que son père a fait à ta mère comme un motif suffisant pour tuer. Ça n'est pas raisonnable. Et puis, c'est si ancien.

— Aucun motif pour tuer un autre être humain n'est raisonnable. Les gens tuent pour les raisons les plus étranges. Et j'ai quelque chose contre la police, je ne sais pas quoi, c'est irrationnel, mais c'est comme ça et ça a toujours été comme ça. C'est pourquoi je fais si attention quand je conduis, je sais que je ne pourrais pas supporter un vrai interrogatoire. J'ai peur de la police. »

Elle se saisissait de cette vérité démontrable comme si celle-ci rendait toute la demande raisonnable, légitime. Elle avait en effet l'obsession de la limitation de vitesse même quand la route était dégagée, l'obsession de la ceinture de sécurité, de l'état de la voiture. Il se rappelait aussi le jour où, trois semaines plus tôt, elle s'était fait voler son sac dans un magasin à Norwich et ne l'avait pas même signalé. Comme il protestait, elle lui avait dit : « Pas la peine, ils ne le récupéreront jamais. Nous perdrons notre temps au poste de police et c'est tout. Laissons tomber, il n'y avait pas grand-chose dedans. » Puis il se dit : « Je vérifie ce qu'elle me dit, je la contrôle », et il éprouva une honte écrasante mêlée de pitié. Il l'entendit qui disait :

« C'est bon. J'en demandais trop. Je connais ta position pour ce qui est de la vérité, de l'honnêteté, ton christianisme de boy-scout. Je te demandais de sacrifier la bonne opinion que tu as de toi. Personne n'aime ça. Nous avons tous besoin de notre amour-propre. Je suppose que pour toi, c'est de te savoir meilleur que les autres. Mais est-ce que tu n'es pas un peu hypocrite? Tu dis que tu m'aimes, mais tu ne veux pas mentir pour moi. Ce n'est pas quelque chose d'important, ça ne ferait de tort à personne, mais tu ne veux pas le faire. C'est contraire à ta religion. Ta précieuse religion ne t'a pas empêché de coucher avec moi, hein? Je croyais les chrétiens trop purs pour forniquer à tout venant. »

Forniquer à tout venant. Chaque mot était un coup, non pas une douleur fulgurante, mais un martèlement sourd comme des chocs réguliers sur la même chair meurtrie. Jamais, même pendant ces premiers jours ensemble, si merveilleux, il n'avait pu lui parler de sa foi. Elle lui avait clairement fait comprendre dès le début que c'était une partie de sa vie pour laquelle elle n'éprouvait ni sympathie ni compréhension. Et comment aurait-il pu lui expliquer qu'il l'avait suivie dans sa chambre parce que le besoin qu'il avait d'elle était plus fort que son amour de Dieu, plus fort que le remords, plus fort que la foi, ne nécessitant d'autre justification que lui-même? Comment, se disait-il, penser que ça pouvait être mauvais, alors que chaque nerf, chaque muscle, lui disait que c'était naturel et bon, même saint.

Elle dit : « C'est bien, laissons ça, j'en demande trop. »

Piqué par le mépris dans cette voix, il dit, lamentable : « Ce n'est pas ça. Je ne suis pas meilleur, pas du tout. Et tu ne peux pas trop me demander. Si c'est important pour toi, bien sûr, je le ferai. »

Elle lui lança un regard aigu, comme pour jauger sa sincérité, sa volonté. Il entendit le soulagement dans sa voix : « Tu sais, il n'y a pas de danger. Nous sommes innocents tous les deux et nous le savons. Et ce que nous dirons à la police aurait si facilement pu être vrai. »

Mais c'était là une faute et il vit dans ses yeux qu'elle s'en rendait compte. Il dit : « Ça aurait pu être vrai, mais ça ne l'est pas.

— Et c'est ça qui est important pour toi, plus

important que ma tranquillité d'esprit, plus important que les sentiments que nous avions l'un pour l'autre, du moins je le croyais. »

Il voulait lui demander pourquoi sa tranquillité d'esprit devait se fonder sur un mensonge. Lui demander ce qu'ils éprouvaient en fait l'un pour l'autre, ce qu'elle éprouvait pour lui.

Elle dit, en regardant sa montre : « Et d'ailleurs, ce sera un alibi pour toi aussi. C'est même encore plus important. Après tout, chacun sait la façon dont elle t'a traité depuis ce programme de la radio locale. Le petit croisé nucléaire du Bon Dieu. Tu n'as pas oublié ? »

La brutalité de l'allusion, la note d'impatience dans sa voix, tout cela le rebuta :

Il dit : « Et si on ne me croit pas ?

— Ne revenons pas une fois encore là-dessus. Pourquoi ne nous croirait-on pas ? D'ailleurs, ça n'aurait pas grande importance. On ne pourra jamais prouver que nous mentons, c'est ça qui est important. Après tout, il est naturel que nous ayons été ensemble. Ce n'est pas comme si nous commencions tout juste de nous fréquenter. Écoute, il faut que je retourne au bureau, maintenant. Je te passerai un coup de fil, mais il vaut mieux que nous ne nous voyions pas ce soir. »

Il ne s'y était pas attendu. La nouvelle de ce dernier crime serait diffusée par la radio locale, passée de bouches à oreilles. Sa mère attendrait anxieusement qu'il rentre et lui donne des détails.

Mais il y avait quelque chose qu'il devait lui dire avant qu'elle parte et il trouva soudain le courage de le faire. Il dit : « Je t'ai appelée hier soir. Pendant que je circulais en voiture, que je réfléchissais, je me suis arrêté à une cabine téléphonique et j'ai appelé. Tu n'étais pas chez toi. »

Il y eut un petit silence. Il regarda nerveusement le visage de Caroline, mais il était sans expression. Elle dit : « Il était quelle heure ?

— Dix heures moins vingt, peut-être un peu plus.

— Pourquoi ? Pourquoi as-tu téléphoné ?

— Le besoin de te parler. La solitude. J'espérais un peu, je suppose, que tu pourrais changer d'avis et me dire de venir.

— Bon. Autant que tu le saches. Hier soir, j'étais sur le cap. J'avais emmené Remus faire un tour. J'ai laissé la voiture sur un chemin de terre au sortir du village et je suis allée à pied jusqu'aux ruines de l'abbaye. J'ai dû y être tout de suite après dix heures. »

Il dit avec une stupeur horrifiée : « Tu étais là-bas ! Et pendant tout ce temps, elle devait être à quelques mètres de toi. »

Elle dit d'un ton acerbe : « Plutôt une centaine de mètres. Je n'avais aucune chance de la trouver et je n'ai pas vu son assassin, si c'est à ça que tu penses. Et je suis restée sur les falaises. Je ne suis pas descendue sur la grève. Sinon la police aurait trouvé des empreintes de mes pas, les miens et ceux de Remus.

— Mais quelqu'un a pu te voir. Il y avait un clair de lune si brillant...

— Le cap était désert. Et si l'assassin était caché dans les arbres et m'a vue, il ne va pas venir le dire. Mais c'est une position assez inconfortable et c'est pourquoi j'ai besoin d'un alibi. Je n'avais pas l'intention de te le dire, mais maintenant tu le sais. Je ne l'ai pas tuée, mais j'étais là, et j'ai un mobile. C'est pourquoi je te demande de m'aider. »

Pour la première fois Jonathan décela une note de supplication, presque de tendresse. Elle fit mine de le toucher, puis recula, et ce geste ébauché était aussi émouvant que si elle lui avait posé la main sur le visage. Les blessures et les souffrances des dix dernières minutes furent balayées par un flot de tendresse. Il eut l'impression que ses lèvres avaient gonflé, lui rendant la parole difficile, mais il trouva les mots : « Bien sûr, je t'aiderai. Je t'aime. Je ne t'abandonnerai pas. Tu peux compter sur moi. »

27

Rickards avait convenu avec Alex Mair qu'il serait
à la centrale à neuf heures le lendemain matin, mais
il voulait passer avant à Scudder's Cottage voir Ryan
Blaney. La démarche était délicate. Il savait que
l'homme avait des enfants ; or il serait nécessaire
d'interroger au moins l'aînée, ce qui ne pouvait être
fait sans la présence d'une femme de la police, et il y
avait eu quelque retard pour coordonner les mouvements. C'était là une de ces petites contrariétés qu'il
avait du mal à accepter, mais il savait qu'il serait
imprudent de faire plus qu'une brève visite aux Blaney sans elle. Que l'homme fût un suspect sérieux ou
pas, lui ne pouvait risquer d'être accusé par la suite
d'avoir arraché des aveux à une mineure au mépris
des procédures régulières. En outre, Blaney avait le
droit de savoir ce qu'il était arrivé à son tableau, et si
la police ne le mettait pas au courant, quelqu'un
d'autre s'en chargerait rapidement. Il était important
qu'il soit là pour voir la tête de l'homme quand il
apprendrait que sa toile avait été lacérée et Hilary
Robarts, assassinée.

Il se dit qu'il avait rarement vu endroit plus dépri-
mant que Scudder's Cottage. Il tombait un petit crachin et il voyait la maison avec son jardin négligé à
travers une brume miroitante qui semblait absorber
formes et couleurs, si bien que tout le paysage était
d'un gris amorphe et uni. Laissant l'agent Price dans
la voiture, Rickards et Oliphant remontèrent
jusqu'au porche l'allée infestée de mauvaises herbes.
Pas de sonnette, mais quand Oliphant eut vigoureusement manœuvré le heurtoir, la porte s'ouvrit
aussitôt et Ryan Blaney, immense, efflanqué, les
dévisagea longuement, le regard trouble mais hostile. La couleur semblait s'être retirée même de ses
cheveux et Rickards se dit qu'il n'avait jamais vu un
homme avoir l'air aussi épuisé et pourtant être
debout. Blaney ne les invita pas à entrer et le policier
ne le demanda pas. Mieux valait être accompagné

par une femme pour opérer une intrusion ; d'ailleurs, Blaney pouvait attendre. Non, il souhaitait désormais aller à la centrale. Il annonça que le portrait de Hilary Robarts avait été retrouvé lacéré, à Thyme Cottage, mais sans autre détail. Pas de réponse. Il dit : « Vous m'avez entendu, Mr Blaney ?

— Oui. Je vous ai entendu. Je savais que le portrait avait disparu.

— Quand ?

— Hier soir, vers neuf heures quarante-cinq. Miss Mair est venue le chercher. Elle devait l'emporter ce matin à Norwich. Elle vous le dira. Où est-il, maintenant ?

— Nous l'avons, ou ce qu'il en reste ; nous en aurons besoin pour des examens de laboratoire. Bien entendu, nous vous donnerons un reçu.

— A quoi bon ? Vous pouvez garder le tout, le tableau et le reçu. Mis en pièces, vous avez dit ?

— Pas en pièces, deux estafilades seulement. Il est peut-être réparable. Nous l'apporterons quand nous viendrons pour que vous puissiez l'identifier.

— Je ne veux plus le voir. Vous pouvez le garder.

— Nous avons besoin de l'identification, Mr Blaney. Nous en reparlerons quand nous vous verrons cet après-midi. A propos, quand l'avez-vous vu pour la dernière fois, ce portrait ?

— Jeudi matin, quand je l'ai enveloppé et mis dans l'atelier. Je n'y suis pas allé depuis. Et puis, à quoi bon discourir ? C'était ce que j'avais fait de mieux et cette salope l'a détruit. Demandez à Alice Mair ou à Adam Dalgliesh de l'identifier. Ils l'ont vu tous les deux.

— Voulez-vous dire que vous connaissez le coupable ? » De nouveau un silence, que Rickards rompit en disant : « Nous viendrons vous voir cet après-midi, probablement entre quatre et cinq, si ça ne vous dérange pas. Et il faudra que nous parlions aux enfants. Nous aurons une femme de la police avec nous. Je suppose qu'ils sont à l'école ?

— Les jumelles sont au jardin d'enfants. Theresa est ici. Elle n'est pas bien. Dites donc, vous ne vous donnez pas tout ce mal pour un portrait lacéré. Depuis quand est-ce que la police s'occupe de tableaux ?

— Nous nous occupons des déprédations. Mais il y a autre chose. Je dois vous dire que Hilary Robarts a été assassinée la nuit dernière. »

Tout en parlant, il regardait attentivement le visage de Blaney. Le moment de vérité était arrivé. L'homme ne pouvait pas apprendre la nouvelle sans trahir quelque émotion : choc, peur, surprise réelle ou simulée. Au lieu de cela, il dit calmement : « Vous ne m'apprenez rien là non plus. Je le savais. George Jago m'a téléphoné de bonne heure ce matin du *Local Hero*. »

Vraiment ? se dit Rickards, qui ajouta Jago à la liste des gens à interroger le plus tôt possible. Il demanda : « Est-ce que Theresa sera là et assez bien pour nous parler cet après-midi ?

— Elle sera là et elle sera assez bien. »

Sur ce, la porte leur fut résolument fermée au nez.

Oliphant dit : « On peut se demander pourquoi Robarts a acheté cette bicoque ? Et ça faisait des mois qu'elle essayait de le vider avec ses gosses. Les gens jasaient ferme, aussi bien à Lydsett que sur le cap.

— C'est ce que vous m'avez dit en venant. Mais si Blaney l'avait tuée, il ne serait pas allé attirer l'attention sur lui en lançant le portrait à travers une vitre de Thyme Cottage. Seulement, un meurtre plus du vandalisme sans rapport l'un avec l'autre la même nuit, c'est un peu gros comme coïncidence. Ça ne passe pas. »

La journée avait mal commencé. Le crachin qui se faufilait sous le col de son pardessus ajoutait à son léger abattement. Il n'avait pas remarqué que tout le cap était sous la pluie et aurait presque cru que cette petite bicoque pittoresque mais revêche générait son propre climat. Il lui restait beaucoup de choses à faire avant de revenir pour une confrontation plus rigoureuse avec Ryan Blaney, et aucune dont la perspective l'enchantât. Ayant ouvert la barrière non sans peine malgré une touffe de mauvaises herbes dans l'allée, il se retourna pour jeter un dernier coup d'œil au cottage. Aucune trace de fumée ne sortait de la cheminée et les fenêtres brouillées par le sel étaient fermées. Difficile de croire qu'une famille vivait là, que le cottage n'était pas abandonné depuis longtemps à l'humidité et au délabrement. Et puis, à la fenêtre de droite, il aperçut un visage pâle encadré de cheveux d'or rouge. Theresa Blaney les regardait.

28

Vingt minutes plus tard, les trois policiers étaient à la centrale de Larksoken. Une place leur avait été réservée dans le parking hors du périmètre grillagé entourant la maison du garde. Dès qu'ils en approchèrent, la grille s'ouvrit et l'un des vigiles vint retirer les cônes. Les préliminaires ne prirent guère de temps. Reçus avec une politesse presque impassible par le garde en uniforme, ils signèrent le registre et reçurent des badges à fixer au revers. Le vigile téléphona pour annoncer leur arrivée, signala que la secrétaire particulière du directeur, Miss Amphlett, allait venir dans quelques instants, et sembla ne plus s'intéresser à eux. Son compagnon qui avait ouvert la grille bavardait tranquillement avec un homme trapu en combinaison de plongée, le casque sous le bras, qui venait apparemment de travailler dans une des tours de refroidissement. Aucun ne semblait particulièrement intéressé par l'arrivée de la police. Si le Dr Mair leur avait enjoint de la recevoir poliment mais avec le minimum d'embarras, son personnel n'aurait pas pu faire mieux.

Par la fenêtre du poste de garde, ils virent une femme, évidemment Miss Amphlett, qui arrivait sans se presser par l'allée cimentée. Blonde, froide, elle ne prêta pas plus attention au regard palpeur d'Oliphant que s'il n'avait pas été là et salua gravement Rickards. Mais sans répondre à son sourire, soit parce qu'elle jugeait qu'il n'était pas de mise en pareille circonstance, soit, plus probablement, parce qu'à son avis peu de visiteurs à Larksoken méritaient un accueil aussi personnalisé et qu'un policier n'en faisait pas partie.

Elle dit : « Le Dr Mair va vous recevoir, inspecteur » et pivota sur ses talons pour leur montrer le chemin. Il eut l'impression d'être un patient introduit en présence d'un praticien. L'assistant personnel révèle beaucoup de choses sur son chef et ce qu'elle lui disait du Dr Mair renforçait l'idée qu'il s'en était faite. Il pensait à sa propre secrétaire, Kim, dix-neuf ans, chroniquement ébouriffée, habillée dans le style ado le plus outrancier, dont la sténo était aussi peu fiable que les horaires, mais qui n'accueillait jamais, fût-ce le plus humble visiteur, sans un large sourire et l'offre d'un café avec des biscuits — que la plus élémentaire prudence commandait de refuser.

Ils suivirent Miss Amphlett entre les vastes pelouses jusqu'au bâtiment de l'administration. C'était une femme qui provoquait le malaise et Oliphant, éprouvant visiblement le besoin de s'affirmer, se mit à jaser.

« A droite la salle des machines, chef, et le bâtiment du réacteur et le circuit de refroidissement derrière. Il est du type thermique Magnox, chef. Le premier date de 1956. On nous a tout expliqué quand on a visité. Le combustible est de l'uranium. Pour éviter la déperdition des neutrons et employer de l'uranium naturel, le combustible est protégé par des gaines dans un alliage à base de magnésium appelé Magnox, qui a un coefficient d'absorption des neutrons très bas. C'est ce qui donne son nom au réacteur. On extrait la chaleur en faisant passer du gaz carbonique sur le combustible dans le cœur du réacteur. La chaleur est transférée à de l'eau dans un générateur à vapeur et la vapeur entraîne une turbine couplée à un alternateur. »

Rickards, qui aurait vivement souhaité qu'Oliphant se dispensât de démontrer ses connaissances superficielles en matière de puissance nucléaire devant Miss Amphlett, espérait au moins qu'elles étaient à peu près exactes. Mais l'autre continuait.

« Bien sûr, ce type de réacteur est dépassé maintenant. Remplacé par un réacteur à eau pressurisée comme celui qu'on construit à Sizewell. J'ai visité Sizewell comme Larksoken, chef. Tant que j'y étais, j'ai pensé que je pouvais bien savoir ce qui se passe dans ces endroits-là. »

Et si tu l'as appris, Rambo, se dit Rickards, tu es encore plus malin que je ne croyais.

La pièce du deuxième étage où ils furent introduits parut immense à Rickards. Presque vide, c'était en fait un déploiement intentionné d'espace et de lumière révélateur de l'homme qui se levait à cet instant derrière un énorme bureau noir ultramoderne et les y attendait gravement pendant qu'ils traversaient des mètres de moquette apparemment sans fin. Tandis que leurs mains se touchaient — celle de Mair était ferme et étonnamment froide — les yeux et l'esprit de Rickards enregistraient les traits saillants du bureau. Deux des murs étaient peints en gris clair, mais à l'est et au sud, des vitres qui allaient du plancher au plafond découvraient un panorama de ciel, de mer et de terre. Pas de soleil, ce matin-là, mais l'air était inondé d'une pâle lumière ambiguë et l'horizon brouillé, si bien que mer et ciel ne faisaient qu'une grisaille miroitante. Rickards eut un instant l'impression de voguer en état d'apesanteur dans quelque capsule bizarre et futuriste. Et puis une autre image se surimposa. Il crut entendre la pulsation des machines et sentir le navire frémir, tandis que la grande houle de l'océan venait se fondre sous la proue.

Très peu de mobilier. Le bureau d'Alex Mair, avec un fauteuil haut mais confortable pour le visiteur, faisait face à la fenêtre sud, devant laquelle une table de conférences était entourée de chaises en cuir. Sur une autre table devant la fenêtre est, un modèle de ce que Rickards supposa être le nouveau réacteur à eau pressurisée bientôt construit sur le site. D'un seul coup d'œil, il avait bien vu que c'était une merveille de verre, d'acier et de plexiglas travaillée avec autant d'art qu'un objet décoratif. Le seul tableau était accroché sur le mur nord. Une grande peinture à l'huile représentant un cavalier armé d'un fusil dans un morne paysage de sable et de broussaille avec une chaîne montagneuse à l'arrière-plan. Mais l'homme n'avait pas de tête : à sa place, un énorme casque carré de métal noir avec une fente à la place des yeux. Rickards se sentit désagréablement intimidé. Il se rappela vaguement en avoir vu une copie, ou du moins quelque chose de très semblable — l'artiste était australien. Il se dit — et l'idée l'irrita — qu'Adam Dalgliesh aurait su ce que c'était et qui l'avait peint.

Mair alla à la table de conférences, prit une des chaises et la plaça devant le bureau. Après un instant d'hésitation, Gary Price en prit une pour lui, la mit derrière Mair et sortit discrètement son carnet de notes.

Plongeant son regard dans les yeux gris sardoniques d'Alex Mair, Rickards se demanda comment celui-ci le voyait, et une bribe de conversation entendue quelques années auparavant au mess de New Scotland Yard lui revint à l'esprit : « Oh, Ricky n'est pas idiot. Il est même bougrement plus malin qu'il n'en a l'air. — Tant mieux, parce qu'il me fait penser à ces minus qu'on trouve dans tous les films de guerre, le brave bougre pauvre-mais-z'honnête qui finit toujours la gueule dans la gadoue et une balle dans le caisson. »

Eh bien, cette fois, pas question de finir comme ça. La pièce pouvait bien avoir l'air spécialement agencée pour l'intimider, ça n'était jamais qu'un bureau après tout. Alex Mair, malgré son assurance et sa réputation éblouissante, n'était qu'un homme et, s'il avait tué Hilary Robarts, il finirait comme d'autres qui valaient mieux que lui, en regardant le ciel entre les barreaux — et le visage changeant de la mer dans ses rêves.

Tandis qu'ils s'asseyaient, Mair dit : « Je pense que vous aurez besoin d'un endroit pour interroger les gens. J'ai prévu une petite pièce dans le service de la recherche médicale ; elle sera mise à votre disposition quand vous en aurez terminé ici. Miss Amphlett vous y conduira. Je ne sais pas combien de temps vous en aurez besoin, mais nous y avons transporté un petit frigidaire et il y a la possibilité de faire du thé et du café ; ou si vous préférez, on pourra vous les apporter de la cafétéria. Et bien entendu, son personnel pourra vous fournir des repas simples. Miss Amphlett vous donnera le menu d'aujourd'hui. »

Rickards dit : « Merci, nous ferons notre café nous-mêmes. »

Il se sentait en état d'infériorité et se demandait si c'était intentionnel. Certes, il leur fallait une pièce pour les interrogatoires et il pouvait difficilement se plaindre que ce besoin eût été prévu ; mais s'il avait pu prendre l'initiative, le démarrage aurait eu lieu dans de meilleures conditions et il se disait, peut-être sans grande logique, que cette insistance sur le fait qu'il serait nourri avait quelque chose de dégradant pour ses fonctions. Le regard qui pesait sur lui, sans inquiétude, réfléchi, semblait presque le juger. Il se savait en compagnie d'une puissance qui ne lui était pas familière, celle de l'autorité intellectuelle. Un assemblage de divisionnaires eût été moins impressionnant.

Alex Mair dit : « Votre commissaire divisionnaire a déjà pris contact avec les services de sécurité de l'énergie atomique. L'inspecteur Johnston aimerait vous voir ce matin, sans doute avant que vous commenciez votre interrogatoire général. Il sait fort bien que la police du Norfolk a la principale responsabilité dans l'affaire, mais il est évidemment partie prenante. »

Rickards dit : « Nous l'admettons très bien et nous serons heureux de sa coopération. »

Et ce serait une coopération, pas une ingérence. Il s'était déjà renseigné sur les devoirs de leurs services de sécurité et se rendait compte qu'il y avait des risques de dissensions et d'empiétements, mais c'était l'affaire de la PJ du Norfolk, dans le cadre d'une extension de l'enquête sur le Siffleur. Si l'inspecteur Johnston était disposé à se montrer raisonnable, lui aussi, mais ce n'était pas un problème à discuter avec le Dr Mair.

Celui-ci ouvrit le tiroir droit de son bureau, sortit une chemise en papier bulle, et dit : « Voilà le dossier personnel de Hilary Robarts. Rien ne s'oppose à ce que vous en preniez connaissance, mais il ne donne que des indications de base : âge, lieux de scolarité, diplômes, carrière avant l'arrivée ici en 1984 comme adjoint administratif intérimaire du directeur. Un curriculum vitae sans vitae. Un squelette exceptionnellement décharné. »

Mair le glissa sur le bureau. Ce geste avait quelque chose de curieusement définitif. Une vie se refermait, finie. En le prenant, Rickards dit : « Je vous remercie. Il pourra nous rendre service. Peut-être pourriez-vous mettre un peu de chair sur ces os desséchés. Vous la connaissez bien ?

— Très bien. Nous avons même été amants pendant un certain temps. Cela n'implique pas nécessairement, je l'admets, plus qu'une intimité physique, mais je la connaissais aussi bien sinon mieux que personne ici, à la centrale. »

Il parlait calmement, sans trace d'embarras, comme s'il avait dit qu'il était allé à la même université qu'elle, ou quelque précision aussi peu importante. Rickards se demanda si Mair comptait qu'il saisirait la balle au bond. Au lieu de cela, il demanda : « Elle était populaire ?

— Elle était extrêmement efficace ; les deux ne vont pas toujours ensemble, je l'ai constaté. Mais elle était respectée et je crois en général appréciée par ceux qui avaient à faire à elle. Elle sera très regrettée, sans doute plus profondément que des collègues qui soignent leur popularité à outrance.

— Et par vous ?

— Par tout le monde.

— Quand votre liaison s'est-elle terminée, Dr Mair ?

— Il y a trois ou quatre mois.

— Sans rancœur?

— Sans explosion ni gémissement. Nous nous voyions moins depuis quelque temps déjà. Mon avenir personnel est assez incertain en ce moment, mais il est peu probable que je garde très longtemps encore mon poste de directeur ici. On en arrive à la fin d'une liaison comme à la fin d'un travail, avec l'impression toute naturelle qu'une étape de la vie cède la place à une autre.

— Et elle voyait les choses de la même façon?

— J'imagine. Nous avions eu l'un et l'autre quelques regrets, mais nous ne nous étions imaginé ni l'un ni l'autre, je crois, qu'il s'agissait d'une grande passion, ni même que nos rapports seraient durables.

— Pas d'autre homme?

— Pas que je sache, mais évidemment, il n'y avait pas de raison pour que je le sache. »

Rickards dit: « Vous serez donc étonné d'apprendre qu'elle avait écrit à son notaire de Norwich dimanche matin pour prendre rendez-vous lui disant qu'elle comptait se marier bientôt? Nous avons trouvé la lettre dans ses papiers. »

Mair cilla rapidement, mais sans montrer d'autres signes de perturbation. Il dit d'un ton uni: « Oui, je serais étonné, mais sans trop savoir pourquoi. Peut-être parce qu'elle semblait mener une vie assez solitaire ici et qu'il est difficile de voir comment elle aurait pu trouver le temps ou l'occasion de nouer d'autres rapports. Évidemment, il est tout à fait possible qu'un homme ait ressurgi de son passé et qu'ils soient arrivés à un arrangement. Je crains de ne pas pouvoir vous éclairer. »

Rickards changea de piste: « On semble trouver, dans le pays, qu'elle ne vous a pas beaucoup aidé pendant l'enquête de *commodo et incommodo* au sujet du second réacteur. Elle n'a pas témoigné lors des interrogatoires officiels, n'est-ce pas? Je ne vois pas bien en quoi elle était concernée.

— Officiellement, elle ne l'était pas. Mais à une ou

deux réunions publiques, elle s'est malencontreusement accrochée avec des perturbateurs et pour l'une de nos journées portes ouvertes, le spécialiste qui accompagne normalement le public étant souffrant, elle l'a remplacé. Elle ne s'est peut-être pas montrée assez diplomate avec certains des questionneurs. Après cela, j'ai pris des dispositions pour qu'elle n'ait pas de contacts directs avec le public. »

Rickards dit : « Donc, c'était une femme qui suscitait les antagonismes ?

— Pas assez, je dirais, pour provoquer un meurtre. Elle était tout entière adonnée à son travail ici et elle avait du mal à tolérer ce qu'elle voyait comme de l'obscurantisme délibéré. Sans formation scientifique, mais elle avait acquis des connaissances considérables sur les travaux effectués ici et peut-être un respect exagéré pour l'opinion de ceux qu'elle considérait comme des spécialistes en la matière. Je lui faisais remarquer qu'on ne pouvait raisonnablement en demander autant au grand public. Après tout, ce sont probablement des spécialistes qui leur ont affirmé au cours des dernières années que le métro de Londres était à l'abri du feu et que les ferries sur la Manche ne pouvaient pas faire naufrage. »

Oliphant, resté silencieux jusque-là, dit soudain : « Je m'y trouvais, à cette journée portes ouvertes. Quelqu'un lui a parlé de Tchernobyl. Elle a dit quelque chose, n'est-ce pas, comme "seulement trente morts, alors de quoi s'inquiète-t-on ?". Ça n'est pas ce qu'elle a dit ? Ça conduisait tout naturellement à demander combien de morts il lui faudrait pour faire un chiffre acceptable ? »

Alex Mair le regarda, surpris, semblait-il, qu'il sût parler, puis dit au bout d'un instant : « Quand elle comparait le nombre des victimes provoquées par Tchernobyl avec celui des catastrophes dans l'industrie et l'exploitation des énergies fossiles, son raisonnement était parfaitement valable, mais elle aurait pu y mettre plus de tact. Tchernobyl est un point sensible. Nous sommes un peu fatigués d'expliquer au public que le réacteur RBMK russe avait un certain nombre de faiblesses structurelles et en particulier le danger d'emballement quand le réacteur fonctionnait à allure réduite. Les Magnox, AGR et QWR n'ont pas cette caractéristique, quel que soit le niveau de la puissance ; donc un accident semblable ici est matériellement impossible. Désolé d'être un peu technique. Je veux simplement dire que cela ne se produira pas ici, ne peut pas se produire ici et de fait ne s'est pas produit ici. »

Oliphant reprit, impassible : « Que ça se produise ici ou pas, ça n'a pas grande importance, monsieur, si on en a les retombées. Est-ce que Hilary Robarts n'avait pas intenté un procès en diffamation à quelqu'un du pays à la suite de la rencontre où je me trouvais ? »

Alex Mair s'adressa à Rickards : « Je crois que c'est assez généralement connu. C'était une erreur à mon avis. Elle avait de solides raisons pour le faire, mais aller devant les tribunaux ne lui aurait pas apporté la justification qu'elle souhaitait. »

Rickards dit : « Vous avez essayé de l'en dissuader, dans l'intérêt de la centrale ?

— Et dans le sien. Oui, j'ai essayé. »

Le téléphone sonna sur le bureau et Mair pressa le bouton. Il dit : « Je ne devrais pas en avoir pour longtemps. Dites-lui que je le rappellerai dans vingt minutes. » Rickards se demanda s'il s'était arrangé pour qu'on l'appelle et, comme pour confirmer ses soupçons, Mair dit : « En raison de mes rapports passés avec Miss Robarts, il faut que vous connaissiez mes mouvements dimanche. Je pourrais peut-être vous les indiquer tout de suite. Nous avons l'un et l'autre une journée chargée qui nous attend, j'imagine. » C'était rappeler sans subtilité excessive qu'il était temps de se mettre au travail.

Rickards garda un ton uni : « Ça me rendrait service, oui, monsieur. » Gary Price pencha la tête sur son carnet avec autant d'assiduité que s'il venait d'être réprimandé pour inattention.

« Jusqu'à dimanche soir, ils n'ont pas de rapport avec notre affaire, mais enfin je peux aussi bien couvrir tout le week-end. Je suis parti d'ici juste après dix heures quarante-cinq vendredi, je suis allé à Londres en auto, j'ai déjeuné au Reform Club avec un vieux camarade d'université et à deux heures trente me suis rendu à un rendez-vous avec le secrétaire d'État à l'Énergie. Ensuite je suis allé dans mon appartement de Barbican et, le soir, à une représentation de *La Mégère apprivoisée* au Barbican Theatre avec trois amis. Si par la suite vous avez besoin de leur confirmation, ce qui semble peu probable, je pourrai bien entendu vous donner leur nom. Je suis reparti dimanche matin pour Larksoken, où je suis arrivé vers quatre heures, après avoir déjeuné dans une auberge en route. J'ai pris une tasse de thé, je suis allé faire une promenade sur le cap et suis rentré au cottage environ une heure après. Dîner rapide avec ma sœur vers sept heures et départ pour la centrale à sept heures et demie ou peu après. J'y ai travaillé seul dans la salle des ordinateurs jusqu'à dix heures et demie, heure à laquelle je suis parti pour rentrer chez moi. Je suivais la route côtière quand le commandant Dalgliesh m'a arrêté pour me dire que Hilary Robarts avait été assassinée. Le reste, vous le savez. »

Rickards dit : « Pas complètement, Dr Mair. Il s'est écoulé un certain temps avant notre arrivée. Vous n'avez pas touché au corps ?

— Je suis resté debout à côté d'elle et je l'ai regardée, mais je ne l'ai pas touchée. Dalgliesh faisait consciencieusement son travail, ou plutôt le vôtre. Il m'a très justement rappelé qu'il ne fallait toucher à rien et que les lieux du crime devaient rester intacts. Je suis descendu sur la plage et j'ai marché jusqu'à ce que vous arriviez. »

Rickards demanda : « Vous venez habituellement travailler le dimanche soir ?

— Invariablement si j'ai passé le vendredi à Londres. Il y a en ce moment une quantité de travail impossible à compresser dans une semaine de cinq jours. En fait, je suis resté moins de trois heures, mais des heures précieuses.

— Et vous étiez seul dans la salle des ordinateurs. Qu'est-ce que vous faisiez ? »

Si Mair jugea la question hors de propos, il ne le dit pas. « J'étais lancé dans mes recherches qui concernent l'étude du comportement du réacteur en cas de fuite du modérateur. Je ne suis bien entendu pas le seul à travailler dans ce qui est l'un des domaines les plus importants de la conception d'un réacteur nucléaire. La coopération internationale est très active pour ces études. Ce que je fais essentiellement, c'est évaluer les effets possibles d'une fuite du modérateur au moyen de modèles mathématiques qui sont alors calculés par l'analyse numérique et des programmes très pointus à exécuter sur ordinateur. »

Rickards dit : « Et vous travaillez seul à Larksoken ?

— Dans cette centrale, oui. Des études similaires sont poursuivies à Winfrith et dans nombre d'autres pays, y compris les USA. Comme je l'ai dit, la coopération internationale est très étendue. »

Brusquement Oliphant demanda : « Est-ce que c'est le pire qui puisse arriver, une fuite du modérateur ? »

Alex Mair le regarda un instant, se demandant apparemment si la question, vu sa provenance, méritait une réponse, puis il dit : « C'est un accident potentiellement très dangereux. Il y a bien entendu des dispositifs d'urgence, si les circuits normaux flanchent. Ce qui s'est passé à Three Mile Island aux États-Unis a fait ressortir la nécessité d'en savoir davantage sur l'étendue et la nature de la menace représentée par ce genre d'accident. Les phénomènes à analyser peuvent se diviser en trois groupes principaux : grave dommage au combustible et fusion du cœur, migration des produits de fission et des aérosols libérés dans le circuit primaire de refroidissement, enfin comportement des produits de fission dans le combustible libéré et la vapeur dans la cuve du réacteur. Si vous vous intéressez vraiment à la recherche et si vous avez assez de connaissances pour les comprendre, je peux vous fournir quelques références, mais le moment ne me semble pas opportun pour faire de la formation scientifique. »

Oliphant sourit, comme si la rebuffade lui faisait plaisir. Il dit : « Le physicien qui s'est tué, le Dr Toby Gledhill, est-ce qu'il ne travaillait pas à la recherche avec vous ? Il me semble que j'ai lu quelque chose là-dessus dans l'un des journaux locaux.

— Oui. C'était mon assistant. Toby Gledhill était un physicien également doué d'un talent exceptionnel dans le domaine des ordinateurs. Il est très regretté comme collègue et comme homme. »

Exit Toby Gledhill, se dit Rickards. Venant d'un autre, l'hommage aurait pu être émouvant dans sa simplicité. Venant de Mair, il sonnait comme un congé glacial. Il est vrai que le suicide est embarrassant et salissant. Mair avait dû trouver répugnante une telle intrusion dans son monde minutieusement organisé.

Il se tourna vers Rickards : « J'ai beaucoup à faire ce matin, inspecteur, et vous aussi, certainement. Est-ce que tout cela est bien utile ? »

Flegmatique, Rickards répondit : « Ça aide à compléter le tableau. Je suppose que vous avez signé quelque chose quand vous êtes arrivé ici hier soir et quand vous êtes reparti ?

— Vous avez eu une idée du système quand vous êtes arrivé tout à l'heure. Chaque membre du personnel a un badge signé avec sa photographie et un chiffre personnel, qui est confidentiel. Ce chiffre est enregistré électroniquement quand l'homme ou la femme entre dans le périmètre de la centrale et, en plus, un garde effectue un contrôle visuel du badge à l'entrée du personnel. J'ai un effectif total de cinq cent trente personnes qui travaillent en trois équipes couvrant les vingt-quatre heures. Aux fins de semaine, il y a deux équipes, celle de jour, de huit heures quinze à vingt heures quinze, et celle de nuit, de vingt heures quinze à huit heures quinze.

— Et personne ne peut entrer ou sortir sans être signalé, pas même le directeur ?

— Personne, surtout pas le directeur, j'imagine. L'heure de mon contrôle aura été enregistrée et j'ai été vu à l'entrée et à la sortie par le garde de service.

— Pas d'autre moyen d'entrer dans la centrale qu'en passant devant le poste de garde ?

— Aucun, à moins d'imiter les héros des vieux films de guerre et de creuser un tunnel sous le grillage. Personne ne se livrait à ce genre d'activité ici dimanche soir. »

Rickards dit : « Nous aurons besoin de connaître les mouvements de tous les membres du personnel dimanche entre le début de la soirée et dix heures trente, heure à laquelle le commandant Dalgliesh a découvert le corps.

— N'est-ce pas étendre inutilement le temps des investigations ? Elle a été tuée peu après neuf heures, certainement ?

— C'est l'heure qui semble la plus probable et nous comptons avoir une estimation plus précise grâce au rapport d'autopsie. A l'heure actuelle je préfère ne pas faire de suppositions. Nous avons des exemplaires du questionnaire qui a été diffusé dans le cadre de l'enquête sur le Siffleur. Nous aimerions les distribuer à tout le personnel. J'imagine que la grande majorité pourra être facilement éliminée. La plupart des personnes ayant une vie de famille ou de société auront un alibi pour dimanche soir. Peut-être pourrez-vous nous suggérer la façon de faire remettre ces questionnaires pour perturber le moins possible le travail. »

Mair dit : « La plus simple et la plus efficace serait de les laisser au poste de contrôle. Chaque membre du personnel pourrait en prendre un à son arrivée ou à son départ. Ceux qui sont malades ou en congé les recevraient chez eux. Je pourrai donner leur nom et leur adresse. » Il s'arrêta, puis reprit : « Il me semble extrêmement peu probable que ce meurtre ait un rapport quelconque avec la centrale, mais comme Hilary Robarts y travaillait et que vous allez interroger des membres du personnel, il vous serait peut-être utile d'avoir une idée de notre organisation.

Mon assistante a réuni un dossier pour vous avec un plan du site, un fascicule décrivant le fonctionnement du réacteur, qui vous donnera une idée de ses différentes fonctions, une liste du personnel avec nom et grade, l'organigramme existant et le système de roulement des équipes tel qu'il existe actuellement. Si vous voulez voir un service en particulier, je donnerai des ordres pour que vous soyez accompagné. Certaines zones ne sont accessibles bien entendu qu'avec des combinaisons spéciales et un contrôle radiologique ensuite. »

Le dossier était tout prêt, dans le tiroir de droite, et Mair le tendit à Rickards qui le prit et se mit à étudier l'organigramme. Au bout d'un moment, il dit : « Vous avez sept départements avec chacun un directeur et un directeur administratif, le poste occupé par Hilary Robarts.

— A titre provisoire. Le titulaire est mort d'un cancer il y a trois mois et il n'a pas encore été remplacé. Nous sommes sur le point de réorganiser l'administration en trois grandes divisions comme à Sizewell, où ils ont un système que je trouve plus efficace et plus rationnel. Mais l'avenir ici est incertain, comme vous l'avez sans doute entendu dire, et peut-être sera-t-il plus judicieux d'attendre qu'un nouveau directeur soit en poste. »

Rickards dit : « Actuellement le directeur administratif est responsable devant vous par l'intermédiaire de votre adjoint ?

— Le Dr James Macintosh, c'est exact. Il est actuellement aux États-Unis où il étudie leurs installations nucléaires ; il y est depuis un mois.

— Et le directeur des opérations est Miles Lessingham. Un des invités au dîner de Miss Mair jeudi. »

Alex Mair ne répondit pas.

Rickards poursuivit : « Vous n'avez pas eu de chance, Dr Mair. Trois morts violentes parmi votre personnel en l'espace de deux mois. D'abord le suicide du Dr Gledhill, puis l'assassinat de Christine Baldwin par le Siffleur, et maintenant Hilary Robarts. »

Mair demanda : « Y a-t-il le moindre doute que Christine Baldwin ait été tuée par le Siffleur ?

— Absolument aucun. On a trouvé ses cheveux avec ceux d'autres victimes quand il s'est suicidé, et son mari, qui aurait normalement été le premier suspect, a un alibi. Il a été ramené en voiture chez lui par ses amis.

— Et la mort de Toby Gledhill a fait l'objet d'une enquête publique — "mort en état d'aliénation passagère", cette pommade si commode pour les conventions et l'orthodoxie religieuse. »

Oliphant demanda : « Est-ce qu'il était vraiment en état d'aliénation passagère, monsieur ? »

Mair tourna vers lui son regard ironique et méditatif. « Je n'ai aucun moyen de savoir quel était son état mental, brigadier. Ce dont je suis sûr, c'est qu'il s'est tué et qu'il l'a fait sans assistance. Il estimait sans aucun doute avoir des raisons suffisantes. Le Dr Gledhill était maniaco-dépressif. Il luttait courageusement contre son handicap et il était rare que son travail s'en ressente. Mais avec des tempéraments de ce genre, le suicide est un risque toujours présent. Et si vous admettez que les trois morts n'ont pas de liens entre elles, ne perdons pas notre temps à épiloguer sur les deux premières. Ou alors votre déclaration était-elle à prendre comme l'expression d'une commisération généralisée, inspecteur ? »

Rickards dit : « Un simple commentaire. » Il poursuivit : « Un membre de votre personnel, Miles Lessingham, a trouvé le corps de Christine Baldwin. Il nous a dit alors qu'il se rendait à un dîner chez vous et Miss Mair. Je suppose qu'il vous a fait à tous une description impressionnante de son expérience. Très naturel, je dirais. Difficile de garder ça pour soi. »

Mair dit calmement : « Pratiquement impossible, n'est-ce pas ? » Il ajouta : « Entre amis.

— Ce qui était le cas, bien sûr. Tous des amis, y compris Miss Robarts. Si bien que vous avez eu les détails sanglants tout chauds, si j'ose dire. Y compris ceux qu'on lui avait expressément recommandé de garder pour lui.

— Lesquels, inspecteur ? »

Au lieu de répondre, Rickards demanda : « Pourrais-je avoir les noms de toutes les personnes présentes à Martyr's Cottage quand Mr Lessingham est arrivé ?

— Ma sœur, Alice Mair, Hilary Robarts, Mrs Dennison, la gouvernante du Vieux Presbytère et le commandant Adam Dalgliesh. Et la petite Blaney — Theresa, je crois —, qui aidait ma sœur. » Il s'arrêta, puis ajouta : « Ce questionnaire que vous avez l'intention de distribuer à tous les membres du personnel — je suppose qu'il est nécessaire de leur faire passer du temps à ça ? Ce qui s'est produit ici n'est pas assez clair ? Ce sont sûrement ce qu'on appelle communément des meurtres en série.

— Sûrement, monsieur. Tous les détails sont corrects. Très clair, très convaincant. Juste deux différences : cet assassin-là connaissait sa victime et cet assassin-là n'est pas fou. »

Cinq minutes plus tard, suivant Miss Amphlett le long du corridor menant à la pièce réservée aux interrogatoires, Rickards réfléchissait. Pour être coriace, il était coriace, ce gaillard-là. Pas d'expressions embarrassantes d'horreur ou de chagrin qui sonnent toujours faux. Pas de protestations d'innocence. La conviction tranquille qu'aucune personne à peu près saine d'esprit ne pourrait le soupçonner d'un meurtre. Il n'avait pas demandé la présence de son avocat, mais il n'en avait vraiment pas besoin. Seulement, il était beaucoup trop intelligent pour ne pas avoir saisi le sens de ces questions au sujet du dîner. La personne qui avait tué Hilary Robarts savait qu'elle nagerait au clair de lune un peu après neuf heures ce soir-là, savait aussi très exactement comment le Siffleur tuait ses victimes. Il y avait pas mal de gens qui connaissaient l'une de ces données, mais le nombre de ceux qui connaissaient les deux était limité. Et six d'entre eux étaient présents au dîner de Martyr's Cottage, ce jeudi soir.

29

La pièce qui lui avait été réservée pour ses interrogatoires était un petit bureau quelconque donnant
à l'ouest, c'est-à-dire en plein sur la masse de la salle
des machines. Il était suffisamment meublé, mais
tout juste — donc, se dit Rickards non sans aigreur,
très indiqué pour des visiteurs à peine tolérés : un
bureau moderne sur piédestal qui avait visiblement
été apporté d'un autre local, trois chaises à dossier
droit et un fauteuil un peu plus confortable, une
petite table avec une bouilloire électrique sur un plateau, quatre tasses (Mair s'attendait-il à ce qu'on fît
du café pour les suspects ?), un sucrier plein de morceaux enveloppés et trois boîtes en métal peint.

Rickards dit :

« Qu'est-ce qu'on nous a donné, Gary ? »

Gary Price regarda dans les boîtes : « Des sachets
de café, des sachets de thé et une boîte de biscuits. »

Oliphant demanda : « Quel genre ?

— Digestifs.

— Chocolat ?

— Non, digestifs simplement.

— Enfin, espérons qu'ils ne sont pas radioactifs.
Branche la bouilloire, on peut commencer par le
café. On est supposés prendre de l'eau où ?

— Miss Amphlett a dit qu'il y avait un robinet
dans le vestiaire au bout du couloir. De toute façon,
la bouilloire est pleine. »

Oliphant essaya une des chaises en s'étirant
comme pour tester son confort. Le bois craqua. Il
dit : « Un animal à sang froid, hein, chef ? Et malin
avec ça. On n'en a pas tiré grand-chose.

— Pas mon avis, brigadier. On en a plus appris
sur la victime qu'il ne le croit sans doute. Efficace,
mais pas très aimée : prompte à s'occuper de choses
qui ne la regardaient pas, probablement parce qu'en
secret elle aurait voulu être scientifique plutôt
qu'administratrice. Agressive, intolérante, ne sup-
portant pas les critiques. Mal avec les gens du coin,

plutôt compromettante pour la centrale de temps en temps. Et, bien entendu, la maîtresse du directeur — si ça a une importance quelconque. »

Oliphant dit : « Fin naturelle il y a trois ou quatre mois, sans assiettes cassées ni d'un côté ni de l'autre. Sa version à lui.

— Et sa version à elle, on ne l'aura jamais. Mais il y a une chose qui est bizarre : quand Mair a rencontré Mr Dalgliesh, il rentrait chez lui, venant d'ici. Sa sœur devait l'attendre et pourtant il ne semble pas qu'il lui ait téléphoné. Il n'a même pas l'air d'y avoir pensé.

— Sous le choc, patron, autre chose en tête. Il vient de découvrir que son ex-petite amie a été victime d'un tueur psychopathe particulièrement vicieux. Ça risque d'éclipser vos sentiments fraternels et de vous faire oublier votre tisane du soir.

— Peut-être. Je me demande si Miss Mair a appelé ici pour savoir pourquoi il était en retard. Nous demanderons. »

Oliphant dit : « Si elle n'a pas téléphoné, je peux lui trouver au moins une raison. Elle s'attendait à ce qu'il soit en retard. Elle le croyait à Thyme Cottage avec Hilary Robarts.

— Si c'est pour ça, alors elle ne savait pas que Hilary Robarts était morte. Bon. Attaquons. D'abord, un mot avec Miss Amphlett. En général, la secrétaire particulière du patron en sait plus sur la boîte que tout le monde, y compris le patron. »

Mais si Caroline Amphlett détenait des renseignements intéressants, elle entendait les garder pour elle. Elle s'assit dans le fauteuil avec l'assurance de la candidate à un poste qu'elle est sûre d'obtenir et répondit aux questions de Rickards sans émotion, sauf quand il essaya d'en savoir plus sur les relations entre Hilary Robarts et le directeur. Elle se permit alors une moue de dédain devant une indiscrétion aussi vulgaire et répliqua d'un ton définitif que le Dr Mair ne lui avait jamais rien confié de sa vie privée. Elle admit savoir que Hilary Robarts avait l'habitude de nager le soir, même pendant les mois d'automne, voire plus tard. Elle pensait que le fait était très généralement connu à Larksoken. Miss Robarts était une excellente nageuse, et une fervente adepte de ce sport. Elle-même ne s'intéressait pas particulièrement au Siffleur, sauf à prendre quelques précautions raisonnables, et ne connaissait de ses méthodes que ce qu'elle en avait lu dans les journaux, c'est-à-dire qu'il étranglait ses victimes. Elle était au courant du dîner donné le jeudi à Martyr's Cottage ; peut-être Miles Lessingham y avait-il fait allusion, mais personne ne lui avait parlé des événements de cette soirée et elle ne voyait pas du tout pourquoi on l'aurait fait.

Quant à ses propres mouvements le dimanche, elle avait passé toute la soirée à partir de six heures chez elle avec son ami, Jonathan Reeves. Ils avaient été continuellement ensemble jusqu'à ce qu'il parte vers dix heures et demie. Son regard froid posé sur Oliphant le mettait au défi de lui demander ce qu'ils avaient fait et il résista à la tentation, se bornant à demander ce qu'ils avaient bu et mangé. Interrogée sur ses rapports avec Hilary Robarts, elle dit qu'elle l'avait beaucoup respectée, sans aucune sympathie ou antipathie particulière. Leurs relations professionnelles avaient été excellentes, mais elle ne se rappelait pas l'avoir jamais rencontrée en dehors de la centrale. A sa connaissance, Miss Robarts n'avait pas d'ennemis et elle ne voyait absolument pas qui aurait pu vouloir sa mort. Une fois la porte refermée derrière elle, Rickards dit : « On va vérifier son alibi, évidemment, mais rien ne presse. Laissons le jeune Reeves cuire dans son jus pendant une heure ou deux. Je veux d'abord entendre les employés qui travaillaient directement avec Robarts. »

Mais l'heure suivante n'apporta rien. Les employés qui travaillaient directement avec Robarts étaient plus choqués que bouleversés et leurs témoignages renforcèrent l'image d'une femme plus respectée qu'aimée. Mais aucun n'avait de mobile évident, aucun n'admettait avoir su avec précision comment le Siffleur tuait ses victimes et, plus important, tous avaient un alibi pour le dimanche soir. Rickards ne s'était pas attendu à autre chose.

Au bout d'une heure, il envoya chercher Jonathan Reeves qui arriva blanc comme un linge, aussi farouchement raidi que s'il affrontait un peloton d'exécution et la première réaction de Rickards fut de s'étonner qu'une femme aussi séduisante qu'Amphlett eût choisi un tel partenaire. Non pas qu'il fût particulièrement laid, si l'on faisait abstraction de l'acné, et ses traits pris séparément étaient plutôt bien. C'était l'ensemble du visage, si ordinaire, si quelconque qu'il aurait mis en échec n'importe quel essai de portrait-robot. Rickards décida qu'il valait mieux le caractériser en termes de mouvement. Le clignotement presque incessant derrière les lunettes cerclées de corne, le mordillement nerveux des lèvres, l'habitude de tendre brusquement le cou comme un acteur comique au rabais. Il savait, d'après la liste fournie par Alex Mair, que le personnel à Larksoken était en majorité masculin. Amphlett n'avait-elle donc pas trouvé mieux ? Mais enfin, l'attirance sexuelle échappe à toute logique. Lui-même et Susie, par exemple. Les voyant ensemble, les amis qu'elle avait éprouvaient sans doute la même surprise.

Il laissa Oliphant entrer dans les détails, ce qui était une erreur. Il n'était jamais pire qu'en face d'un suspect apeuré et il prit son temps pour extraire non sans plaisir un récit sans détours qui confirmait celui de Caroline Amphlett.

Après, Reeves enfin libéré, Oliphant dit : « Il était sur des charbons, vous avez vu, chef. C'est pour ça que j'ai pris mon temps. Je crois qu'il mentait. »

Rickards se dit que c'était bien d'Oliphant d'attendre et d'espérer le pire. Il coupa sèchement : « Pas forcément, brigadier. Effrayé et embarrassé, oui. C'est tout de même dur que votre première nuit de passion se termine par un interrogatoire de police assez peu subtil. Mais son alibi a l'air plutôt solide et aucun des deux n'a de mobile apparent à l'œil nu. Et rien n'indique non plus qu'ils connaissaient dans le détail les petites habitudes du Siffleur. Passons à quelqu'un qui était au courant. Miles Lessingham. »

Rickards l'avait vu pour la dernière fois sur les lieux du meurtre de Christine Baldwin, puisqu'il ne s'était pas trouvé au poste de police quand Lessingham était venu signer sa déposition le lendemain matin. Il se rendait compte que les essais d'humour sardonique, et le détachement rigoureusement contrôlé dont cet homme avait fait preuve sur le terrain étaient surtout dus au choc et au dégoût, mais il avait senti aussi une méfiance envers la police qui frisait l'hostilité. Le phénomène n'était pas exceptionnel à l'époque, même parmi les classes moyennes, et Lessingham avait sans doute ses raisons. Mais cela n'avait pas facilité le contact à ce moment-là, et cela n'allait pas le faciliter désormais. Après les préliminaires d'usage, Rickards demanda : « Étiez-vous au courant des rapports entre Mr Mair et Miss Hilary Robarts ?

— Il est directeur, elle était administrateur intérimaire.

— Je voulais parler des rapports sexuels.

— Personne ne me l'a dit. Mais, n'étant pas entièrement insensible à l'égard de mes semblables, je pensais en effet qu'ils étaient probablement amants.

— Et vous saviez que c'était fini ?

— Je le supposais. Ils ne m'avaient pas pris comme confident, ni quand cela avait commencé, ni quand cela avait fini. Si vous voulez des détails sur sa vie privée, vous feriez mieux de les demander au Dr Mair. J'ai déjà assez de difficultés avec la mienne.

— Mais vous ne vous rendiez pas compte de tensions provoquées par ces rapports : rancœur, accusations de favoritisme, jalousie, peut-être ?

— Pas de mon fait, je vous assure. Mes intérêts sont très différents.

— Et Miss Robarts ? Avez-vous eu l'impression que la liaison s'était terminée sans rancœur ? Est-ce qu'elle a eu l'air bouleversée, par exemple ?

— Si elle l'a été, elle n'a pas pleuré sur mon épaule. Il est vrai que ce n'est pas celle qu'elle aurait choisie.

— Et vous n'avez aucune idée de l'identité de son meurtrier ?

— Aucune. »

Un silence, puis Rickards demanda : « Vous l'aimiez ?

— Non. »

L'espace d'un instant, le policier fut déconcerté. C'était une question qu'il posait souvent lors de ses enquêtes et généralement avec quelque résultat. Rares étaient les suspects qui admettaient une antipathie envers la victime sans essayer plus ou moins maladroitement de s'expliquer ou de se justifier. Après un silence qui lui permit de constater que Lessingham n'avait aucune intention de développer sa déclaration, il demanda : « Pourquoi, monsieur ?

— Il n'y a pas beaucoup de personnes qui me sont sympathiques — en général je m'arrête à la tolérance — et elle n'était pas du nombre. Sans raison particulière. En fallait-il une ? Vous-même et votre brigadier, vous ne vous aimez peut-être pas. Cela ne signifie pas que l'un de vous prémédite un meurtre. Et à propos de meurtre, raison de ma présence ici, sans doute, j'ai un alibi pour dimanche soir. Je peux vous le donner tout de suite. J'ai un bateau à voiles amarré à Blakeney. Je suis sorti avec à la marée du matin et je suis resté dehors jusqu'à près de dix heures du soir. J'ai un témoin de mon départ, Ed Wilkinson, qui a son bateau de pêche amarré à côté du mien, mais aucun pour mon retour. Il y avait assez de vent le matin pour aller à la voile : ensuite j'ai jeté l'ancre, j'ai pris deux morues et quelques merlans que j'ai cuits pour mon déjeuner. J'avais des provisions, du vin, des livres et ma radio. Tout ce qu'il me fallait. Ce n'est peut-être pas le meilleur des alibis, mais il a le mérite de la simplicité et de la véracité. »

Oliphant demanda : « Vous aviez un dinghy ?

— Oui, sur le toit de la cabine. Et au risque de vous surexciter, je dois vous dire que j'avais aussi ma bicyclette pliante. Mais je ne l'ai pas mise à terre, ni sur le cap ni ailleurs, pas même pour tuer Hilary Robarts. »

Oliphant demanda : « C'est votre habitude de naviguer seul, en fin de semaine ?

— Je n'ai pas d'habitudes. Je sortais auparavant avec un ami. Maintenant je sors seul. »

Rickards l'interrogea ensuite au sujet du portrait de Miss Robarts. Il admit qu'il l'avait vu. George Jago, le patron du *Local Hero* à Lydsett, l'avait accroché pendant une semaine à son bar, à la demande, semblait-il, de Blaney. Il n'avait aucune idée de l'endroit où celui-ci le mettait normalement et il ne l'avait ni volé, ni détruit. Si quelqu'un l'avait fait, il pensait que c'était probablement Robarts elle-même.

Oliphant dit : « Et lancé dans sa propre fenêtre ? »

Lessingham dit : « Il serait plus vraisemblable à votre avis qu'elle l'ait lacéré et lancé dans la fenêtre de Blaney ? C'est aussi mon avis. Mais ce n'est sûrement pas Blaney qui l'a lacéré. »

Oliphant demanda : « Comment pouvez-vous en être si sûr ?

— Parce qu'un artiste créateur, qu'il soit peintre ou physicien, ne détruit pas sa meilleure œuvre. »

Oliphant dit : « Au dîner de Miss Mair, vous avez décrit aux autres invités les méthodes du Siffleur, y compris des renseignements que nous vous avions expressément demandé de ne pas divulguer. »

Lessingham dit avec beaucoup de flegme : « On peut difficilement arriver avec deux heures de retard à un dîner sans donner une explication, et la mienne était, après tout, assez exceptionnelle. J'ai pensé qu'ils avaient bien mérité un petit frisson par procuration. Cela mis à part, rester silencieux eût exigé une plus grande maîtrise de moi-même que je n'en avais à ce moment-là. Les cadavres mutilés sont votre lot quotidien, bien sûr. Ceux d'entre nous qui ont choisi des professions plus calmes ont tendance à les trouver impressionnants. Je savais que je pouvais faire confiance aux autres invités, qu'ils ne parleraient pas à la presse et pour autant que je sache, aucun ne l'a fait. D'ailleurs, pourquoi me demander ce qui s'est passé jeudi soir ? Adam Dalgliesh était à ce dîner, vous avez donc un témoin plus expérimenté que moi et de votre point de vue, plus fiable, certainement. Je ne dirais pas une casserole, ce serait injuste. »

Rickards prit la parole après plusieurs minutes de silence. « Non seulement injuste, mais inexact et injurieux. »

Lessingham se tourna vers lui, toujours froid. « Précisément. C'est pourquoi je n'ai pas employé le terme. Et maintenant, si vous n'avez plus de questions à me poser, j'ai une centrale atomique à faire marcher. »

30

Il était plus de midi quand les interrogatoires furent achevés à la centrale et Rickards, toujours accompagné d'Oliphant, prêt à partir pour Martyr's Cottage. Ils laissèrent Gary Price se débrouiller avec les questionnaires et convinrent de passer le prendre après l'entrevue avec Alice Mair qui, selon Rickards, serait plus fructueuse avec deux policiers plutôt qu'un. Elle les reçut sur le seuil, sans signe apparent d'anxiété ni de curiosité, jeta un coup d'œil rapide à leur carte d'identité et les invita à entrer. Rickards se dit qu'ils auraient aussi bien pu être des techniciens arrivant plus tard que prévu pour réparer le téléviseur. Et il vit qu'ils allaient devoir procéder à l'interrogatoire dans la cuisine. Il commença par trouver que c'était un drôle de choix, mais en regardant autour de lui, il se dit qu'on pouvait à peine donner ce nom à cette combinaison de bureau, salle de séjour et cuisine. Ses dimensions l'étonnèrent et il se demanda, tout à fait hors de propos, si elle avait abattu une cloison pour créer un espace de travail aussi généreux. Il se demanda aussi ce que Susie en penserait et conclut qu'elle ne s'y sentirait pas à l'aise; elle aimait que sa maison soit clairement définie par fonctions : la cuisine pour travailler, la salle à manger pour manger, le séjour pour regarder la télévision, la chambre à coucher pour dormir et, une fois par semaine, faire l'amour. Ils s'assirent, Oliphant et lui, dans des fauteuils d'osier avec coussins et dossier haut de chaque côté de la cheminée. Le sien était extrêmement confortable et contenait en douceur sa longue carcasse. Miss Mair s'assit à son bureau et fit pivoter son siège pour le regarder en face.

« Bien entendu, mon frère m'a appris le meurtre dès qu'il est rentré hier soir. Pour ce qui est de la mort de Hilary Robarts, je ne peux pas vous aider. Je suis restée chez moi hier toute la journée et je n'ai rien vu, ni rien entendu. Mais je peux vous parler de son portrait. Voudriez-vous du café ? »

Rickards aurait bien voulu, il avait soif tout à coup, mais il refusa pour tous les deux. L'invitation avait été de pure forme et il avait surpris le rapide coup d'œil qu'elle avait lancé à la pile de pages imprimées et flanquées d'un manuscrit dactylographié sur le bureau. Il semblait avoir interrompu une correction d'épreuves. Tant pis. Si elle avait du travail, lui aussi. Et il se sentit irrité par tant de sang-froid, tout en se disant que c'était déraisonnable. Il ne s'était pas attendu à la trouver en pleine crise de désespoir ou sous sédatif : la victime n'avait aucun lien de parenté avec elle. Mais elle avait travaillé avec Alex Mair et elle avait été reçue à Martyr's Cottage, où selon Dalgliesh elle avait dîné quatre jours auparavant seulement. Il était déconcertant de voir qu'Alice Mair pouvait corriger tranquillement des épreuves, ce qui demandait à coup sûr une très grande attention. Le meurtre de Robarts avait exigé beaucoup de sang-froid. Certes, il ne la soupçonnait pas sérieusement, ne considérant pas qu'il s'agît d'un crime de femme. Mais enfin, il laissa le soupçon entrer dans son esprit comme une barbelure et s'y loger. Une femme remarquable. L'entrevue serait peut-être plus fructueuse que prévu.

Il demanda : « Vous tenez le ménage de votre frère, Miss Mair ?

— Non, je tiens le mien. Il se trouve que mon frère habite ici quand il est dans le Norfolk, c'est-à-dire la plus grande partie de la semaine, bien entendu. Il ne pourrait guère diriger la centrale de Larksoken depuis son appartement de Londres. Si je suis chez moi et si je prépare un dîner, il le partage en général avec moi. J'estime qu'il serait assez sot de l'obliger à se faire une omelette, simplement pour démontrer le partage des responsabilités domestiques. Mais je ne vois pas le rapport qu'il peut y avoir entre la tenue de mon intérieur et le meurtre de Hilary Robarts. Ne pourrions-nous en venir à ce qui s'est passé hier soir ? »

À cet instant, on frappa à la porte et sans un mot d'excuse Alice Mair se leva, traversa le hall et l'on entendit une voix de femme plus légère. Puis au bout de quelques instants, elle revint avec une personne qu'elle présenta comme Mrs Dennison du Vieux Presbytère. Jolie, l'air très douce, habillée d'une façon conventionnelle d'un tailleur en tweed avec un twin-set, elle était visiblement bouleversée. Rickards approuva en bloc l'apparence et le bouleversement. Voilà comment, selon lui, une femme devait se comporter après un meurtre aussi féroce. Les deux hommes s'étant levés à son entrée, elle prit le fauteuil d'Oliphant tandis qu'il approchait pour lui une chaise de la table de cuisine.

Elle se tourna impulsivement vers Rickards : « Je suis désolée, je vous interromps, mais il fallait que je sorte de la maison. C'est épouvantable, inspecteur. Êtes-vous absolument certain que ça ne peut pas avoir été le Siffleur ? »

Rickards dit : « Pas cette fois, madame. »

Alice Mair dit : « Les heures ne collent pas. Je vous l'ai dit quand je vous ai appelée de bonne heure ce matin, Meg. Autrement, la police ne serait pas ici. Ça ne peut pas avoir été le Siffleur.

— Je sais que c'est ce que vous m'avez dit, mais je ne pouvais pas m'empêcher d'espérer qu'il y avait eu une erreur, qu'il l'avait tuée d'abord et qu'il s'était tué ensuite, que Hilary Robarts était sa dernière victime. »

Rickards dit : « En un certain sens, c'est vrai, Mrs Dennison. »

Alice Mair dit calmement : « Ce sont des meurtres en série. Il n'y a pas qu'un psychopathe par le monde et, apparemment, ce genre de folie peut être contagieux.

— Bien sûr, c'est horrible ! Une fois qu'il a commencé, est-ce qu'il va continuer comme le Siffleur, mort après mort, personne en sécurité ? »

Rickards dit : « Ne vous tourmentez donc pas, Mrs Dennison. »

Elle se tourna vers lui presque en colère : « Mais si, je me tourmente ! Nous devons tous nous tourmenter. Nous avons vécu si longtemps avec l'horreur du Siffleur. C'est effondrant de penser que tout recommence. »

Alice Mair se leva : « Vous avez besoin de café, Meg. L'inspecteur Rickards et le brigadier Oliphant ont refusé, mais nous, nous en avons besoin. »

Rickards était bien décidé à ne pas la laisser s'en tirer aussi facilement et il dit avec fermeté : « Si vous en faites, Miss Mair, je crois que je vais changer d'avis. Je prendrais très volontiers un peu de café. Et vous aussi sûrement, brigadier. »

Et maintenant, se dit-il, on va encore perdre du temps pendant qu'elle moud les grains et, avec le bruit, personne ne pourra se faire entendre. Pourquoi est-ce qu'elle ne peut pas verser de l'eau bouillante sur de la poudre comme tout le monde ?

Mais le café, quand il vint enfin, était excellent et il le trouva étonnamment réconfortant. Mrs Dennison entoura sa tasse des deux mains comme un enfant à l'heure du coucher. Puis elle la posa dans l'âtre et se tourna vers Rickards.

« Dites-moi, vous préféreriez peut-être que je m'en aille ? Je vais juste boire mon café et retourner au Presbytère. Si vous voulez me parler, j'y serai le reste de la journée. »

Miss Mair dit : « Vous pouvez aussi bien rester pour savoir ce qui s'est passé hier soir. Il y a des choses qui ne manquent pas d'intérêt. » Elle se tourna vers Rickards : « Comme je vous l'ai dit, je suis restée ici depuis cinq heures et demie. Mon frère est parti pour la centrale peu après sept heures trente et je me suis attelée à la correction des épreuves. J'avais branché le répondeur pour ne pas être dérangée. »

Rickards demanda : « Et vous n'avez pas quitté le cottage, pour quelque raison que ce soit, pendant toute la soirée ?

— Pas avant neuf heures et demie, quand je suis allée chez les Blaney. Mais il vaudrait peut-être mieux que je rapporte les faits dans l'ordre, inspecteur. Vers huit heures et quart, j'ai débranché le répondeur, pensant que mon frère pourrait appeler pour dire qu'il serait en retard. C'est alors que j'ai entendu le message de George Jago disant que le Siffleur était mort.

— Vous n'avez appelé personne pour prévenir ?

— Je savais que ce n'était pas nécessaire. Jago a son service d'information personnel. Il ferait en sorte que tout le monde soit au courant. Je suis revenue dans la cuisine et j'ai travaillé sur mes épreuves jusqu'à neuf heures et demie environ. A ce moment-là, je me suis dit que j'allais aller prendre le portrait de Hilary Robarts chez Blaney. J'avais promis de le déposer dans une galerie à Norwich en allant à Londres et je voulais partir de bonne heure le lendemain matin. Je suis une maniaque de l'exactitude et je ne voulais pas m'écarter de mon chemin, si peu que ce soit. J'ai appelé Scudder's Cottage pour lui dire que je venais prendre le portrait, mais la ligne était occupée. J'ai essayé plusieurs fois, après quoi j'ai sorti la voiture et j'y suis allée. J'avais écrit un mot pour glisser sous la porte, lui disant que j'avais pris le tableau comme convenu.

— Est-ce que ça n'était pas un peu étrange, Miss Mair ? Pourquoi ne pas frapper à la porte et le lui demander, à lui personnellement ?

— Parce qu'il s'était donné la peine, quand j'ai vu la toile pour la première fois, de me dire l'endroit exact où elle était et l'endroit à gauche de la porte où je trouverais l'interrupteur. J'avais pris ça pour l'indication raisonnablement claire qu'il ne voulait pas être dérangé par une visite au cottage. Mr Dalgliesh était d'ailleurs avec moi.

— Mais enfin, c'est bizarre. Il devait penser que c'était un bon portrait, sinon il n'aurait pas voulu l'exposer. On aurait pu penser qu'il souhaiterait vous le remettre personnellement.

— Vraiment ? Je ne vois pas la chose ainsi. C'est un homme extrêmement réservé et plus encore depuis la mort de sa femme. Il ne tient pas du tout à avoir des visiteurs, surtout des femmes qui pourraient jeter un œil critique sur la propreté de la maison, ou l'état des enfants. Je comprends ça très bien. J'en aurais fait autant.

— Donc, vous êtes allée droit à l'atelier. Où est-il ?

— A une trentaine de mètres à gauche du cottage. C'est une petite cabane de bois, en réalité. A l'origine une buanderie ou un fumoir, j'imagine. J'ai allumé une lampe pour éclairer le chemin et la porte, mais ce n'était guère nécessaire. La lune était exceptionnellement brillante. La porte n'était pas fermée à clef. Et si vous vous apprêtez maintenant à dire que ça aussi c'est étrange, c'est que vous ne connaissez pas la vie sur le cap. Nous sommes loin de tout ici et nous avons l'habitude de ne pas fermer les portes à clef. Je ne pense pas que cela lui serait venu à l'idée de le faire pour son petit atelier. J'ai allumé la lumière avec l'interrupteur à gauche de la porte et constaté que le tableau n'était pas là où je m'y attendais.

— Pourriez-vous décrire exactement ce qui s'est passé ? Les détails, s'il vous plaît, dans la mesure où vous vous en souvenez.

— Nous parlons d'événements qui se sont passés il y a moins de douze heures, inspecteur. Ce n'est pas difficile de se les rappeler. J'ai laissé la lumière allumée dans la cabane et j'ai frappé à la porte principale du cottage. Il y avait de la lumière, mais seulement en bas et les rideaux étaient tirés. J'ai dû attendre une minute environ avant qu'il vienne. Il a ouvert la porte à moitié, mais sans m'inviter à entrer. Je lui ai dit : "Bonsoir, Ryan." Il a fait un signe de tête, sans répondre. Il y avait une forte odeur de whisky. Alors je lui ai dit : "Je suis venue prendre le portrait, mais il n'est pas dans l'atelier, ou s'il y est je ne l'ai pas trouvé." Alors il m'a dit, la langue un peu pâteuse : "Il est à gauche de la porte, enveloppé dans du carton et du papier brun. Un paquet de papier brun. Scotché." Je lui ai dit : "Pas maintenant." Il n'a pas répondu, mais il est sorti avec moi en laissant la porte ouverte. Nous sommes allés à l'atelier tous les deux.

— Il avait une démarche assurée ?

— Très loin de là, mais enfin, il tenait debout. Quand j'ai dit qu'il sentait l'alcool et qu'il avait la langue pâteuse, ça ne signifiait pas qu'il était complètement ivre. Mais j'ai eu l'impression qu'il avait passé la soirée à boire. Il s'est immobilisé sur le seuil de la cabane et il est resté trente secondes peut-être sans rien dire. Et puis, il a simplement murmuré : "Oui, il est parti."

— Sur quel ton a-t-il dit ça ? » Et comme elle ne répondait pas, il demanda patiemment : « Était-il sous le choc ? Furieux ? Surpris ? Ou trop ivre pour éprouver quoi que ce soit ?

— J'ai bien entendu votre question, inspecteur. Ne vaudrait-il pas mieux lui demander à lui ce qu'il ressentait ? Je suis en mesure de décrire exactement son aspect, ce qu'il a dit et ce qu'il a fait, c'est tout.

— Qu'est-ce qu'il a fait ?

— Il s'est retourné et il a frappé de ses poings le linteau de la porte. Ensuite, il est resté la tête appuyée contre le bois pendant une minute. Sur le moment, le geste avait l'air théâtral, outré. Mais j'imagine qu'il était parfaitement sincère.

— Et alors ?

— Je lui ai dit : "Est-ce qu'il ne faudrait pas prévenir la police ? Nous pouvons le faire d'ici, si votre téléphone fonctionne. J'ai essayé de vous joindre, mais la ligne était toujours occupée." Il n'a pas répondu et je l'ai suivi jusqu'au cottage. Il ne m'a pas invitée à entrer, mais je suis restée sur le pas de la porte. Il est allé sous l'escalier et il m'a dit : "Le combiné n'est pas bien remis en place, c'est pour ça que vous n'avez pas pu me joindre." J'ai répété : "Pourquoi ne pas prévenir la police maintenant ? Plus le vol est signalé rapidement et mieux ça vaut." Il s'est tourné vers moi et m'a simplement dit : "Demain. Demain." Et puis il s'est rassis dans son fauteuil. J'ai insisté. J'ai dit : "Voulez-vous que j'appelle, Ryan, ou est-ce que vous le faites ? C'est important." Il a dit : "Je le ferai. Demain. Bonsoir." C'était indiquer assez clairement, je pense, qu'il voulait être seul. Je suis donc partie.

— Et pendant votre visite vous n'avez vu que Mr Blaney ? Les enfants par exemple étaient couchés ?

— J'ai supposé qu'ils étaient au lit. Je ne les ai ni vus ni entendus.

— Et vous n'avez pas parlé de la mort du Siffleur ?

— J'ai supposé que George Jago avait téléphoné à Mr Blaney, probablement avant de m'appeler. Et puis qu'est-ce qu'il y avait à dire ? Ni Ryan ni moi n'étions d'humeur à bavarder sur le pas d'une porte. »

Pourtant Rickards se dit qu'il y avait là une curieuse réticence, de part et d'autre. Avaient-ils été si pressés elle de s'en aller et lui de la voir partir ? Ou alors un événement plus traumatisant qu'un tableau perdu avait-il fait oublier même le Siffleur ?

Il y avait une question que Rickards était obligé de poser et elle était bien trop intelligente pour ne pas en saisir la portée qui était évidente :

« Miss Mair, d'après ce que vous avez vu de Mr Blaney ce soir-là, croyez-vous qu'il aurait pu conduire ?

— Impossible, et d'ailleurs il n'avait pas de voiture. Il a bien une petite fourgonnette, mais elle venait d'être déclarée impropre à la circulation sur route.

— Ou une bicyclette ?

— Je suppose qu'il aurait pu essayer, mais il serait allé au fossé au bout de quelques minutes. »

Rickards était déjà plongé dans ses calculs. Il n'aurait pas les résultats de l'autopsie avant l'après-midi, mais si Hilary Robarts était allée se baigner, comme elle en avait l'habitude, aussitôt après les titres du bulletin d'informations qui, le dimanche, était à neuf heures dix, elle avait dû mourir vers neuf heures et demie. Or, à neuf heures quarante-cinq ou un peu plus tard, selon Alice Mair, Blaney était dans son cottage et ivre. Impossible d'imaginer qu'il ait pu commettre un meurtre singulièrement habile, exigeant une main sûre, du sang-froid, ainsi que la faculté de dresser des plans, et n'avoir été de retour chez lui qu'à neuf heures quarante-cinq. Si Alice Mair disait la vérité, elle avait fourni un alibi à Blaney — mais lui, par contre, serait certainement incapable d'en faire autant pour elle.

Rickards avait presque oublié Meg Dennison, mais il dirigea alors son regard vers elle, assise comme une enfant perdue, les mains sur les genoux, le café auquel elle n'avait pas goûté toujours dans l'âtre.

« Mrs Dennison, saviez-vous hier soir que le Siffleur était mort ?

— Oh, oui, Mr Jago m'avait appelée vers dix heures moins le quart. »

Alice Mair dit : « Il avait sans doute essayé avant, mais vous étiez partie pour la gare de Norwich avec les Copley. »

Meg Dennison s'adressa directement à Rickards : « J'aurais dû, mais la voiture n'a pas démarré. J'ai été obligée d'appeler Sparks et son taxi en catastrophe. Heureusement, il avait juste le temps de nous conduire, mais pas de me ramener, parce qu'il était obligé d'aller prendre des clients à Ipswich. Alors, il a mis les Copley dans le train à ma place.

— Avez-vous quitté le presbytère à un moment quelconque dans la soirée ? »

Elle leva la tête et le regarda droit dans les yeux : « Non, après leur départ, je ne suis pas sortie. » Un silence : « Si, excusez-moi, je suis allée un instant dans le jardin. Il serait plus juste de dire que je n'ai pas quitté la propriété. Et maintenant, si vous voulez bien m'excuser, vous tous, j'aimerais rentrer chez moi. »

Elle se tourna vers Rickards. « Si vous voulez m'interroger, inspecteur, je serai au presbytère. »

Avant que les deux hommes aient eu le temps de se lever, elle était sortie de la pièce, presque chancelante. Miss Mair ne fit pas mine de la suivre et quelques secondes plus tard, on entendit la porte se refermer.

Il y eut un moment de silence, rompu par Oliphant : « Curieux. Elle n'a même pas touché son café. »

Mais Rickards avait une dernière question à poser : « Il devait être près de minuit quand le Dr Mair est rentré hier soir. Avez-vous téléphoné à la centrale pour savoir s'il était parti, ou pourquoi il était retardé ? »

Elle dit froidement : « L'idée ne m'est même pas venue, inspecteur. Alex n'étant ni mon enfant ni mon mari, l'obligation de vérifier ses mouvements m'est épargnée. Je ne suis pas chargée de garder mon frère. »

Oliphant, qui l'avait fixée de ses yeux sombres, méfiants, dit alors : « Mais il vit avec vous, n'est-ce pas ? Vous vous parlez, n'est-ce pas ? Vous deviez être au courant de sa liaison avec Hilary Robarts, par exemple ? Vous l'approuviez ? »

Alice Mair ne changea pas de couleur, mais sa voix était coupante comme l'acier : « Approuver ou désapprouver eût été aussi impertinent que l'était la question. Si vous souhaitez discuter de la vie privée de mon frère, je vous suggère de le faire avec lui. »

Rickards dit, la voix volontairement terne : « Miss Mair, une femme a été sauvagement assassinée et son corps, mutilé. Vous la connaissiez. A la lumière de ce forfait, j'espère que vous n'éprouverez pas le besoin d'être exagérément susceptible quand certaines questions vous paraîtront parfois présomptueuses aussi bien qu'impertinentes. »

La colère l'avait rendu presque éloquent. Leurs regards se rencontrèrent et se fixèrent. Il savait que le sien était durci par la fureur à la fois devant le manque de tact d'Oliphant et devant la réaction qu'il avait provoquée. Mais les yeux gris qui affrontaient les siens étaient plus difficiles à déchiffrer. Il crut y déceler de la surprise, suivie par de la circonspection, un respect involontaire, un intérêt presque détaché.

Et quand, un quart d'heure plus tard, elle accompagna ses visiteurs jusqu'à la porte, il fut un peu étonné qu'elle lui tendît la main. Tandis qu'il la serrait, elle lui dit : « Excusez-moi, inspecteur, si j'ai été peu aimable. Vous faites un travail désagréable mais nécessaire et vous avez droit à de la coopération. En ce qui me concerne, vous l'aurez. »

31

Même sans l'enseigne au barbouillage criard, personne du Norfolk n'aurait pu douter un instant de l'identité du héros qui avait donné son nom au café de Lydsett, ni un étranger manquer de reconnaître le chapeau d'amiral avec l'étoile, la poitrine très décorée, le bandeau noir sur un œil, la manche vide. Rickards se dit qu'il avait déjà vu des portraits plus mauvais de Lord Nelson, mais pas beaucoup. Celui-là le faisait ressembler à la Princesse Royale en travesti.

George Jago avait évidemment décidé que l'entretien devait se dérouler dans le bar, alors enveloppé dans la pénombre silencieuse des fins d'après-midi encalminées. Avec sa femme, il conduisit Rickards et Oliphant jusqu'à une petite table au plateau de bois soutenu par des pieds en fer forgé très ornés et placée contre l'énorme cheminée vide. Ils s'assirent tout autour, assez, se dit Rickards, comme un quatuor hétéroclite prêt à une séance de spiritisme dans une retraite convenablement crépusculaire. Mrs Jago était une femme anguleuse, à l'œil pointu, aux traits taillés à la hache, qui regardait Oliphant comme si elle avait déjà vu son type auparavant et décidé qu'elle ne se laisserait pas faire. Lourdement fardée, elle avait une lune d'un rouge éclatant sur chaque joue, sa longue bouche était peinte d'une couleur assortie et ses doigts aux serres sanglantes étaient surchargés de bagues. Ses cheveux d'un noir si brillant qu'ils paraissaient artificiels surmontaient le front en trois rangées de bouclettes serrées soutenues par des peignes sur les côtés. Elle portait une jupe plissée et une blouse en tissu luisant rayé de rouge, de blanc et de bleu, boutonnée au ras du cou et couverte de chaînes dorées qui la faisaient ressembler à une doublure auditionnant pour un rôle de serveuse de bar dans une comédie du répertoire. Impossible de trouver un accoutrement moins indiqué pour un café de campagne, et pourtant aussi bien elle que son mari, assis côte à côte avec l'air alerte d'enfants bien sages qui attendent une surprise, semblaient parfaitement à l'aise dans le bar et dans leurs rapports l'un avec l'autre. Oliphant s'était employé à faire un peu de prospection dans leur passé et avait transmis les renseignements à Rickards pendant le trajet jusqu'au café. George Jago avait auparavant tenu un café à Catford, mais le couple était venu s'installer à Lydsett quatre ans auparavant, en partie parce que le frère de Mrs Jago, Charlie Sparks, qui avait un garage et une affaire de location de voitures à la lisière du village, cherchait un aide à temps partiel. Jago conduisait parfois le taxi, laissant sa femme au comptoir. Ils s'étaient parfaitement intégrés dans le village, participaient avec un entrain considérable à ses activités et n'avaient pas l'air de regretter la vie tonitruante de la ville. Rickards se dit que l'Est-Anglie avait absorbé des couples plus excentriques. Elle l'avait bien absorbé, lui.

George Jago avait mieux le physique de l'emploi, râblé, rubicond, l'œil vif et l'air de contenir une énergie débordante. Il en avait certainement dépensé une partie dans l'intérieur du café. Le bar au plafond bas à poutres apparentes était un musée encombré et mal rangé consacré à la mémoire de Nelson. Jago avait dû écumer toute la province à la recherche d'objets ayant un rapport, si ténu fût-il, avec l'amiral. Au-dessus de la cheminée, une énorme lithographie romantique représentait celui-ci mourant entre les bras de Hardy à bord du *Victory*; les autres murs étaient recouverts de peintures et de gravures comprenant entre autres les principales batailles navales — le Nil, Copenhague, Trafalgar — un ou deux portraits de Lady Hamilton, dont une reproduction très haute en couleur de la célèbre toile de Romney, tandis que des assiettes commémoratives étaient rangées de chaque côté des portes et les poutres, festonnées de tasses en files serrées, modernes pour la plupart à en juger par l'éclat de leur décoration. En haut d'un mur, une rangée de pavillons formait ce qui était vraisemblablement le célèbre signal et un filet de pêche avait été lancé d'un côté à l'autre du plafond pour accentuer l'ambiance nautique. Soudain, en regardant ces mailles englués de poix, Rickards se souvint. Il était déjà venu. Il s'était arrêté là avec Susie pour boire quelque chose alors qu'ils exploraient la côte pendant le premier hiver de leur mariage. Ils n'étaient pas restés longtemps, la jeune femme s'étant plainte que le bar était trop bondé et enfumé. Il se rappelait le banc où ils s'étaient assis, contre le mur à gauche de la porte; il avait pris un demi de bitter et Susie un verre de sherry. A l'époque, avec un grand feu craquant dans la cheminée, le bruit des voix chaleureuses du Norfolk, le bar avait paru nostalgique et douillet — intéressant. Mais dans la lumière trouble d'un après-midi d'automne, l'entassement d'objets dont si peu étaient authentiques ou de valeur lui semblait banaliser et rabaisser aussi bien la longue histoire du bâtiment que les victoires de l'amiral. Un brusque accès de claustrophobie le saisit et il dut résister à l'envie d'ouvrir la porte pour faire entrer de l'air frais et le XXe siècle.

Comme Oliphant devait le dire par la suite, c'était

un plaisir d'interroger George Jago. Il ne vous accueillait pas comme un technicien nécessaire, mais importun, de compétence douteuse qui vous prenait un temps précieux. Il n'utilisait pas les mots comme des signaux secrets pour dissimuler les pensées plutôt que les exprimer, ou vous intimider subtilement par une intelligence supérieure. Il ne considérait pas un entretien avec la police comme une bataille rangée où il aurait nécessairement l'avantage, ni des questions parfaitement ordinaires comme les pièges des services secrets d'un État totalitaire, affrontés avec un déconcertant mélange de crainte et de longanimité. Tout cela, souligna-t-il avec force, le changeait agréablement.

Jago admit allégrement qu'il avait téléphoné aux Blaney et à Miss Mair peu après sept heures et demie le dimanche pour leur apprendre la mort du Siffleur. Comment était-il au courant ? Parce qu'un des gars de la police qui étaient sur l'affaire avait appelé chez lui pour dire à sa femme qu'elle pouvait laisser leur fille aller seule à une réunion ce soir-là, et cette femme avait téléphoné à son frère Harry Upjohn qui tenait le *Crown and Anchor*, à la sortie de Cromer, et Harry, qui était un copain à lui, l'avait appelé. Il se rappelait exactement ce qu'il avait dit à Theresa Blaney.

« Dis à ton papa qu'on a trouvé le corps du Siffleur. Il est mort. Suicide. Il s'est tué à Easthaven. Plus à se faire de souci maintenant. »

Il avait téléphoné aux Blaney parce qu'il savait que Ryan aimait bien ses demis le soir, mais n'osait pas laisser ses enfants tant que le Siffleur était en liberté. Pour Miss Mair, il avait laissé le message sur son répondeur à peu près dans les mêmes termes. Il n'avait pas appelé Mrs Dennison parce qu'il la croyait en route pour Norwich avec les Copley.

Rickards dit : « Mais vous l'avez appelée plus tard ? »

Ce fut Mrs Jago qui expliqua : « Ça, c'est quand je le lui ai rappelé. J'étais allée aux vêpres à six heures et demie et ensuite à la maison avec Sadie Sparks pour parler de la vente de charité. Elle a trouvé une note de Charlie disant qu'il avait eu deux appels urgents, l'un pour emmener les Copley à Norwich, l'autre pour prendre un couple à Ipswich. Alors, quand je suis revenue, j'ai dit à George que Mrs Dennison n'avait pas emmené les Copley au train et qu'il fallait la prévenir tout de suite pour le Siffleur. Vous comprenez, elle avait plus de chances de passer une bonne nuit si elle savait qu'il était mort plutôt qu'en train de rôder dans les buissons du presbytère. Alors George l'a appelée. »

Jago dit : « A ce moment-là, il devait être pas loin de neuf heures et quart, à mon avis. J'aurais téléphoné plus tard de toute façon, dans l'idée qu'elle serait rentrée vers neuf heures et demie. »

Rickards dit : « Et Mrs Dennison a répondu ?

— Non, pas cette fois-là. Mais j'ai essayé une demi-heure après environ, et là je l'ai eue. »

Rickards demanda : « Donc, vous n'avez dit à aucune de ces personnes que le corps avait été trouvé à l'hôtel Balmoral ?

— J'en savais rien, s'pas ? Harry Upjohn m'avait juste dit qu'on avait trouvé le Siffleur et qu'il était mort. Je suppose que la police l'avait pas dit — où il était mort, je veux dire. Elle tenait pas à avoir des tas de curieux viceloques tout autour, hein ? Et puis, le type de l'hôtel non plus, vous pensez.

— Et tôt ce matin, vous avez téléphoné de nouveau à la ronde pour dire que Miss Robarts avait été assassinée. Comment l'avez-vous su ?

— J'ai vu passer les cars de police, hein ! Alors j'ai pris mon vélo et je suis allé à la grille ; vos gars l'avaient laissée ouverte ; alors je l'ai fermée et puis j'ai attendu. Quand ils sont revenus, je leur ai ouvert et je leur ai demandé ce qui se passait. »

Rickards dit : « Vous avez un chic extraordinaire pour obtenir des renseignements de la police.

— Oh, bien, j'en connais plusieurs, hein, ceux d'ici au moins. Ils viennent consommer au *Hero*. Le chauffeur de la première voiture a rien voulu dire, et celui du fourgon mortuaire non plus, mais quand la troisième voiture s'est arrêtée pendant que je rouvrais la grille, j'ai demandé qui c'était qui était mort et on me l'a dit. Quand même, je sais bien reconnaître un fourgon mortuaire.

— Qui vous l'a dit exactement ? » demanda Oliphant, belliqueux. George Jago tourna vers lui son regard brillant et innocent de comique.

— Ça, je pourrais pas le dire, hein ! Un policier ça ressemble à un autre policier. C'est quelqu'un qui m'a dit.

— Donc, vous avez appelé tôt ce matin. Pourquoi à ce moment-là ? Pourquoi avoir attendu ?

— Parce que c'était minuit passé et que les gens aiment bien savoir les nouvelles, mais ils aiment encore mieux dormir. Seulement j'ai appelé Ryan Blaney à la première heure ce matin.

— Pourquoi lui ?

— Pourquoi pas ? Quand vous avez une nouvelle, vous la faites passer à ceux que ça intéresse, c'est humain. »

Oliphant : « Et pour être intéressé, il l'était sûrement, ça a dû être un soulagement pour lui.

— Ça se peut. J'en sais rien. Je lui ai pas parlé. Je l'ai dit à Theresa.

— Donc, vous n'avez parlé à Mr Blaney ni quand vous avez appelé dimanche ni ce matin. Un peu drôle, non ?

— Ça dépend comment vous voyez la chose. La première fois, il était en train de peindre dans sa cabane et il aime pas être dérangé quand il travaille. D'ailleurs ça n'a pas d'importance, je l'ai dit à Theresa et elle lui a dit. »

Rickards dit : « Comment le savez-vous ?

— Parce qu'elle me l'a dit ce matin quand j'ai appelé. Pourquoi elle lui aurait pas dit ?

— Mais enfin, vous ne pouvez pas être sûr qu'elle l'ait fait. »

Mrs Jago intervint soudain : « Et on peut pas être sûr qu'elle lui a pas dit. D'abord, qu'est-ce que ça fait ? Maintenant, il le sait. On le sait tous. On sait pour le Siffleur et on sait pour Miss Robarts. Et peut-être que si vous aviez pris le Siffleur il y a un an, Miss Robarts serait encore en vie. »

Oliphant demanda très vite : « Qu'est-ce que vous voulez dire, Mrs Jago ?

— Des meurtres en série, comme on dit, hein ? C'est ce qu'on raconte dans le village, du moins à part ceux qui croient toujours que c'est le Siffleur qui a fait le coup et que vous vous êtes complètement mis dedans pour les temps. Et le vieux Humphrey, bien sûr, qui croit que c'est le fantôme du Siffleur qui est encore au boulot. »

Rickards dit : « Nous nous intéressons à un portrait de Miss Robarts récemment peint par Mr Blaney. Vous l'avez vu ? Il vous en a parlé ? »

Mrs Jago répondit : « Évidemment qu'on l'a vu. On l'avait accroché dans le bar, hein ? Et je savais qu'il porterait malheur. Jamais vu un tableau aussi malfaisant. »

Jago se tourna vers sa femme pour lui expliquer avec une lourde patience : « Je vois pas comment tu peux dire qu'un tableau est malfaisant, Doris. Pas un tableau. Les choses peuvent pas être malfaisantes. Un objet inanimé c'est ni bon ni mauvais. Le mal, c'est ce qui est fait par les gens.

— Et par ce que pensent les gens, aussi, George, et ce tableau-là, il venait de pensées mauvaises et c'est pour ça que je dis qu'il était malfaisant. »

Elle parlait fermement, mais sans trace d'obstination ni de ressentiment. C'était de toute évidence le genre de discussion conjugale qu'ils aimaient l'un comme l'autre. Pendant quelques minutes, leur attention se concentra entièrement sur eux-mêmes.

Jago poursuivit : « Sûr que c'était pas le genre de peinture qu'on voudrait accrocher dans son séjour.

— Ou dans le bar, d'ailleurs. C'est bien dommage que tu l'aies fait, George.

— C'est juste. Mais enfin je pense que ça n'a donné à personne des idées qu'il avait pas déjà. Et on ne peut pas dire que c'était malfaisant, pas un tableau, non, Doris.

— Bon. Supposons que tu trouves un instrument de torture, quelque chose que la Gestapo a utilisé. » Mrs Jago regarda autour d'elle dans le bar comme si elle pouvait raisonnablement compter en trouver un spécimen dans le bric-à-brac. « Je dirais que c'est quelque chose de malfaisant. J'en voudrais pas chez moi.

— Tu pourrais dire que ça a été utilisé pour faire le mal, Doris, c'est différent. »

Rickards intervint : « Pourquoi l'aviez-vous exposé, exactement ?

— Parce qu'il me l'avait demandé, voilà pourquoi. Je trouve en général de la place pour une ou deux de ses petites aquarelles, et quelquefois il les vend et quelquefois il les vend pas. Je lui dis toujours qu'il faut que ça soit des marines. Je veux dire : c'est tout pour l'Amiral, ici, hein, c'est tout maritime. Mais il tenait tellement à exposer ce tableau-là, j'ai dit que je le garderais une semaine. Il l'a apporté sur son vélo lundi, le 12.

— Dans l'espoir de le vendre ?

— Oh, c'était pas pour le vendre, non. Il l'a assez dit. »

Oliphant demanda : « Alors, à quoi bon l'exposer ?

— C'est ce que j'ai dit. » Jago, triomphant, se tourna vers le brigadier comme s'il reconnaissait en lui un autre spécialiste de logique. « "A quoi ça sert de l'accrocher, si vous voulez pas le vendre ?" j'ai dit. "Je veux que les gens le voient", qu'il m'a dit. "Je veux qu'ils le voient. Que le monde entier le voie." Moi je trouvais ça un rien optimiste. Après tout, on n'est pas la National Gallery.

— Plutôt le musée de la Marine, dit Doris en les regardant avec un sourire radieux.

— Où lui aviez-vous trouvé une place ?

— Sur ce mur-là, en face de la porte. J'ai enlevé deux des tableaux sur la victoire du Nil, hein ?

— Et pendant les sept jours, combien de personnes l'ont vu ?

— Vous me demandez combien j'ai eu de clients, parce que, naturellement, s'ils venaient ici ils le voyaient. On ne pouvait guère le rater, hein ? Doris voulait l'enlever, mais j'avais promis de le laisser jusqu'à lundi et je l'ai laissé. Mais j'ai été bien content quand il est revenu le prendre. Comme j'ai dit, c'est tout commémoratif, ici. C'est tout l'Amiral. Ça n'allait pas avec le décor, sa peinture. Elle est pas restée longtemps. Il avait dit qu'il viendrait la rechercher le dix-neuf au matin et il est venu.

— Est-ce que des gens du cap ou du laboratoire l'ont vue ?

— Ceux qui sont venus. Le *Local Hero*, c'est pas là qu'ils ont leurs habitudes. La plupart ont envie de s'en aller à la fin de la journée et on peut pas les blâmer, hein ? Habiter à côté de son boulot, c'est bien, mais pas ce boulot-là.

— Est-ce qu'on en a beaucoup parlé ? Est-ce que quelqu'un a demandé où il la rangeait, par exemple ?

— Pas à moi. Je crois que la plupart le savaient. Il parlait encore assez souvent de son atelier. Et s'il avait voulu la vendre, il aurait pas eu d'offres. Je vais vous dire quelqu'un qui l'a vu, tout de même : Hilary Robarts.

— Quand ça ?

— Le lendemain du jour où il l'avait apportée. Le soir vers sept heures. Elle venait ici de temps en temps. Elle prenait pas grand-chose, juste un ou deux sherries secs. Elle les buvait dans le fauteuil près du feu.

— Seule ?

— Généralement, oui. Une ou deux fois avec le Dr Mair. Mais ce mardi-là, elle était seule.

— Qu'est-ce qu'elle a fait quand elle a vu le portrait ?

— Elle est restée là à le regarder. Le café était bien plein à cette heure-là et tout le monde l'a bouclée. Vous savez ce que c'est. Ils la regardaient tous. Moi, je pouvais pas voir sa figure, parce qu'elle me tournait le dos. Ensuite, elle s'est approchée du bar et elle a dit : "J'ai changé d'avis. Je ne tiens pas à boire ici. Il est évident que vous ne souhaitez pas avoir des clients de Larksoken." Et puis elle est partie. Moi je reçois bien les clients de n'importe où s'ils font pas de scandale et s'ils paient comptant, mais elle, c'était pas une grande perte.

— Elle n'était pas particulièrement populaire sur le cap ?

— Pour ce qui est du cap, je n'en sais rien, mais elle était pas particulièrement populaire dans ce café. »

Doris Jago dit : « Elle manœuvrait pour faire partir les Blaney de leur cottage. Un veuf qui essaie d'élever ses quatre gosses, où est-ce qu'il aurait pu aller ? Il a les allocs et quelques petits secours, mais c'est pas avec ça qu'il aurait trouvé un autre cottage. Mais enfin, je regrette qu'elle soit morte. On est bien obligé, hein ? C'est pas à souhaiter à personne, je veux dire. On va envoyer une gerbe de la part du *Local Hero*.

— Quand l'avez-vous vue pour la dernière fois ? »

Mrs Jago dit : « Moi, je l'ai vue sur le cap dimanche. Ça devait être quelques heures avant qu'elle meure. J'ai dit à George, j'ai dit : je suis peut-être la dernière personne à l'avoir vue vivante ; enfin moi et Neil Pascoe et Amy. On n'y pense pas sur le moment, hein ? On peut pas voir dans l'avenir et puis on n'y tiendrait pas. Quelquefois je regarde cette centrale et je me demande si on va pas tous finir désintégrés sur la plage. »

Oliphant lui demanda ce qu'elle faisait sur le cap.

« Je distribuais le journal paroissial. Je fais toujours ça le dernier dimanche du mois, l'après-midi. Je les prends après le service du matin et puis je les porte après le dîner. Peut-être le lunch pour vous. Nous, on dit le dîner. »

Toute sa vie, Rickards avait appelé dîner le principal repas de la journée et il continuait, malgré la campagne acharnée de sa belle-mère pour élever son statut social. Pour elle, le repas de midi était le lunch et celui du soir le dîner, même s'il consistait, comme souvent, en sardines sur des toasts. Il se demanda ce qu'elles avaient mangé ce jour-là. Il dit : « Je ne m'étais pas rendu compte que les gens du cap fréquentaient l'église, à part les Copley, bien sûr.

— Et Mrs Dennison. Très régulière. Je peux pas dire que les autres fréquentent vraiment l'église, enfin, les services, si vous voulez. Mais ils prennent le journal paroissial. » Le ton suggérait qu'il y avait des abîmes d'irréligion dans lesquels même les habitants du cap ne sombraient pas. Elle ajouta : « Sauf les Blaney, naturellement ; pas question puisqu'ils sont catholiques. Enfin, elle l'était, la pauvre chère femme, et les enfants, bien sûr. Je veux dire : ils sont bien obligés, n'est-ce pas ? Ryan, je crois qu'il est rien. Un artiste, n'est-ce pas ? J'ai jamais rien porté à Scudder's Cottage, même quand sa femme vivait. D'abord, les catholiques ont pas de journal paroissial. »

George Jago nuança : « Je dirais pas ça, Doris. J'irais pas jusque-là. Ils en ont peut-être.

— On habite ici depuis quatre ans, George, et le père McKee vient assez souvent au café et j'en ai jamais vu un.

— De toute façon tu le verrais pas, hein ?

— Oh, j'aurais pu, George, s'il y en avait un. Ils sont pas comme nous. Pas de service d'action de grâces pour les récoltes et pas de journal paroissial. »

Toujours patient, George éleva le débat : « Ils sont différents parce qu'ils ont des dogmes différents. Tout ça, c'est une affaire de dogme, Doris, ça a rien à voir avec la fête des récoltes et les journaux paroissiaux.

— Je sais bien que c'est une affaire de dogme. Le pape leur dit que la Sainte Vierge Marie est montée au ciel et ils sont tous obligés de le croire. Je sais tout sur le dogme. »

Avant que Jago ait pu ouvrir la bouche pour réfuter cette prétention à l'infaillibilité, Rickards dit très vite : « Donc, vous avez distribué des journaux aux habitants du cap dimanche après-midi. A quel moment, exactement ?

— Écoutez donc, j'ai dû partir vers trois heures, peut-être un petit peu plus tard. Le dimanche, on dîne pas de bonne heure et on n'a pas attaqué le pudding aux raisins bien avant deux heures et demie.

Après ça, George a chargé le lave-vaisselle et je me suis préparée. Disons trois heures et quart, si vous voulez y regarder de près. »

Jago dit : « A trois heures et quart, tu étais partie, Doris. Moi, je dirais plutôt trois heures dix. »

Oliphant dit impatiemment : « A cinq minutes près, ça n'a pas d'importance. »

George Jago tourna vers lui un regard où se mêlaient intimement surprise bien dosée et réprobation discrète. « Ça pourrait. Ça pourrait être crucial. Je dirais, moi, que cinq minutes dans une enquête criminelle, ça pourrait être crucial. »

Mrs Jago ajouta son blâme : « Une minute, ça pourrait être crucial, si c'est la minute où elle est morte. Crucial pour elle, en tout cas. Je comprends pas comment vous pouvez dire que ça a pas d'importance. »

Rickards jugea qu'il était temps d'intervenir : « Je suis de votre avis, cinq minutes peuvent être importantes, mais pas ces cinq minutes-là, Mr Jago. Votre femme pourrait peut-être nous dire exactement ce qu'elle a fait et vu.

— Eh bien, j'ai pris mon vélo. George me propose toujours de m'emmener en voiture, mais il conduit assez pendant toute la semaine et j'aime pas l'ennuyer avec ça le dimanche. Surtout après le roast-beef et le pudding aux raisins.

— Ça m'ennuierait pas Doris, pas du tout. Je te l'ai bien dit.

— Je sais, George. Je viens bien de dire que tu demanderais pas mieux, non ? J'aime bien faire un peu d'exercice et je suis toujours rentrée avant la nuit. » Elle se tourna vers Rickards pour expliquer : « George aime pas que je sois dehors le soir. Avec le Siffleur aux alentours. »

Oliphant dit : « Donc, vous êtes partie à vélo entre trois heures dix et trois heures quinze et vous avez circulé à travers le cap.

— Avec les journaux dans le panier. Comme toujours. Je suis d'abord allée à la caravane. Je commence toujours par là. C'est un peu difficile maintenant, avec Neil Pascoe.

— Comment ça, difficile, Mrs Jago ?

— Eh bien, il nous a demandé plus d'une fois de mettre ses journaux à lui — *les Nouvelles nucléaires*, il appelle ça — dans le bar pour que les gens les achètent, ou les lisent pour rien. Mais nous, on n'a jamais voulu. Vous comprenez, on a des gens de Larksoken qui viennent au bar et c'est pas plaisant, hein ? de se trouver devant un journal qui dit que ce que vous faites, c'est criminel et qu'il faut l'arrêter. Surtout quand on demande juste à prendre un verre tranquillement. D'abord, à Lydsett, tout le monde est pas d'accord avec lui. On peut pas dire, mais la centrale a fait drôlement marcher les affaires dans le village, et créé des emplois. Et puis il faut faire confiance aux gens, moi je dis. Si le Dr Mair garantit que la puissance atomique est pas dangereuse, c'est probablement vrai. Mais enfin, on peut pas s'empêcher de se poser des questions, hein ? »

Rickards dit patiemment : « Mais enfin Mr Pascoe a pris le journal paroissial ?

— C'est jamais que dix pence et je pense qu'il aime bien savoir ce qui se passe dans la paroisse. Quand il est arrivé ici — il y a deux ans maintenant — je suis allée le voir et je lui ai demandé s'il voulait s'abonner au journal. Il a eu l'air un peu surpris, mais il m'a dit que oui et il m'a donné ses dix pence. Depuis, il a toujours continué. S'il le veut plus, il a qu'à le dire. »

Rickards demanda : « Et alors, à la caravane, qu'est-ce qui s'est passé ?

— J'ai vu Hilary Robarts, comme je l'ai dit. J'ai donné le journal à Neil, j'ai pris les sous, et on bavardait un peu tous les deux dans la caravane quand elle est arrivée avec sa Golf rouge. Amy était dehors avec le gosse, elle ramassait du linge qu'elle avait mis à sécher sur une corde. Quand il a vu la voiture, Neil est sorti de la caravane et il est allé se poster à côté d'Amy. Miss Robarts est sortie de sa voiture et ils sont restés comme ça, l'un à côté de l'autre, à la regarder, sans rien dire. Comme comité d'accueil, c'était pas vraiment ça. Mais qu'est-ce qu'on pouvait attendre ? Et puis, quand Miss Robarts a été à cinq ou six mètres d'eux, voilà Timmy qui trotte vers elle et qui l'empoigne par son pantalon. Il est bien gracieux, pauvre môme, il pensait pas à mal. Vous savez ce que c'est que les gosses. Seulement, il avait tripoté dans la boue qu'il y a sous le robinet et il s'est mis à en tartiner partout sur le fameux pantalon. Elle l'a repoussé, pas trop doucement, il est tombé sur les fesses, il s'est mis à brailler et alors ça a été le grand chambard. »

Oliphant demanda : « Qu'est-ce qu'ils se sont dit ?

— Alors ça, je me rappelle pas au juste. Il y a eu des tas de mots qu'on ne s'attendrait pas à entendre un dimanche. Des qui commençaient par b et des qui commençaient par f. Faites marcher votre imagination. »

Rickards dit : « Il y a eu des menaces ?

— Ça dépend ce que vous entendez par là. Ça criait beaucoup. Mais pas Neil. Il était planté là, tellement blanc que j'ai cru qu'il allait se trouver mal. C'était Amy qui faisait le plus de bruit. On aurait bien cru que Miss Robarts avait attaqué le gosse avec un couteau. Je m'en rappelle pas la moitié. Demandez donc à Neil Pascoe. Miss Robarts avait pas l'air de s'apercevoir que j'étais là. Demandez à Amy et à Neil. Ils vous diront. »

Rickards dit : « Dites-moi aussi. Ça aide, d'avoir les versions de différentes personnes pour le même incident. De cette façon-là on se fait une idée plus précise. »

Jago intervint : « Plus précise ? Différente peut-être. Elle serait plus précise seulement si tout le monde disait la vérité. »

Rickards redouta un instant que Mrs Jago se préparât à contrer cette assertion par une autre démonstration de sémantique, aussi dit-il très vite : « Je suis bien sûr que vous dites la vérité, Mrs Jago, c'est pourquoi nous commençons par vous. Est-ce que vous vous rappelez ce qui a été dit ?

— Je crois que Miss Robarts a dit qu'elle était venue dire qu'elle pensait abandonner les poursuites, mais que maintenant elle allait pousser l'affaire à fond et qu'elle espérait bien que ça les coulerait tous les deux, "vous et votre sacrée putain", charmant, hein ?

— Elle a utilisé ces mots-là, exactement ?

— Ceux-là et pas mal d'autres que je me rappelle pas au juste.

— Ce que je veux dire, Mrs Jago, c'est que c'était Miss Robarts qui menaçait ? »

Pour la première fois, elle parut gênée, puis dit : « Ma foi, c'était toujours elle qui menaçait, hein ? Neil Pascoe la poursuivait pas.

— Et après, qu'est-ce qui s'est passé ?

— Rien. Miss Robarts est remontée en voiture et elle est partie. Amy a emporté le gosse dans la caravane et claqué la porte. Neil avait l'air si malheureux que j'ai cru qu'il allait se mettre à pleurer, alors j'ai voulu dire quelque chose pour le remonter.

— Et qu'est-ce que vous avez dit ?

— Que c'était une rosse et une vicieuse et qu'un jour quelqu'un lui ferait la peau. »

Jago dit : « Pas bien joli, Doris. Et un dimanche. »

Elle répliqua complaisamment : « Pas bien joli n'importe quel jour de la semaine, mais je me trompais pas beaucoup, hein ? »

Rickards demanda : « Et alors ?

— J'ai continué à porter les journaux. D'abord au presbytère. D'habitude j'y passe pas, parce que les Copley et Mrs Dennison vont au service le matin et les prennent, mais hier ils y étaient pas, alors ça m'a un peu inquiétée. Je me suis demandé s'il y avait quelque chose qui allait pas. Mais c'était simplement qu'ils étaient trop occupés à faire leurs bagages. Ils allaient chez leur fille dans le Wiltshire. Bien agréable pour eux et du repos pour Mrs Dennison. Elle m'a offert une tasse de thé, mais j'ai dit que je voulais pas m'attarder parce qu'elle était en train de préparer leur goûter. Mais je suis restée cinq minutes dans la cuisine pour bavarder un peu. Elle m'a dit que des gens de la centrale avaient donné des vêtements d'enfants très bien pour la vente de charité, qu'ils pourraient peut-être aller aux jumelles de

Blaney et qu'elle se demandait si ça l'intéresserait. Elle pourrait les étiqueter et il choisirait avant qu'ils soient emportés pour la vente. On avait déjà fait ça une fois, mais il faut beaucoup de tact. Si Ryan pensait qu'on veut lui faire la charité, il prendrait pas les vêtements, mais ce n'est pas une charité, n'est-ce pas, puisque c'est pour aider l'église. Je le vois quand il vient au café, et Mrs Dennison pensait que si la proposition venait de moi, ça passerait mieux.

— Et après le Vieux Presbytère ?

— Martyr's Cottage. Pour Miss Mair, on met la petite facture tous les six mois, comme ça je m'occupe pas de ramasser les dix pence. Quelquefois elle est occupée, quelquefois elle est pas là, alors je mets juste le journal dans la boîte aux lettres.

— Vous avez vu si elle était chez elle, dimanche ?

— Ma foi, j'en ai vu ni pied ni aile. Ensuite, je suis allée au dernier cottage, là où habite Hilary Robarts. Elle était rentrée à ce moment-là, bien sûr, j'ai vu la Golf rouge devant le garage. Mais je frappe pas chez elle non plus en général. Pas le genre de femme qui vous inviterait à tailler une petite bavette avec une tasse de thé. »

Oliphant dit : « Alors, vous ne l'avez pas vue ?

— Je l'avais déjà vue. Si vous me demandez si je l'ai revue, je vous dirai non. Mais je l'ai entendue. »

Mrs Jago s'arrêta pour jouir de son effet. Rickards demanda : « Comment ça, vous l'avez entendue ?

— Par la boîte aux lettres, hein, quand j'y ai enfilé le journal. Et ça y allait, je vous promets. Une de ces discussions. Plutôt une engueulade. La deuxième de la journée pour elle. Ou peut-être la troisième. »

Oliphant demanda : « Qu'est-ce que vous voulez dire par là, Mrs Jago ?

— Je me suis demandé, c'est tout. Quand elle est arrivée à la caravane, je l'ai trouvée remontée à bloc. Très rouge. Sur ses nerfs. Vous voyez.

— Vous avez pu voir tout ça depuis la porte de la caravane ?

— Juste. On peut appeler ça un don. »

Rickards demanda : « Pouvez-vous nous dire si elle parlait à une femme ou à un homme ?

— J'ai entendu une voix et c'était la sienne. Mais elle avait quelqu'un avec elle, pour sûr, à moins qu'elle se soit engueulée toute seule.

— Et ça se passait à quelle heure, ça?

— Vers quatre heures, je dirais, ou un tout petit peu plus. Disons que je suis arrivée à la caravane à trois heures vingt-cinq et repartie à quatre heures moins vingt-cinq. Après, il y a eu le quart d'heure au presbytère, ce qui nous porte à quatre heures moins cinq, et après la traversée du cap à vélo. Oui, ça devait être tout de suite après quatre heures.

— Et après, vous êtes rentrée chez vous?

— C'est ça. Et je suis arrivée ici pas longtemps après quatre heures et demie, hein, George? »

Son mari répondit : « Bien possible, mais j'en sais rien. Je dormais. »

Dix minutes plus tard, Rickards et Oliphant s'en allaient.

George et Doris suivirent du regard la voiture de police jusqu'au moment où elle disparut au tournant de la route.

Doris dit : « Je peux pas dire que ce brigadier me plaît.

— Je peux pas dire qu'ils me plaisent ni l'un ni l'autre.

— Tu ne crois pas que j'ai eu tort de leur parler de la dispute?

— Obligée, Doris. C'est un meurtre et tu as été l'une des dernières personnes à la voir vivante. D'ailleurs, ils le sauront bien par Neil Pascoe, ou du moins une partie. Pas de raison de cacher des choses que la police finira par trouver. Et t'as dit que la vérité.

— Je dirais pas ça, George, pas toute la vérité. Je l'ai peut-être un peu adoucie. Mais enfin, j'ai pas dit de mensonges. »

Pendant un moment, ils méditèrent en silence cette subtile distinction. Puis Doris dit : « La boue que Timmy a collée sur le pantalon de Miss Robarts, elle venait de la mare sous le robinet, dehors. Et elle est là depuis des semaines. Ça serait drôle, hein, si

Hilary Robarts avait été assassinée parce que Neil Pascoe n'avait pas été fichu de changer la rondelle du robinet ? »

George dit : « Pas drôle, Doris, non. Je dirais pas exactement que c'était drôle. »

32

Les parents de Jonathan Reeves avaient quitté leur petite maison au sud de Londres pour un appartement dans un immeuble moderne avec vue sur la mer à la lisière de Cromer. Son affectation à la centrale ayant coïncidé avec la retraite de son père, ils avaient souhaité retourner dans un endroit qui leur avait plu lors de précédentes vacances, et comme avait dit sa mère : « Tu y seras très bien en attendant que tu rencontres la jeune fille qu'il te faut. » Son père avait travaillé pendant cinquante ans au rayon des tapis dans un grand magasin de Clapham, commençant à quinze ans, juste au sortir de l'école, pour finir chef de rayon. La maison lui cédait des tapis pour moins que le prix coûtant et il avait pour rien des chutes, parfois assez grandes pour une petite pièce; aussi, depuis son enfance, Jonathan n'avait-il connu que des intérieurs intégralement moquettés.

Il lui semblait parfois que ces épaisseurs (laine et nylon) n'avaient pas absorbé et amorti que le bruit de leurs pas. La calme réaction de sa mère à n'importe quel événement était soit « charmant », particulièrement adéquat pour un dîner bien réussi, des fiançailles ou un baptême dans la famille royale, soit « terrible, terrible, n'est-ce pas ? », qui couvrait des réalités aussi diverses que l'assassinat de Kennedy, un meurtre particulièrement atroce, des enfants martyrs ou une bombe de l'IRA. Mais elle ne se demandait pas où allait le monde. L'anxiété était une émotion depuis longtemps étouffée par les

Axminster, les mohairs et les thibaudes. Il lui semblait qu'ils vivaient en bonne intelligence parce que leurs sensibilités, émoussées par le sous-emploi ou la sous-alimentation, ne pouvaient supporter un incident aussi rude qu'une dispute. A la première menace d'orage, sa mère disait : « N'élève pas la voix, mon chéri, je n'aime pas les disputes. » Les désaccords, jamais intenses, s'exprimaient par des ressentiments maussades qui mouraient faute d'énergie pour les entretenir.

Il s'entendait assez bien avec sa sœur Jennifer, de huit ans plus âgée que lui, mais désormais mariée à Ipswich. Un jour, la regardant penchée sur une table à repasser, les traits figés dans leur masque habituel de concentration légèrement boudeuse, il avait eu envie de lui dire : « Parle-moi. Dis-moi ce que tu penses de la mort, du mal, de ce que nous faisons ici. » Mais il savait ce qu'elle répondrait : « Je sais ce que je fais ici. Je repasse les chemises de Papa. »

Devant ses relations et ceux qu'elle aurait pu appeler des amis, Mrs Reeves disait toujours Mr Reeves en parlant de son mari. « Mr Reeves est très estimé de Mr Wainwright », « on peut dire en fait que Mr Reeves *est* le rayon des tapis chez Hobbs & Wainwright ». Le magasin représentait les aspirations, traditions et normes que d'autres trouvent dans leur profession, leur école, leur régiment ou leur religion. Mr Wainwright aîné était pour eux le proviseur, le colonel et le grand prêtre, leur assistance épisodique à la United Reform Chapel du quartier, un simple geste envers une divinité inférieure. Jonathan soupçonnait même cette irrégularité d'être voulue. Les gens auraient pu essayer de lier connaissance avec eux, de les entraîner dans des réunions paroissiales, voire de leur rendre visite. Il se disait parfois qu'ils ne pouvaient pas être aussi nuls qu'ils en avaient l'air et se demandait s'il y avait en lui quelque défaut qui les diminuait tous, si bien qu'il les dotait de ses propres insuffisances, de son propre pessimisme. Parfois aussi il prenait dans le tiroir du bureau l'album des photos de famille, qui semblait illustrer leur banalité — alignés raides comme des piquets contre le parapet de l'esplanade à Cromer, ou au zoo de Whipsnade, lui-même ridicule en robe et en toque à la remise de son diplôme. Une seule avait un réel intérêt pour lui : le portrait de son arrière-grand-père pendant la Première Guerre mondiale, dans un décor d'atelier, mur artificiel et aspidistra gigantesque. Il regardait intensément, à soixante-quatorze ans de distance, ce garçon vulnérable au visage doux qui, dans son pauvre uniforme deux fois trop grand, ressemblait plus à un orphelin de l'Assistance qu'à un soldat. Il devait avoir eu moins de vingt ans à l'époque. Et il avait survécu à Passchendaele, au Saillant d'Ypres avant d'être réformé en 1917, blessé et gazé, avec assez de forces pour engendrer un fils, mais tout juste. Il se disait que cette vie-là n'avait pas pu être ordinaire. Son arrière-grand-père avait survécu à trois années d'horreur avec courage, endurance et l'acceptation stoïque de ce que son Dieu ou le destin lui avait imparti.

Mais si elle n'avait pas été ordinaire, cette vie semblait désormais sans aucune importance. Elle avait sauvegardé une famille, c'était tout. Voilà qu'il était frappé par l'idée que celle de son père dissimulait un stoïcisme assez semblable. On ne pouvait peut-être pas mettre sur le même plan cinquante ans chez Hobbs & Wainwright et trois ans en France, mais dans les deux cas elles avaient exigé la même acceptation digne et stoïque. Il aurait souhaité pouvoir parler de cet arrière-grand-père à son père, de la jeunesse de celui-ci — mais cela ne semblait jamais possible et il savait que ce qui le retenait était moins une timidité inhibitive que la peur, la peur de ne rien trouver au-delà de cette étrange barrière de réticence muette si jamais il parvenait à la rompre. Et pourtant, il n'en était pas toujours allé ainsi. Il se rappelait le Noël de 1968 : son père lui avait acheté son premier livre de science, *Les Merveilles de la science racontées aux enfants*, et le matin de la fête ils étaient restés des heures assis côte à côte en tournant lentement les pages pendant que son père lisait d'abord, puis expliquait. Il avait encore le livre et regardait parfois les figures — « Comment fonctionne la télévision », « Que se passe-t-il quand nous sommes radiographiés ? », « Newton et la pomme ». Et son père avait dit : « J'aurais aimé faire des sciences si les choses avaient été différentes. » C'était la seule fois de sa vie où il avait laissé entendre qu'il aurait pu avoir une vie plus pleine, autre. Mais voilà, les choses n'avaient pas été différentes et il savait désormais qu'elles ne le seraient jamais. Il s'était dit : « Nous avons besoin, tous autant que nous sommes, d'être maîtres de nos vies et nous les réduisons jusqu'à ce qu'elles soient assez petites et minables pour nous en sentir maîtres. »

Une seule fois, le train-train de leurs jours prévisibles avait été interrompu par un événement inattendu, dramatique. Peu après son soixantième anniversaire, son père avait pris la Morris familiale et disparu. Trois jours plus tard, on l'avait retrouvé assis dans la voiture au sommet de Beachy Head en train de regarder la mer. On avait baptisé cela « légère dépression due au surmenage » et Mr Wainwright lui avait donné deux semaines de congé. Il n'avait jamais expliqué ce qui s'était passé, complice de la version officielle d'une amnésie temporaire. Ni lui ni sa femme n'y avait jamais fait la moindre allusion.

L'appartement était situé au quatrième et dernier étage d'un immeuble cubique moderne. Le séjour en façade avait une porte vitrée donnant sur un étroit balcon tenant tout juste deux fauteuils ; la cuisine était petite, mais un abattant leur permettait de s'asseoir à trois pour les repas. Deux chambres seulement, celle de ses parents sur le devant et la sienne, beaucoup plus petite, avec vue sur le parking, la rangée de garages et la ville. Dans le séjour, un radiateur à gaz renforçait le chauffage central et ses parents l'avaient entouré d'une fausse cheminée, pour permettre à sa mère de disposer les petits trésors apportés de Battersea. Il se rappelait que le matin où ils avaient visité l'appartement, sa mère était sortie sur le balcon, en disant : « Regarde, Papa, on se croirait sur le pont d'un transatlantique ! » Elle s'était presque animée, comme si elle revoyait les vieilles revues de cinéma dont elle gardait des piles, les stars en fourrures et bijoux sur les passerelles, les bateaux festonnés de banderoles. D'ailleurs, dès le début, ses parents avaient considéré l'appartement comme un contraste enchanteur avec leur petite maison londonienne. L'été, ils tiraient les deux fauteuils devant la fenêtre et la mer; l'hiver, ils les tiraient devant le radiateur à gaz. Mais ni les bourrasques de l'hiver ni les chaleurs de l'été, quand le soleil tapait sur les vitres, ne leur arrachaient jamais un mot de regret pour leur ancienne vie.

Ils avaient vendu leur voiture quand le père avait pris sa retraite et le petit garage ne contenait que la Ford Fiesta d'occasion de Jonathan. Il la gara — et referma la porte à clef non sans se dire que ces appartements étaient le comble du calme discret. Presque tous occupés par des couples de retraités qui semblaient suivre une routine immuable : promenade le matin, thé avec des amis l'après-midi, rentrée avant sept heures. Quand il revenait de son travail, l'immeuble était silencieux et les rideaux sur le derrière, tirés. Il se demanda si Caroline avait deviné ou su à quel point ses allées et venues pouvaient être discrètes. Devant la porte de chez lui, il hésita un moment, clef en main, dans l'espoir de différer l'instant de la réunion. Mais attendre plus longtemps eût paru suspect, ils avaient dû guetter le bruit de l'ascenseur.

Sa mère courut presque à sa rencontre.

« C'est terrible, n'est-ce pas ? La pauvre jeune fille ! Nous l'avons entendu à la radio, Papa et moi. Mais enfin, on a trouvé le Siffleur. C'est une inquiétude de moins. Il ne continuera plus à tuer. »

Il dit : « La police croit qu'il est mort avant Miss Robarts, alors ce n'était peut-être pas lui.

— Mais bien sûr que si, c'était le Siffleur. Elle est morte de la même façon, n'est-ce pas ? Qui ça pourrait-il être d'autre ?

— C'est ce que la police essaie de trouver. Les enquêteurs ont été à la centrale tout le matin. Ils ne sont pas arrivés à m'interroger avant midi ou presque.

— Mais pourquoi est-ce qu'ils voulaient te rencontrer? Ils ne peuvent pas penser que tu as quelque chose à voir avec ça?

— Bien sûr que non, Maman. Ils interrogent tout le monde. Tous ceux qui la connaissaient, du moins. D'ailleurs, j'ai un alibi.

— Un alibi? Quel alibi? Pourquoi aurais-tu besoin d'un alibi?

— Je n'en ai pas besoin, mais il se trouve que j'en ai un. Je suis allé souper hier soir chez une jeune fille de la centrale. »

Immédiatement, le visage de sa mère s'illumina, le plaisir de cette nouvelle éclipsant momentanément l'horreur du meurtre. Elle dit :

« Qui t'a invité, alors, Jonathan?

— Une jeune fille de la centrale, je t'ai dit.

— Oui, je me doute que c'est une jeune fille. Mais une jeune fille comment? Pourquoi tu ne l'amènes pas ici? Tu sais bien que tu es chez toi, autant que Papa et moi. Tu peux toujours amener tes amis. Pourquoi tu ne l'inviterais pas à prendre le thé, samedi ou dimanche prochain? Ce serait charmant, je sortirais le plus beau service de bonne-maman, tu peux compter sur moi. »

Déchiré par une terrible pitié, il dit : « Je le ferai peut-être un jour. Maman, c'est encore un peu tôt.

— Je ne vois pas comment il peut être trop tôt pour rencontrer tes amis. Enfin, heureusement que tu étais avec elle, si la police cherche des alibis. A quelle heure es-tu rentré, alors?

— Vers dix heures et demie.

— Ça n'est pas bien tard. Tu as l'air fatigué. Ça a dû être un choc pour tout le monde à Larksoken. Une jeune fille que tu connaissais. »

Jonathan dit : « Oui, ça a été un choc. C'est sans doute pour ça que je n'ai pas bien faim. J'ai envie d'attendre un peu avant de souper.

« — Mais tout est prêt, Jonathan. Des côtelettes d'agneau. Elles sont déjà à moitié cuites. Je n'ai plus qu'à les passer sous le gril. Et les légumes sont cuits aussi. Tout va dessécher.

— Bon, bon. Dans cinq minutes, alors. »

Il accrocha sa veste dans l'entrée, puis passa dans sa chambre et s'allongea sur le lit, en regardant le plafond. La simple idée du repas lui soulevait le cœur, mais il avait dit cinq minutes et s'il restait là beaucoup plus longtemps, elle frapperait à la porte. Elle frappait toujours, très doucement, deux coups discrets comme une assignation. Il se demanda ce qu'elle craignait de trouver si elle entrait sans prévenir. Il s'obligea à s'asseoir, mais fut immédiatement pris de nausées et d'un accès de faiblesse qui lui fit croire un instant qu'il allait s'évanouir. Mais il reconnut le malaise pour ce qu'il était : un mélange de fatigue, de peur, de détresse pure et simple.

Pourtant, les choses ne s'étaient pas trop mal passées jusqu'alors. Ils avaient été trois — l'inspecteur Rickards, un homme jeune, trapu, le visage sérieux, qu'on lui avait présenté comme le brigadier Oliphant, et dans un coin un homme plus jeune qui prenait apparemment des notes et que personne n'avait présenté. Dans la pièce exiguë mise à leur disposition pour les interrogatoires, ils s'étaient assis côte à côte à une petite table, tous les deux en civil ; comme toujours, une odeur de désinfectant qu'il ne s'expliquait pas puisque aucun clinicien n'opérait là. Deux vestes blanches étaient encore accrochées derrière la porte et quelqu'un avait oublié un plateau de tubes à essai sur un classeur, ajoutant à l'air d'amateurisme et d'inadvertance. Tout avait été en demi-teinte, presque terne. Il se sentait passé au crible, un individu parmi les douzaines qui l'avaient connue, ou le prétendaient, et qui avaient franchi cette même porte pour répondre aux mêmes questions. Il s'attendait presque à ce qu'ils lui demandent de retrousser sa manche, à sentir la piqûre d'une aiguille. Il savait que l'exploration en profondeur viendrait plus tard, si elle venait. Mais il avait été surpris d'éprouver aussi peu de crainte, au début. Il s'était persuadé que la police était douée d'un pouvoir presque surnaturel pour détecter le mensonge, qu'il allait entrer dans la pièce porteur d'un fardeau trop visible de culpabilité, de prévarication et de complicité délictueuse.

A leur demande, il donna son nom et son adresse. Le brigadier les nota, puis demanda d'une voix presque lasse : « Pourriez-vous nous dire, s'il vous plaît, où vous vous trouviez hier, entre six heures et dix heures et demie ? »

Il se rappela s'être demandé : pourquoi ce créneau horaire ? On l'avait trouvée sur la grève. Elle aimait nager, presque tous les soirs, juste après les informations de neuf heures : tout le monde le savait, du moins tous ceux qui la connaissaient. Et le bulletin du dimanche était à neuf heures dix. Il eut tout à coup l'idée qu'ils savaient exactement l'heure où le corps avait été retrouvé ; seulement, le rapport d'autopsie n'avait pas pu encore leur parvenir et ils n'étaient peut-être pas sûrs de l'heure de la mort. Ou alors, ils jouaient serré. Six heures à dix heures et demie. Mais le moment crucial, c'était sûrement neuf heures ou peu après. Il s'étonna de pouvoir calculer avec autant de clarté.

Il dit : « Je suis resté avec mes parents jusqu'au repas de midi, enfin, une heure. Ensuite je suis allé passer la soirée avec mon amie, Miss Caroline Amphlett, et je suis resté avec elle jusqu'à dix heures, ou un tout petit peu plus. Elle habite dans un bungalow vers Holt. Elle est la secrétaire particulière du directeur, le Dr Mair.

— Nous savons où elle habite, monsieur. Et nous savons qui elle est. Est-ce que quelqu'un vous a vu arriver ou partir ?

— Je ne crois pas. Le bungalow est très isolé et il n'y avait pas beaucoup de voitures sur la route. Peut-être quelqu'un dans les appartements aurait pu me voir partir.

— Et qu'est-ce que vous avez fait pendant la soirée ? »

Dans son coin, l'agent n'écrivait plus, il regardait

mais sans paraître curieux, ni même intéressé, plutôt légèrement ennuyé.

« Caroline a préparé le souper et je l'ai aidée. Elle avait fait du potage que nous avons réchauffé. Après ça, une omelette aux champignons, des fruits, du fromage, du vin. Ensuite nous avons bavardé un moment et puis nous sommes allés au lit et nous avons fait l'amour.

— Je ne crois pas nécessaire d'entrer dans les détails les plus intimes de la soirée, monsieur. Depuis combien de temps êtes-vous amis, Miss Amphlett et vous ?

— Trois mois à peu près.

— Et depuis quand aviez-vous prévu cette soirée ensemble ?

— Quelques jours. Je ne me rappelle pas exactement.

— Et quand êtes-vous rentré chez vous ?

— Juste après dix heures. » Il ajouta : « Je n'ai pas de témoins, malheureusement. Mes parents passaient la nuit chez ma sœur, qui est mariée à Ipswich.

— Quand vous avez organisé votre soirée ensemble avec Miss Amphlett, vous saviez qu'ils seraient partis ?

— Oui. Ils vont toujours voir ma sœur le dernier dimanche du mois. Mais cela n'aurait rien changé. J'ai vingt-huit ans, j'habite avec eux mais je n'ai pas à leur rendre compte de mes mouvements. »

Le brigadier le regarda et dit : « Libre, blanc et majeur », comme s'il le notait. Il avait rougi et s'était dit qu'il avait commis une erreur : ne rien expliquer, ne pas essayer de faire le malin, répondre aux questions, simplement.

L'inspecteur dit : « Merci, monsieur, ce sera tout pour le moment. »

Au moment où il arrivait à la porte, il entendit la voix de Rickards :

« Elle n'a pas été très gentille avec vous, n'est-ce pas, Miss Robarts, au sujet de cette émission à laquelle vous aviez participé pour la radio locale :

Ma religion et mon travail. Vous l'avez entendue, brigadier ? »

L'autre dit, flegmatique : « Non, chef, je ne l'ai pas entendue. Je me demande comment j'ai pu la manquer. Très passionnante, sûrement. »

Il se retourna pour leur faire face : « Elle n'avait pas été très bonne. Je suis chrétien. Vous ne vous attendez pas à ce que ce soit toujours facile. »

Rickards dit : « "Bienheureux êtes-vous lorsqu'on vous insulte et que l'on vous persécute à cause de moi." Un brin de persécution ? Eh bien, ça pourrait être pire. Au moins, on ne vous jette plus aux lions, de nos jours. »

Le brigadier sembla trouver que c'était très drôle.

Il se demanda pour la première fois comment ils avaient pu être au courant de cette petite persécution au sujet de l'émission; sans qu'on sût trop pourquoi, sa brève notoriété — plutôt pathétique — et sa profession de foi avaient indigné Hilary. Quelqu'un à la centrale avait dû le signaler aux enquêteurs. Après tout, ils avaient interrogé beaucoup de gens avant d'en arriver à lui.

Mais sûrement c'était fini désormais. Il avait donné son alibi à la police, le sien et celui de Caroline. Aucune raison pour qu'ils soient interrogés de nouveau. Il ne fallait plus penser à tout ça. Mais dans le même temps, il savait que ce ne serait pas possible. Et se rappelant l'histoire de Caroline, il était frappé par ses contradictions. Pourquoi avait-elle garé sa voiture sous un arbre dans un sentier de terre isolé ? Pourquoi était-elle allée en auto avec Remus jusqu'au cap, alors qu'il ne manquait pas de promenades à pied plus près de chez elle ? Il aurait pu comprendre si elle avait voulu laisser le chien courir sur la grève et patauger dans la mer, mais selon elle, ils n'étaient pas descendus jusqu'au bord de l'eau. Et qu'est-ce qui prouvait qu'elle n'était pas arrivée sur la falaise avant dix heures, une demi-heure après le moment présumé de la mort d'Hilary Robarts ?

Et puis, il y avait cette histoire à propos de sa

mère. Il n'y croyait pas, il n'y avait pas cru quand elle la lui avait racontée et il y croyait encore moins désormais. Mais ça, c'était quelque chose qu'il pouvait vérifier. Il existait des détectives privés à Londres, qui faisaient ce genre de recherches. L'idée le consterna et l'excita tout à la fois. Penser qu'il pourrait entrer en contact avec des gens de cette sorte et les payer pour qu'ils espionnent Caroline était stupéfiant d'audace. Elle ne s'attendrait pas à une chose pareille de sa part, personne ne s'y attendrait, mais pourquoi ? Il avait assez d'argent pour payer. L'investigation n'avait rien de honteux. Seulement il lui fallait d'abord la date de naissance. Ce ne serait sans doute pas bien difficile. Il connaissait Shirley Coles, la petite employée au service du personnel. Il avait même parfois l'impression qu'il lui plaisait. Sans lui montrer le dossier personnel de Caroline, elle consentirait sans doute à rechercher un renseignement aussi anodin. Il pourrait dire qu'il voulait offrir un cadeau d'anniversaire à son amie et qu'il croyait la date proche. Alors, avec son nom et sa date de naissance, il serait sûrement possible de retrouver la trace de ses parents, de savoir si sa mère était vivante, où elle habitait et quelle était sa situation financière. Dans les pages jaunes de l'annuaire pour Londres, à la bibliothèque, il y aurait une liste des agences dont il avait besoin. Il ne voulait pas écrire, mais il pouvait se renseigner par téléphone pour commencer, voire, en cas de nécessité, prendre un jour de congé et aller à Londres. Il se dit : il faut que je sache. Si ça, c'est un mensonge, alors tout est mensonge — la promenade sur la falaise, ce qu'elle m'a dit, même son amour.

Il entendit les deux coups à la porte et s'aperçut, horrifié, qu'il pleurait, sans bruit, une effusion de larmes qu'aucun effort ne pouvait maîtriser. Il cria : « Je viens. Je viens. » Puis il alla au lavabo pour se baigner le visage. Levant les yeux, il se vit dans le miroir. Il lui sembla que la peur, la fatigue, un mal de l'âme trop profond pour être jamais guéri, l'avaient dépouillé de tous ses faux-semblants pathétiques, que ce visage qui avait au moins été familier, ordinaire, était devenu aussi repoussant pour lui qu'il devait l'être pour elle. Les yeux rivés sur son image, il la vit avec ses yeux à elle, les cheveux bruns ternes constellés de pellicules obstinées que le shampooing quotidien semblait tout juste exacerber, les yeux bordés de rouge un peu trop rapprochés, le front moite et pâle sur lequel les pustules d'acné ressortaient tels les stigmates de la honte sexuelle.

Il se dit : Elle ne m'aime pas, elle ne m'a jamais aimé. Elle m'a choisi pour deux raisons : parce qu'elle savait que je l'aimais et parce qu'elle me croyait trop stupide pour découvrir la vérité. Mais je ne suis pas stupide et je la découvrirai. D'abord le plus petit mensonge, celui qui concerne sa mère. Et ses mensonges à lui ? Le mensonge à ses parents, le faux alibi à la police ? Et le plus gros de tous : « Je suis chrétien. Vous ne vous attendez pas à ce que ce soit toujours facile. » Il n'était plus chrétien, il ne l'avait peut-être jamais été. Sa conversion n'avait été que le besoin d'être accepté, pris au sérieux, accueilli par cette petite coterie de prosélytes zélés qui l'avaient au moins estimé pour ce qu'il était. Mais ce n'était pas vrai. Rien de tout cela n'était vrai. En un jour il avait appris que les deux choses les plus importantes dans sa vie, sa religion et son amour, étaient des leurres.

Cette fois, les deux coups à la porte étaient plus insistants. Sa mère appela : « Jonathan ? Tu n'es pas malade ? Les côtelettes vont être trop cuites.

— J'arrive, Maman. Tout de suite. »

Mais il lui fallut encore une minute d'ablutions vigoureuses avant que son visage eût repris une apparence normale et qu'il pût sans danger aller les rejoindre pour le repas.

LIVRE CINQ

Mardi 27 septembre
à jeudi 29 septembre

33

Jonathan Reeves attendit d'avoir vu Mrs Simpson quitter son bureau pour aller déjeuner avant d'entrer au service du personnel, là où les dossiers étaient classés. Il savait que toutes les archives personnelles avaient été passées sur ordinateur, mais les originaux existaient toujours, gardés par Mrs Simpson comme autant de possibles bombes à retardement. Proche de la retraite, elle n'était jamais arrivée à faire confiance à la mémoire des ordinateurs. Pour elle, la seule réalité était inscrite en noir et blanc entre les couvertures cartonnées des chemises officielles. Son assistante, Shirley Coles, jolie adolescente du village, avait été recrutée depuis peu et dûment avertie de l'importance du directeur comme des chefs de service; mais elle n'avait pas encore assimilé les lois plus subtiles qui infiltrent n'importe quelle organisation et départagent ceux dont les désirs doivent être pris au sérieux, quel que soit leur grade, de ceux que l'on peut négliger sans danger. C'était une agréable petite fille de dix-huit ans, soucieuse de plaire et sensible aux gentillesses.

Jonathan lui dit : « Je suis presque sûr que son anniversaire tombe au début du mois prochain. Je sais bien que les dossiers personnels sont confidentiels, mais il s'agit seulement d'une date de naissance. Est-ce que vous pourriez y jeter un coup d'œil et me le dire ? »

Il savait qu'il avait l'air gauche et nerveux, mais ça le servait; elle savait ce que c'était de se sentir gauche et nerveuse. Il ajouta : « Juste la date de naissance. Bien vrai. Et je ne dirai à personne comment je l'ai trouvée. Elle me l'a bien dit, mais j'ai oublié.

— Je ne dois pas le faire, Mr Reeves.

— Je sais, mais je n'ai pas d'autre moyen de trouver le renseignement. Elle ne vit pas dans sa famille, alors je ne peux pas demander à sa mère. Je serais si contrarié qu'elle croie à un oubli de ma part.

— Vous ne pourriez pas revenir quand Mrs Simpson sera là ? Je pense qu'elle vous donnerait le renseignement. Moi, en principe je ne dois pas ouvrir les dossiers quand elle n'est pas là.

— Je sais bien que je pourrais lui demander, mais j'aimerais mieux pas. Vous la connaissez. J'aurais peur qu'elle se moque de moi. A propos de Caroline. Où est-elle, Mrs Simpson ?

— A la cafétéria, pour la pause café. Elle prend toujours vingt minutes. Mais restez près de la porte et prévenez-moi s'il vient quelqu'un. »

Au lieu de cela, il resta à côté du classeur et la regarda manipuler les serrures du coffre-fort. Il dit : « La police doit pouvoir prendre connaissance de ces dossiers personnels, si elle le demande ?

— Oh non, Mr Reeves, ça ne serait pas bien. Personne ne peut les voir, sauf le Dr Mair et Mrs Simpson. Ils sont confidentiels. La police a tout de même vu celui de Miss Robarts. C'est la première chose que le Dr Mair a demandée lundi matin, avant même que la police arrive. Il a téléphoné dès qu'il est arrivé dans son bureau. Mrs Simpson lui a porté elle-même, mais c'était différent. Elle est morte. Il n'y a plus rien de privé quand on est mort, n'est-ce pas ?

— Non, dit-il. Plus rien. » Et il se revit soudain dans une petite maison louée à Romford, en train d'aider sa mère à débarrasser les affaires de son grand-père après la crise cardiaque du vieil homme, les vêtements graisseux, les odeurs, le garde-manger avec le stock de haricots en conserve dont il se nourrissait, les plats encroûtés d'aliments gâtés, moisis, ces revues honteuses qu'il avait découvertes au fond d'un tiroir et que sa mère, écarlate, lui avait arrachées des mains.

Elle lui dit, le dos tourné : « Terrible, n'est-ce pas, ce crime ? On n'arrive pas à réaliser. Pas pour quelqu'un qu'on a connu. Ça nous a fait beaucoup de travail dans le service. La police a voulu une liste de tous les membres du personnel avec leur adresse. Et puis tout le monde a eu un questionnaire pour savoir où la personne se trouvait dimanche soir et avec qui. Mais enfin, vous savez. Vous en avez eu un. Tout le monde en a eu un. »

La serrure à combinaison exigeait beaucoup de précision. Le premier essai avait été manqué et elle recommençait à tourner le cadran avec précaution. Seigneur, se dit-il, elle n'en finit pas. Mais cette fois la porte s'ouvrit et il aperçut l'arête d'une petite boîte en métal. Elle prit dedans un trousseau de clefs, retourna vers le classeur, en choisit une qu'elle enfonça dans la serrure : le plateau lui glissa aussitôt dans les doigts. Elle semblait avoir été gagnée par l'anxiété qu'il éprouvait. Elle jeta un regard inquiet à la porte et chercha très vite dans les chemises suspendues.

« Voilà le dossier. »

Il dut se retenir pour ne pas le saisir. Elle l'ouvrit et il vit le formulaire bis qu'il avait lui-même rempli en arrivant à la centrale. Ce dont il avait besoin se trouvait sous ses yeux en caractères d'imprimerie soigneux : Caroline Sophia St John Amphlett, née le 14 octobre 1957 à Aldershot, Angleterre. Nationalité britannique.

Shirley referma la chemise, la remit vite en place et repoussa le tiroir. En tournant la clef, elle dit : « Voilà ce que vous vouliez savoir. Le 14 octobre. Dans pas longtemps, en somme. Heureusement que vous avez vérifié. Qu'est-ce que vous allez faire pour fêter ça ? Si le temps se maintient, vous pourriez faire un pique-nique en mer, sur le bateau. »

Il demanda, interloqué : « Quel bateau ? Nous n'en avons pas.

— Caroline, si. Elle a acheté le vieux cabin-cruiser de Mr Hoskins à Wells-next-the-Sea. Je le sais parce qu'il avait mis une petite annonce dans la vitrine de Mrs Bryson à Lydsett et mon oncle Ted s'était dit qu'il pourrait y jeter un coup d'œil parce qu'il n'était pas cher. Mais quand il a téléphoné, Mr Hoskins lui a dit qu'il l'avait vendu à Miss Amphlett de Lark-soken.

— C'était quand ?

— Il y a trois semaines. Elle ne vous l'a pas dit ? »

Un secret de plus, innocent peut-être, mais étrange, néanmoins. Elle n'avait jamais manifesté le moindre intérêt pour les bateaux ou la mer. Un vieux cabin-cruiser pas cher. Et l'automne n'est pas le meilleur moment pour acheter un bateau.

Il entendit la voix de Shirley : « Sophia, c'est un assez joli prénom. Ancien, mais je l'aime bien. Seulement, elle ne ressemble pas à une Sophia, n'est-ce pas ? »

Mais Jonathan avait vu plus que le nom complet et la date de naissance. En dessous, il y avait le nom des parents. Père, Charles Roderick St John Amphlett, décédé, officier. Mère : Patricia Caroline Amphlett. Il avait apporté un morceau de papier arraché à un carnet sur lequel en hâte il écrivit toutes ces indications. Une manière de prime. Il ne se rappelait plus que ces formulaires étaient aussi détaillés. A coup sûr, avec ces renseignements une agence de recherches pourrait retrouver sa mère sans trop de difficulté.

C'est seulement quand les clefs eurent été replacées dans le coffre qu'il respira librement. Maintenant qu'il avait ce qu'il voulait, il eût paru peu courtois de filer aussitôt. Il devait impérativement partir avant le retour de Mrs Simpson, qui obligerait peut-être Shirley à mentir pour expliquer cette présence étrangère au service, mais il s'attarda un instant pendant qu'elle se réinstallait à son bureau. Elle se mit à enfiler des trombones pour faire une chaîne.

Elle dit : « Ce meurtre, il me met dans un état, c'est affreux. Savez-vous que j'y étais, je veux dire : à

l'endroit où elle est morte, dimanche après-midi ?
Nous étions allés faire un pique-nique pour que
Christophe puisse jouer sur la plage. C'est-à-dire
Maman, Papa, Christophe et moi. C'est mon petit
frère, il n'a que quatre ans. On a garé la voiture à une
cinquantaine de mètres seulement du cottage de
Miss Robarts, mais bien sûr, on ne l'a pas vue. En
fait on n'a vu personne de tout l'après-midi, sauf
Mrs Jago sur sa bicyclette qui distribuait le journal
paroissial. »

Jonathan dit : « Vous avez dit ça à la police ? Je
pense que ça pourrait les intéresser. Je veux dire : de
savoir que vous n'avez vu personne près de son cottage.

— Oh oui, je leur ai dit. Et ça les a beaucoup intéressés. Figurez-vous, ils m'ont demandé si Christophe n'avait pas renversé du sable dans le sentier.
Et justement si. C'est drôle qu'ils aient pensé à ça,
non ? »

Jonathan dit : « A quel moment étiez-vous là-bas ?

— Ils m'ont demandé ça aussi. Pas très longtemps. Seulement de une heure et demie à trois
heures et demie à peu près. On a même pique-niqué
dans la voiture. Maman trouvait que ça n'était pas la
saison pour rester à se geler sur la plage. Ensuite, on
est descendus dans cette petite crique et Christophe
a fait un ou deux pâtés de sable. Il s'amusait bien,
mais nous on n'avait pas assez chaud pour s'asseoir.
Alors Maman a été obligée de le traîner pour l'arracher à son jeu. Il hurlait. Papa est parti en avant
jusqu'à la voiture, Maman remorquait Christophe.
Elle lui a dit : "Je ne veux pas que tu emportes ce
sable dans l'auto, Christophe. Tu sais que Papa
n'aime pas ça." Elle lui a fait vider son seau. Nouveaux hurlements. Ce gosse peut être infernal certaines fois. C'est drôle, n'est-ce pas ? Je veux dire :
qu'on ait été là justement le même après-midi. »

Jonathan dit : « A votre avis, pourquoi est-ce qu'ils
étaient si intéressés par le sable ?

— C'est ce que Papa a voulu savoir. L'enquêteur
qui était ici et qui m'interrogeait a dit que s'ils trou-

vaient une empreinte de pied, ils pourraient éventuellement l'éliminer au cas où ça serait une des nôtres. Papa croit qu'ils ont dû en trouver une, d'empreinte. Deux jeunes enquêteurs, très gentils, sont venus voir mes parents hier soir. Ils leur ont demandé ce qu'ils portaient comme souliers et même, figurez-vous, ils ont demandé la permission de les emporter. Ils n'auraient pas fait ça, n'est-ce pas, s'ils n'avaient pas trouvé quelque chose ? »

Jonathan dit : « Ça a dû inquiéter terriblement vos parents ?

— Oh non, pas du tout. On n'était pas là quand elle est morte, n'est-ce pas ? Après avoir quitté le cap, on est allés goûter chez grand-mère à Hunstanton et on n'est rentrés qu'à neuf heures et demie. Bien trop tard pour Christophe, comme a dit Maman. Notez qu'il a dormi tout le long du chemin. Mais c'était drôle, quand même, non ? D'avoir été là juste le jour du crime. Si elle avait été tuée quelques heures plus tôt, on aurait vu le corps. Je crois bien qu'on ne retournera pas dans ce coin-là. Je sais bien que je n'irais pas à la nuit tombée, même si on me donnait un million. J'aurais bien trop peur de voir son fantôme. C'est drôle, cette histoire de sable, quand même, non ? Je veux dire : s'ils trouvent une empreinte et qu'elle les aide à trouver l'assassin, ça sera parce que Christophe voulait jouer sur la plage et que Maman lui a fait vider son seau. C'était une si petite chose. Maman a dit que ça lui rappelait un sermon du pasteur, dimanche dernier, quand il a prêché sur nos plus petites actions qui peuvent avoir des conséquences immenses. Je ne m'en souvenais pas. Je veux dire : j'aime bien chanter dans le chœur, mais les prêches de Mr Smollett sont tellement rasoirs. »

Une si petite chose, une empreinte de pas dans du sable mou. Et si ce sable était celui que Christophe avait vidé de son seau, cela voudrait dire que quelqu'un était passé dans le sentier après trois heures et demie le dimanche.

Il dit : « Combien de personnes sont au courant de ça ? Vous en avez parlé en dehors de la police ?

— Oh non, je ne l'ai dit qu'à vous. Les enquêteurs m'ont demandé de ne pas en parler et je n'en ai pas parlé. Je sais que Mrs Simpson était curieuse de savoir pourquoi j'avais demandé à voir l'inspecteur Rickards. Elle répétait tout le temps qu'elle ne voyait pas ce que je pouvais avoir à leur dire et qu'il ne fallait pas que je leur fasse perdre du temps à essayer de me rendre intéressante. Je crois qu'elle avait peur que je parle de la dispute qu'elle a eue avec Miss Robarts quand on s'est aperçu que le dossier personnel du Dr Gledhill avait disparu et que c'était le Dr Mair qui l'avait eu depuis le début. Mais vous n'en parlerez pas, n'est-ce pas ? Même à Miss Amphlett ? »

Il promit : « Non, je n'en parlerai pas. Même à elle. »

34

Il y avait un nombre étonnant d'agences de recherches et d'investigations dans les pages jaunes et apparemment fort peu de différences entre elles. Il choisit l'une des plus importantes et nota son numéro de téléphone à Londres. Impossible d'appeler de la centrale. Mais il ne voulait pas non plus attendre jusqu'au soir d'être rentré chez lui, où il serait encore moins tranquille. Il décida donc de déjeuner dans un café du voisinage et d'utiliser une cabine publique.

La matinée lui sembla interminable, mais à midi, il annonça qu'il voulait manger de bonne heure et s'en alla, non sans avoir vérifié qu'il avait assez de monnaie. La cabine la plus proche était dans le village, près de l'épicerie, mais il n'avait pas besoin de se cacher.

Très vite une voix de femme répondit à son appel. Il avait préparé ce qu'il voulait dire et elle parut ne rien trouver d'étrange à sa demande. Mais il se révéla que ce ne serait pas aussi facile qu'il l'avait espéré.

Oui, l'agence pouvait certainement retrouver la trace d'une personne avec les renseignements dont il disposait, mais il n'y avait pas de tarif fixe. Tout dépendait de la difficulté des recherches et du temps passé. Jusqu'à ce qu'une demande expresse ait été reçue, impossible de donner ne fût-ce qu'une estimation. Le chiffre pouvait varier entre deux cents et quatre cents livres. Elle lui suggérait d'écrire immédiatement en donnant tous les renseignements en sa possession et en indiquant clairement ce qu'il demandait. La lettre devait être accompagnée d'un acompte de cent livres. L'affaire serait certainement traitée en urgence, mais jusqu'à réception de la demande, ils ne pouvaient donner aucune assurance quant au délai. Il la remercia, lui dit qu'il allait écrire et reposa le combiné, bien content de ne pas avoir donné son nom. Il s'était imaginé qu'ils allaient noter immédiatement les renseignements, lui indiquer le prix et lui promettre des résultats rapides. Tout cela était trop officiel, trop coûteux et trop lent. Il se demanda s'il allait essayer une autre agence, mais se dit que dans un secteur aussi compétitif, elle ne lui donnerait sans doute pas de nouvelles plus encourageantes.

De retour à la centrale, il avait presque décidé d'abandonner. Et puis, tout à coup, l'idée lui vint qu'il pourrait faire ses recherches lui-même. Le nom n'était pas courant, il y aurait peut-être un Amphlett à Londres, ou sinon il pourrait essayer quelques-unes des grandes villes. Et puis le père avait été officier. Il existait peut-être un genre d'annuaire militaire qu'il aurait la possibilité de consulter. Il serait judicieux de faire quelques investigations avant d'engager des dépenses auxquelles il ne pourrait peut-être pas faire face. Au reste l'idée d'écrire à une agence, de coucher sa demande sur le papier, le décourageait. Il commença à se sentir jouer un rôle de conspirateur, si insolite qu'il stimulait et satisfaisait à la fois une partie de sa nature dont il n'avait même pas soupçonné l'existence jusqu'alors. Il allait agir seul et s'il ne réussissait pas, il serait temps de repartir sur de nouvelles bases.

314

Et le premier pas était si remarquablement simple qu'il eut honte de ne pas y avoir pensé plus tôt. De retour dans la bibliothèque, il consulta l'annuaire du téléphone pour Londres. Il y avait un P.C. Amphlett, Pont Street, SW1. Il regarda la ligne un moment, puis sortit son carnet avec des doigts tremblants et nota le numéro de téléphone. Les initiales étaient celles de la mère de Caroline, mais il n'y avait aucune autre indication. Il pouvait parfaitement s'agir d'un homme. Ce pouvait être une coïncidence. Et le nom de la rue ne lui disait rien, bien qu'il n'eût pas l'impression que SW1 pût être un quartier pauvre de Londres. Mais lui aurait-elle dit un mensonge qui pouvait être décelé par un simple coup d'œil à l'annuaire du téléphone ? Seulement si elle était tellement sûre de son ascendant, de l'état d'esclavage où elle l'avait réduit, tellement sûre qu'il était stupide et incapable qu'elle ne s'en était pas souciée. Elle avait voulu cet alibi et il le lui avait fourni. Et s'il se rendait à Pont Street et découvrait que la dame ne vivait pas du tout dans la misère, alors qu'y avait-il eu de vrai dans tout ce qu'elle lui avait dit ? Quand exactement s'était-elle trouvée sur le cap et pour quoi faire ? Mais c'étaient là des soupçons qu'il ne pouvait pas prendre vraiment au sérieux. L'idée que Caroline avait tué Hilary Robarts était ridicule. Mais pourquoi n'avait-elle pas voulu dire la vérité à la police ?

Il savait désormais quelle allait être la démarche suivante : sur le chemin du retour, téléphoner au numéro de Pont Street et demander Caroline. Cela prouverait au moins que c'était — ou n'était pas — l'adresse de sa mère. Dans le premier cas, il demanderait un jour de congé, ou attendrait le samedi et trouverait un prétexte pour aller à Londres. Là, il vérifierait lui-même.

Il eut bien du mal à se concentrer sur son travail. Il craignait aussi de voir apparaître Caroline pour lui proposer de l'accompagner chez elle. Mais elle semblait l'éviter cet après-midi-là, et il en fut soulagé. Il partit dix minutes avant l'heure en invoquant une migraine et vingt minutes plus tard il se retrouvait dans la cabine téléphonique de Lydsett. La sonnerie retentit pendant près d'une minute et il avait presque perdu espoir quand une voix de femme répondit, donnant le numéro lentement et distinctement. Il avait décidé de prendre l'accent écossais ; il se savait bon imitateur et sa grand-mère maternelle était écossaise. Il dit : « Est-ce que je pourrais parler à Miss Caroline Amphlett, s'il vous plaît ? »

Un long silence, puis la femme demanda d'un ton rébarbatif :

« Qui est à l'appareil ?

— Je m'appelle John McLean. Nous sommes de vieux amis.

— Vraiment, Mr McLean ? Dans ce cas il est bien étrange que je ne vous connaisse pas et qu'apparemment vous ne sachiez pas que Miss Amphlett n'habite plus ici.

— Alors pourriez-vous me donner son adresse ? »

Encore un silence. Puis la voix dit : « Je ne pense pas que j'accepterais de faire ça, Mr McLean. Mais si vous voulez laisser un message, je ferai en sorte qu'il lui parvienne. »

Il demanda : « Est-ce Mrs Amphlett, sa mère, que j'ai au bout du fil ? »

La voix rit. Ce n'était pas un rire agréable. Puis elle dit : « Non, je ne suis pas sa mère. Je suis Miss Beasley, la gouvernante. Mais vous aviez vraiment besoin de le demander ? »

Et puis l'idée lui vint qu'il pouvait y avoir deux Caroline Amphlett, deux mères avec les mêmes initiales. Les chances étaient minces, mais mieux valait s'en assurer. Il dit : « Est-ce que Caroline travaille toujours à la centrale de Larksoken ? »

Cette fois, pas d'erreur possible. La voix était durcie par l'hostilité quand elle répondit : « Si vous savez ça, Mr McLean, pourquoi prendre la peine de m'appeler ? »

Et le combiné fut fermement remis en place.

35

Il était plus de dix heures et demie quand Rickards arriva pour la deuxième fois au moulin de Larksoken, le mardi. Il s'était annoncé peu après six heures en précisant bien que sa visite, quoique tardive, était officielle ; il voulait vérifier certains faits et poser une certaine question. Plus tôt dans la journée, Dalgliesh était passé au poste de Hoveton pour faire sa déposition au sujet de la découverte du corps. Rickards était sorti, mais Oliphant, visiblement sur le point d'en faire autant, était resté pour le recevoir et l'avait brièvement mis au courant de l'état des recherches, d'assez bonne grâce mais aussi avec un formalisme qui laissait deviner des instructions préalablement reçues. Rickards lui-même, quand il enleva sa veste et s'assit dans le grand fauteuil à droite du feu, semblait un peu aplati. Il portait un costume bleu foncé à fines rayures qui, malgré sa coupe trop recherchée, avait l'air un peu minable d'un vêtement qui a vu des jours meilleurs. Il semblait néanmoins curieusement désassorti, beaucoup trop citadin, surtout là sur le cap, et donnait à son propriétaire l'air d'un homme habillé pour un mariage sans façons ou une entrevue professionnelle dont il n'espère pas grand succès. L'antagonisme à peine voilé, l'amertume de l'échec après la mort du Siffleur, voire l'énergie fébrile du dimanche soir l'avaient quitté. Dalgliesh se demanda s'il avait parlé à son supérieur et reçu des conseils. Dans ce cas, il savait ce qu'ils avaient été. A peu près ceux qu'il aurait lui-même donnés.

« Bien agaçant qu'il soit juste dans votre secteur, mais c'est un des premiers détectives de la Met, le chouchou du préfet de police. Et puis ces gens, il les connaît. Il était au dîner des Mair. Il a trouvé le corps. Il a des informations intéressantes. Entendu, c'est un pro, il ne va pas s'asseoir dessus, mais vous les obtiendrez plus facilement et vous vous rendrez la vie plus agréable, à tous les deux, si vous cessez de le traiter en rival, ou pire, en suspect. »

En donnant son whisky à Rickards, Dalgliesh lui demanda des nouvelles de sa femme.

« Elle va bien, très bien », mais le ton avait quelque chose de forcé.

Dalgliesh dit : « Je suppose qu'elle va rentrer, maintenant que le Siffleur est mort ?

— On pourrait le croire, n'est-ce pas ? Je voudrais bien, elle voudrait bien — mais il y a comme un problème avec sa mère. Elle ne veut pas que son petit agneau soit mêlé à de vilaines affaires, en particulier des meurtres et en particulier juste en ce moment. »

Dalgliesh dit : « Difficile de s'isoler des vilaines affaires, même des meurtres, quand on épouse un policier.

— Elle n'aurait jamais voulu que Sue épouse un policier. »

Surpris par l'amertume du ton, Dalgliesh fut une fois encore désagréablement conscient qu'on lui demandait une sorte d'assurance qu'il était moins apte à donner que quiconque. Pendant qu'il cherchait une formule anodine, il jeta un coup d'œil au visage de Rickards marqué par la fatigue et presque le découragement, aux rides que la lumière irrégulière du feu rendait plus caverneuses encore et se réfugia dans le terre à terre.

Il demanda : « Avez-vous mangé ?

— Oh, je trouverai bien quelque chose dans le frigo en rentrant.

— J'ai un reste de cassoulet, si ça vous va. Il y en a pour une minute à le réchauffer.

— Ma foi, je ne dis pas non, Mr Dalgliesh. »

Il mangea le cassoulet, un plateau posé sur les genoux, aussi voracement que s'il n'avait rien pris depuis plusieurs jours, après quoi, il sauça le plat avec une croûte de pain. Il ne leva le nez qu'une seule fois pour demander :

« C'est vous qui l'avez fait, Mr Dalgliesh ?

— Quand on vit seul, il faut apprendre à faire au moins des plats simples si l'on ne veut pas dépendre toujours des autres pour les choses essentielles de la vie.

— Et ça ne vous conviendrait guère, n'est-ce pas ? Dépendre de quelqu'un d'autre pour les choses essentielles de la vie ? »

Mais c'était dit sans amertume et il remporta le plateau dans la cuisine en souriant. Une seconde après, Dalgliesh entendit le bruit de l'eau courante. Rickards lavait sa vaisselle.

Il avait dû être plus affamé qu'il ne se l'était imaginé. Dalgliesh savait bien comme il était facile, quand on travaillait seize heures par jour, de croire qu'on pouvait fonctionner efficacement avec du café et des sandwiches avalés à la hâte. Revenu de la cuisine, Rickards se renversa dans son fauteuil avec un petit grognement de satisfaction. Son visage avait repris des couleurs et sa voix, quand il parla, de la force :

« Elle était la fille de Peter Robarts. Vous vous rappelez ?

— Non. Je devrais ?

— Aucune raison. Moi non plus, mais j'ai eu le temps de me documenter. Il avait gagné gros après la guerre, où d'ailleurs il s'était très bien comporté. Un de ces types qui ne perdent pas de vue leur intérêt — pour lui, le plastique. Les années cinquante et soixante, ça a dû être la belle époque pour les affairistes. Elle était son seul enfant. Il a fait sa fortune très vite et l'a reperdue aussi vite. Les raisons habituelles : gaspillage, idées de grandeur, les femmes, jetant l'argent par les fenêtres comme s'il le fabriquait. Persuadé qu'il s'en tirerait toujours. Il a eu de la chance de ne pas finir en tôle. Le fisc, qui avait réuni un très joli dossier, était à la veille de l'arrêter quand il a eu son infarctus. Tombé le nez dans son assiette au restaurant, aussi mort que le canard qu'il mangeait. Pour elle, ça a dû être difficile. Un jour rien de trop beau pour elle, la fille à papa, et le lendemain la mort, la pauvreté. »

Dalgliesh dit : « Une pauvreté relative, mais bien sûr, elle l'est toujours. Vous avez bien travaillé.

— Mair nous a dit certaines choses, pas beaucoup ; pour d'autres il a fallu gratter. La police de la

City a été très bien. J'ai communiqué avec Wood Street. Je me disais toujours jusqu'à maintenant que tout ce qui concerne la victime peut avoir son intérêt, mais je commence à me demander si ce travail de fourmi n'est pas pour une grande part du temps perdu.

— C'est la seule méthode sûre. La victime est morte parce qu'elle était elle et personne d'autre.

— Et une fois que vous avez compris la vie, vous avez compris la mort. Le vieux Blanco White — vous vous rappelez ? — nous rabâchait ça continuellement quand je faisais mes classes. Et finalement vous restez avec un méli-mélo de faits, comme une corbeille à papiers retournée. Ils ne s'organisent pas vraiment pour constituer une personne. Et avec cette victime-là, la récolte est maigre. Elle ne s'était pas encombré la vie. A peu près rien d'intéressant dans son cottage, pas de journal, pas de lettres sauf une à son notaire pour demander un rendez-vous parce qu'elle allait se marier. Nous l'avons vu, évidemment. Il ne connaît pas le nom du bonhomme ; d'ailleurs personne ne le connaît, y compris Mair. Pas d'autres papiers de la moindre importance, sauf un exemplaire de son testament — qui n'a rien de bouleversant. Elle laisse tout ce qu'elle a à Alex Mair, en deux lignes de prose digne d'un tabellion. Mais je ne le vois vraiment pas la tuer pour douze mille livres en obligations et un cottage délabré avec un locataire indéracinable. Mis à part le testament, la lettre, les bordereaux de banque habituels, les factures acquittées, la maison est dans un ordre quasi maniaque. On pourrait croire que se sachant sur le point de mourir, elle a effacé sa vie. Pas le moindre signe de fouilles récentes, soit dit en passant. S'il y avait quelque chose que le meurtrier voulait et s'il a brisé ce carreau pour entrer, il a bien su faire disparaître ses traces. »

Dalgliesh dit : « S'il a effectivement été obligé d'entrer par la fenêtre, alors ce n'était probablement pas le Dr Mair. Lui savait que la clef était dans le médaillon ; il l'aurait prise, utilisée et remise en place. Avec le risque supplémentaire de laisser des marques de son passage sur les lieux, et certains assassins n'aiment pas retourner auprès du corps. D'autres, au contraire, sont irrésistiblement attirés par lui. Mais si Mair avait pris la clef, il aurait été obligé de la remettre en place, à tout prix. Un médaillon vide l'aurait directement accusé. »

Rickards dit : « Cyril Alexander Mair, mais il a laissé tomber Cyril. Il pense probablement que Sir Alexander sonne mieux que Sir Cyril. Qu'est-ce qui lui manque, à Cyril ? Mon grand-père s'appelait Cyril. J'ai une dent contre les gens qui n'utilisent pas leur vrai nom. Elle était sa maîtresse, à propos.

— Il vous l'a dit ?

— Il était bien à peu près obligé, non ? Ils étaient très discrets, mais un ou deux des cadres à la centrale devaient bien le savoir, ou du moins le soupçonner. Il est trop intelligent pour taire des informations que nous découvrirons forcément un jour ou l'autre. Sa version, c'est que la liaison était terminée, fin naturelle par consentement mutuel. Il compte s'installer à Londres, elle voulait rester ici. Elle était d'ailleurs obligée de le faire, à moins d'abandonner son poste et elle entendait bien faire carrière ; pour elle la situation était quelque chose d'important. Selon lui, leur attachement n'était pas assez solide pour que des rencontres occasionnelles en fin de semaine suffisent à le sustenter — ce sont ses paroles. On croirait que tout ça était affaire de commodité. Pendant qu'il était ici, il avait besoin d'une femme, elle avait besoin d'un homme. Il faut que la marchandise soit à portée de la main. Un peu comme acheter de la viande chez le boucher. Il part pour Londres, elle décide de rester. Trouvons un autre boucher ! »

Dalgliesh se rappela que Rickards avait toujours regardé la sexualité d'un œil sévère. Détective depuis vingt ans, il avait forcément rencontré adultère et fornication sous les formes les plus diverses, à côté de manifestations bizarres et horrifiantes qui les faisaient paraître agréablement normales. Mais cela ne voulait pas dire qu'elles lui plaisaient. Il avait prêté serment comme officier de police et il y avait été fidèle. A l'église, il avait juré à son épouse d'être fidèle et il avait certainement l'intention de l'être. Dans un genre de travail où les heures irrégulières, la boisson, la camaraderie macho et la proximité des femmes rendaient les mariages vulnérables, on savait le sien solide. Il était trop expérimenté et trop équitable pour se laisser aller aux idées préconçues, mais à un certain égard au moins, Mair avait été malchanceux avec le policier désigné pour l'affaire.

Rickards dit : « Sa secrétaire, Katie Flack, venait de donner sa démission. Elle la trouvait trop exigeante, semble-t-il. Il y avait eu une scène récemment parce que la jeune fille dépassait le temps imparti pour le lunch. Et un de ses collaborateurs, Brian Taylor, admet qu'il la trouvait impossible et qu'il avait demandé son transfert. D'une admirable franchise. Il peut se le permette, il était à une réunion d'hommes à Norwich avec dix témoins au bas mot à partir de huit heures. La demoiselle n'a rien à craindre non plus. Elle a passé la soirée à regarder la télé en famille.

— Rien que la famille ?

— Non, heureusement pour elle, des voisins sont venus juste avant neuf heures pour parler toilette ; leur fille se marie dans huit jours et elle va être demoiselle d'honneur. Des robes jaune citron avec des bouquets de petits chrysanthèmes blancs et jaunes. Très bon goût. On a eu droit à une description complète. Elle devait penser que ça donnait plus de vraisemblance à l'alibi. D'ailleurs, ils n'étaient ni l'un ni l'autre sur la liste des suspects. De nos jours, si on n'aime pas le patron, on met les bouts, c'est tout. Tous les deux étaient choqués, bien sûr, un peu sur la défensive. Ils avaient probablement l'impression qu'elle s'était fait tuer uniquement pour les mettre dans leur tort. Ni l'un ni l'autre n'a prétendu l'aimer. Mais dans ce crime, il y a quelque chose de plus fort que l'antipathie. Et ça va peut-être vous étonner, Mr Dalgliesh, mais Robarts n'était pas particulièrement impopulaire auprès des cadres supérieurs. Ils respectent l'efficacité et elle était efficace. De plus, ses responsabilités n'empiétaient pas sur les leurs. Elle était chargée de veiller à ce que la centrale soit bien administrée pour que les personnels scientifique et technique puissent faire leur besogne le mieux possible. Apparemment, elle y réussissait. Ils ont répondu à mes questions sans histoires, mais sans excès de loquacité non plus. Il y a une sorte de camaraderie là-dedans. Je suppose que si on se sent continuellement en butte aux critiques ou aux attaques, on se méfie un peu des gens de l'extérieur. Un seul m'a dit carrément qu'il la détestait. Miles Lessingham. Mais il a fourni une manière d'alibi. Il est resté dans son bateau de huit heures quarante-cinq à dix heures. Et il n'a rien caché de ses sentiments. Il ne voulait ni manger, ni boire, ni passer ses loisirs, ni coucher avec elle. Mais il m'a signalé que de nombreuses personnes lui faisaient le même effet et qu'il n'éprouvait pas la moindre envie de les supprimer. »

Il s'arrêta un instant, puis reprit : « Le Dr Mair vous a fait visiter la centrale vendredi matin, n'est-ce pas ? »

Dalgliesh demanda : « C'est lui qui vous l'a dit ?

— Le Dr Mair ne m'a rien dit qu'il n'ait été obligé de me dire. Non, c'est venu dans la conversation quand nous avons parlé avec une petite jeune fille du pays qui travaille au service du personnel. Très causante, elle m'a appris bien des choses utiles, finalement. Je me demandais s'il s'était passé quelque chose pendant votre visite qui pourrait nous intéresser. »

Dalgliesh résista à la tentation de répliquer que dans ce cas, il l'aurait dit depuis longtemps. Il répondit : « Ça a été une expérience assez remarquable, l'endroit est impressionnant. Le Dr Mair a essayé de m'expliquer la différence entre le réacteur thermique et le nouveau, à eau pressurisée. La plus grande partie de l'entretien a été très technique, sauf quand il a parlé, brièvement, de poésie. Miles Lessingham m'a montré le bâtiment à combustible d'où Toby Gledhill s'est jeté pour se tuer. Je m'étais bien dit que ce suicide avait peut-être un rapport avec notre affaire, mais je ne vois pas lequel. Il a visiblement beaucoup affecté Lessingham et pas simplement parce qu'il y a assisté. Il y a eu un échange assez mystérieux entre lui et Hilary Robarts au dîner des Mair. »

Rickards se pencha en avant, le verre de whisky presque englouti dans son énorme main et dit, sans lever les yeux :

« Le dîner des Mair. Je crois que cette charmante petite réunion — si elle a été charmante — est au cœur de l'affaire. Et il y a une chose que je voudrais vous demander. En fait, c'est pour ça que je suis venu. La gamine, Theresa Blaney, qu'est-ce qu'elle a entendu, exactement, de la conversation sur la dernière victime du Siffleur ? »

C'était la question que Dalgliesh avait attendue. Ce qui l'étonnait, c'est que Rickards eût mis si longtemps pour la lui poser.

Il dit précautionneusement : « Une partie, c'est sûr. Vous le savez, je vous l'ai déjà dit. Mais je ne peux pas savoir depuis combien de temps elle était derrière la porte de la salle à manger quand je l'ai remarquée, ni ce qu'elle a entendu de la conversation.

— Vous rappelez-vous à quel stade de son récit Lessingham était arrivé quand vous avez vu Theresa ?

— Pas avec certitude. Je crois qu'il décrivait le corps, ce qu'il avait vu quand il était revenu avec sa lampe électrique.

— Donc, elle aurait pu l'entendre parler de la coupure sur le front et des poils.

— Mais croyez-vous qu'elle aurait parlé des poils à son père ? Sa mère était extrêmement pieuse. Je ne connais pas vraiment la petite, mais je pense qu'elle est très pudique. Est-ce qu'une petite fille très protégée, élevée dans les bons principes, parlerait de ça à un homme, fût-il son père ?

— Protégée ? Élevée dans les bons principes ?

Mais vous retardez de soixante ans! Passez une demi-heure dans la cour de récréation de n'importe quelle école primaire et vous entendrez des choses qui vous feront dresser les cheveux sur la tête. Les gosses d'aujourd'hui disent n'importe quoi à n'importe qui.

— Pas cette enfant-là.

— Bon, mais elle aurait pu parler à son père de l'estafilade en L et lui aurait pu penser aux poils. Nom d'un tonnerre, tout le monde savait bien que les meurtres du Siffleur devaient avoir une connotation sexuelle. Il ne les violait pas, ce n'était pas comme ça qu'il jouissait. Pas besoin d'être Krafft — comment s'appelle-t-il donc?

— Krafft-Ebing.

— On croirait un fromage. Pas besoin, donc, d'être Krafft-Ebing, ni même d'avoir une sexualité bien compliquée, pour deviner de quels poils le Siffleur se servait. »

Dalgliesh dit : « C'est important si vous considérez que Blaney est le principal suspect, n'est-ce pas? Est-ce que lui ou n'importe qui d'autre aurait tué de cette façon-là, s'il n'avait pas été sûr des procédés du Siffleur? Il ne pouvait espérer mettre ça sur le dos du type que si tous les détails étaient exacts. Si vous ne pouvez pas prouver que Theresa a parlé à son père et des poils et de la coupure en L, votre dossier est considérablement allégé. Je ne sais même pas s'il reste encore quelque chose dedans. De plus, Oliphant a dit, me semble-t-il, que Blaney avait un double alibi fourni par Miss Mair, qui assure qu'il était chez lui et ivre à neuf heures quarante-cinq, et par sa fille. Elle n'a pas dit qu'elle était allée se coucher à huit heures quinze et descendue juste avant neuf heures pour boire un verre d'eau?

— C'est ce qu'elle a dit, Mr Dalgliesh, mais croyez-moi, cette petite-là confirmerait toutes les histoires que son père déciderait de raconter. Et puis ces horaires sont d'une précision suspecte. Robarts meurt à neuf heures vingt ou à peu près. Theresa Blaney va se coucher à huit heures quinze et elle a

comme par hasard besoin d'un verre d'eau quarante-
cinq minutes plus tard. Comme ça tombe ! J'aurais
bien voulu que vous la voyiez, elle et ce cottage. Mais
si, c'est vrai, vous y êtes allé. J'avais deux nénettes de
la boîte avec moi et elles l'ont maniée comme un
bébé dans les langes. Elle n'en avait pas besoin, d'ailleurs. On était tous gentiment assis en cercle autour
du feu et elle tenait le moutard sur ses genoux. Vous
avez déjà essayé de questionner une gosse pour
savoir si son père est un assassin, pendant qu'elle est
assise là, ses grands yeux pleins de reproches fixés
sur vous, à dorloter le petit frère ? J'ai suggéré qu'elle
le passe à l'une des femmes, mais dès qu'elle a essayé
de le prendre, il s'est mis à brailler. Il n'a pas voulu
non plus de son père. On aurait cru qu'il s'était
entendu avant avec Theresa. Et Ryan Blaney était là
aussi, bien entendu, pendant tout l'interrogatoire.
On ne peut pas questionner un enfant sans que les
parents soient là, s'ils veulent. Bon Dieu, quand
j'arrêterai l'auteur de ce meurtre-là, et je l'arrêterai,
Mr Dalgliesh, cette fois je l'arrêterai, j'espère que ce
ne sera pas Ryan Blaney. Ces gosses-là ont déjà assez
perdu. Mais c'est lui qui a le mobile le plus fort et il
haïssait Robarts. Je ne crois pas qu'il pourrait le dissimuler, même s'il essayait et il n'a pas essayé. Et pas
seulement parce qu'elle essayait de le sortir du cottage. Ça va plus profond que ça. Je ne sais pas ce
qu'il y a à la racine. Peut-être quelque chose qui a
trait à sa femme. Mais je trouverai. Il a laissé les
gosses dans la maison, il nous a accompagnés
jusqu'aux voitures et là, voilà la dernière chose qu'il
a dite : "C'était une sale garce et je suis bien content
qu'elle soit morte, mais je ne l'ai pas tuée et vous ne
pourrez jamais prouver que je l'ai tué." Et je connais
toutes les objections. Jago dit qu'il a téléphoné à sept
heures et demie pour le prévenir que le Siffleur était
mort. Il a parlé à Theresa et elle dit qu'elle a fait la
commission à son père. Aucune raison pour qu'elle
ne l'ait pas faite. Il n'aurait pas laissé les gosses seuls
dans le cottage avec le Siffleur en train de rôder aux
alentours. Aucun père responsable ne l'aurait fait et

il est généralement admis qu'il *est* responsable. On a la confirmation des autorités locales à ce propos-là. Il y a quinze jours, elles ont envoyé une assistante sociale pour vérifier si tout allait bien. Et je vais vous dire qui est à l'origine de la démarche, Mr Dalgliesh. Intéressant. C'était Robarts.

— Elle avait allégué des faits précis ?

— Non. D'après elle, elle était obligée d'y aller de temps en temps pour parler des réparations, etc., et elle était préoccupée par le poids des responsabilités qu'il assumait. Elle pensait qu'il avait besoin d'aide. Elle avait vu Theresa ramener des provisions très lourdes en traînant les jumelles à un moment où elle aurait dû être à l'école et téléphoné pour demander qu'on envoie une assistante sociale. Laquelle avait jugé, apparemment, que les choses allaient aussi bien que possible. Les jumelles vont déjà au jardin d'enfants et elle a proposé des secours supplémentaires, dont une aide ménagère. Mais elle n'a trouvé Blaney ni bien disposé ni coopératif. Je ne l'en blâme pas, d'ailleurs, je ne voudrais pas avoir l'Assistance sur le dos.

— Blaney sait que c'est Hilary Robarts qui a provoqué cette visite ?

— Les autorités locales ne le lui ont pas dit, ça n'est pas leur politique. Et je ne vois pas comment il l'aurait découvert. Mais s'il y est arrivé, alors ça renforce considérablement ses raisons, n'est-ce pas ? Ça aurait pu être la goutte qui a fait déborder le vase. »

Dalgliesh dit : « Mais l'aurait-il tuée de cette façon-là ? Logiquement, le fait de savoir que le Siffleur est mort rend le procédé inopérant.

— Pas nécessairement, Mr Dalgliesh. Supposez qu'il se soit dit : "Je peux prouver que j'étais au courant de la mort du Siffleur. Celui qui a tué Hilary Robarts ne l'était pas. Donc, pourquoi ne recherchez-vous pas quelqu'un qui ne savait pas qu'on avait trouvé le corps du Siffleur ?" Et puis, Bon Dieu, il y a une autre possibilité. Il savait que le Siffleur était mort, supposons, mais il croyait que c'était tout récent. J'ai demandé à Theresa très exactement ce que Jago lui avait dit. Elle se le rappelait bien et d'ailleurs Jago a confirmé. Il a dit, semble-t-il : "Dis à ton papa que le Siffleur est mort. Il s'est tué. Suicide. Maintenant, à Easthaven." Mais pas un mot de l'hôtel, ni du moment où le Siffleur a pris la chambre. Il n'en savait rien. Le message de son copain du *Crown & Anchor* était plutôt vaseux. Alors Blaney a pu croire que le corps avait été trouvé sur la route, sept kilomètres plus loin, le long de la côte. Il peut tuer en toute impunité. Tout le monde y compris la police pensera que le Siffleur a fait sa dernière victime et puis s'est suicidé. Simple, hein, Mr Dalgliesh ? »

Celui-ci se dit *in petto* que c'était plus simple que convaincant. Il dit : « Vous estimez donc que le portrait lacéré n'a pas de rapport direct avec le crime ? Je ne vois pas Blaney détruisant son œuvre.

— Pourquoi pas ? D'après ce que j'ai vu, elle n'avait rien de spécial.

— Pour lui, je crois que si.

— Le portrait est une difficulté, je vous l'accorde. Et ça n'est pas la seule. Quelqu'un a bu un verre avec Robarts avant qu'elle aille prendre ce dernier bain, quelqu'un qu'elle connaissait. Les deux verres dans l'égouttoir, pour moi ça signifie deux personnes qui s'en sont servi. Elle n'aurait pas invité Blaney chez elle et s'il était venu, je doute qu'elle l'aurait laissé entrer, ivre ou à jeun. »

Dalgliesh dit : « Mais si vous croyez Miss Mair, votre accusation contre Blaney s'effondre complètement. Elle prétend l'avoir vu chez lui à neuf heures quarante-cinq ou peu après et à ce moment-là il était à moitié ivre. Entendu, il aurait pu simuler l'ivresse, ça n'est pas bien difficile. Mais ce qu'il n'aurait pas pu faire, c'était tuer Hilary Robarts vers neuf heures vingt et être rentré chez lui à neuf heures quarante-cinq, alors qu'il n'avait ni auto ni fourgonnette. »

Rickards dit : « Il a un vélo.

— Il aurait fallu qu'il pédale vite. Nous savons qu'elle est morte après son bain, pas avant. Ses cheveux étaient encore mouillés jusqu'à la racine quand je l'ai trouvée. Donc on ne doit pas se tromper beaucoup en fixant le moment de sa mort entre neuf heures quinze et neuf heures trente. Il n'aurait pas pu prendre le vélo avec lui et s'en servir pour revenir le long de la grève. La marée était haute, il aurait été obligé de pédaler sur les galets, ce qui est bien plus difficile que sur la route. Il n'y a qu'une partie de la grève où il reste une bande de sable à marée haute et c'est dans la petite anse où Hilary Robarts nageait. Et s'il était passé par la route, Miss Mair l'aurait vu. Non, je crois qu'elle lui a fourni un alibi que vous aurez de la peine à faire sauter. »

Rickards dit : « Mais lui, il ne l'a pas mise à couvert, n'est-ce pas ? D'après elle, elle est restée seule à Martyr's Cottage jusqu'au moment où elle est partie, juste après neuf heures et demie, pour aller chercher le portrait. Elle et Mrs Dennison, la gouvernante du Vieux Presbytère, sont les seules de ceux qui assistaient au dîner des Mair à ne pas avoir essayé de se trouver un alibi. De plus, elle a un mobile. Hilary Robarts était la maîtresse de son frère. Il nous dit que tout était fini, d'accord, mais nous n'avons que sa parole. Supposons qu'ils projetaient de se marier une fois à Londres. Elle a consacré sa vie à son frère. Célibataire. Pas d'autre exutoire pour ses sentiments. Pourquoi céder la place à une autre femme au moment où Mair va réaliser son ambition ? »

Dalgliesh jugea l'explication trop simple pour des relations qui, même lors de leurs brèves rencontres, lui avaient semblé plus complexes. Il dit : « Elle a du succès comme écrivain. J'imagine que la réussite dans sa profession lui apporte sa propre forme de satisfaction émotionnelle, à supposer qu'elle en ait besoin. Elle m'a paru dotée d'une bonne dose d'indépendance.

— Je croyais qu'elle écrivait des bouquins de cuisine. C'est ça que vous appelez être un écrivain professionnel à succès ?

— Ses livres sont très appréciés et ils rapportent énormément d'argent. Nous avons le même éditeur et s'il avait un choix à faire entre nous deux, je pense qu'il préférerait me perdre.

— Alors, vous pensez que le mariage aurait presque été un soulagement? Qu'il la libérait de certaines responsabilités et qu'elle n'était pas fâchée de voir une autre femme lui faire la cuisine et s'occuper de lui?

— Pourquoi aurait-il besoin d'une femme, quelle qu'elle soit, pour s'occuper de lui? C'est dangereux d'échafauder des théories sur les sentiments et les réactions des gens, mais je doute qu'elle se sente cette responsabilité quasi maternelle et qu'il en ait besoin — ou même la souhaite.

— Alors, comment voyez-vous leurs relations? Après tout, ils vivent ensemble la plus grande partie du temps. Il semble généralement admis qu'elle a de l'affection pour lui.

— Dans le cas contraire, ils ne vivraient pas ensemble, si ça peut s'appeler vivre ensemble. Je crois savoir qu'elle est souvent partie; elle va faire de la documentation pour ses livres et lui a un appartement à Londres. Comment pénétrer au cœur de leurs relations quand on a juste dîné un soir avec eux? Je pense qu'il existe une confiance et un respect mutuels. Demandez-leur.

— Mais pas de jalousie envers lui ou sa maîtresse?

— S'il y en a, elle sait bien la dissimuler.

— Bon. Prenons un autre scénario. Supposons qu'il était fatigué de Robarts, qu'elle le pressait de l'épouser, qu'elle voulait quitter sa situation et aller à Londres avec lui. Supposons qu'elle devenait insupportable. Est-ce qu'Alice Mair n'aurait pas été tentée de faire quelque chose?

— Comme de préparer et d'exécuter un crime singulièrement ingénieux pour délivrer son frère d'un embarras passager? Ça ne serait pas pousser un peu trop loin le dévouement fraternel?

— Ah, mais ces femmes bien décidées ne sont pas des embarras passagers. Réfléchissez. Combien d'hommes connaissez-vous qui ont été forcés de faire des mariages qu'ils ne souhaitaient pas vraiment parce que la volonté de la femme était plus forte que la leur ? Ou parce qu'ils ne pouvaient pas supporter les drames, les larmes, les récriminations, le chantage aux sentiments ? »

Dalgliesh dit : « La liaison elle-même n'offrait pas prise au chantage. Ils n'étaient mariés ni l'un ni l'autre, ils ne trompaient personne, ils ne causaient pas de scandale. Et je ne vois personne, homme ou femme, obliger Alex Mair à faire ce qu'il ne veut pas faire. Je sais qu'il est dangereux de porter des jugements faciles — bien que nous n'ayons rien fait d'autre depuis cinq minutes — mais il me donne l'impression d'être un homme qui mène sa vie comme il l'entend et qui l'a sans doute toujours fait.

— Ce qui pourrait peut-être le rendre méchant si quelqu'un essayait de l'en empêcher.

— Alors, vous le considérez comme un assassin, maintenant ?

— Je le considère comme très suspect. »

Dalgliesh demanda : « Et ce couple dans la caravane ? Quelque chose qui prouve qu'ils connaissaient les procédés du Siffleur ?

— On n'a rien découvert, mais comment être sûr ? L'homme, Neil Pascoe, circule dans sa fourgonnette, fréquente les bars du coin. Il a pu entendre causer. Tous les agents sur l'affaire n'ont pas forcément été discrets. Nous n'avons donné aucun détail aux journaux, mais ça ne veut pas dire qu'on n'a pas causé. Il a une manière d'alibi. Il est allé en fourgonnette au sud de Norwich voir un type qui lui avait écrit pour lui dire qu'il s'intéressait à cette organisation antinucléaire qu'il a mise sur pied. Il espère apparemment créer un groupe par ici. J'ai envoyé deux de mes gars voir le type. Il dit qu'ils sont restés ensemble jusqu'à huit heures vingt, après quoi Pascoe est parti pour rentrer chez lui — enfin, c'est ce qu'il a dit. La fille qui vit avec lui, Amy Camm, dit qu'il est arrivé à neuf heures et qu'ils sont restés ensemble dans la caravane toute la soirée. Moi, j'ai idée qu'il est arrivé un peu plus tard. Dans sa fourgonnette il aurait fallu appuyer drôlement sur le champignon pour aller de plus loin que Norwich à

Larksoken en une heure. Et puis il a un mobile, un des plus forts : si Hilary Robarts avait intenté son action en justice, elle pouvait le ruiner. Et Camm a intérêt à le soutenir parce qu'elle s'est installée dans la caravane, bien peinarde, avec son gosse. Je vais encore vous dire quelque chose, Mr Dalgliesh, ils ont eu un chien, autrefois. La laisse est toujours pendue dans la caravane.

— Si l'un des deux l'avait utilisée pour étrangler Robarts, est-ce qu'elle y serait encore ?

— Les gens auraient pu la voir. Ils auraient pu penser que ça serait plus suspect de la détruire, ou de la cacher que de la laisser où elle était. Nous l'avons prise, bien entendu, mais ce n'était guère qu'une formalité. La peau de Robarts n'était pas écorchée. Il n'y aura pas de traces tangibles. Si on arrive à relever des empreintes digitales, ce seront celles du couple. Évidemment, on va continuer à vérifier les alibis. Tous ces foutus employés de la centrale. Il y en a plus de cinq cents. On ne croirait pas, hein ? On ne voit presque pas une âme. A croire qu'ils circulent à travers le patelin aussi invisibles que l'énergie qu'ils produisent. La plupart habitent Cromer ou Norwich. Ils veulent être près des écoles et des magasins, probablement. Il n'y en a qu'une poignée qui se sont installés près de la centrale. Ceux de l'équipe du dimanche étaient pour la plupart rentrés chez eux bien avant dix heures et ils regardaient sagement la télé, ou ils étaient avec des amis. Nous allons vérifier pour voir s'ils ont eu ou non des rapports de travail avec Robarts. Mais c'est une simple formalité. Je sais où chercher mes suspect. Au dîner des Mair. Comme Lessingham ne peut pas la boucler, ils ont appris les deux faits cruciaux : que les poils dans la bouche étaient ceux du pubis et que la marque sur le front était un L. Ce qui diminue bien commodément le domaine des investigations. Alex et Alice Mair, Margaret Dennison, Lessingham lui-même et, en supposant que Theresa ait rapporté la conversation à son père, on peut ajouter Blaney. D'accord, je ne pourrai peut-être pas faire sauter son alibi ou celui de Mair, mais je vous promets que je vais essayer. »

Dix minutes plus tard, Rickards se leva en disant qu'il était temps de rentrer et Dalgliesh l'accompagna jusqu'à sa voiture. Les nuages étaient bas, la terre et le ciel, plongés dans la même obscurité où le scintillement froid de la centrale semblait s'être rapproché, tandis que sur la mer une pâle luminosité bleue ressemblait à une nouvelle Voie lactée récemment découverte. Sentir la fermeté du sol sous les pas était déconcertant dans toute cette noirceur et pendant quelques secondes les deux hommes hésitèrent, comme si les cent mètres à parcourir jusqu'à la voiture étaient une odyssée sur un terrain dangereux, sans consistance. Au-dessus d'eux, les ailes du moulin, blanches et silencieuses, étaient chargées d'une puissance latente au point que Dalgliesh les crut prêtes à se mettre en mouvement, lentement.

Rickards dit : « Tout sur ce cap est contraste. En sortant de la caravane de Pascoe, ce matin, je me suis arrêté sur ces falaises basses et j'ai regardé vers le sud — rien qu'une vieille barque de pêche, un rouleau de corde, une caisse retournée, cette terrible mer. Le même paysage depuis près de mille ans, peut-être. Et puis je me suis retourné vers le nord et j'ai vu cette foutue énormité de centrale. Et la voilà qui étincelle de partout. Et je la vois sous l'ombre d'un moulin. Est-ce qu'il marche, à propos ? Le moulin, je veux dire. »

Dalgliesh répondit : « On me dit que oui. Les ailes peuvent tourner, mais il ne moud pas. Les meules sont dans la pièce du bas. J'ai parfois envie de voir les châssis tourner lentement mais je résiste, parce que je ne suis pas sûr de pouvoir les arrêter. Ce serait exaspérant de les entendre grincer toute la nuit. »

Ils étaient arrivés à la voiture, mais Rickards, la main posée sur la portière, ne semblait pas pressé de monter dedans. Il dit : « Nous avons parcouru un fameux chemin, hein ? Du moulin à la centrale. Six kilomètres de cap et trois cents ans de progrès. Et puis je pense à ces deux corps à la morgue et je me demande si nous avons fait le moindre progrès. Mon père aurait parlé du péché originel. Un prédicant laïque. Il avait réponse à tout. »

Le mien aussi, se dit Dalgliesh qui se contenta de répondre : « Il avait bien de la chance. » Un instant de silence fut rompu par la sonnerie stridente du téléphone, parfaitement audible par la porte ouverte. Dalgliesh dit : « Attendez un instant. C'est peut-être pour vous. »

De fait, c'était le brigadier Oliphant qui demandait si l'inspecteur Rickards était là. Il n'était pas chez lui et le numéro de Rickards était l'un de ceux qu'il avait laissés.

La communication fut brève. Moins d'une minute plus tard Rickards reparaissait, le pas alerte, la légère mélancolie des dernières minutes balayée.

« Ça aurait pu attendre à demain, mais Oliphant voulait me prévenir tout de suite. C'est peut-être la percée. Le labo a appelé. Ils ont dû travailler sans arrêt. Oliphant vous avait dit, j'imagine, que nous avions trouvé une empreinte de pas.

— Il en a fait mention. Oui, sur le côté droit du sentier, dans du sable mou. Il n'a pas donné de détails. »

Et Dalgliesh, soucieux de ne pas discuter d'une enquête avec un sous-ordre en l'absence de Rickards, n'avait rien demandé.

« Nous venons d'en avoir confirmation, c'est la semelle d'une basket L'Abeille, pied droit. Taille dix. Le dessin de la semelle est exclusif, semble-t-il, et il y a une abeille jaune sur chaque talon. Vous avez dû en voir. » Puis, comme l'autre ne répondait pas, il dit : « Pour l'amour du Ciel, Mr Dalgliesh, ne me dites pas que vous en avez une paire. Je n'ai pas besoin de cette complication-là.

— Non, je n'en ai pas. Trop chic pour moi, mais j'en ai vu une paire récemment.

— A quels pieds ?

— Pas sur des pieds. » Il réfléchit un instant, puis dit : « Je me rappelle maintenant. Mercredi dernier, le lendemain de mon arrivée. J'ai porté des vête-

334

ments de ma tante, y compris deux paires de chaussures, au Vieux Presbytère pour la vente de charité. Il y a deux caisses dans une vieille arrière-cuisine où les gens peuvent déposer les objets dont ils ne veulent plus. La porte de derrière était ouverte, comme d'habitude pendant la journée, je n'ai donc pas frappé. Il y avait une paire de ces baskets parmi les autres souliers. Ou plus exactement, j'ai vu le talon d'un soulier. J'imagine qu'il y avait la paire, mais je ne l'ai pas vue.

— Sur le dessus de la caisse ?

— Non, à un tiers de la hauteur à peu près. Comme je vous l'ai dit, je n'ai pas vu la paire, mais le talon avec l'abeille jaune ne permettait pas de se tromper. C'étaient peut-être les baskets de Gledhill. Lessingham a dit qu'il en portait quand il s'est tué.

— Et vous les avez laissées où elles étaient ? Vous voyez l'importance de ce que vous me dites, Mr Dalgliesh ?

— Oui, je vois l'importance de ce que j'ai dit et oui, je les ai laissées où elles étaient. J'étais venu donner des bricoles, pas les voler. »

Rickards dit : « S'il y avait la paire — et le simple bon sens veut qu'elle y ait été — n'importe qui aurait pu la prendre. Et si elle n'est plus dans la caisse, c'est que quelqu'un l'aura prise. » Il regarda le cadran lumineux de sa montre : « Onze heures quarante-cinq. A quelle heure croyez-vous que Mrs Dennison se couche ? »

Dalgliesh dit fermement : « Beaucoup plus tôt que ça, je pense. Et elle ne monterait pas dans sa chambre sans fermer la porte de derrière à clef. Donc si quelqu'un l'a prise et ne l'a pas encore remise en place, il ne peut pas le faire ce soir. »

Ils étaient arrivés à la voiture. Rickards ne répondit pas, les yeux perdus au loin. Mais son impatience, soigneusement contrôlée et muette, était aussi palpable que s'il avait cogné ses poings contre le capot. Puis il ouvrit la portière et se glissa dans l'auto. Les phares tranchaient l'obscurité comme des projecteurs à la recherche d'un objectif.

Tandis qu'il baissait la glace pour un dernier au revoir, Dalgliesh lui dit : « Il y a quelque chose que je devrais peut-être vous dire, à propos de Meg Dennison. Je ne sais pas si vous vous en souvenez, mais c'était elle le professeur qui s'est trouvé au centre de cette querelle raciale à Londres. J'imagine qu'elle a subi à peu près autant d'interrogatoires qu'elle en peut supporter. Ça veut dire que vous n'aurez pas la tâche facile. »

Il avait bien réfléchi avant de parler, sachant qu'il risquait de faire une erreur. C'en était une. La question, malgré sa formulation prudente, avait déclenché l'antagonisme latent dont il avait conscience dans tous ses rapports avec Rickards.

Celui-ci dit : « Vous voulez sans doute dire, Mr Dalgliesh, que ce ne sera peut-être pas facile pour elle. Je me suis déjà entretenu avec la dame et je connais un peu son passé. Il lui a fallu beaucoup de courage pour défendre ses principes comme elle l'a fait ; certains diraient beaucoup d'obstination. Une femme capable de ça est capable de tout, vous ne croyez pas ? »

36

Dalgliesh suivit du regard les phares de la voiture jusqu'à ce que Rickards tourne à droite pour prendre la route côtière, puis ferma la porte à clef et se mit à ranger assez distraitement avant d'aller se coucher. En repensant à la soirée, il reconnut qu'il avait hésité à parler longuement de sa visite du vendredi matin à la centrale et s'était montré moins ouvert encore à propos de ses réactions, peut-être parce qu'elles avaient été plus complexes et les lieux plus impressionnants qu'il s'y était attendu. On l'avait prié d'arriver à huit heures quarante-cinq, car Mair voulait l'accompagner lui-même et il avait rendez-vous à Londres pour déjeuner. Au début de la visite, il avait demandé : « Qu'est-ce que vous savez de la puissance nucléaire ?

— Très peu de chose. Peut-être vaudrait-il mieux supposer que je ne sais rien.

— Dans ce cas, avant de faire la visite, commençons par le préambule habituel sur les sources de radiations et ce que signifient puissance nucléaire, énergie atomique, énergie nucléaire, etc. J'ai demandé à Miles Lessingham, en tant que directeur des opérations, de se joindre à nous. »

Ce fut le début de deux heures extraordinaires. Escorté par ses deux mentors, Dalgliesh fut revêtu d'une combinaison et d'un casque protecteurs qu'on lui ôta ensuite, passé au détecteur de radiations, soumis à un flot presque ininterrompu de chiffres et de données. Même venu en simple curieux, il se rendait compte que la centrale était dirigée avec une exceptionnelle efficacité, qu'une autorité compétente et respectée la contrôlait parfaitement. Et les membres du personnel rencontrés l'impressionnaient par leur engagement, tandis qu'ils expliquaient patiemment leurs tâches en termes qu'un profane intelligent pouvait comprendre. Alex Mair, apparemment là pour escorter un homme jouissant du statut d'invité privilégié, n'était jamais détaché ni absent, mais toujours observateur, toujours vigilant, de toute évidence le patron. Derrière leur professionnalisme, Dalgliesh les sentait voués à la puissance nucléaire avec un enthousiasme contrôlé chez certains, mais toujours un peu sur la défensive, ce qui était sans doute naturel, étant donné l'ambivalence de l'opinion publique à l'égard de l'atome. Quand un des ingénieurs disait : « C'est une technologie dangereuse, mais nous en avons besoin et nous pouvons la maîtriser », Dalgliesh entendait non pas l'arrogance de la certitude scientifique, mais le respect pour un élément qu'il contrôlait, presque le rapport conflictuel d'un marin avec la mer, à la fois habitat naturel et ennemi honoré. Si la visite était destinée à le rassurer, elle avait réussi dans une certaine mesure. Si la puissance nucléaire pouvait être sûre, elle l'était entre leurs mains. Mais jusqu'à quel point et pendant combien de temps ?

Il était resté dans la grande salle des machines, les oreilles bourdonnantes, pendant que Mair lui parlait pressions, voltages et taux de réaction ; vêtu de sa combinaison protectrice, il avait regardé à ses pieds les éléments irradiés qui gisaient, poisons sinistres, pendant cent jours dans la piscine de désactivation avant d'être envoyés à Sellafield pour retraitement ; il était allé jusqu'au bord de la mer voir les installations de pompage de l'eau de refroidissement et les condenseurs. Mais la partie la plus intéressante de la visite avait été le bâtiment des réacteurs. Mair, appelé par un bip de l'intercom, avait dû s'absenter un moment et Dalgliesh était resté seul avec Lessingham. Ils s'étaient tenus sur le haut pont tournant, regardant au-dessous d'eux les deux réacteurs et l'une des immenses machines assurant l'alimentation en combustible. Se rappelant Toby Gledhill, le policier jeta un coup d'œil à son compagnon et aperçut un visage si tendu, si blanc qu'il craignit de le voir s'évanouir. Et puis il se mit à parler presque comme un automate récitant une leçon.

« Il y a 26 488 éléments combustibles dans chaque réacteur, chargés par les machines sur une période de cinq à dix ans. Chacune de ces machines est un vrai bâtiment mesurant à peu près 7 mètres de haut et pesant 115 tonnes. Elle peut contenir 14 éléments combustibles ainsi que les autres composants nécessaires pour le cycle d'alimentation. Le pressuriseur est lourdement protégé par une enceinte en fonte et en bois densifié. Ce que vous voyez, monté sur le haut de la machine, c'est le treuil qui soulève les éléments combustibles. Il y a également un dispositif de couplage qui relie la machine au réacteur et une caméra de télévision qui permet de surveiller les opérations à partir de la salle de commande. »

Il s'interrompit brusquement et Dalgliesh vit que les mains crispées sur le garde-corps devant lui tremblaient. Ni l'un ni l'autre ne parla. Le spasme dura moins de dix secondes, puis Lessingham dit : « Le choc est un phénomène bizarre. J'ai rêvé pendant des semaines que je voyais tomber Toby. Et puis le cauchemar s'est arrêté tout d'un coup. J'ai cru que je serais capable de regarder le plancher de chargement et de chasser l'image de mon esprit. Je le peux, la plupart du temps. Après tout, c'est ici que je travaille, c'est mon environnement. Mais le cauchemar revient encore et parfois, comme aujourd'hui, je le vois couché là si clairement qu'on pourrait croire à une hallucination. »

Dalgliesh eut l'impression qu'il ne pourrait dire que des banalités. Lessingham poursuivit : « C'est moi qui suis arrivé auprès de lui le premier. Il était allongé, à plat ventre, sans un mouvement, mais je ne pouvais pas le retourner. Je ne pouvais pas le toucher. Je savais qu'il était mort. Il avait l'air tout petit, désarticulé, une poupée de chiffon. Tout ce que je remarquais, c'étaient ces symboles ridicules, ces abeilles jaunes sur les talons de ses baskets. Dieu, que j'ai été heureux de me débarrasser de ces sacrées chaussures. »

Donc Gledhill n'avait pas porté sa combinaison de protection. Le suicide n'avait pas été tout à fait spontané.

Dalgliesh dit : « Il devait être bon grimpeur.

— Oh, oui, c'était le moindre de ses talents. » Et puis, sans changement de ton perceptible, il poursuivit la description du réacteur et la procédure pour charger du combustible dans le cœur. Cinq minutes plus tard, Mair les rejoignait. En revenant à son bureau, il avait soudain demandé : « Avez-vous entendu parler de Richard Feynman ?

— Le physicien américain ? J'ai vu une émission de télévision sur lui, il y a quelques mois, sinon le nom ne m'aurait rien dit du tout.

— Feynman a écrit : "La vérité est bien plus merveilleuse que n'importe quel artiste du passé l'imaginait. Pourquoi les poètes d'aujourd'hui n'en parlent-ils pas ?" Vous êtes poète, mais ce lieu, la puissance qu'il génère, la beauté de ses structures, sa magnificence propre, tout cela ne vous intéresse pas particulièrement, n'est-ce pas ? Ni vous, ni aucun autre poète ?

— Si, ça m'intéresse. Ça ne veut pas dire que je peux en faire de la poésie.

— Non, vos sujets sont plus prévisibles, n'est-ce pas ? Voyons, que dit ce passage ?

Vingt pour cent à Dieu et ses saints
Vingt pour cent à la nature et ses mandants
Et tout le reste aux plaintes
Des mâles poursuivis par des putains, ou les
[poursuivant.

Dalgliesh dit : « Le pourcentage de Dieu et des saints est en baisse, mais je conviens que les putains font mieux que se maintenir.

— Et ce pauvre diable, là-bas, le Siffleur du Norfolk, il n'est pas poétique non plus, je suppose.

— Il est humain. Cela fait de lui un sujet approprié pour la poésie.

— Mais vous ne le choisiriez pas ? »

Dalgliesh aurait pu répondre qu'un poète ne choisit pas ses sujets, ce sont eux qui le choisissent. Mais une des raisons de sa fuite dans le Norfolk avait été le désir d'éviter les discussions sur la poésie et, même s'il avait pris plaisir à parler de son œuvre, ce n'aurait pas été avec Alex Mair. Mais il avait été surpris de constater combien ses questions l'avaient peu irrité. Il était difficile d'aimer cet homme, impossible de ne pas le respecter. S'il avait assassiné Hilary Robarts, Rickards affronterait un redoutable adversaire.

Tandis qu'il raclait les dernières cendres du feu, il se rappela avec une extraordinaire clarté cet instant où, à côté de Lessingham, il s'était penché vers la formidable masse sombre du réacteur dans laquelle cette mystérieuse puissance travaillait silencieusement. Combien de temps faudrait-il avant que Rickards se demande pourquoi exactement l'assassin avait choisi cette paire de chaussures et pas une autre ?

37

Rickards savait que Dalgliesh avait raison, rien ne justifiait une intrusion chez Mrs Dennison à une heure aussi tardive. Mais il ne put s'empêcher de ralentir en passant devant le Vieux Presbytère et de jeter un coup d'œil pour voir s'il y avait le moindre signe de vie. Rien. La maison était noire et silencieuse derrière les buissons tordus par le vent. En entrant dans sa propre maison, tout aussi noire, il se sentit tout à coup écrasé par la fatigue. Mais il avait encore de la paperasserie à déblayer avant de pouvoir aller au lit, y compris son dernier rapport sur l'affaire du Siffleur : répondre à des questions gênantes, mettre sur pied une défense qui aurait quelque chance de repousser les accusations privées et publiques — incompétence de la police, mauvaise coordination, confiance exagérée dans la technologie, insuffisance du bon vieux travail d'enquêteur classique. Et tout ça avant de pouvoir commencer à étudier les derniers rapports sur le meurtre de Robarts.

Il était près de quatre heures quand il arracha ses vêtements et s'effondra sur le lit. A un moment donné dans la nuit, il dut sentir le froid, car il s'éveilla couché sous les couvertures et, ayant allumé la lampe de chevet, s'aperçut avec horreur qu'il n'avait pas entendu le réveil; il était presque huit heures. Aussitôt, il sauta à bas du lit et se précipita pour se regarder dans le miroir posé sur la coiffeuse de sa femme. En forme de rognon, elle était recouverte de mousseline blanche fleurie de roses, le joli nécessaire encore en place, une poupée gagnée par Susie enfant à une foire, accrochée au miroir. Seuls manquaient les produits de beauté, et leur absence le frappa soudain aussi douloureusement que si elle était morte et qu'ils avaient été balayés comme les débris dérisoires d'une vie. Penché pour se regarder de plus près dans le miroir, il se demanda ce que la chambre rose et blanche, totalement féminine, avait à voir avec ce visage aux joues creuses, ce rude torse masculin. Il retrouva l'impression qu'il avait eue lors de leur emménagement un mois après le mariage : l'impression que rien dans cette maison n'était vraiment à lui. Jeune agent, il aurait été stupéfait si on lui avait dit qu'il aurait un jour une maison pareille, une grande allée sablée, deux cents mètres carrés de jardin rien qu'à lui, un salon et une salle à manger séparés, avec chacun son ameublement soigneusement choisi qui sentait encore le neuf, lui rappelant chaque fois qu'il y entrait le magasin d'Oxford Street où il les avait choisis. Mais Susie partie, il se trouvait là de nouveau comme un invité à peine toléré et méprisé.

Tout en enfilant sa robe de chambre, il ouvrit la porte d'une petite pièce donnant au sud et qui devait être la chambre d'enfants. Le berceau était drapé d'un tissu jaune pâle et blanc assorti aux rideaux ; le meuble à langer, avec la tablette en bas pour tous les accessoires et le sac pour les couches propres, était tiré contre le mur, le papier peint, constellé de lapins et de moutons bondissants. Impossible de croire que son enfant dormirait là un jour.

Et il n'y avait pas que la maison qui le rejetait. Susie absente, il avait parfois du mal à croire à la réalité de son mariage. Il l'avait rencontrée pendant une croisière en Grèce, choisie à la place de ses habituelles vacances de promeneur solitaire. Elle était l'une des seules jeunes femmes à bord, accompagnée de sa mère, veuve d'un dentiste. Il se rendait compte maintenant que c'était elle qui avait fait les avances, elle qui avait décidé de l'épouser, qui l'avait choisi longtemps avant qu'il eût songé à la choisir. Mais la découverte, une fois faite, avait été plutôt flatteuse et, après tout, il était consentant. Il arrivait à cette époque de la vie où l'on se laisse parfois aller à la vision idéalisée d'une épouse qui attend à la maison, du confort familial, d'un enfant qui serait un gage sur l'avenir, une raison de travailler et d'avancer.

Et elle l'avait épousé malgré l'opposition de la mère qui avait semblé de connivence au début, peut-être parce qu'elle se disait que Susie avait vingt-huit ans et que le temps ne jouait pas en sa faveur, mais qui, une fois les fiançailles assurées, avait laissé clairement entendre que son unique enfant aurait pu mieux faire. Elle s'était alors embarquée dans une campagne sur deux fronts, résignée à faire contre mauvaise fortune bon cœur tout en lui imposant une vigoureuse rééducation sociale. Mais même elle n'avait rien trouvé à redire à la maison. Il y avait mis toutes ses économies et l'emprunt était le plus élevé que ses ressources pouvaient supporter, mais dans sa solidité elle représentait les deux choses qui lui importaient le plus au monde : son mariage et son métier.

Susie avait suivi une formation de secrétaire, mais semblé contente d'abandonner son poste. Si elle avait voulu continuer à travailler, il l'aurait soutenue, comme il l'aurait fait pour n'importe quelle occupation de son choix. Mais il préférait la voir heureuse et satisfaite, s'occuper de la maison et du jardin, la trouver qui l'attendait à la fin de la journée. Ce n'était pas le genre de mariage à la mode pour l'heure, ni celui que la plupart des couples pouvaient s'offrir, mais c'était celui qui lui plaisait et il était reconnaissant qu'elle eût le même goût.

Au moment du mariage, il n'était pas amoureux d'elle, il le savait maintenant. Il aurait même pu dire qu'il connaissait à peine le sens du mot, qui n'avait certainement rien à voir avec les humiliations de ses premiers rapports avec les femmes. Pourtant, non seulement les poètes et les écrivains mais le monde entier semblaient savoir d'instinct, sinon par expérience, ce qu'il signifiait. Il se sentait parfois exclu d'un patrimoine universel comme pourrait l'être un homme privé de goût ou d'odorat. Et quand, trois mois après leur lune de miel, il était tombé amoureux de Susie, ç'avait été la révélation d'une chose connue mais jamais vécue, comme des yeux aveugles soudain ouverts à la réalité de la lumière, des couleurs et des formes. Une nuit, pour la première fois, elle avait trouvé la joie entre ses bras ; moitié riant, moitié pleurant, elle s'était accrochée à lui en murmurant des tendresses incohérentes. La serrant très fort contre lui, il avait su, en un éclair de connaissance émerveillée, que c'était ça, l'amour. Cet instant d'affirmation avait été à la fois un accomplissement et une promesse, non pas la fin d'une recherche, mais le début d'une découverte. Il ne laissait aucune place au doute ; son amour, une fois reconnu, lui semblait indestructible. Leur mariage pourrait avoir ses moments de chagrin et d'anxiété partagés, mais jamais il ne pourrait être moins que ce qu'il était en cet instant. Était-il vraiment possible, se demandait-il désormais, qu'il pût être gravement menacé sinon détruit par la première épreuve sérieuse, la décision qu'elle avait prise de céder au mélange d'intimidation et de supplication calculé par sa mère, et de le laisser au moment où leur premier enfant allait naître ? Quand le bébé serait mis dans les bras de Susie, il voulait être là. Maintenant, il ne saurait peut-être même pas quand le travail commencerait. L'image qui le hantait avant le sommeil et au réveil, celle de sa belle-mère triomphante à la maternité avec son enfant à lui dans les bras, portait l'antipathie qu'il avait pour elle à un degré presque maladif.

Sur la coiffeuse, une des photos de leur mariage dans un cadre en argent rappelait une cérémonie qui avait semblé spécialement ordonnée pour souligner la différence de milieu entre les deux familles. Susie se penchait un peu vers lui, le petit visage mince, vulnérable, plus jeune d'apparence que ses vingt-huit ans, la tête blonde avec son chapelet de fleurs à peine à la hauteur de l'épaule du marié. Ces fleurs étaient artificielles — boutons de rose et muguet — mais dans ses souvenirs de cette journée, elles répandaient une fugitive senteur. Le visage de la jeune femme, souriant et grave, ne révélait rien, pas même tout ce que cette mystique blanche symbolisait sûrement. C'est à cela que j'ai travaillé, c'est ce que je voulais, c'est ce que j'ai réussi. Lui regardait droit dans l'objectif, stoïque devant ce qui avait été la dernière des photographies apparemment innombrables prises en dehors de l'église. Après coup, il semblait même que cette séance eût été la partie la plus importante de la cérémonie, le service n'étant qu'un simple préliminaire à ce ballet compliqué, sans cesse modifié, d'étrangers à l'accoutrement incongru, disposés selon une hiérarchie qu'il ne comprenait pas très bien, mais qui n'avait visiblement pas de secrets pour l'impérieux artiste. Il entendait la voix de sa belle-mère : « Oui, un peu le genre diamant brut hélas, mais il est très capable, en fait. Du bois dont on fait les commissaires divisionnaires, me dit-on. »

Eh bien, ce n'était pas vrai et elle le savait, mais au moins elle n'avait pas pu critiquer la maison qu'il avait offerte à cette tendre fille unique.

Il était un peu tôt pour téléphoner et il savait que sa belle-mère qui se levait tard exploiterait au maximum le premier grief de la journée. Mais s'il ne parlait pas à Susie tout de suite, il n'aurait peut-être pas d'autre occasion avant la fin de la soirée. Pendant un instant, il resta planté devant le téléphone à côté du lit, hésitant à tendre la main. Sans ce nouveau crime, il aurait sauté dans la Rover, filé à York et ramené Susie. En face de lui, elle aurait peut-être trouvé la force de résister à sa mère. Désormais il lui faudrait faire le trajet seule, ou avec Mrs Cartwright si elle exigeait de l'accompagner. Ma foi, il aimerait encore mieux la supporter et ce serait peut-être préférable pour Susie que d'affronter seule le long trajet en train. Mais il la voulait ici, près de lui, dans cette maison.

La sonnerie parut résonner, interminablement, et ce fut sa belle-mère qui répondit, énonçant le numéro avec une résignation lassée qui laissait penser que c'était le vingtième appel de la matinée.

Il dit : « Ici Terry, Mrs Cartwright. Est-ce que Susie est réveillée ? »

Il ne l'avait jamais appelée mère. C'était un non-sens qui lui aurait écorché la bouche et il fallait reconnaître qu'elle ne l'avait jamais suggéré.

« Eh bien, elle doit l'être maintenant, n'est-ce pas ? Un peu sans-gêne, Terry, d'appeler avant neuf heures. Elle ne dort pas très bien en ce moment et elle a besoin de rester beaucoup allongée. Et puis elle a essayé de vous avoir au bout du fil hier toute la soirée. Ne quittez pas. »

Enfin, au moins une minute plus tard, la petite voix, hésitante : « Terry ?

— Comment ça va, ma chérie ?

— Très bien. Maman m'a emmenée chez le Dr Maine, hier. C'est lui qui me soignait quand j'étais petite. Il me suit et il dit que tout va très bien. Il m'a retenu un lit à l'hôpital ici, juste au cas... »

Ainsi, se dit-il avec amertume, elle avait même arrangé ça, et l'espace d'un instant il eut l'idée — la traîtrise — de penser qu'elles avaient peut-être tout manigancé ensemble, que c'était ça que Susie voulait. Il dit : « Je suis navré de ne pas être resté au téléphone plus longtemps hier soir. La situation a évolué très vite, mais je voulais te faire savoir que le Siffleur était mort.

— C'est dans tous les journaux aujourd'hui, Terry. Quelle bonne nouvelle ! Tu vas bien ? Tu te nourris convenablement ?

— Bien, bien. Fatigué, mais ça va. Dis-moi donc, chérie, ce nouveau meurtre, c'est différent, ça n'est pas un autre criminel qui fait ça en série. Le danger est passé maintenant. Je ne peux pas venir te chercher, malheureusement, mais je pourrais te prendre à Norwich. Tu crois que tu pourrais y être aujourd'hui ? Il y a un rapide à trois heures deux. Si ta mère voulait rester avec toi jusqu'à la naissance du bébé, bien entendu, je serais tout à fait d'accord. »

Pas d'accord du tout, mais enfin le prix à payer serait minime.

« Ne quitte pas, Terry. Maman veut te parler. »

Puis, après une longue attente, la voix de Mrs Cartwright.

« Susie reste ici, Terry.

— Le Siffleur est mort, Mrs Cartwright. Il n'y a plus de danger.

— Je sais, Susie vient de me le dire. Mais vous avez eu un autre assassinat par chez vous, n'est-ce pas ? Il y a encore un tueur en liberté et c'est vous qui le recherchez. Le bébé doit naître dans moins de deux semaines et la santé de ma fille doit être mon premier souci. Elle a besoin d'être dorlotée et ménagée.

— Elle le serait, ici.

— Je veux croire que vous faites de votre mieux, mais vous n'êtes jamais là, n'est-ce pas ? Susie vous a appelé quatre fois hier soir. Elle avait vraiment besoin de vous parler, Terry, et vous n'étiez pas là. Ça n'est pas bon pour elle en ce moment. Dehors la moitié de la nuit, à attraper les assassins, ou à ne pas les attraper. Je sais que c'est votre travail, mais c'est trop dur pour Susie. Je veux que mon petit-enfant naisse dans les meilleures conditions possibles. La place d'une fille est auprès de sa mère à un moment comme celui-là.

— Je croyais que la place d'une épouse était auprès de son mari. »

Oh! Dieu, pensa-t-il. Dire que j'en suis arrivé à proférer des mots pareils. Un flot de souffrance sans fond le submergea, fait de colère, de désespoir, de dégoût de lui-même aussi. Il se dit que si elle ne venait pas tout de suite, elle ne viendrait jamais. Le bébé naîtrait à York et sa grand-mère le prendrait dans ses bras avant lui. Elle les tiendrait définitivement tous les deux dans ses griffes. Il savait la force du lien entre veuve et fille unique. Tous les jours Susie téléphonait à sa mère, et parfois plus d'une fois. Il savait avec quelle difficulté et quelle patience il avait commencé à la détacher de cette étreinte maternelle abusive. Et voilà qu'il avait donné une autre arme à Mrs Cartwright. Il perçut le triomphe dans sa voix :

« Ne me parlez pas de la place d'une épouse, je vous en prie, Terry. Vous allez bientôt me parler des devoirs de Susie. Et vos devoirs envers elle ? Vous lui avez dit que vous ne pouviez pas venir la chercher et je ne tolérerai certainement pas que mon petit-enfant naisse dans un train. Susie restera ici jusqu'à ce que vous ayez trouvé la solution de ce dernier crime et le temps de venir la chercher. »

Et puis la communication fut coupée. Lentement, il reposa le combiné et resta là à attendre. Susie allait peut-être rappeler. Bien sûr, lui pouvait le faire, mais il savait déjà avec un désespoir qui lui tordait les tripes que ce serait inutile. Elle ne viendrait pas. Et puis le téléphone sonna, il arracha l'appareil et dit très vite : « Allô ? Allô ? »

Mais ce n'était que le brigadier Oliphant qui téléphonait du poste de police de Hoveton, appel matinal pour lui faire savoir que lui, Oliphant, avait été debout toute la nuit ou avait encore moins dormi que lui. Désormais ses quatre heures de sommeil lui parurent être une coupable complaisance.

« Le commissaire divisionnaire veut vous voir, chef. J'ai dit à son secrétaire que ce n'était pas la peine d'appeler chez vous. Que vous seriez sûrement parti, maintenant.

— Je vais l'être dans cinq minutes. Mais pas pour aller à Hoveton. Cap sur le Vieux Presbytère à Larksoken. Mr Dalgliesh nous a donné une indication de première importance pour les baskets Abeille. Retrouvez-moi devant le presbytère dans trois quarts d'heure. Et puis, appelez donc Mrs Dennison tout de suite. Dites-lui de tenir la porte de derrière fermée à clef et de ne laisser entrer personne avant notre arrivée. Ne l'affolez pas, dites-lui simplement que nous avons une ou deux questions à lui poser et que nous préférons lui parler ce matin, avant qu'elle ait vu d'autres personnes. »

Si la nouvelle agita Oliphant, il le cacha bien. Il dit : « Vous n'avez pas oublié qu'il y a une conférence de presse prévue à dix heures ? Bill Sterling de la radio locale m'a tanné, mais je lui ai dit qu'il n'aurait rien avant cette heure-là. Et je crois que le commissaire divisionnaire voudrait savoir si nous allons faire connaître l'heure approximative de la mort. »

Et il n'y avait pas que lui. Il avait été commode de laisser l'heure du meurtre dans le flou pour éviter d'affirmer catégoriquement qu'il ne pouvait pas avoir été commis par le Siffleur, mais une fois le rapport d'autopsie en main, il serait bien difficile d'esquiver les questions insistantes des médias. Il dit : « Nous ne lâcherons aucun renseignement sur ce point-là avant d'avoir le rapport d'autopsie écrit.

— On l'a, chef. Le Dr Maitland-Brown l'a déposé il y a une vingtaine de minutes en allant à l'hôpital. Il a bien regretté de pas vous voir. »

Tu parles, se dit Rickards. Bien entendu, rien n'aurait filtré. Le doc n'était pas du genre à bavarder avec des agents subalternes. Mais au poste de police l'ambiance avait dû être à la congratulation mutuelle entre gens matinaux déjà au travail. Il dit : « Aucune raison pour qu'il ait attendu. Tout ce qu'il peut nous apporter est dans le rapport. Ouvrez-le donc tout de suite et donnez-moi l'essentiel. »

Il entendit poser le combiné sur le bureau, un silence de moins d'une minute, puis la voix d'Oliphant : « Aucun signe d'activité sexuelle récente. Pas de viol. Semble avoir été exceptionnellement robuste jusqu'à ce que quelqu'un lui passe un lacet autour du cou et l'étrangle. Il peut être un peu plus précis pour l'heure de la mort maintenant qu'il a vu le contenu de l'estomac, mais il n'a pas changé sa première fourchette. Entre huit heures trente et neuf heures quarante-cinq, mais si nous, on veut dire neuf heures vingt, il ne fera pas d'objection. Et elle n'était pas enceinte.

— Très bien, brigadier. Je vous retrouve devant le Vieux Presbytère dans quarante-cinq minutes environ. »

Mais il ne voulait à aucun prix affronter une journée chargée sans avoir déjeuné. Il prit en hâte deux tranches de bacon dans le réfrigérateur, les posa sur le gril poussé à pleine puissance, puis brancha la bouilloire et sortit un bol. Un peu de café bien fort, le bacon entre deux quignons de pain, et en avant.

En traversant Lydsett quarante-cinq minutes plus tard, il repensa à la soirée de la veille. Il n'avait pas proposé à Adam Dalgliesh de venir au presbytère avec la police. Inutile. Ses renseignements avaient été très précis et il n'y avait pas besoin d'une huile de la PJ pour trouver une caisse de vieux souliers. Mais il y avait une autre raison. Il avait été bien content de boire son whisky, de manger son ragoût, quel que soit le nom qu'il lui donnait, de discuter des points saillants de l'enquête. Qu'est-ce qu'ils avaient en commun, somme toute, en dehors de leur travail ? Ce qui ne signifiait certainement pas qu'il voulait l'avoir à côté de lui pendant qu'il le faisait. Il avait été heureux d'être reçu au moulin, heureux de ne pas rentrer dans une maison vide, de rester assis confortablement au coin du feu et, à la fin de la soirée, il s'était senti très à l'aise. Mais une fois loin de la présence physique de Dalgliesh, les vieilles incertitudes revenaient, comme elles l'avaient fait avec une force si déconcertante au lit de mort du Siffleur. Il savait qu'il ne serait jamais en accord total avec cet homme-là, et il savait pourquoi. Il n'avait qu'à penser à l'incident et les vieux ressentiments revenaient à flots.

Pourtant, il s'était passé près de douze ans et il doutait que Dalgliesh s'en souvînt. C'était ça, bien sûr, la pire injure, que des mots qu'il avait gardés en mémoire pendant des années, qui l'avaient humilié au point qu'il avait presque perdu confiance en ses capacités d'enquêteur, aient pu être si aisément lancés et, semblait-il, si rapidement oubliés.

Le lieu : une petite mansarde dans une sorte de cage à lapins, Edgware Road. La victime : une prostituée de cinquante ans. Elle était morte depuis plus d'une semaine quand on l'avait trouvée et la puanteur dans le taudis sans air était telle qu'il avait dû presser son mouchoir sur sa bouche pour retenir le vomissement. Un des agents avait moins bien réussi. Il s'était précipité vers la fenêtre et aurait peut-être pu arriver à temps si elle n'avait pas été bloquée par la crasse. Lui-même ne pouvait plus avaler, comme si sa propre salive avait été contaminée. Elle avait trempé son mouchoir. La femme gisait nue au milieu des bouteilles, des pickles, des restes de nourriture, masse de chair en putréfaction à trente centimètres du pot de chambre plein qu'elle n'avait pas pu atteindre finalement. Une fois le médecin parti, il s'était tourné vers l'agent le plus proche pour lui dire : « Grand Dieu, on ne pourrait pas sortir ça d'ici ? »

Et puis la voix de Dalgliesh depuis la porte, cinglante comme un fouet : « Brigadier, le terme qu'il vous faut, c'est corps. Ou si vous préférez cadavre, victime, voire défunte. Ce que vous regardez était une femme. Vivante, elle n'était pas une chose et morte, elle ne l'est pas davantage. »

A ce souvenir, il sentait encore ses muscles se crisper, la colère le brûler. Bien sûr, il n'aurait pas dû laisser passer ça, pas une telle rebuffade devant ses hommes. Il aurait dû regarder l'arrogant salopard bien en face et lui dire la vérité, même si elle lui coûtait ses galons.

« Mais elle n'est plus une femme, maintenant, n'est-ce pas, chef ? Elle n'est plus un être humain. Alors qu'est-ce qu'elle est ? »

C'était l'injustice qui lui restait sur le cœur. Il y avait des douzaines de ses collègues qui auraient mérité cette douche glaciale, mais pas lui. Jamais, à aucun moment depuis sa promotion dans la PJ, il n'avait considéré la victime comme une masse de chair sans importance, jamais pris le moindre plaisir obscène à la vue d'un corps nu, rarement regardé fût-ce la plus avilie, la plus repoussante des victimes sans quelque pitié et souvent avec peine. Les mots qui lui ressemblaient si peu lui avaient été arrachés par l'épuisement, après une journée de dix-neuf heures, par un dégoût physique incoercible. C'était une malchance qu'ils aient été entendus par Dalgliesh, dont les sarcasmes glacés pouvaient être plus dévastateurs que les obscénités braillées par un autre officier. Rien de plus n'avait été dit. Apparemment, Dalgliesh avait trouvé son travail satisfaisant, à tout le moins il n'y avait pas eu d'autres critiques, ni de compliments, d'ailleurs. Il avait fait comme s'il ne s'était rien passé et si par la suite il avait regretté ses paroles, il ne l'avait jamais dit. Il aurait peut-être été stupéfait de savoir quelle amertume elles avaient laissée, une amertume devenue obsession. Mais ce jour-là, pour la première fois, Rickards se demanda si Dalgliesh n'avait pas été lui aussi soumis à une tension trop forte, poussé à en chercher le soulagement dans l'âcreté des mots. Après tout, à l'époque, il venait de perdre sa femme et son enfant. Mais quel rapport avec une prostituée morte dans un bordel londonien ? Et puis, il aurait dû connaître son homme. C'était ça, le nœud de la question. Rickards trouvait bien que remâcher l'incident depuis si longtemps et avec une telle colère était quasi paranoïaque. Mais voir Dalgliesh chez lui, dans son secteur, avait réveillé tous ses souvenirs. Il avait connu plus sérieux depuis, des critiques plus graves et oubliées. Mais celle-là il ne pouvait pas la chasser de son esprit. Assis devant le feu de bois au moulin de Larksoken, en train de boire le whisky de Dalgliesh, presque son égal comme grade, sûr de son terrain, il lui avait semblé pouvoir mettre le passé de côté. Mais il savait désormais que ce serait impossible. Sans ce souvenir, Adam Dalgliesh et lui auraient pu être amis. Désormais il le respectait, l'admirait, faisait grand cas de son opinion, se sentait même parfois à l'aise avec lui. Mais il se dit qu'il ne pourrait jamais l'aimer.

38

Oliphant l'attendait devant le presbytère, assis non pas dans la voiture mais sur le capot, un journal à la main, donnant sans aucun doute exprès l'impression qu'il perdait son temps, là, depuis dix minutes. Quand il vit la voiture, il se redressa et tendit le journal en disant : « Ils y vont pas de main morte. Fallait s'y attendre probablement. »

L'histoire n'était pas à la une, mais elle s'étalait sur

les deux pages du milieu, avec de gros titres et la signature de l'envoyé spécial du journal. Rickards lut :

> J'ai appris aujourd'hui que Neville Potter, l'homme désormais identifié comme le Siffleur et qui s'est tué dimanche à l'hôtel *Balmoral* à Easthaven, avait été interrogé par la police dès le début de l'enquête, puis éliminé. La question qui s'impose est : pourquoi ? La police connaissait le type d'homme qu'elle recherchait. Un solitaire. Probablement célibataire ou divorcé. Asocial. Un homme ayant une voiture et un emploi qui l'amenait à sortir la nuit. Neville Potter répondait exactement à ces conditions. S'il avait été arrêté lors de ce premier interrogatoire, la vie d'une prostituée et de quatre femmes innocentes aurait pu être sauvée. Le fiasco de l'Éventreur du Yorkshire ne nous a donc rien appris ?

Rickards dit : « Les bobards habituels. Les femmes assassinées sont ou des prostituées qui ont bien cherché ce qui leur est arrivé, ou des innocentes. »

Tout en remontant rapidement l'allée du presbytère, il parcourut le reste de l'article. La thèse était que la police se fiait trop aux ordinateurs, aux moyens mécaniques, aux voitures rapides, à la technologie. Il était grand temps d'en revenir à l'îlotage. A quoi bon enfourner d'interminables données dans un ordinateur si le simple agent n'était pas capable de repérer un suspect évident ? Certaines de ces idées étaient celles de Rickards, qui n'en trouva pas l'article plus plaisant pour autant.

Il jeta le journal à Oliphant en lui disant : « Qu'est-ce qu'ils veulent dire ? Qu'on aurait pu pincer le Siffleur en postant un gars en uniforme à chaque croisement de route ? Vous avez dit à Mrs Dennison que nous venions et vous lui avez demandé de ne recevoir personne ?

— Elle n'a pas eu l'air trop contente, chef. Elle a

dit que les seuls visiteurs qui pourraient éventuellement venir, c'étaient des gens du cap, et elle se demandait quelle raison elle pourrait donner pour écarter ses amis. Jusqu'à maintenant personne n'est venu, du moins par la porte de devant.

— Et vous avez vérifié la porte de derrière ?

— Vous m'avez dit de vous attendre devant la maison, chef. J'en ai pas fait le tour. »

Début prometteur. Mais si Oliphant avait réussi avec son habituel manque de tact à indisposer Mrs Dennison, elle n'en montra rien en ouvrant la porte et les accueillit avec une courtoisie grave. Rickards se dit une fois de plus qu'elle était vraiment attirante, un type de joliesse douce, quelque peu démodée, ce que les gens appelaient autrefois la rose d'Angleterre, quand ce genre de charme était prisé. Même ses vêtements avaient un air de distinction anachronique, jupe grise plissée au lieu de l'inévitable pantalon, cardigan assorti sur chemisier bleu et rang de perles. Mais malgré son calme apparent, elle était très pâle ; le rouge à lèvres rose appliqué avec soin ressortait crûment sur la peau presque exsangue et les épaules étaient rigides sous la laine mince.

Elle dit : « Voulez-vous entrer au salon, inspecteur, et m'expliquer de quoi il s'agit ? Je pense que vous aimeriez un peu de café, et votre brigadier aussi.

— Merci beaucoup, Mrs Dennison, mais nous n'avons pas le temps malheureusement. J'espère que nous ne vous retiendrons pas longtemps. Nous recherchons une paire de baskets, marque L'Abeille, que nous avons des raisons de croire dans votre caisse d'objets donnés pour la vente de charité. Pourrions-nous la voir, s'il vous plaît ? »

Elle leur lança un coup d'œil rapide, puis sans un mot leur fit traverser le hall et enfiler un petit corridor jusqu'à une porte verrouillée. Elle fit facilement glisser le pêne et ils se trouvèrent dans un deuxième passage, plus court et dallé, qui aboutissait à une porte redoutablement forte, verrouillée aussi en haut et en bas. Il y avait une pièce de chaque côté ; la porte de droite était ouverte.

Mrs Dennison les fit entrer et dit : « Nous entreposons le bric-à-brac ici. Comme je l'ai dit au brigadier Oliphant quand il a téléphoné, la porte du fond a été fermée à double tour à cinq heures hier et elle est restée verrouillée. Je l'ouvre pendant la journée en général pour que les personnes qui apportent des bricoles puissent les laisser sans avoir à frapper. »

Oliphant dit : « Ce qui signifie qu'elles pourraient emporter aussi bien qu'apporter. Vous ne craignez pas les vols ?

— Nous sommes à Larksoken, ici, brigadier. Pas à Londres. »

La pièce, dallée, aux murs de brique percés d'une seule fenêtre, avait dû être à l'origine un office, ou peut-être une dépense. Son usage actuel n'était pas immédiatement évident. Contre le mur, deux caisses dont l'une, à gauche, était aux trois quarts pleine de souliers et l'autre contenait un méli-mélo de ceintures, de sacs et de cravates nouées ensemble. A côté de la porte, deux longs rayons : sur l'un, des objets hétéroclites tels que tasses et soucoupes, petites statuettes, assiettes et plats, un poste de radio à transistors, une lampe de chevet à l'abat-jour crasseux ; sur l'autre, de vieux livres assez fatigués, pour la plupart des collections bon marché. Une rangée de crochets avait été vissée sous ce dernier, d'où pendaient des portemanteaux avec des vêtements de meilleure qualité — complets d'hommes, vestes, robes de femmes et vêtements d'enfants, dont certains portaient déjà des prix inscrits sur de petits morceaux de papier. Oliphant ne passa pas plus de deux secondes à faire le tour de la pièce des yeux, puis tourna son attention vers la caisse des chaussures. Il lui fallut moins d'une minute pour s'assurer que les Abeilles n'étaient pas là, mais il n'en poursuivit pas moins une recherche systématique, observé par Mrs Dennison et Rickards. Chaque paire, en général attachée par les lacets, fut sortie et mise de côté jusqu'à ce que la caisse soit vide, puis replacée aussi méthodiquement. Rickards sortit alors une basket L'Abeille de sa serviette et la tendit à Mrs Dennison.

« Les souliers que nous recherchons sont comme ça. Vous rappelez-vous en avoir vu une paire dans la caisse du bric-à-brac et si oui, apportée par qui ?

— Je ne connaissais pas le nom de la marque, mais oui, il y en avait une paire dans la caisse et c'est Mr Lessingham de la centrale qui l'avait apportée. Il avait été chargé de donner les vêtements du jeune homme qui s'est tué à Larksoken. Deux des complets accrochés là appartenaient aussi à Toby Gledhill.

— Quand Mr Lessingham a-t-il apporté ces chaussures, Mrs Dennison ?

— Je ne me rappelle plus exactement. Je crois que c'était vers la fin de l'après-midi, une semaine à peu près après la mort de Mr Gledhill. Mais il faudra lui demander, inspecteur. Il se rappellera peut-être mieux.

— Et il les a apportées à la porte de devant ?

— Oh oui ! Il a dit qu'il ne voulait pas rester pour le thé, mais il a échangé quelques mots dans le salon avec Mrs Copley. Ensuite, il a porté la valise de vêtements ici avec moi et nous l'avons ouverte ensemble. J'ai mis les souliers dans un sac en plastique.

— Et quand les avez-vous vus pour la dernière fois ?

— Ça, je ne peux absolument pas m'en souvenir, inspecteur. Je viens rarement ici, sauf pour étiqueter certains objets. Et quand je le fais, je ne regarde pas forcément dans la caisse à chaussures.

— Même pas pour voir ce qu'on a apporté ?

— Si, je le fais de temps en temps, mais pas de vérification régulière.

— Ce sont des chaussures très particulières, Mrs Dennison.

— Je sais bien, et si j'avais fouillé dans la caisse récemment je les aurais vues ; j'aurais peut-être même remarqué qu'elles avaient disparu. Mais je ne l'ai pas fait. Je ne peux malheureusement pas vous dire du tout quand elles ont été prises.

— Combien de personnes connaissent ce système, ici ?

— La plupart des habitants du cap et tout le personnel de la centrale qui donne régulièrement des objets. Ils viennent généralement en auto, bien sûr, en rentrant chez eux et parfois, comme Mr Lessingham, ils sonnent à la porte principale. Parfois je prends leur sac sur le perron, ou alors ils me disent qu'ils vont le déposer dans la pièce derrière. La vente n'a pas lieu ici, mais dans la salle communale à Lydsett en octobre. Seulement, c'est un endroit commode pour la collecte, et ensuite Mr Sparks ou Mr Jago du *Local Hero* viennent avec un camion et chargent le tout un jour ou deux avant la vente.

— Je vois que vous marquez certains prix, ici.

— Pas tous, inspecteur. A l'occasion bien sûr, nous connaissons des personnes qui aimeraient avoir certaines choses et qui les achètent avant la vente. »

L'aveu semblait la gêner. Rickards se demanda si les Copley ne profitaient pas parfois des occasions. Il connaissait ces ventes de bric-à-brac ; sa mère aidait à celle que la chapelle organisait chaque année. Les bénévoles comptaient bien faire leur choix en priorité, c'était leur petit bénéfice, et pourquoi pas ? Il dit : « Vous voulez dire que n'importe quel habitant du coin qui aurait besoin de vêtements pour ses enfants, par exemple, saurait qu'il peut les acheter ici ? »

Elle rougit et vit que la suggestion de même peut-être que le choix du pronom l'avait embarrassée. Elle dit : « Les gens de Lydsett attendent en général la vente. Ça ne vaudrait guère la peine que ceux qui viennent du village se déplacent simplement pour voir ce que nous avons récolté. Mais je vends parfois à des habitants du cap. Les objets sont donnés pour leur église, après tout. Il n'y a pas de raison qu'ils ne soient pas vendus à l'avance si un voisin en a besoin. Bien entendu, ils paient le prix marqué.

— Et qui en a eu besoin, de temps en temps, Mrs Dennison ?

— Mr Blaney a parfois acheté des vêtements pour ses enfants. Une des vestes en tweed de Mr Gledhill allait juste bien à Mr Copley, alors Mrs Copley l'a prise. Et Neil Pascoe est passé il y a une quinzaine environ pour voir s'il y aurait quelque chose qui pourrait convenir à Timmy. »

Oliphant demanda : « Avant ou après que Mr Lessingham ait apporté les baskets ?

— Je ne me rappelle pas, brigadier. Il faudra lui demander. Nous n'avons regardé ni l'un ni l'autre dans la caisse des souliers. Mr Pascoe cherchait des chandails chauds pour Timmy. Il en a acheté deux. Il y a l'argent dans une boîte sur un rayonnage de la cuisine.

— Alors les gens ne se contentent pas de se servir et de laisser l'argent ?

— Oh, non, inspecteur. Personne n'aurait l'idée de faire ça.

— Venons-en aux ceintures. Pourriez-vous nous dire si l'une des ceintures ou des courroies manque ? »

Elle répliqua avec un brusque accès d'impatience : « Je ne vois vraiment pas comment je pourrais. Regardez vous-même. Tout est pêle-mêle, courroies, ceintures, vieux sacs, écharpes. Comment pouvoir dire si quelque chose manque ou depuis quand ? »

Oliphant demanda : « Ça vous étonnerait si je vous disais que nous avons un témoin qui a vu les baskets dans cette caisse mercredi matin ? »

Il pouvait donner à la question la plus simple et la plus inoffensive des airs d'accusation irréparable. Mais sa rudesse, qui frisait parfois l'insolence, était calculée avec soin et Rickards essayait rarement de la réprimer, sachant qu'elle avait son utilité. C'était Oliphant et personne d'autre qui avait bien failli ébranler le sang-froid d'Alex Mair. Seulement, il avait dû oublier qu'il parlait à une ancienne maîtresse d'école. Mrs Dennison le regarda avec un air gentiment réprobateur qui eût mieux convenu à un élève dissipé.

« Vous n'avez pas dû écouter très attentivement ce que je viens de dire, brigadier. Je n'ai aucune idée du moment où les chaussures ont été prises. Cela étant, comment pourrais-je être surprise d'apprendre celui où elles ont été vues pour la dernière fois ? » Elle se tourna vers Rickards : « Si nous devons poursuivre cette discussion, est-ce que nous ne serions pas mieux dans le salon que debout ici ? »

Rickards souhaitait surtout qu'il y fasse moins froid.

Elle les conduisit dans une pièce sur le devant de la maison, donnant au sud vers la pelouse grumeleuse et l'enchevêtrement des lauriers, rhododendrons et buissons rabougris par le vent qui masquait très efficacement la route. La pièce était grande et à peine plus chaude que celle qu'ils venaient de quitter, comme si même le soleil d'automne le plus puissant n'avait pu traverser les fenêtres à meneaux et les lourds rideaux de velours drapés. L'air sentait un peu le renfermé, mélange d'encaustique, de pot-pourri et de substantiels goûters victoriens depuis longtemps savourés. Rickards s'attendait presque à entendre le froufrou d'une crinoline.

Mrs Dennison n'alluma pas l'électricité et Rickards se dit qu'il ne pouvait guère lui demander de le faire. Dans la pénombre, il eut une impression de lourd mobilier en acajou, de petites tables chargées de photographies, de fauteuils confortablement rembourrés sous des housses fatiguées et de tableaux pesamment encadrés si nombreux que la pièce ressemblait à un musée de province rarement visité. Mrs Dennison, apparemment sensible au froid sinon à l'obscurité, se pencha pour brancher un petit radiateur électrique à droite de l'énorme grille en fer forgé, puis s'assit, le dos à la fenêtre, fit signe aux deux hommes de prendre place sur le divan, puis resta immobile, les mains jointes sur les genoux, en attente. La pièce, avec sa surcharge d'acajou sombre et son air de pesante responsabilité, la rapetissait et Rickards eut l'impression d'une apparition pâle et immatérielle perdue entre les énormes bras du fauteuil. Il se demanda quelle pouvait bien être sa vie sur le cap, dans cette maison écartée et certainement impossible à tenir, se demanda ce qu'elle avait cherché en fuyant vers cette côte battue des vents et si elle l'avait trouvé.

Il demanda : « Quand a-t-il été décidé que le Révérend et Mrs Copley iraient s'installer chez leur fille ?

— Vendredi dernier, après l'assassinat de Christine Baldwin. Elle était très inquiète pour eux depuis quelque temps et elle les pressait de partir, mais c'est le fait que ce dernier crime a été commis si près d'ici qui les a convaincus. Je devais les conduire à Norwich pour prendre le train de huit heures trente dimanche soir.

— On le savait ?

— Je pense qu'on en parlait. On peut dire que c'était généralement su, dans la mesure où il y a ici des gens pour le savoir. Mr Copley avait dû prendre des dispositions pour les services qu'il assure normalement. J'ai dit à Mrs Bryson, de l'épicerie, que je n'aurais besoin que d'un demi-litre de lait par jour au lieu d'un litre et demi. Oui, on peut dire que c'était assez généralement su.

— Et pourquoi ne les avez-vous pas conduits à Norwich comme prévu ?

— Parce que la voiture est tombée en panne juste au moment où nous finissions les bagages. Je croyais l'avoir déjà expliqué. Vers six heures et demie, je l'ai sortie du garage et arrêtée devant la porte. A ce moment-là, elle marchait bien, mais quand j'ai enfin pu les faire monter dedans à sept heures quinze, prêts à partir, impossible de démarrer. Alors j'ai appelé Mr Sparks au garage de Lydsett et je lui ai demandé de les emmener avec son taxi.

— Sans vous ? »

Avant qu'elle ait pu répondre, Oliphant se leva, alla jusqu'à un lampadaire près de son fauteuil et, sans un mot, l'alluma. La lumière crue inonda Mrs Dennison. Rickards crut d'abord qu'elle allait protester, mais après s'être levée à demi, elle se rassit et poursuivit comme si de rien n'était.

« J'en étais très contrariée. J'aurais bien préféré les mettre moi-même dans le train, seulement Mr Sparks ne pouvait faire la course qu'à condition d'aller ensuite directement à Ipswich où il devait prendre des clients. Mais il m'avait promis de ne pas

les quitter avant de les avoir vus dans leur comparti-
ment. Et puis, tout de même, ce ne sont pas des
enfants. Ils sont parfaitement capables de descendre
à Liverpool Street. C'est le terminus et leur fille les
attendait. »

Rickards se demanda pourquoi elle était si visiblement sur la défensive. Elle pouvait difficilement se
croire suspectée. Et pourtant, pourquoi pas ? Il avait
connu des criminelles moins vraisemblables. Il déce-
lait une quantité de petits signes qui ne pouvaient
échapper à un policier expérimenté : le tremblement
des mains qu'elle essayait de maîtriser quand il les
regardait, le tic au coin de l'œil, l'immobilité sévère-
ment contrôlée rompue par des mouvements incoercibles, la voix qui dérapait parfois, la façon qu'elle
avait de le regarder résolument avec une expression
où défi et résignation se mêlaient. Pris séparément,
chacun marquait une tension somme toute naturelle ; additionnés, ils faisaient presque penser à de la
terreur. La veille, il en avait voulu à Adam Dalgliesh
de son avertissement ; il avait été dangereusement
près de lui donner une leçon. Mais peut-être avait-il
eu raison. Peut-être se trouvait-il en face d'une
femme qui avait subi plus d'interrogatoires agressifs
qu'elle n'en pouvait supporter. Mais il avait une
tâche à accomplir.

Il dit : « Vous avez appelé aussitôt le taxi ? Vous
n'avez pas essayé de savoir ce qui était arrivé à la voiture ?

— Je n'avais pas le temps de tripoter sous le capot.
D'ailleurs, je ne connais rien à la mécanique. Je me
suis estimée heureuse d'avoir constaté la panne à
temps et plus encore que Mr Sparks puisse se charger de la course. Il est venu tout de suite. Mr et
Mrs Copley commençaient à s'énerver terriblement.
Leur fille les attendait, toutes les dispositions avaient
été prises, c'était très important pour eux de ne pas
manquer le train.

— Où la voiture est-elle, normalement ?

— Je croyais vous l'avoir dit, inspecteur. Dans le
garage.

— Fermé à clef?

— Il y a un cadenas. Assez petit et je ne pense pas qu'il résisterait si quelqu'un voulait le briser, mais jusqu'à présent, personne n'a jamais essayé. Il était fermé quand je suis allée chercher la voiture.

— Trois quarts d'heure avant l'heure où vous deviez partir.

— Oui. Je ne comprends pas où vous voulez en venir, inspecteur. C'est important?

— Je suis curieux, simplement, Mrs Dennison. Pourquoi si tôt?

— Avez-vous déjà dû charger une voiture avec les bagages nécessaires à deux personnes âgées partant pour une durée indéterminée? J'avais aidé Mrs Copley à finir les derniers détails. Comme j'avais une minute ou deux de répit, j'ai pensé que c'était le moment de sortir la voiture.

— Et pendant qu'elle a stationné devant la maison, vous l'avez continuellement gardée sous les yeux?

— Bien sûr que non. J'avais assez à faire comme ça : vérifier que les Copley avaient tout ce qu'il leur fallait, récapituler les choses que j'aurais à faire pendant leur absence, quelques coups de fil, etc.

— Tout ça se passait où?

— Dans le bureau de Mr Copley. Mrs Copley était dans sa chambre.

— Et la voiture restait sans surveillance dans l'allée?

— Est-ce que vous voulez insinuer qu'elle a été sabotée?

— Ce serait un peu farfelu, n'est-ce pas? Qu'est-ce qui vous a donné cette idée-là?

— Mais c'est vous, inspecteur. Sinon je n'y aurais jamais pensé. Et je suis de votre avis, c'est farfelu.

— Et quand, à neuf heures quarante-cinq, Mr Jago a appelé du *Local Hero* pour vous dire qu'on avait trouvé le corps du Siffleur, qu'est-ce que vous avez fait?

— Rien du tout. Je ne pouvais pas arrêter les Copley, puisque le train était parti depuis plus d'une heure. J'ai appelé leur fille à son club de Londres et j'ai pu l'attraper avant qu'elle parte pour Liverpool Street. Elle m'a dit qu'elle avait tout préparé et qu'ils pouvaient bien rester une semaine puisqu'ils étaient en chemin. Mais en fait, ils rentrent demain après-midi. Mrs Duncan-Smith a été appelée auprès d'une amie malade. »

Rickards dit : « Un de mes hommes a vu Mr Sparks. Il tenait à vous rassurer et vous dire que les Copley étaient bien partis. Il vous a appelée dès qu'il a pu, mais il n'a pas eu de réponse. C'était vers neuf heures quinze, à peu près le moment où Mr Jago a également essayé pour la première fois de vous joindre.

— Je devais être dans le jardin. Le clair de lune était superbe et j'étais agitée. J'avais besoin de sortir de la maison.

— Même avec le Siffleur, que vous croyiez encore en liberté.

— Assez bizarrement, inspecteur, je n'ai jamais eu très peur du Siffleur. La menace me semblait lointaine, un peu irréelle.

— Vous n'êtes pas allée plus loin que le jardin ? »

Elle le regarda droit dans les yeux : « Je ne suis pas allée plus loin que le jardin.

— Pourtant, vous n'avez pas entendu le téléphone.

— Le jardin est grand.

— Mais la nuit était très calme. »

Elle ne répondit pas.

Il demanda : « Et quand êtes-vous rentrée après avoir erré seule dans l'obscurité ?

— Je ne dirais certes pas que faire un tour dans le jardin, c'est errer dans l'obscurité. J'ai dû rester dehors une demi-heure environ. J'étais revenue depuis cinq minutes à peu près quand Mr Jago a téléphoné.

— Et quand avez-vous appris le meurtre de Miss Robarts ? De toute évidence, vous étiez au courant quand nous nous sommes rencontrés à Martyr's Cottage.

— Je croyais que vous le saviez, inspecteur.

Miss Mair m'a téléphoné peu après sept heures, lundi matin. Elle-même avait été avertie quand son frère était rentré tard dimanche soir après avoir vu le corps, mais elle ne voulait pas me déranger à minuit, surtout pour annoncer une nouvelle aussi bouleversante. »

Oliphant demanda : « Et c'était une nouvelle bouleversante, madame ? Vous connaissiez à peine Miss Robarts. Pourquoi aurait-elle été si bouleversante ? »

Mrs Dennison le regarda longuement, puis se détourna et dit : « Si vous avez vraiment besoin de me poser cette question, brigadier, êtes-vous sûr que vous faites le métier qui vous convient ? »

Rickards se leva. Elle l'accompagna jusqu'à la porte et, au moment où les deux hommes s'en allaient, elle se tourna vers lui et lui demanda, comme poussée par une brusque urgence : « Inspecteur, je ne suis pas idiote. Toutes ces questions sur les souliers... Évidemment, vous avez trouvé une empreinte sur les lieux du crime et vous pensez qu'elle aurait pu être faite par l'assassin. Mais ce genre de baskets n'est sûrement pas rare. N'importe qui aurait pu en porter. Le fait que la paire de Toby Gledhill a disparu pourrait être une simple coïncidence. Elle n'a pas forcément été prise dans une intention criminelle. N'importe qui, ayant besoin de baskets, a pu la voler. »

Oliphant la regarda : « Oh, je ne crois pas, madame. Comme vous l'avez dit vous-même il y a seulement une demi-heure, Larksoken n'est pas Londres. » Et il sourit, de son sourire lippu, satisfait.

39

Rickards aurait voulu voir immédiatement Lessingham, mais la conférence de presse prévue pour dix heures l'obligeait à différer l'entretien et, pour compliquer encore les choses, un appel téléphonique à la centrale révéla que l'ingénieur avait pris une journée de congé, en indiquant toutefois qu'on pourrait le joindre dans son cottage, près de Blakeney. Heureusement, il était chez lui et, sans explication, Oliphant convint d'un rendez-vous pour midi.

Ils n'avaient pas plus de cinq minutes de retard, aussi furent-ils particulièrement vexés de trouver porte close en arrivant à la petite maison de bois et de brique sur la route côtière, à quelque quinze cents mètres au nord du village. Un mot au crayon était punaisé sur la porte d'entrée.

« Si vous voulez me voir, essayez le *Heron*, amarré au quai de Blakeney. Et ça concerne aussi la police. »

« Sacré culot! » fulmina Oliphant qui, apparemment incapable de croire qu'un suspect pourrait se montrer aussi peu complaisant, essaya d'ouvrir la porte, regarda par la fenêtre, puis disparut derrière la maison. Il revint en déclarant : « Du genre bicoque. Un coup de peinture lui ferait pas de mal. Drôle d'endroit pour y vivre. Ces marais ne sont pas rigolos l'hiver; on se serait figuré qu'il aurait voulu un brin de vie autour de lui. »

Dans son for intérieur, Rickards se dit que c'était en effet un choix bizarre. Le cottage semblait avoir fait partie autrefois d'une paire désormais convertie en une seule habitation qui, encore bien proportionnée, avec un certain charme mélancolique, paraissait néanmoins à première vue inoccupée et négligée. Lessingham avait un poste important, et ce n'était sûrement pas la pauvreté qui l'obligeait à habiter là.

Il dit : « Il veut sans doute être près de son bateau. Il n'y a pas beaucoup de ports sur cette côte. C'était ou ici, ou à Wells-next-the-Sea. »

Tandis qu'ils regagnaient leur voiture, Oliphant se retourna pour lancer un coup d'œil haineux au cottage, comme s'il dissimulait derrière sa peinture écaillée un secret que quelques coups de pied vigoureux dans la porte pourraient le convaincre de révéler. Tout en bouclant sa ceinture, il grommela : « Et une fois sur le quai, il y aura probablement un mot pour nous dire d'essayer le café. »

Mais non, Lessingham était là où il avait dit qu'il serait. Dix minutes plus tard, ils le trouvèrent assis sur une caisse retournée à l'extrémité du quai désert, un moteur de hors-bord devant lui ; à côté de lui, un voilier de trente mètres, avec un rouf au milieu. De toute évidence, il n'avait pas encore commencé ses travaux. Un chiffon relativement propre pendait au bout de doigts qui semblaient trop apathiques pour le tenir, et il considérait le moteur comme s'il lui posait un problème insoluble. Quand ils arrivèrent près de lui, il leva la tête et Rickards fut frappé de voir à quel point il avait changé. Il semblait avoir vieilli de dix ans en deux jours. Pieds nus, un gros chandail bleu passé sur des bermudas effrangés comme l'exigeait la mode — il semblait que cet accoutrement négligé soulignât encore la pâleur citadine du visage, la peau tendue sur les larges pommettes, les cernes comme des meurtrissures sous les yeux enfoncés. Rickards se dit que pour un homme qui passait une partie de sa vie en mer, il était extraordinaire qu'un été même pourri n'eût pas produit autre chose que ce hâle anémique.

Lessingham ne se leva pas et dit sans préambule : « Vous avez eu de la chance de m'attraper quand vous avez appelé. Une journée de congé est une chose trop précieuse pour la perdre enfermé dans une maison. J'ai pensé que nous pouvions aussi bien parler ici qu'ailleurs. »

Rickards dit : « Pas vraiment. Un endroit un peu plus discret aurait été préférable.

— Oh, c'est assez discret ici. Les gens du pays sont bien capables de reconnaître la police quand elle est devant eux. Bien sûr, si vous voulez que je fasse une déposition en forme, ou si vous envisagez de m'arrêter, je préférerais le poste de police. J'aime bien garder ma maison et mon bateau indemnes de toute contamination. » Il ajouta : « Je veux dire : la contamination de sensations désagréables. »

Oliphant répliqua avec une lourdeur appliquée :

« Pourquoi supposez-vous qu'on voudrait vous arrêter ? Vous arrêter pour quoi au juste ? » Il ajouta « monsieur », qu'il fit sonner comme une menace.

Rickards éprouva une brusque irritation. C'était bien de lui de ne pas manquer une ouverture facile, mais cette joute préliminaire puérile n'allait pas rendre l'interrogatoire plus facile. Lessingham regarda sérieusement Oliphant, se demandant si la question avait besoin d'une réponse.

« Dieu seul le sait. Je suppose que vous trouveriez bien quelque chose si vous vous en donniez la peine. » Puis semblant se rendre compte tout à coup que les deux hommes étaient debout, il se leva : « Bon. Allons à bord. »

Rickards n'était pas marin, mais il lui sembla que le bateau — tout en bois — était vieux. Il dut se plier en deux pour entrer dans la cabine entièrement occupée par une longue table en acajou et un banc de chaque côté. Lessingham s'assit devant eux, leurs visages si proches que Rickards pouvait sentir ses compagnons, amalgame masculin de sueur, de laine chauffée, de bière et de la lotion d'Oliphant, comme s'ils étaient des animaux en cage — et une cage trop petite. Difficile de trouver un endroit moins propice pour un interrogatoire, et il se demanda si Adam Dalgliesh se serait mieux organisé, après quoi il se méprisa d'avoir eu cette idée. Il était conscient de la masse d'Oliphant à côté de lui, Oliphant dont la cuisse anormalement chaude touchait la sienne ; il dut faire un effort pour ne pas s'écarter discrètement.

Il dit : « C'est votre bateau, monsieur ? Celui avec lequel vous avez fait de la voile dimanche soir ?

— Non, pas de voile, la plupart du temps, inspecteur ; il n'y avait pas assez de vent ; mais, oui, c'est mon bateau et c'est celui que j'avais sorti dimanche.

— Vous avez abîmé la coque, on dirait. Il y a une longue égratignure à tribord qui a l'air fraîche.

— C'est bien de l'avoir remarquée, bravo ! J'ai raclé la tour de refroidissement au large de la centrale. Bien maladroit de ma part. Je connais assez le coin. Si vous étiez venu deux heures plus tard, il aurait été repeint.

— Et vous persistez à dire que vous n'avez jamais à aucun moment été en vue de la grève où Miss Robarts s'est baignée pour la dernière fois ?

— Vous m'avez déjà posé cette question quand vous m'avez interrogé, lundi. Tout dépend de ce que vous entendez par "en vue". Si j'avais regardé, j'aurais pu voir la grève avec des jumelles, mais je peux vous confirmer que je ne m'en suis pas approché à moins d'un demi-mille et que je n'ai pas amerri. Comme je pouvais difficilement la tuer sans le faire, cela me semble décisif. Mais je pense que vous n'êtes pas venus de si loin simplement pour m'entendre répéter mon alibi. »

Non sans difficulté, Oliphant hissa le sac, à côté de lui, le posa sur le siège, en sortit une paire de baskets L'Abeille et la posa sur la table. Rickards surveillait le visage de Lessingham. Celui-ci se reprit immédiatement, mais il n'avait pu masquer le choc de la reconnaissance, la crispation des muscles autour de la bouche. Les souliers flambant neufs, gris et blanc avec la petite abeille sur chaque talon, semblaient dominer la cabine. Les ayant placés là, Oliphant ne s'en occupa plus.

Il dit : « Mais vous étiez au sud des tours. L'éraflure est à tribord. Vous deviez faire route vers le nord, quand ça vous est arrivé.

— J'ai viré de bord pour rentrer à une cinquantaine de mètres au-delà des tours. J'avais prévu de prendre la centrale comme limite de la promenade. »

Rickards dit : « Ces baskets, monsieur, vous en avez déjà vu une paire identique ?

— Bien sûr. Marque L'Abeille. Tout le monde ne peut pas se les payer, mais la plupart des gens les ont vues.

— Les avez-vous vues aux pieds de quelqu'un qui travaillait à la centrale ?

— Oui, Toby Gledhill en avait une paire. Après sa mort, ses parents m'ont demandé de donner ses vêtements. Il n'y en avait pas beaucoup ; Toby ne s'encombrait pas, mais il devait y avoir deux complets, les vestes et pantalons habituels, et puis une demi-douzaine de paires de souliers dont les baskets. En fait, elles étaient presque neuves. Il les avait achetées une dizaine de jours avant sa mort. Il ne les avait mises qu'une fois.

— Et qu'est-ce que vous en avez fait, monsieur ?

— J'ai fait un ballot de tous les vêtements et je l'ai porté au Vieux Presbytère pour la prochaine vente. Les Copley ont une petite pièce sur le derrière de la maison où les gens peuvent laisser leurs rossignols. De temps en temps, le Dr Mair appose une note au tableau de service pour demander que l'on donne toutes les choses dont on n'a pas besoin. Ça fait partie de la politique d'intégration dans la communauté — une grande famille heureuse sur le cap. Nous n'allons peut-être pas toujours à l'église, mais nous manifestons notre bonne volonté en refilant nos laissés-pour-compte aux justes.

— Quand avez-vous porté les vêtements de Mr Gledhill au Vieux Presbytère ?

— Je ne me rappelle pas exactement, mais je crois que c'était quinze jours après sa mort. Juste avant le week-end, il me semble. Probablement le vendredi 26 août. Mrs Dennison se rappellera peut-être. Je doute que ce soit la peine d'interroger Mrs Copley, bien que je l'aie vue.

— Donc, vous avez tout remis à Mrs Dennison ?

— C'est ça. En fait, la porte de derrière est en général ouverte pendant la journée et les gens peuvent entrer pour laisser ce qu'ils veulent. Mais j'avais pensé qu'en raison des circonstances, il valait mieux remettre les affaires en main propre. Je n'étais d'ailleurs pas tout à fait sûr qu'elles seraient bien acceptées. Certaines personnes n'aiment pas acheter les vêtements de quelqu'un qui est mort récemment. Une superstition. Et puis je trouvais... déplacé en somme, de les jeter là purement et simplement.

— Qu'est-ce qui s'est passé, alors ?

— Pas grand-chose. Mrs Dennison a ouvert la porte et m'a fait entrer dans le salon. Mrs Copley était là et je lui ai expliqué pourquoi j'étais venu. Elle a sorti les platitudes habituelles sur la mort de Toby; Mrs Dennison m'a demandé si je voulais une tasse de thé, j'ai refusé et elle m'a emmené dans la pièce où ils entreposent le bric-à-brac. Il y a là une grande caisse pour les souliers, simplement attachés par paires avec les lacets et jetés en vrac. J'avais les vêtements de Toby dans une valise, et nous l'avons vidée ensemble, mais elle a trouvé que les complets étaient vraiment trop bien pour être mis avec le bric-à-brac et elle m'a demandé si ça me contrarierait qu'elle les vende à part, étant entendu, bien sûr, que l'argent irait à l'église. Elle pensait en tirer un meilleur prix comme ça. J'ai eu l'impression qu'elle pensait que peut-être Mr Copley pourrait utiliser un des vestons. Je lui ai dit d'en faire ce qu'elle voudrait.

— Et les baskets ? Vous les avez mises dans la caisse avec les autres souliers ?

— Oui, mais dans un sac de plastique. Mrs Dennison a dit qu'elles étaient trop bien pour qu'on les mette avec les autres, qui les saliraient. Elle est allée chercher un sac. Elle n'avait pas l'air de savoir quoi faire des complets, alors je lui ai dit que je lui laisserais la valise. Elle était à Toby, après tout. On pourra la vendre avec le reste des objets. Que la poussière retourne à la poussière et le bric-à-brac au bric-à-brac. J'ai été bien content de m'en débarrasser. »

Rickards dit : « J'ai lu les informations au sujet de ce suicide, évidemment. Ça a dû être particulièrement pénible pour vous, qui l'avez vu de vos yeux. On le présentait comme un jeune homme de grand avenir.

— Un physicien créatif. Mair vous le confirmera si ça vous intéresse. Bien entendu, toute science bien mise en œuvre est créative, quoi que les humanistes puissent en dire, mais certains ont une vision qui n'appartient qu'à eux, du génie par opposition au talent, de l'inspiration aussi bien que la nécessaire patience consciencieuse. Quelqu'un, je ne sais plus qui, a dit assez justement que si la plupart d'entre nous avance péniblement, mètre par mètre, eux sautent en parachute derrière les lignes ennemies. Il était jeune, vingt-quatre ans seulement. Il aurait pu arriver au sommet. »

Ou mariner sur place, se dit Rickards, comme la plupart de ces jeunes génies. Une mort prématurée confère en général une brève immortalité. Il n'avait jamais connu de jeune recrue, morte accidentellement, qui n'ait pas été aussitôt proclamée inspecteur divisionnaire en puissance. Il demanda : « Qu'est-ce qu'il faisait exactement à la centrale ?

— Il travaillait avec Mair à ses études sur la sécurité dans les réacteurs à eau pressurisée. En bref, le comportement du cœur dans des conditions anormales. Toby ne m'en parlait jamais, sans doute parce qu'il savait que je ne comprendrais pas des codes aussi compliqués. Je ne suis qu'un pauvre bougre d'ingénieur. Mair doit publier l'étude avant de partir pour le nouveau poste que lui attribue la rumeur. Certainement sous leurs deux noms et avec un hommage décent à son collaborateur. Tout ce qu'il restera de Toby : son nom au-dessous de celui de Mair dans une revue scientifique. »

Il semblait complètement épuisé et, les yeux fixés sur la porte, esquissa un mouvement comme pour se lever, sortir de cette petite cabine suffocante et aller à l'air. Puis il dit, toujours regardant la porte : « Inutile que j'essaie de vous expliquer Toby, vous ne comprendriez pas et ce serait perdre votre temps comme le mien.

— Vous en avez l'air bien sûr, Mr Lessingham.

— Oui, j'en suis sûr, très sûr. Je ne peux pas vous expliquer pourquoi sans être offensant. Alors pourquoi ne pas être simple, s'en tenir aux faits ? Disons que c'était un homme exceptionnel, intelligent, bon et beau. Si vous trouvez l'une de ces qualités chez quelqu'un, vous avez de la chance. Quand elles sont réunies chez un seul, alors vous avez un être d'exception. Je l'aimais. Il le savait parce que je le lui avais dit. Lui ne m'aimait pas et il n'était pas gay. Ça ne vous regarde pas, mais je vous le dis, parce que c'est un fait et que vous êtes supposés faire métier de faits et parce que, si vous êtes décidés à vous intéresser à lui, autant que vous vous en fassiez une idée exacte. Et puis, il y a encore une autre raison. Vous êtes évidemment en train de fouiller partout pour trouver le maximum de boue, alors j'aime mieux que vous teniez les faits de moi que de la rumeur publique. »

Rickards dit : « Donc, vous n'avez pas eu de relations sexuelles ? »

Soudain l'air fut déchiré par des cris sauvages et des ailes blanches battirent contre le hublot. Dehors, quelqu'un devait donner à manger aux mouettes.

Lessingham sursauta comme si ce bruit lui était inconnu, puis il s'effondra de nouveau sur son siège et dit avec plus de lassitude que de colère : « Quel rapport avec l'assassinat de Hilary Robarts ?

— Peut-être aucun, auquel cas l'information sera tenue secrète. Mais à ce stade, c'est moi qui décide de ce qui a ou n'a pas de rapport.

— Nous avons passé une nuit ensemble deux semaines avant sa mort. Comme je vous l'ai dit, il était bon. Ça a été la première et la dernière fois.

— C'est généralement connu ?

— Nous ne l'avons pas annoncé à la radio locale, nous ne l'avons pas écrit aux journaux, nous n'avons pas placardé un avis à la cafétéria. Bien sûr que non, ça n'était pas généralement connu. Bon Dieu, pourquoi est-ce que ça l'aurait été ?

— Est-ce que ça aurait de l'importance si ça l'avait été ? Est-ce que l'un ou l'autre d'entre vous en aurait été affecté ?

— Oui, tous les deux. Moi j'aurais été affecté comme vous l'êtes quand votre vie sexuelle fait l'objet de ricanements libidineux en public. Bien sûr, nous en aurions été affectés. Après sa mort, cela a cessé d'être important dans la mesure où ça me concernait. La mort d'un ami a au moins un avantage, c'est qu'elle vous libère d'une foule de choses que vous croyiez importantes. »

Elle vous libère pour faire quoi ? se demanda Rickards. Pour tuer ? Cet acte iconoclaste de protesta-

tion et de défi, ce pas au-delà d'une invisible fron-
tière sans défenses qui, une fois franchi, coupe pour
toujours un homme du reste de ses semblables ?
Mais il décida de différer la question qui s'imposait.

Au lieu de cela, il demanda : « Quel genre de
famille avait-il ?

— Un père et une mère. Ce genre-là. Il y en a
d'autres ? »

Rickards avait décidé d'être patient. Cela ne lui
était pas facile, mais il était capable de reconnaître la
souffrance quand les nerfs et les muscles en étaient
si proches de son visage, tendus, nus. Il dit avec douceur : « Je voulais dire : de quel milieu venait-il ? Des
frères et des sœurs ?

— Son père est un pasteur de village, sa mère est
l'épouse d'un pasteur de village. Enfant unique. Sa
mort les a presque tués. Si nous avions pu la camou-
fler en accident, nous l'aurions fait. Si mentir avait
aidé, nous l'aurions fait. Pourquoi diable ne s'est-il
pas noyé ? Au moins il y aurait eu place pour le
doute. C'est cela que vous entendiez par milieu ?

— Ça aide à compléter le tableau. » Il s'arrêta
puis, presque négligemment, posa la question restée
latente : « Hilary Robarts savait que vous aviez passé
une nuit ensemble, Toby Gledhill et vous ?

— Quel rapport... Bon, après tout, c'est votre travail de ramasser les ordures. Je connais le système.
Vous draguez partout où vos filets peuvent atteindre
et puis vous jetez ce qui ne vous intéresse pas. Ce faisant, vous apprenez des tas de secrets que vous
n'avez aucun droit particulier de connaître et vous
causez beaucoup de souffrances. Vous aimez ça ?
C'est ça qui vous fait bander ?

— Répondez simplement à ma question, monsieur.

— Oui, Hilary le savait. Elle le savait par un de ces
hasards qui semblent quasi impossibles quand ils se
produisent, mais qui ne sont pas tellement rares
dans la vie. Elle est passée en voiture devant chez
moi juste après sept heures trente, alors que nous
partions pour la centrale, Toby et moi. Elle avait

apparemment pris un jour de congé et avait dû partir tôt de chez elle pour passer quelque part. Je suppose que, comme la plupart des gens, elle avait des amis qu'elle allait voir de temps en temps. Quelqu'un quelque part devait bien avoir de l'amitié pour elle.

— A-t-elle jamais parlé de cette rencontre soit à vous, soit à une personne de votre connaissance ?

— Elle ne l'a pas rendue publique. Je crois qu'elle y voyait une information trop précieuse pour être jetée aux pourceaux. Elle aimait la puissance, et c'était là sans aucun doute une certaine sorte de puissance. Quand elle est passée à notre hauteur, elle a ralenti, presque au pas, et elle m'a regardé droit dans les yeux. Ce regard, je me le rappelle : l'amusement se changeant en mépris, puis en triomphe. Nous nous sommes parfaitement compris. Mais elle ne m'en a jamais dit un mot par la suite.

— A-t-elle parlé à Mr Gledhill ?

— Oh oui, elle lui a parlé, et c'est pour ça qu'il s'est tué.

— Comment savez-vous qu'elle lui a parlé ? Il vous l'a dit ?

— Oh, non.

— Vous voulez dire qu'elle le faisait chanter ?

— Je veux dire qu'il était malheureux, troublé. Recherches, avenir, sexualité, tout dans sa vie lui paraissait incertain. Je sais qu'elle l'attirait sexuellement. Il la voulait. C'était une de ces femmes dominatrices, physiquement très fortes, qui attirent les hommes sensibles comme Toby. Je crois qu'elle le savait et qu'elle en usait. Je ne sais pas quand elle l'a épinglé, ni ce qu'elle lui a dit, mais je suis sûr que sans elle il serait vivant aujourd'hui. Et si ça me donne un mobile pour son assassinat, vous avez bougrement raison ; mais je ne l'ai pas tuée et cela étant, vous ne trouverez pas de preuve que je l'aie fait. Une petite partie de moi-même, une très petite partie, regrette même sa mort. Je ne l'aimais pas et je ne crois pas qu'elle ait été heureuse, ni même particulièrement utile, mais elle était robuste, intelligente et jeune. La mort devrait être pour les vieux, les malades, les retraités. Ce que je ressens, c'est une touche de *lacrymae rerum*. Même la mort d'un ennemi nous diminue, ou du moins en avons-nous parfois l'impression, selon nos humeurs. Mais cela ne signifie pas que je voudrais la voir à nouveau vivante. Il est possible que je sois injuste, d'ailleurs. Quand Toby était heureux, personne n'était plus heureux ; quand il était malheureux, il s'enfonçait dans son enfer personnel. Elle pouvait peut-être l'y atteindre, l'aider. Je sais que moi je ne le pouvais pas. C'est difficile de réconforter un ami quand vous le soupçonnez qu'il y voit un moyen de l'amener dans votre lit. »

Rickards dit : « Vous avez été d'une remarquable franchise en suggérant un mobile pour vous-même. Mais vous ne nous avez pas donné un seul commencement de preuve concrète pour appuyer votre allégation quand vous nous dites que Hilary Robarts a été responsable de la mort de Toby Gledhill. »

Lessingham le regarda droit dans les yeux et parut réfléchir, puis dit : « Je suis allé si loin que je peux bien vous dire le reste. Il est passé à côté de moi en allant à la mort et il m'a dit : "Dis à Hilary qu'elle n'a plus besoin de se tourmenter. J'ai fait mon choix." L'instant d'après il était déjà en train d'escalader la machine qui assure l'alimentation en combustible ; il s'est tenu en équilibre au sommet pendant une seconde et puis il a plongé droit sur le haut du réacteur. Il voulait que je le voie mourir et je l'ai vu mourir. »

Oliphant dit : « Un sacrifice symbolique.

— Au dieu terrifiant de la fission nucléaire ? Je pensais que l'un de vous deux pourrait dire ça, brigadier. C'est la réaction vulgaire. Trop fruste et trop théâtrale. Tout ce qu'il voulait, c'était le moyen le plus rapide de se casser le cou. » Il s'arrêta, sembla réfléchir, puis reprit : « Le suicide est un phénomène extraordinaire. Résultat irrévocable. Extinction. Fin de tous les choix. Mais le déclencheur semble parfois si minime, si banal. Une petite déception, une dépression momentanée, le temps, voire un mauvais dîner. Toby serait-il mort s'il avait passé la nuit avec moi au lieu d'être seul? S'il était seul.

— Voulez-vous dire qu'il ne l'était pas?

— Aucun indice ni pour ni contre, et maintenant il n'y en aura jamais. Mais enfin, l'enquête publique a été remarquable par l'absence de preuves sur quoi que ce soit. Trois personnes pouvaient témoigner de la façon dont il est mort. Aucune n'était près de lui, aucune n'a pu le pousser, ce ne pouvait pas être un accident. Ni moi ni personne n'a pu apporter une indication quelconque sur son état d'esprit. On peut dire que c'était une enquête menée selon les méthodes scientifiques. Rien que des faits. »

Oliphant demanda tranquillement : « Et à votre avis, où a-t-il passé la nuit avant sa mort?

— Avec elle.

— Des preuves?

— Aucune ne résisterait devant un tribunal. Simplement, j'ai appelé chez lui trois fois entre neuf heures et minuit — il n'a pas répondu.

— Vous ne l'avez pas dit à la police ou au coroner?

— Au contraire. On m'a demandé quand je l'avais vu pour la dernière fois. C'était à la cafétéria, la veille de sa mort. J'ai signalé mes appels téléphoniques, mais personne n'a jugé la chose importante. Pourquoi l'aurait-on fait, d'ailleurs? Qu'est-ce que ça prouvait? Il pouvait être sorti faire un tour. Il pouvait avoir décidé de ne pas répondre au téléphone. La façon dont il est mort est tout à fait claire, aucun mystère. Maintenant, si ça ne vous fait rien, je voudrais bien sortir d'ici et continuer à nettoyer ce sacré moteur. »

Ils retournèrent en silence à leur voiture. Tandis qu'ils attachaient leur ceinture, Rickards dit : « Arrogant, ce salopard-là, hein? Il n'a pas pris de gants. Pas besoin d'essayer d'expliquer quelque chose à la police. Peut pas dire pourquoi sans être offensant. Je pense bien. On est trop balourds, ignorants et insensibles pour comprendre qu'un chercheur scientifique n'est pas forcément un technocrate sans imagination, qu'on peut regretter la mort d'une femme sans nécessairement souhaiter qu'elle retrouve la vie et qu'un garçon qui a de ça peut être prêt à coucher avec un sexe ou l'autre. »

Oliphant dit : « Il aurait pu le faire s'il avait poussé le moteur à pleine puissance. Il aurait fallu qu'il amerrisse au nord de l'endroit où elle se baignait, sinon, on aurait vu ses traces de pas. On a fait des recherches vraiment minutieuses, chef, à quinze cents mètres au moins vers le nord et vers le sud. On a identifié les empreintes de Mr Dalgliesh, mais à part ça, absolument rien sur la partie haute de la grève.

— Oh, il aurait pu tirer le dinghy au sec sur les galets sans grande difficulté. Il y a des endroits où l'on ne trouve que des bandes de sable si étroites qu'il aurait pu sauter par-dessus.

— Oui, mais les vieilles défenses côtières, les blocs de béton ? Ce serait difficile d'approcher suffisamment de la côte au nord sans mettre le bateau en danger.

— Il l'a pourtant risqué récemment, n'est-ce pas ? Cette éraflure le long de l'avant. Il ne peut pas prouver qu'il l'a faite en raclant les tours de la centrale. Il ne s'est pas démonté, hein ? Il a admis calmement que si nous étions venus une heure plus tard, elle aurait été réparée. D'ailleurs, un coup de peinture n'aurait pas servi à grand-chose, la trace serait restée et la preuve aussi. Bon, admettons qu'il s'arrange pour toucher terre aussi près qu'il peut, disons une centaine de mètres au nord de l'endroit où on l'a trouvée ; il longe la bande de galets, s'enfonce dans le petit bois et attend là, caché dans l'ombre. Ou encore, il aurait pu mettre la bicyclette pliante dans le canot et amerrir un peu plus loin. Impossible de pédaler sur la plage à marée haute, mais il n'aurait pas risqué grand-chose sur la route côtière s'il n'avait pas allumé sa lampe. Il rejoint son bateau et s'amarre à Blakeney juste au moment de la marée montante. Pas de difficultés pour le couteau ou les chaussures, il les jette par-dessus bord. Nous allons faire examiner le bateau, avec son consentement bien entendu, et je veux un type expérimenté pour faire ce trajet. Si nous avons un bon marin, parfait, sinon prenez quelqu'un du coin et accompagnez-le. Il nous faut le temps à une minute près. Et puis, il faut interroger les pêcheurs de crabes vers Cromer. Quelqu'un a pu sortir cette nuit-là et voir son bateau. »

Oliphant dit : « Bien obligeant de nous offrir son mobile comme ça sur un plateau.

— Tellement obligeant que je ne peux pas m'empêcher de me demander si ça n'est pas un écran de fumée pour cacher quelque chose qu'il ne nous a pas dit. »

Mais au moment où la voiture démarrait, une autre possibilité lui vint à l'esprit. Lessingham n'avait rien dit de ses relations avec Gledhill avant d'avoir été questionné au sujet des baskets. Il devait savoir qu'elles liaient forcément le crime plus étroitement encore avec les habitants du cap et en particulier le Vieux Presbytère. Cette nouvelle franchise avec la police n'était-elle pas moins un irrésistible besoin de confidence qu'un stratagème délibéré pour détourner les soupçons d'un autre suspect ? Et dans ce cas, lequel était le bénéficiaire le plus vraisemblable de ce geste aussi extravagant que chevaleresque ?

40

Le jeudi matin, Dalgliesh se rendit à Lydsett pour y faire des achats à l'épicerie du village. Sa tante avait fait le plus clair de ses provisions dans le pays et il continuait, en partie, il le savait bien, pour atténuer le remords que lui causait la possession d'une résidence secondaire, si provisoire fût-elle. Les villageois dans leur ensemble n'étaient pas hostiles aux vacanciers, bien que leurs cottages fussent laissés vides la plus grande partie de l'année et leurs apports à la vie locale, minimes. Mais ils préféraient ne pas les voir arriver avec des coffres de voiture pleins de provisions provenant de Harrods ou Fortnum & Mason.

Au reste, acheter chez les Bryson n'entraînait pas de sacrifices particuliers. C'était une boutique sans prétention avec une clochette qui tintait à la porte et qui, les photographies en sépia de l'agglomération victorienne l'attestaient, avait à peine changé extérieurement depuis cent vingt ans. L'intérieur, au contraire, avait vu plus de transformations pendant les quatre dernières années que pendant tout le reste de son histoire. En raison de la multiplication des résidences secondaires ou des goûts plus raffinés des villageois, on y trouvait désormais des pâtes fraîches, tout une variété de fromages aussi bien français qu'anglais, les meilleures marques de confitures et de moutardes, ainsi qu'un rayon traiteur, cependant qu'une affichette annonçait la livraison de croissants frais tous les jours.

Dalgliesh, qui voulait se garer dans la rue transversale, dut manœuvrer pour éviter une vieille bicyclette avec un grand panier d'osier rangée contre le trottoir et vit en entrant que Ryan Blaney venait d'acheter ses emplettes. Mrs Bryson mettait dans des sacs trois pains bis, des boîtes de sucre, des cartons de lait et tout un assortiment de conserves. Blaney jeta un coup d'œil à Dalgliesh, lui adressa un signe de tête très sec et s'en alla. Le voyant charger le contenu d'un sac dans son panier et accrocher les deux autres au guidon, Dalgliesh se dit qu'il était toujours sans sa fourgonnette. Mrs Bryson dirigea sur lui son sourire de bienvenue, mais sans l'assortir du moindre commentaire. Elle était bien trop commerçante pour ne pas éviter comme la peste une réputation de commère, ou un engagement dans les controverses locales, mais Dalgliesh eut l'impression que l'air était lourd de sympathie muette pour Blaney et qu'elle le tenait pour responsable, en tant que policier — encore qu'il ne sût pas bien pourquoi ni de quoi. Rickards ou ses hommes avaient dû questionner les villageois au sujet des habitants du cap, Ryan Blaney en particulier. Peut-être n'avaient-ils pas fait montre de beaucoup de tact.

Cinq minutes plus tard, il s'arrêtait pour ouvrir la barrière fermant l'entrée du cap. De l'autre côté, un chemineau était assis sur le talus séparant la route étroite de la digue couverte de roseaux. Barbu, coiffé d'une casquette en tweed d'où deux grosses nattes grises retenues par un élastique tombaient presque jusqu'aux épaules. Il était en train de manger une pomme qu'il coupait en tranches aussitôt envoyées dans la bouche. Ses longues jambes en pantalon d'épais velours étaient largement écartées devant lui comme s'il voulait mettre en évidence une paire de baskets noir, blanc et gris, aussi neuve que le reste des vêtements était usagé. Dalgliesh referma la barrière, puis s'approcha de lui et plongea son regard dans des yeux brillants d'intelligence. Si c'était un chemineau, l'acuité de son premier coup d'œil, son air d'assurance et la propreté de ses mains blanches assez délicates en faisaient certainement une exception. Mais il était trop chargé pour être un simple marcheur. Son pardessus kaki, apparemment sorti des surplus de l'armée, était ceinturé par une large bande de cuir où étaient accrochés un quart en émail, une petite casserole et une poêle à frire. Un sac à dos, petit mais très bourré, était posé sur le talus à côté de lui.

Dalgliesh lui dit : « Bonjour. Excusez-moi si j'ai l'air impertinent, mais d'où tenez-vous ces chaussures ? »

La voix qui lui répondit était cultivée, un peu pédante, une voix qui aurait pu être celle d'un maître d'école.

« J'espère que vous n'allez pas revendiquer leur propriété. Je regretterais que nos relations, bien que destinées sans aucun doute à être brèves, commencent par une contestation de ce genre.

— Non, elles ne sont pas à moi. Je me demandais depuis combien de temps elles étaient à vous. »

L'homme finit sa pomme, lança le trognon par-dessus son épaule dans le fossé, nettoya la lame de son couteau sur l'herbe et glissa celui-ci avec soin au plus profond de sa poche. Il dit : « Puis-je vous demander si cette interrogation provient — excusez-moi — d'une incoercible et répréhensible curiosité, d'une méfiance contre nature à l'égard d'un frère humain, ou du désir d'en acheter une paire semblable ? Dans ce dernier cas, je ne pourrai à mon grand regret vous être d'aucun secours.

— Rien de tout cela. Mais la question est importante. Je ne suis ni présomptueux ni soupçonneux.

— Ni particulièrement communicatif ou explicite. Je m'appelle Jonah, soit dit en passant.

— Et moi Adam Dalgliesh.

— Alors, Adam Dalgliesh, dites-moi pourquoi je devrais répondre à votre question et vous aurez une réponse. Donnez-moi une bonne raison, une seule. »

Dalgliesh hésita un instant. Théoriquement, il était possible que cet homme fût l'assassin de Hilary Robarts, mais il n'en croyait rien. Rickards lui avait téléphoné la veille pour lui dire que les baskets à l'abeille n'étaient plus dans la caisse de bric-à-brac, estimant évidemment qu'il lui devait ce bref rapport. Mais cela ne prouvait ni que c'était le chemineau qui les avait prises, ni que les deux paires étaient identiques. Il dit : « Dimanche soir, une jeune femme a été étranglée ici, sur la grève. Si vous avez trouvé, ou si on vous a donné récemment ces chaussures, ou si vous les portiez sur le cap dimanche dernier, la police devra être avertie. Elle a trouvé une empreinte caractéristique. Il est important de l'identifier, ne serait-ce que pour éliminer leur porteur de la liste des suspects.

— Bon, au moins, ça c'est clair. Vous parlez comme un policier. Je serais désolé d'apprendre que vous en êtes un.

— Je ne suis pas sur cette affaire, mais j'appartiens à la police et je sais que la PJ du coin recherche des baskets L'Abeille.

— Et celles-ci, je présume que ce sont des baskets L'Abeille. Je les considérais comme des chaussures.

— Elles ne portent pas de marque, sauf sur la languette. C'est un truc publicitaire du fabricant. On suppose qu'elles sont reconnaissables sans un étalage criard et vulgaire du nom. Mais si les vôtres en sont, il y aura une abeille jaune sur chaque talon. »

D'un élan vigoureux, Jonah leva les deux pieds sans répondre, les maintint en l'air quelques secondes, puis les laissa retomber.

Le silence dura quelques instants, puis l'homme demanda :

« Vous voulez dire que j'ai actuellement aux pieds les chaussures d'un assassin ?

— Ce sont peut-être, mais peut-être seulement, les chaussures qu'il portait quand la femme a été tuée. Vous voyez leur importance.

— Je serai certainement amené à m'en persuader par vous, ou par un de vos semblables.

— Avez-vous entendu parler du Siffleur du Norfolk ?

— C'est un oiseau ?

— Un criminel.

— Et ces chaussures sont à lui ?

— Il est mort et le dernier crime a été manigancé pour qu'il ait l'air d'en avoir été responsable. Vous n'allez pas me dire que vous n'avez jamais entendu parler de lui ?

— Je jette parfois un coup d'œil au journal quand j'ai besoin de papier pour des nécessités plus terre à terre. Il y en a plein dans les boîtes à ordures. Ils renforcent ma conviction que le monde n'est pas fait pour moi. Il semble que votre Siffleur m'ait échappé. » Il s'arrêta une seconde, puis reprit : « Qu'est-ce que je dois faire, maintenant ? Je suis entre vos mains. »

Dalgliesh dit : « Comme je vous l'ai indiqué, je ne suis pas sur cette affaire. J'appartiens à la police métropolitaine. Mais si ça ne vous ennuie pas de venir chez moi, je pourrais téléphoner au responsable. Ce n'est pas loin. J'habite le moulin de Larksoken, sur le cap. Et si vous voulez échanger ces baskets contre une paire de souliers à moi, je ne peux faire moins, me semble-t-il. Nous avons à peu près la même taille, il devrait bien y en avoir une paire qui vous irait. »

Jonah se mit sur pieds avec une agilité surprenante. Tandis qu'ils se dirigeaient vers la voiture, Dalgliesh dit : « Je n'ai pas le droit de vous questionner, je le sais, mais voudriez-vous satisfaire ma curiosité ? D'où les tenez-vous ?

— On me les a données par inadvertance, pourrait-on dire, dimanche soir. J'étais arrivé sur le cap après la tombée de la nuit et je me dirigeais vers mon abri habituel dans cette région. C'est la casemate de béton à moitié enterrée près de la falaise. Je crois qu'on appelle ça un bunker. Je suppose que vous connaissez.

— Je connais. Pas un endroit particulièrement salubre pour passer la nuit.

— J'ai connu mieux, certainement. Mais il a l'avantage de la discrétion. Le cap est à l'écart de l'itinéraire habituel des autres marcheurs. Je m'y rends en général une fois l'an et j'y reste un jour ou deux. La casemate est complètement étanche et comme la meurtrière est face à la mer, je peux allumer un petit feu sans craindre d'être découvert. Je pousse les débris de côté et je fais comme s'ils n'existaient pas. Une politique que je vous recommande.

— Vous y êtes allé tout droit ?

— Non, il se trouve que je suis passé au presbytère. Le vieux couple qui habite là est en général très obligeant et me permet d'utiliser le robinet. Je voulais remplir mon bidon. Or il n'y avait personne. Les fenêtres du bas étaient bien éclairées, mais personne n'a répondu à la sonnette.

— Il était quelle heure ? Vous rappelleriez-vous ?

— Je n'ai pas de montre et je me soucie peu de l'heure entre le lever et le coucher du soleil. Mais j'ai remarqué que l'horloge de l'église St Andrew, dans le village, indiquait huit heures et demie quand je suis passé. J'ai dû arriver au presbytère vers neuf heures et quart ou peu après.

— Qu'est-ce que vous avez fait à ce moment-là ?

— Je savais qu'il y avait un robinet dehors, près du garage. J'ai pris la liberté de remplir mon bidon sans permission. Je crois qu'ils ne m'auraient pas refusé un peu d'eau propre.

— Avez-vous vu une voiture ?

— Il y en avait une dans l'allée. Le garage était ouvert, mais comme je l'ai dit, je n'ai pas vu âme qui vive. Ensuite, je suis allé droit à l'abri. J'étais excessivement fatigué. J'ai bu un peu de l'eau, j'ai mangé une croûte de pain, un bout de fromage et je me suis endormi. Les souliers ont été jetés par la porte de la casemate durant la nuit. »

Dalgliesh dit : « Jetés plutôt que posés ?

— Je le pense. Toute personne entrant dans la casemate m'aurait vu. Il est bien plus vraisemblable qu'ils aient été jetés. Il y a une chaire devant une église d'Ipswich et, la semaine dernière, la pancarte disait : "Dieu donne son ver à chaque oiseau, mais il ne le jette pas dans le nid." Cette nuit-là, apparemment, il l'a fait.

— Et ils vous ont heurté sans vous réveiller ? Ils sont lourds.

— Vous parlez comme un policier, je vous l'ai dit. J'avais parcouru trente kilomètres, ce dimanche-là. J'ai la conscience tranquille et le sommeil profond. S'ils m'étaient tombés sur la figure, ils m'auraient certainement réveillé. Mais en fait, je les ai trouvés le lendemain matin en ouvrant l'œil.

— Bien rangés ?

— Pas du tout. Ce qui s'est passé, c'est qu'en m'éveillant je me suis retourné et allongé sur le dos. J'ai senti quelque chose de dur et j'ai craqué une allumette. Le corps étranger, c'était un des souliers ; j'ai trouvé l'autre près de mon pied.

— Ils n'étaient pas attachés ensemble ?

— S'ils l'avaient été, cher monsieur, il m'aurait été difficile d'en trouver un sous mon râble et l'autre à mes pieds.

— Et vous n'avez pas été intrigué ? Ces baskets étaient pratiquement neuves, pas du tout le genre de souliers qu'on jette n'importe où.

— Bien entendu, j'ai été intrigué. Mais contrairement aux membres de votre profession, je ne suis pas obsédé par la nécessité de trouver des explications. Il ne m'est pas venu à l'idée que la responsabilité m'incombait d'identifier leur propriétaire, ou de les porter au poste de police le plus proche. D'ailleurs je doute qu'on m'ait beaucoup remercié pour ma peine. J'ai pris avec reconnaissance ce que le destin ou Dieu m'octroyait. Mes vieux souliers étaient en fin de carrière. Vous les trouverez dans la casemate.

— Et vous avez mis ceux-ci ?

— Pas tout de suite. Ils étaient trop humides. J'ai attendu qu'ils soient secs.

— Humides par endroits ou partout ?

— Partout. Quelqu'un les avait lavés à fond, probablement sous un robinet.

— Ou en marchant dans la mer.

— Je les ai sentis. Ça n'était pas de l'eau de mer.

— Vous pouvez faire la différence ?

— Cher monsieur, j'ai encore l'usage de mes sens. Mon odorat est particulièrement développé. Je peux très bien distinguer l'eau de mer et celle du robinet. Je sais dans quelle contrée je suis d'après l'odeur de la terre. »

Ils tournèrent à gauche au carrefour et les ailes blanches du moulin surgirent. Ils restèrent un moment assis, dans un silence sociable.

Puis Jonah dit : « Vous avez peut-être le droit de savoir quel genre d'homme vous invitez sous votre toit. Je suis, monsieur, un de ces modernes bons à rien qu'on aurait autrefois envoyés aux colonies. Mais on est un peu plus nuancé aujourd'hui et d'ailleurs le bannissement loin des odeurs et des couleurs de l'Angleterre ne m'aurait pas convenu. Mon frère, modèle de rectitude civique et membre éminent de sa collectivité locale, vire mille livres par an de son compte sur le mien, à condition que je ne l'embarrasse jamais de ma présence. L'interdit, je dois dire, s'étend à la ville dont il est maire, mais comme lui-même et ses urbanistes ont détruit depuis longtemps le peu de caractère qu'elle avait, je l'ai rayée sans regret de mon itinéraire. Il est infatigable dans ses œuvres pies, et l'on peut considérer que je fais partie des bénéficiaires de sa charité distinguée. Il a été honoré par Sa Majesté — simplement un premier échelon dans l'ordre de l'Empire britannique, mais je suis sûr qu'il vise plus haut. »

Dalgliesh dit : « Il me semble que votre frère s'en tire bien.

— Vous seriez prêt à payer davantage pour vous assurer de mon absence perpétuelle ?

— Pas du tout. Je pense seulement que mille livres ne peuvent pas suffire à vous faire vivre et je me demande comment vous vous débrouillez. Mille livres comme rançon annuelle, c'est généreux, comme pension alimentaire c'est sûrement insuffisant.

— En toute équité, je dois dire que mon frère l'augmenterait volontiers pour suivre l'indice du coût de la vie. Il a un souci presque obsessionnel des convenances bureaucratiques. Mais je lui ai dit que vingt livres par semaine suffisaient amplement. Je n'ai ni maison, ni impôts, ni chauffage, ni éclairage, ni téléphone, ni voiture. Je ne pollue rien, ni mon corps, ni l'environnement. Un homme qui ne peut pas se nourrir avec trois livres par jour doit ou manquer d'initiative ou être l'esclave de désirs immodérés. Pour un paysan indien, ce serait du luxe.

— Un paysan indien aurait moins de difficultés pour se chauffer. Les hivers doivent être pénibles.

— Un hiver rigoureux est certes une épreuve d'endurance. Mais je ne me plains pas. Je ne me porte jamais si bien qu'en hiver. Et les allumettes ne coûtent pas cher. Je n'ai jamais appris ces trucs de boy-scout avec une loupe et des bouts de bois frottés. Heureusement, je connais une demi-douzaine de fermiers qui m'autorisent à coucher dans leur grange. Ils savent que je ne fume pas, que je suis soigneux, que le matin je serai parti. Mais il ne faut jamais abuser de la bonté humaine. Elle est comme un robinet défectueux, le premier jet peut être impressionnant, mais très vite c'est la panne sèche. J'ai mon programme annuel et ça aussi, ça les rassure. Dans une ferme à trente kilomètres d'ici, ils ne vont pas tarder à dire : "Est-ce que ça n'est pas le moment où Jonah va passer?" Ils m'accueillent même avec un certain soulagement. Si je suis encore en vie, eux aussi. Et je ne mendie jamais. Proposer de payer est bien plus efficace. "Est-ce que vous pourriez me vendre deux ou trois œufs et un demi-litre de lait?" dit à la porte de la ferme — à condition de tendre l'argent — vous vaut en général six œufs et un litre entier de lait. Pas nécessairement ce qu'il y a de plus frais, mais il ne faut pas trop attendre de la générosité humaine. »

Dalgliesh dit : « Et les livres?

— Ah là, monsieur, vous avez mis le doigt sur une difficulté. Je peux lire les classiques dans les bibliothèques publiques, encore qu'il soit parfois irritant d'être obligé de m'interrompre quand le moment est venu de partir. Sinon, je m'accommode des "poches" d'occasion sur les marchés. Un ou deux forains vous autorisent soit à échanger votre volume, soit à vous faire rembourser lors de la visite suivante. C'est une forme remarquablement bon marché de la bibliothèque de prêt; quant aux vêtements, il y a les œuvres de charité, Oxfam et ces boutiques si commodes qui se fournissent dans les surplus de l'armée. J'économise sur ma pension pour acheter un pardessus d'hiver tous les trois ans. »

Dalgliesh dit : « Depuis combien de temps vivez-vous ainsi?

— Près de vingt ans maintenant. La plupart des chemineaux sont lamentables parce qu'esclaves de leurs passions, en général la boisson. Un homme libre de tous les désirs humains, sauf boire, manger et dormir, est vraiment libre. »

Dalgliesh dit : « Pas entièrement, vous avez un compte en banque, semble-t-il, et vous tablez sur ces mille livres.

— C'est vrai. Vous pensez que je serais plus libre si je ne les prenais pas?

— Plus indépendant, peut-être. Vous pourriez avoir à travailler.

— Travailler, je ne peux pas, mendier, j'aurais honte. Heureusement, le Seigneur a mesuré le vent à la brebis tondue. Je serais navré de priver mon frère de la satisfaction que lui valent ses bienfaits. Il est vrai que j'ai un compte en banque pour recevoir ma subvention annuelle et dans cette mesure, je reste conformiste. Mais comme mes revenus dépendent de ma séparation d'avec mon frère, il me serait bien difficile de les recevoir personnellement et mon chéquier avec la carte en plastique qui l'accompagne a un effet extrêmement salutaire sur la police quand, ce qui arrive, elle a la présomption de s'intéresser à mes faits et gestes. »

Dalgliesh demanda : « Pas d'autres besoins ? Boisson ? Femmes ?

— Si par femmes vous entendez sexe, non. Je fuis la boisson et les femmes.

— Alors je pourrais vous objecter qu'un homme qui fuit n'est pas entièrement libre.

— Et je pourrais vous demander, monsieur, ce que vous fuyez dans ce coin perdu. Si c'est la violence de votre métier, alors vous avez été singulièrement malchanceux.

— Et maintenant, cette même violence a atteint votre vie. J'en suis désolé.

— Inutile. Un homme qui vit avec la nature est habitué à la violence et la mort est sa compagne. Il y a plus de violence dans une haie anglaise que dans les rues les plus chaudes d'une grande ville. »

En arrivant au moulin, Dalgliesh appela Rickards. Il n'était pas au poste de police, mais Oliphant qui y était annonça qu'il venait immédiatement. Puis Dalgliesh emmena Jonah au premier pour regarder la demi-douzaine de paires de souliers qu'il avait apportées. Pas de difficulté pour la pointure, mais Jonah les essaya toutes et les examina minutieusement, une par une, avant de faire son choix. Dalgliesh fut tenté de lui dire qu'une vie de simplicité et de renoncement ne lui avait pas fait perdre son goût pour le beau cuir. C'est avec quelque regret qu'il vit partir sa paire favorite — et la plus chère.

Jonah arpentait la chambre à coucher de long en large, fixant ses pieds avec complaisance. Il dit : « J'ai l'air d'avoir fait la bonne affaire. Les baskets venaient à un moment opportun, mais elles ne convenaient pas pour des marches sérieuses et j'avais l'intention de les remplacer à la première occasion. Les lois de la route sont peu nombreuses et simples, mais impératives. Je vous les recommande. Le ventre libre, un bain par semaine, laine ou coton sur la peau, cuir aux pieds. »

Quinze minutes plus tard, son invité, une grande tasse de café à la main, contemplait toujours ses pieds avec satisfaction. Oliphant ne tarda pas à arriver, seul avec son chauffeur. Il entra dans la pièce en y apportant une aura de menace et d'autorité virile, disant à Jonah, avant même que Dalgliesh eût fait les présentations : « Vous deviez bien savoir que vous n'aviez pas le droit de prendre ces baskets. Elles sont neuves. Le vol par appropriation d'un objet trouvé, vous connaissez ? »

Dalgliesh dit : « Un moment, brigadier. » Et prenant Oliphant à part, il lui souffla à voix basse : « Vous voudrez bien traiter Mr Jonah avec courtoisie. » Et avant que l'autre pût protester, il ajouta : « C'est bon, je vais vous éviter la peine de le dire. Ce n'est pas *mon* affaire, mais ce monsieur est mon invité. Si vos hommes avaient fouillé le cap plus à fond lundi, nous serions trois à avoir évité une situation gênante.

— Il est forcément suspect, monsieur. Il a les chaussures.

— Il a aussi un couteau et il reconnaît avoir été sur le cap dimanche soir. Traitez-le en suspect, si vous pouvez trouver un mobile, ou la preuve qu'il savait comment le Siffleur tuait, voire même qu'il existait. Mais pourquoi ne pas écouter ce qu'il a à dire avant de conclure à la légère qu'il est coupable ? »

Oliphant dit : « Coupable ou pas, Mr Dalgliesh,

c'est un témoin important. Je ne vois pas comment on peut le laisser s'en aller vagabonder à sa fantaisie.

— Et légalement, je ne vois pas comment vous pouvez l'en empêcher. Mais c'est votre problème, brigadier. »

Quelques minutes plus tard, Oliphant conduisit Jonah à sa voiture et Dalgliesh sortit pour lui dire au revoir. Avant de monter à l'arrière, le chemineau se tourna vers lui.

« Une mauvaise journée pour moi, Adam Dalgliesh. Dommage que je vous aie rencontré.

— Mais peut-être une bonne journée pour la justice.

— Oh, la justice ! C'est ça, votre fonds de commerce ? Il me semble que vous vous y prenez un peu tard. La planète Terre se rue vers son anéantissement. Ce bastion de ciment au bord d'une mer polluée déchaînera peut-être les ténèbres finales. Sinon ce sera quelque autre folie de l'homme. Il vient un moment où tout savant et Dieu même sont obligés de mettre fin à une expérience manquée. Ah, je vois un certain soulagement sur votre visage. Vous vous dites : "Bon, il est fou, ce chemineau. Plus besoin de le prendre au sérieux." »

Dalgliesh lui dit : « Mon esprit est d'accord avec vous. Mes gènes sont plus optimistes.

— Vous le savez. Nous le savons tous. Comment expliquer autrement la maladie de l'homme moderne ? Et quand l'obscurité définitive tombera, je mourrai, comme j'ai vécu, dans le premier fossé à peu près sec. » Puis il ajouta, avec un sourire étonnamment doux : « Vos souliers aux pieds, Adam Dalgliesh. »

41

La rencontre avec Jonah avait laissé Dalgliesh curieusement agité. Il ne manquait pas de choses à faire au moulin mais aucune ne le tentait. Son instinct le poussait à sauter dans sa Jaguar pour filer très vite et très loin, mais il avait trop souvent essayé cet expédient pour avoir la moindre confiance dans son efficacité. Au retour, il trouverait le moulin au même endroit et ses problèmes toujours en suspens. Aucune difficulté pour reconnaître la raison profonde de cette insatisfaction : l'implication frustrante dans une affaire qui ne serait jamais la sienne et dont il ne pouvait pourtant se détacher. Il se rappelait quelques mots dits par Rickards avant qu'ils se séparent, la nuit du meurtre. « Même si vous ne voulez pas vous en mêler, vous y êtes mêlé. Même si vous aviez voulu être à mille lieues du corps, vous étiez à côté. »

Il lui semblait bien avoir employé à peu près les mêmes mots avec un suspect dans l'une de ses enquêtes. Il commençait à comprendre pourquoi ils avaient été aussi mal accueillis. Sans réfléchir davantage, il ouvrit la porte du moulin et grimpa aux échelles pour arriver à la chambre du haut. C'était sans doute là que sa tante avait trouvé la paix. Peut-être un peu de cette sérénité perdue pourrait-elle pénétrer en lui. Mais s'il espérait ne pas être dérangé, il se trompait.

Tandis qu'il regardait par la fenêtre sud, il aperçut une bicyclette, d'abord trop éloignée pour qu'il pût reconnaître celui qui la montait, mais au bout de quelques instants, il sut : Neil Pascoe. Ils ne s'étaient jamais adressé la parole, mais comme tous les habitants du cap, ils se connaissaient de vue. L'homme semblait pédaler avec une pesante détermination, la tête penchée sur le guidon, les épaules en action. Mais arrivé près du moulin, il s'arrêta brusquement, posa les deux pieds par terre, regarda la maison comme s'il la voyait pour la première fois, puis se mit à pousser sa bicyclette sur les touffes d'herbe hirsutes.

L'espace d'une seconde, Dalgliesh fut tenté de laisser croire qu'il n'était pas là. Puis il se rendit compte que la Jaguar était garée à côté du moulin et que Pascoe avait pu voir son visage à la fenêtre. Quel que fût le but de cette visite, elle était apparemment de celles qu'on ne pouvait pas éviter. Il alla à la fenêtre au-dessus de la porte, l'ouvrit et cria : « Vous me cherchez ? »

Question de pure forme, car qui d'autre Pascoe pouvait-il bien compter trouver au moulin de Larksoken ? Regardant le visage tout en bas tourné vers lui, la mince barbe en pointe, Dalgliesh le vit curieusement diminué, en raccourci, silhouette vulnérable et plutôt pathétique accrochée à sa bicyclette comme pour se protéger.

Pascoe répondit, très fort car le vent chassait ses mots : « Je pourrais vous parler ? »

Une réponse honnête eût été : « Si c'est obligé. » Mais Dalgliesh eut le sentiment qu'il ne pouvait ni la faire sans paraître discourtois, ni la hurler plus fort que le bruit du vent. Il répondit donc : « Je descends. »

Pascoe appuya sa machine contre le mur du moulin et le suivit dans la salle de séjour.

Il dit : « Nous ne nous sommes pas vraiment rencontrés, mais vous avez sans doute entendu parler de moi. Je suis Neil Pascoe, de la caravane. Désolé de venir vous déranger alors que vous voudriez sûrement être tranquille. » Il paraissait aussi embarrassé qu'un camelot essayant de convaincre un éventuel client qu'il n'est pas un escroc.

Dalgliesh eut envie de dire : « Je voudrais bien un peu de tranquillité en effet, mais ça n'a pas l'air d'en prendre tournure. » Il demanda : « Café ? »

A quoi l'autre fit la réponse prévisible : « Si ça ne vous dérange pas trop.

— Du tout. J'allais en faire pour moi. »

Pascoe le suivit dans la cuisine et resta appuyé contre le chambranle dans une pose de décontraction fort peu convaincante, tandis que Dalgliesh moulait le café et mettait la bouilloire sur le feu, non sans se dire que depuis son arrivée au moulin, il passait un temps considérable à fournir vivre et couvert à des visiteurs importuns. Quand le bruit de la machine eut cessé, Pascoe dit, presque brutalement : « J'ai besoin de vous parler.

— Si c'est au sujet du meurtre, il faut vous adresser à l'inspecteur Rickards et pas à moi. Je ne suis pas le responsable dans cette affaire.

— Mais vous avez trouvé le corps.

— Ça pourrait, en certaines circonstances, me rendre suspect. Mais ça ne me donne pas le droit d'intervenir professionnellement dans l'enquête d'un collègue et en dehors de mon propre secteur. Mais vous le savez bien, vous n'êtes pas idiot. »

Pascoe, les yeux fixés sur le liquide bouillonnant, dit : « Je ne comptais pas que vous seriez ravi de me voir. Je ne serais pas venu si j'avais eu quelqu'un d'autre à qui parler. Il y a des choses que je ne peux pas discuter avec Amy.

— Soit, tant que vous n'oubliez pas à qui vous parlez.

— Un policier. C'est comme le sacerdoce, n'est-ce pas ? Toujours en service. Prêtre *in aeternum*.

— Ça n'est pas du tout comme le sacerdoce, justement. Aucune garantie du secret de la confession et pas d'absolution. C'est ce que j'essaie de vous faire comprendre. »

Le silence tomba tandis que Dalgliesh versait le café dans les deux tasses et les portait dans la salle de séjour. Pascoe prit la sienne, mais apparemment sans bien savoir quoi en faire ; il restait là, à la tourner entre ses mains, sans boire, les yeux fixés sur elle. Au bout d'un moment, il se décida : « C'est au sujet de Toby Gledhill, le garçon qui s'est tué à la centrale. »

Dalgliesh dit : « J'ai entendu parler de lui.

— Alors je pense que vous savez comment il est mort. Il s'est jeté sur le haut du réacteur et il s'est tué. Un vendredi, le 12 août. Deux jours avant, le mercredi, il était venu me voir vers huit heures du soir. J'étais seul dans la caravane. Amy avait pris la fourgonnette pour aller faire des courses à Norwich et elle m'avait dit qu'elle voulait voir un film, qu'elle rentrerait tard. Je gardais Timmy. Alors il y a eu ce coup à la porte et je l'ai vu. Je le connaissais, bien sûr, du moins je savais qui il était. Je l'avais vu à une

393

ou deux de ces journées portes ouvertes à la centrale. Je m'arrange en général pour y aller. Ils ne peuvent pas m'en empêcher et ça me donne l'occasion de poser une ou deux questions gênantes, histoire de contrer leur propagande. Et je crois qu'il assistait à une ou deux des réunions de la commission d'enquête sur le nouveau réacteur à eau pressurisée. Mais bien sûr, je ne l'avais jamais vraiment rencontré. Je me demandais ce qu'il pouvait me vouloir, mais enfin je l'ai fait entrer et je lui ai offert une bière. J'avais allumé le poêle parce qu'il y avait des tas d'affaires de Timmy qui avaient besoin de sécher, si bien qu'il faisait très chaud et plutôt humide dans la caravane. Quand je repense à cette soirée, j'ai l'impression de le voir à travers un nuage de buée. Après la bière, il m'a demandé si on ne pourrait pas sortir. Il avait l'air agité, comme si la caravane le rendait claustrophobe, et il m'a demandé plusieurs fois quand Amy devait rentrer. Alors j'ai pris Timmy dans le sac à dos et on est parti se promener le long de la grève. C'est seulement en arrivant aux ruines de l'abbaye qu'il m'a dit pourquoi il était venu. C'est sorti tout de go, sans préambule. Il en était arrivé à la conclusion que la puissance nucléaire était dangereuse et qu'il ne faudrait plus construire de centrales tant que le problème des déchets radioactifs n'aurait pas été résolu. Il a employé une expression assez bizarre : "Ça n'est pas seulement dangereux, c'est corrupteur." »

Dalgliesh demanda : « Vous a-t-il dit comment il en était arrivé à cette conclusion ?

— Je crois que ça devait faire longtemps qu'elle se préparait et Tchernobyl a probablement précipité les choses. Il m'a dit qu'il y avait un fait récent qui l'avait aidé à se décider et qu'il me dirait ce que c'était quand il aurait eu plus de temps pour réfléchir. Je lui ai demandé s'il se contenterait de quitter sa situation, ou s'il était prêt à nous aider. Il m'a dit que démissionner ne serait pas suffisant, et qu'il lui faudrait nous aider. C'était très difficile pour lui, il admirait ses collègues, il avait de l'amitié pour eux, c'étaient des physiciens très intelligents qui avaient foi en ce qu'ils faisaient, mais lui ne pouvait plus y croire. Il n'avait pas encore envisagé la marche à suivre, pas très clairement en tout cas. Il était dans l'état d'esprit où je suis en ce moment. Il avait besoin de parler à quelqu'un et je suppose que j'étais pour lui la personne la plus indiquée. Il avait entendu parler du PCPN, bien entendu. » Il leva la tête pour regarder Dalgliesh et dit assez naïvement : « Ça signifie le Peuple contre la Puissance Nucléaire. Quand il a été question de construire un nouveau réacteur, ici, j'ai formé un petit groupe d'opposants dans le voisinage. Je veux dire un groupe de résidants quelconques, pas les organisations nationales puissantes. Ça n'a pas été facile. La plupart des gens essaient de faire comme si la centrale n'était pas vraiment là. Et puis, bien sûr, il y en a beaucoup qui en sont ravis parce qu'elle crée quelques emplois, c'est vrai, et de la clientèle pour les commerçants. D'ailleurs, la plus grande partie de l'opposition au nouveau réacteur n'était pas locale ; c'étaient des gens du CND, des Amis de la Terre, et de Green Peace. Bien entendu, on les accueillait volontiers. Ce sont eux qui ont l'artillerie lourde. Mais je trouvais que c'était important d'avoir quelque chose ici et je pense que je suis très indépendant. J'aime bien faire les choses à mon idée. »

Dalgliesh dit : « Et Gledhill aurait été une fameuse recrue pour vous. » Les mots étaient presque brutaux dans leur sous-entendu.

Pascoe rougit et le regarda dans les yeux : « Il y avait ça aussi. Je pense que je m'en suis rendu compte. Je n'étais pas désintéressé. C'est-à-dire que je me rendais compte des répercussions que son passage dans mon camp pourraient avoir. Mais j'étais flatté, oui, qu'il se soit adressé à moi en premier. Le PCPN n'a pas fait grand bruit en réalité. Je devine ce que vous pensez, que j'aurais fait plus de bien à la cause en me joignant à un groupe de pression existant qu'en me souciant d'abord de flatter ma vanité. Vous auriez raison. »

Dalgliesh demanda : « Est-ce que Gledhill vous a dit s'il avait parlé à quelqu'un de la centrale ?

— Il m'a dit que non, pas encore. Je crois que c'est ça qu'il redoutait le plus. En particulier l'idée d'en parler à Miles Lessingham. Pendant que nous marchions le long de la grève avec Timmy à moitié endormi sur mon dos, il se sentait libre de s'exprimer et je crois que c'était un soulagement pour lui. Il m'a dit que Lessingham l'aimait ; lui-même n'était pas gay mais ambivalent. Seulement, il admirait énormément Lessingham et il sentait qu'il le trahissait d'une certaine façon. Il donnait l'impression d'être en plein désarroi — sa position au sujet de la puissance atomique, sa vie privée, tout, absolument tout était à la dérive. »

Soudain, Pascoe sembla s'apercevoir qu'il avait sa tasse de café dans la main et se mit à boire à grosses gorgées bruyantes comme un homme torturé par la soif. La tasse vidée il la posa sur le sol et s'essuya la bouche du revers de la main.

Il dit : « C'était une nuit chaude après une journée pluvieuse, la nuit de la nouvelle lune. Drôle que je me rappelle ça. Nous marchions juste au-dessus de la laisse de mer, sur les galets. Et puis tout à coup, elle a surgi hors de l'écume, Hilary Robarts ; elle ne portait que le bas de son bikini et elle est restée là un instant, l'eau ruisselant de ses cheveux, baignée par cette lumière irréelle qui semble émaner de la mer, les nuits étoilées. Ensuite elle a remonté lentement la grève, vers nous. Je suppose que nous restions figés sur place, comme fascinés. Elle avait allumé un petit feu de brindilles sur la plage et nous nous sommes approchés de lui tous les trois. Elle a ramassé sa serviette, mais sans s'envelopper dedans. Elle était — elle était merveilleuse, avec les gouttelettes d'eau qui brillaient sur sa peau et ce médaillon entre les seins. Je sais que ça a l'air ridicule, mais elle avait l'air d'une déesse jaillie de la mer. Sans faire la moindre attention à moi elle a regardé Toby et lui a dit : "Contente de vous voir, Toby. Si vous veniez chez moi prendre un verre et un petit souper ?" Des mots tellement ordinaires. Des mots qui semblaient inoffensifs. Mais qui ne l'étaient pas. Je ne crois pas qu'il pouvait lui résister. Moi je n'aurais pas pu non plus. Pas à ce moment-là. Et je savais exactement ce qu'elle faisait, et elle le savait aussi. Elle lui demandait de faire un choix. De mon côté, rien que des ennuis, une situation perdue, l'angoisse, peut-être même le déshonneur. De son côté à elle, sécurité, réussite professionnelle, respect de ses pairs, des collègues. Et l'amour. Je crois qu'elle lui offrait l'amour. Je savais ce qui se passerait au cottage s'il y allait et il le savait aussi. Mais il y est allé. Il ne m'a même pas dit au revoir. Elle a jeté la serviette sur son épaule et elle nous a tourné le dos, absolument sûre qu'il la suivrait. Il l'a suivie. Et deux jours plus tard, le vendredi 12 août, il s'est tué. Je ne sais pas ce qu'elle lui a dit. Personne ne le saura maintenant, mais je crois qu'après cette rencontre-là, il était à bout. Elle ne l'a peut-être même pas menacé, mais sans cette rencontre sur la plage, je crois qu'il serait encore vivant aujourd'hui. Elle l'a tué.

— Rien de tout ça n'a été révélé à l'enquête publique.

— Non, rien. Il n'y avait aucune raison pour que ça le soit. Je n'ai pas été cité comme témoin. Tout a été traité avec la plus grande discrétion. Alex Mair tenait beaucoup à ce qu'il n'y ait aucune publicité. Comme vous l'avez probablement noté, il n'y en a presque jamais quand il survient un pépin dans une centrale atomique. Ils sont tous devenus champions du camouflage.

— Et pourquoi me parlez-vous de tout ça ?

— Je veux être sûr que c'est une chose dont Rickards doit obligatoirement être informé. Mais je suppose qu'en réalité, je vous en parle parce que j'ai besoin de partager avec quelqu'un. Je ne sais pas trop pourquoi je vous ai choisi. Désolé. »

Une réponse exacte encore que malveillante eût été : « Vous m'avez choisi dans l'espoir que je me chargerais d'avertir Rickards, vous en épargnant ainsi la responsabilité. » Au lieu de cela, Dalgliesh dit : « Vous vous rendez bien compte que l'inspecteur Rickards doit absolument avoir cette information ?

— Vraiment ? C'est ce dont je veux être sûr. Je pense que c'est la crainte habituelle quand on a affaire à la police. Quel usage va-t-elle en faire ? Va-t-elle se fourvoyer ? Va-t-elle faire porter ses soupçons sur quelqu'un qui pourrait être innocent ? Je pense que vous devez avoir confiance dans l'intégrité de la police, sinon vous ne continueriez pas à être détective. Mais nous, les autres, nous savons que les choses peuvent mal tourner, des innocents être harcelés et des coupables échapper, que la police n'est pas toujours aussi scrupuleuse qu'elle prétend l'être. Je ne vous demande pas de le lui dire à ma place. Je ne suis pas niais à ce point. Mais je ne vois vraiment pas quel rapport ça peut avoir avec votre enquête. Ils sont morts tous les deux. Je ne vois pas comment le fait de parler à Rickards de cette rencontre peut aider à arrêter l'assassin de Miss Robarts. Et ça ne leur rendra pas la vie, ni à l'un ni à l'autre. »

Dalgliesh remplit de nouveau la tasse de Pascoe. Puis il dit : « Bien sûr que ça a un rapport. Vous laissez entendre que Hilary Robarts a peut-être voulu obtenir par le chantage que Gledhill garde sa situation. Si elle a pu utiliser ce procédé avec une personne, elle a pu l'utiliser avec une autre. Tout ce qui la touche peut avoir des rapports avec sa mort. Et ne vous inquiétez pas trop pour les innocents suspectés. Je ne vais pas prétendre qu'ils ne souffrent pas lors d'une enquête criminelle. Bien sûr que si. Personne parmi ceux qui ont été fût-ce effleurés par un assassinat ne s'en tire absolument indemne. Mais l'inspecteur Rickards n'est ni stupide ni malhonnête. Il n'utilisera que ce qui peut faire avancer ses investigations et c'est à lui de décider ce qui est pertinent et ce qui ne l'est pas.

— Je pense que c'est ça que je voulais entendre pour me rassurer. Bon, je vais lui dire. »

Il termina très vite son café, comme s'il avait hâte de partir ; et après un bref mot d'adieu enfourcha sa bicyclette et se mit à pédaler furieusement, tête baissée pour lutter contre le vent. Dalgliesh remporta les deux tasses dans la cuisine, très songeur. Le tableau de Hilary Robarts sortant de la mer telle une déesse étincelante avait été remarquablement brillant, mais un détail était faux. Pascoe avait parlé du médaillon reposant entre ses seins. Or, il se rappelait les mots d'Alex Mair tandis qu'il regardait le corps : « Ce médaillon à son cou, je le lui ai donné le 29 août pour son anniversaire. » Elle n'avait pas pu le porter le mercredi 10 août. Pascoe avait certainement vu Hilary Robarts sortir de la mer avec le médaillon entre ses seins nus, mais ça ne pouvait pas avoir été le 10 août.

LIVRE SIX

Samedi 1er octobre
à jeudi 6 octobre

42

Jonathan avait décidé d'attendre le samedi pour aller poursuivre ses investigations à Londres. Sa mère serait moins portée à le questionner sur une visite au musée des Sciences pendant le week-end que sur une journée de congé qui provoquait toujours méfiance et curiosité. Mais il jugea prudent de passer effectivement une demi-heure au musée avant de se lancer en direction de Pont Street et trois heures avaient sonné quand il arriva devant l'immeuble qui l'intéressait. Une constatation frappait aussitôt : aucune personne habitant dans cet immeuble et employant une gouvernante ne pouvait être pauvre. Il faisait partie d'un imposant ensemble victorien, moitié brique moitié pierre, avec des colonnes de chaque côté d'une porte noire étincelante et des ornements de verre rappelant des cols de bouteilles verts dans les deux fenêtres du rez-de-chaussée. Par la porte ouverte, il apercevait un hall carré dallé de marbre blanc et noir, le départ d'une rampe d'escalier en fer forgé et la porte d'un ascenseur dans une cage dorée. A droite, un portier en uniforme se tenait derrière un bureau. Soucieux de ne pas paraître rôder, il s'éloigna rapidement pour réfléchir à la démarche suivante.

En un certain sens, il n'y en avait besoin d'aucune, sinon trouver la station de métro la plus proche, retourner à Liverpool Street et prendre le premier train pour Norwich. Il avait rempli son objectif, il savait que Caroline lui avait menti. Il se dit qu'il aurait dû se sentir indigné et désolé à la fois par le mensonge et par la duplicité dont il avait fait preuve pour le découvrir. Il avait cru l'aimer. Il l'avait aimée. Depuis un an, rarement une heure s'était écoulée sans qu'il pensât à elle. Cette beauté blonde, froide et lointaine l'avait fasciné. Il avait attendu comme un écolier dans les coins des corridors où elle pouvait passer, il avait attendu l'heure du lit avec impatience parce qu'il pouvait y rester couché sans être dérangé et s'abandonner à ses fantasmes érotiques secrets. Sûrement ni l'acte physique de la possession, ni la découverte de la tromperie ne pouvaient détruire l'amour. Alors, pourquoi la confirmation de cette mauvaise action lui était-elle presque agréable ? Il aurait dû être ravagé, or il était empli d'une satisfaction bien proche du triomphe. Elle avait menti, presque négligemment, sûre qu'il était trop amoureux, trop asservi, trop stupide pour mettre en doute l'histoire qu'elle avait racontée. Mais désormais, avec la découverte de la vérité, l'équilibre de la puissance s'était subtilement modifié dans leurs rapports. Il ne savait pas encore au juste quel usage il allait faire du renseignement ; il avait trouvé l'énergie et le courage pour agir, mais aurait-il le courage de la mettre en face de la découverte qu'il venait de faire ? C'était une autre affaire.

Il se rendit rapidement jusqu'à l'extrémité de Pont Street, les yeux fixés sur les pavés, puis il revint sur ses pas en essayant de mettre de l'ordre dans ses émotions houleuses, si emmêlées qu'elles semblaient se bousculer pour occuper la première place : soulagement, regret, dégoût, triomphe. Et tout avait été si facile : tous les obstacles redoutés, depuis le contact avec une agence de renseignements privée jusqu'au prétexte indispensable pour passer une journée à Londres, avaient été surmontés avec plus de facilité qu'il ne l'eût jamais cru possible. Alors pourquoi ne pas risquer un pas de plus ? Pourquoi ne pas faire en sorte que la conclusion soit inattaquable? Il connaissait le nom de la gouvernante, Miss Beasley. Il pourrait demander à la voir, lui dire qu'il avait rencontré Caroline un an ou deux plus tôt, à Paris peut-être, avait perdu son adresse et souhaitait renouer les relations. S'il s'en tenait à une histoire simple et résistait à la tentation de broder, pas de danger possible. Il savait que Caroline avait passé l'été de 1986 en France, l'année où lui aussi s'y était trouvé. C'était l'un des détails qui étaient ressortis de conversations lors de leurs premiers rendez-vous, bavardages inoffensifs sur les voyages et la peinture, tentatives pour trouver un terrain commun, un intérêt partagé. Enfin il était au moins allé à Paris, il avait vu le Louvre, il pouvait dire qu'ils s'étaient rencontrés là.

Il avait besoin d'un faux nom, bien sûr. Le prénom de son père ferait l'affaire, Percival, Charles Percival. Mieux valait prendre quelque chose d'un peu rare, l'imposture serait moins évidente. Il dirait qu'il habitait Nottingham, il connaissait la ville où il était allé à l'université; pouvoir décrire ces rues familières rendait la fabrication crédible. Il avait besoin d'enraciner ses mensonges dans un semblant de vérité. Il dirait qu'il y travaillait dans un hôpital ou un laboratoire. S'il y avait d'autres questions, il pourrait les parer. Mais pourquoi y en aurait-il?

Il entra dans le hall avec assurance. Seulement la veille, il aurait eu du mal à regarder le portier dans les yeux, mais désormais, convaincu du succès, il dit: «Je viens voir Miss Beasley; appartement 3. Voulez-vous dire que je suis un ami de Miss Caroline Amphlett?»

L'homme quitta un instant la réception pour entrer dans son bureau et téléphoner. Jonathan songea qu'il aurait bien pu monter tout droit et sonner, mais il se rendit compte que le portier appellerait aussitôt Miss Beasley pour lui recommander de ne pas ouvrir. Il y avait bien quelques mesures de sécurité, mais pas particulièrement sévères.

L'autre revint au bout d'une demi-minute. «C'est bien, monsieur. Vous pouvez monter. C'est au premier.»

Il ne prit pas l'ascenseur. La double porte en acajou avec le numéro en cuivre verni, les deux serrures de sécurité et le judas au milieu, se trouvait sur le devant de la maison. Il se lissa les cheveux, puis sonna et s'obligea à regarder le judas, l'air plus ou moins à l'aise. Pas un bruit dans l'appartement et, tandis qu'il attendait, la porte semblait se métamorphoser en une impressionnante barricade que seul un prétentieux imbécile essaierait de forcer. Pendant une seconde, il dut lutter contre l'envie de fuir. Mais alors il y eut un faible cliquetis de chaîne, la clef tourna dans la serrure et la porte s'ouvrit.

Depuis qu'il avait décidé de venir voir cet appartement, il s'était trop préoccupé de fabriquer son histoire pour penser beaucoup à Miss Beasley. Le terme de gouvernante évoquait pour lui une femme d'âge moyen, sobrement vêtue, au pire un peu condescendante et intimidante, au mieux déférente, bavarde et empressée. La réalité était si bizarre qu'il sursauta, puis rougit de s'être ainsi trahi. Elle était petite, très mince, avec des cheveux roux aux racines blanches, visiblement teints, qui tombaient tout raides en casque jusqu'à ses épaules. Ses yeux vert pâle, immenses, étaient à fleur de tête, les paupières inférieures retournées et injectées de sang, si bien que les globes semblaient nager dans une blessure ouverte. Sa peau très blanche était gaufrée d'innombrables petites rides; sauf sur les pommettes saillantes où elle était tendue comme du parchemin. Contrastant avec cette fragilité sans fard, la bouche était une mince balafre rouge écarlate. Elle avait des escarpins à talons hauts, un kimono, et portait un petit chien presque sans poils aux yeux exorbités, son cou mince entouré d'un collier pavé de verroterie. Pendant quelques secondes elle resta là, immobile, le chien pressé contre sa joue.

Jonathan, qui sentait s'évanouir rapidement l'assurance économisée avec tant de soin, dit : « Excusez-moi de vous déranger. Je suis un ami de Miss Caroline Amphlett et je cherche à la retrouver.

— Eh bien, vous ne la trouverez pas ici. » La voix,

qu'il reconnut, était inattendue chez une femme si frêle, grave, un peu enrouée et pas désagréable.

Il dit : « Je serais bien désolé si je m'étais trompé d'Amphlett. Vous comprenez, Caroline m'a donné son adresse il y a deux ans, mais je l'ai perdue, alors j'ai pris l'annuaire du téléphone.

— Je n'ai pas dit que vous vous étiez trompé d'Amphlett, seulement que vous ne la trouverez pas ici. Mais vous avez l'air assez inoffensif et il est évident que vous n'êtes pas armé. Alors, entrez. On ne peut pas être trop prudent en ces temps de violence. Mais Baggott est très sûr. Il n'y a pas beaucoup d'imposteurs qui lui échappent. Êtes-vous un imposteur, Mr... ?

— Percival. Charles Percival.

— Vous voudrez bien excuser mon déshabillé, Mr Percival, mais normalement je n'attends pas de visiteurs l'après-midi. »

Il traversa à sa suite un vestibule carré et franchit une porte à deux battants pour entrer dans ce qui était visiblement le salon. D'un geste impérieux elle lui désigna un divan placé devant la cheminée, inconfortablement bas et aussi moelleux qu'un lit. Lentement, comme si elle s'appliquait à prendre son temps, elle se plaça en face de lui dans un élégant fauteuil à haut dossier, installa le chien sur ses genoux et le dévisagea avec l'intensité sérieuse d'un inquisiteur. Il se rendait compte qu'il devait avoir l'air aussi gauche et mal à l'aise qu'il l'était dans la réalité, les cuisses enfoncées dans la mollesse du coussin, ses genoux pointus presque sur le menton. Le chien, aussi nu que s'il avait été écorché, agité d'un tremblement perpétuel comme s'il mourait de froid, tournait alternativement ses yeux exophtalmiques vers le visiteur et vers elle : le collier de cuir avec ses gros cabochons rouges et bleus semblait bien lourd pour son cou maigre.

Jonathan résista à la tentation de regarder autour de lui, et pourtant chaque élément du décor pénétra dans sa conscience : la cheminée de marbre surmontée du portrait en pied d'un officier victorien, visage pâle et arrogant, avec une boucle blonde tombant presque jusqu'à la joue, qui ressemblait à Caroline d'une façon hallucinante, les quatre fauteuils aux sièges brodés rangés contre le mur, le parquet ciré aux tapis ridés, la table en forme de tambour au centre de la pièce, et les consoles chargées de photographies dans leurs cadres d'argent. Une forte odeur de peinture et de térébenthine donnait à penser que quelque part dans l'appartement on refaisait une pièce.

Son examen terminé, la femme parla. « Alors, vous êtes un ami de Caroline ? Vous m'étonnez : Mr..., Mr... J'ai déjà oublié votre nom. »

Il dit fermement : « Percival. Charles Percival.

— Moi je suis Miss Oriole Beasley. Je suis la gouvernante ici. Comme je vous l'ai dit, vous m'étonnez, Mr Percival. Mais si vous me dites que vous êtes un ami de Caroline, bien entendu, je vous crois sur parole.

— Je n'aurais peut-être pas dû dire un ami. Je ne l'ai rencontrée qu'une fois à Paris en 1986. Nous avons visité le Louvre ensemble, mais j'aimerais la revoir. Elle m'avait bien donné son adresse, mais je l'ai perdue.

— Quelle négligence ! Alors vous attendez deux ans, et puis tout à coup vous décidez de la chercher. Pourquoi maintenant, Mr Percival ? Vous êtes parvenu, semble-t-il, à maîtriser votre impatience pendant deux ans. »

Il savait bien qu'il devait lui paraître gêné, timide et mal à l'aise. Mais c'était sûrement ce qu'elle attendait d'un homme assez naïf pour croire qu'il pourrait ranimer une passion morte et si éphémère. Il dit : « C'est simplement que je suis à Londres pour quelques jours. Je travaille à l'hôpital de Nottingham. Je n'ai pas souvent l'occasion de descendre dans le Sud. Alors, comme ça, sans réfléchir, j'ai eu envie d'essayer de retrouver Caroline.

— Comme vous le voyez, elle n'est pas ici. Elle n'a plus habité ici en fait depuis l'âge de dix-sept ans et comme je ne suis que la gouvernante, ce n'est pas à moi de donner des renseignements sur le domicile des membres de la famille à des questionneurs occasionnels. Est-ce que vous vous décririez comme un questionneur occasionnel, Mr Percival ? »

Jonathan dit : « C'est peut-être l'effet que je produis. En réalité, c'est simplement que j'ai trouvé le nom dans l'annuaire du téléphone et j'ai pensé que cela vaudrait la peine d'essayer. Bien sûr, elle ne souhaiterait peut-être pas me revoir.

— Plus que probable, j'imagine. Et bien sûr, vous avez des papiers, quelque chose qui confirme que vous êtes Mr Charles Percival de Nottingham ? »

Jonathan dit : « Non, pas vraiment. Je crains bien...

— Pas même une carte de crédit ou un permis de conduire ? Vous semblez vous être singulièrement mal préparé à votre visite, Mr Percival. »

Quelque chose dans la voix grave, arrogante, le mélange d'insolence et de mépris le touchèrent au vif. Il dit : « Je ne suis pas l'employé du gaz. Je ne vois pas pourquoi j'aurais besoin d'établir mon identité. Je voulais juste me renseigner. J'espérais la voir, elle ou Mrs Amphlett. Si je vous ai froissée, je vous prie de m'en excuser.

— Vous ne m'avez pas froissée. Si je me froissais facilement, je ne travaillerais pas pour Mrs Amphlett. Mais malheureusement vous ne pourrez pas la voir. Mrs Amphlett se rend en Italie vers la fin de septembre, puis de là, par avion, en Espagne pour l'hiver. Je suis étonnée que Caroline ne vous l'ait pas dit. En son absence, je garde l'appartement. Mrs Amphlett n'aime ni la mélancolie de l'automne ni le froid de l'hiver. Une femme riche n'est pas obligée de les subir. Je suis sûre que vous en êtes convaincu, Mr Percival. »

Enfin l'ouverture qu'il attendait. Il se força à regarder ces terribles yeux rouges et dit : « Je croyais que Caroline m'avait dit que sa mère était pauvre, qu'elle avait perdu tout l'argent investi dans la fabrique de plastique de Peter Robarts ? »

L'effet de ces mots fut extraordinaire. Elle devint

écarlate, la tache marbrée remontant comme une éruption du cou au front. Il parut à Jonathan qu'un long moment s'écoulait avant qu'elle pût parler, mais quand elle le fit, sa voix était parfaitement maîtrisée.

— Ou vous avez fait exprès de ne pas comprendre, Mr Percival, ou votre mémoire n'est pas plus sûre pour les renseignements financiers que pour les adresses. Caroline n'a rien pu vous dire de semblable. Sa mère a hérité une fortune de son grand-père et elle n'en a jamais perdu un sou. C'est mon petit capital — dix mille livres, si ça peut vous intéresser — qui a été bien malencontreusement investi dans les entreprises de ce coquin si beau parleur. Mais Caroline n'aurait pas confié cette petite tragédie personnelle à un étranger. »

Il ne put rien trouver à dire, aucune explication plausible à donner, pas d'excuse. Caroline avait menti et il se sentit, l'espace d'un instant, englouti dans un accès de dépression écrasant, la conviction que la preuve de la perfidie de Caroline avait été payée terriblement cher. Mais cela ne dura pas.

Il y eut un silence pendant lequel elle continua à le dévisager, mais sans parler. Puis soudain : « Que pensiez-vous de Caroline ? Elle a évidemment fait une forte impression sur vous, sinon vous ne souhaiteriez pas renouer avec elle. Et sans aucun doute vous avez beaucoup pensé à elle pendant deux ans.

— Je pense — je pensais qu'elle était très jolie.

— Oui, n'est-ce pas ? Je suis heureuse que vous pensiez cela. J'étais sa nurse, sa nanny s'il faut employer cette expression ridicule. On pourrait dire que je l'ai élevée. Ça vous étonne ? Je ne ressemble pas au portrait type de la nanny, genoux bien chauds, poitrine empesée, bras enveloppeurs, prières le soir, mange ton pain ou tes cheveux ne friseront pas. Mais j'avais ma méthode — Mrs Amphlett accompagnait le général dans ses garnisons au-delà des mers et nous restions là toutes les deux. Mrs Amphlett estimait qu'un enfant doit jouir d'une grande stabilité à condition qu'on ne compte pas sur elle pour l'assurer. Bien entendu, si Caroline avait été un garçon, ça aurait tout changé. Les Amphlett n'ont jamais apprécié les filles. Caroline a bien eu un frère, mais il a été tué, à l'âge de quinze ans, dans la voiture d'un ami ; elle était aussi avec eux, mais elle s'en est tirée sans une égratignure. Je crois que ses parents ne le lui ont jamais pardonné. Ils ne l'ont jamais regardée sans faire comprendre clairement que c'était elle qui aurait dû être tuée. »

Jonathan se dit qu'il ne voulait pas écouter ça. Il coupa : « Elle ne m'a jamais dit qu'elle avait eu un frère, mais elle m'a parlé de vous.

— Vraiment ? Elle vous a parlé de moi. Alors là, vous m'étonnez vraiment, Mr Percival. Pardonnez-moi, mais vous êtes bien la dernière personne à qui j'aurais pensé qu'elle ferait ce genre de confidence. »

Il se dit qu'elle savait ; elle ne savait pas la vérité, mais elle savait qu'il n'était pas Charles Percival de Nottingham. Et il lui sembla, en rencontrant ces yeux extraordinaires où le mélange de la méfiance et du dédain se lisait si clairement, qu'elle était l'alliée de Caroline dans une conspiration féminine dont il avait été dès le début la victime impuissante et méprisée. L'idée jeta de l'huile sur sa colère et lui donna de la force, mais il ne dit rien.

Au bout d'un moment, elle reprit : « Mrs Amphlett m'a gardée après le départ de Caroline et même après la disparition du général. Mais disparaître n'est pas un euphémisme approprié pour un militaire. Je devrais peut-être dire appelé à un service plus élevé, rappelé sous le drapeau, promu à la gloire. Mais est-ce que ça n'est pas l'Armée du Salut plutôt ? J'ai l'impression qu'il n'y a que l'Armée du Salut qui est promue à la gloire. »

Il dit : « Caroline m'avait bien dit que son père était militaire de carrière.

— Elle n'a jamais été très portée aux épanchements mais vous semblez avoir gagné sa confiance, Mr Percival. Alors maintenant je me qualifie volontiers de gouvernante plutôt que de nanny. Mon employeuse trouve beaucoup de choses à me faire faire, même quand elle n'est pas ici. Ça ne serait pas bien du tout que nous nous amusions à Londres, Maxie et moi, en vivant sur l'argent de l'entretien, n'est-ce pas, Maxie ? Oh, non. Un peu de couture. Le courrier à réexpédier. Les factures à payer. L'appartement à rénover. Mrs Amphlett déteste l'odeur de peinture. Et puis, bien sûr, Maxie à sortir tous les jours. Les chenils ne lui réussissent jamais, hein, mon trésor ? Je me demande ce que je deviendrai quand Maxie sera promu à la gloire. »

Que pouvait-il dire ? Rien, et apparemment elle n'attendait rien. Après un moment de silence pendant lequel elle prit la patte du chien pour la frotter doucement contre sa joue, elle dit : « Les anciens amis de Caroline ont l'air bien pressés de reprendre contact avec elle tout d'un coup. Quelqu'un l'a demandée au téléphone pas plus tard que mardi ou mercredi. Mais c'était peut-être vous, Mr Percival ?

— Non, dit-il, stupéfait de l'aisance avec laquelle il mentait. Non, je n'ai pas téléphoné. J'avais jugé préférable de tenter ma chance tout simplement et de venir la voir.

— Mais vous saviez où aller. Vous connaissiez mon nom. Vous l'avez donné à Baggott. »

Il n'allait pas se laisser prendre aussi facilement. Il dit : « Je m'en souvenais. Comme je vous l'ai dit, Caroline m'a parlé de vous.

— Il aurait été prudent de téléphoner d'abord. J'aurais pu vous expliquer qu'elle n'était pas là et ça vous aurait fait gagner du temps. Comme c'est bizarre que vous n'y ayez pas pensé ! Mais cet autre ami avait une voix très différente. Écossais, je pense. Excusez-moi, Mr Percival, mais votre voix n'a ni caractère ni personnalité. »

Jonathan dit : « Si vous n'estimez pas que vous pouvez me donner l'adresse de Caroline, je ferais mieux de m'en aller. Désolé de vous avoir dérangée.

— Pourquoi ne pas lui écrire une lettre, Mr Percival ? Je vous donnerai du papier. Je pense que ça ne serait pas bien de vous communiquer son adresse, mais vous pouvez être sûr que je lui posterai toutes les communications que vous voudrez bien me confier.

— Elle n'est donc pas à Londres.

— Non, voilà plus de trois ans qu'elle n'habite plus Londres et dix-sept ans qu'elle a quitté cet appartement. Mais je sais où elle est. Nous gardons le contact. »

Il se dit que le piège était un peu gros ; aucun écrit ne devait subsister de sa main. Caroline reconnaîtrait l'écriture, même s'il la déguisait. Il dit : « J'écrirai plus tard, quand j'aurai eu le temps de réfléchir à ce que je veux lui dire. Si j'envoie ma lettre à cette adresse, vous pourrez la faire suivre ?

— Avec plaisir, Mr Percival. Et maintenant, je pense que vous voulez poursuivre votre chemin. Votre visite a peut-être été moins fructueuse que vous ne l'espériez, mais je pense que vous avez appris ce que vous étiez venu apprendre. »

Elle ne fit pas un geste et pendant un instant il se sentit piégé, immobilisé comme si ces coussins désagréablement mous le tenaient serré dans un étau. Il s'attendait presque à la voir bondir pour lui barrer le chemin, dénoncer l'imposture et l'enfermer dans l'appartement pendant qu'elle téléphonait à la police ou au portier. Que faire en pareil cas ? Essayer d'arracher les clefs de force et fuir, attendre la police et se payer d'audace pour qu'elle le libère ? Mais la panique ne dura pas. La femme se leva, se dirigea vers la porte et, sans dire un mot, la lui ouvrit. Elle ne la referma pas et il sentit qu'elle restait là, le chien tremblant dans ses bras, tous deux le regardant partir. Arrivé en haut des marches, il se retourna pour faire un petit signe d'adieu — et ce qu'il vit l'immobilisa une seconde avant de le projeter presque courant dans l'escalier, puis le hall jusqu'à la porte ouverte. Jamais de sa vie il n'avait surpris autant de haine concentrée dans un visage humain.

43

Jonathan n'aurait jamais cru que toute cette entreprise pût être aussi épuisante et il arriva éreinté à la gare de Liverpool Street. En pleine transformation

— et rénovation comme le proclamaient de grandes affiches destinées à rassurer et à encourager — elle était devenue pour l'heure un labyrinthe assourdissant de passages provisoires et de fléchages hasardeux où il était bien difficile de trouver les trains. Après s'être trompé de chemin, il arriva dans une sorte de piazza au sol étincelant, où il se sentit aussi désorienté que dans une capitale étrangère. L'arrivée, le matin, l'avait moins perturbé, mais désormais, même la gare renforçait l'impression qu'il avait de s'être aventuré en terre étrangère.

Une fois le train parti, il se rejeta en arrière, les yeux fermés, et tenta de mettre un peu d'ordre dans le tohubohu de ses émotions. Mais au lieu de cela, il s'endormit presque immédiatement et ne reprit conscience qu'au moment où il arrivait en gare de Norwich. Ce somme lui avait fait du bien. Il se rendit au parking du château, plein d'énergie et d'optimisme retrouvés. Il savait ce qu'il voulait faire : aller droit au bungalow, mettre Caroline en face des preuves qu'il avait accumulées et lui demander pourquoi elle avait menti. Impossible de continuer à la voir en faisant semblant de ne pas savoir. Ils étaient amants, ils devaient pouvoir se faire confiance mutuellement. Si elle avait des soucis ou des sujets d'angoisse, il était là pour la rassurer, la réconforter. Il savait qu'elle n'avait pas pu assassiner Hilary. L'idée même était une profanation. Mais elle n'aurait pas menti si elle n'avait pas eu peur. Il y avait quelque part quelque chose de terrible. Il la persuaderait d'aller trouver la police afin d'expliquer pourquoi elle avait menti et lui avait demandé de mentir. Ils iraient ensemble, ils avoueraient ensemble. Il ne se demanda ni si elle souhaiterait le revoir, ni même si elle serait chez elle un samedi soir. Tout ce qu'il savait, c'est qu'il fallait régler cette affaire entre eux et la régler tout de suite. Sa décision était non seulement juste mais inévitable et il en éprouva comme une petite bouffée de puissance. Elle l'avait pris pour un imbécile crédule et inefficace. Eh bien, il allait lui montrer qu'elle s'était trompée. Désormais, leurs relations subiraient une subtile modification ; elle aurait un amant moins confiant, moins malléable.

Quarante minutes plus tard, il filait dans l'obscurité à travers une contrée plate et amorphe, en direction du bungalow. Ralentissant au moment où celui-ci apparaissait sur sa gauche, il fut frappé une fois de plus par son isolement, son aspect rébarbatif et se demanda pourquoi, avec tant de villages plus près de Larksoken, les agréments de la côte et de Norwich, elle avait loué ce petit cube de brique rouge presque sinistre. Le terme même de bungalow lui semblait ridicule, avec son évocation de lotissements banlieusards, de respectabilité douillette, de vieilles gens incapables de monter les escaliers. Caroline devrait vivre dans une tour avec une vue immense sur la mer.

Et puis, il la vit. La Golf argent, sortie très vite de l'allée, accéléra encore en direction de l'est. La jeune femme portait ce qui semblait être un bonnet de laine sur ses cheveux blonds, mais il la reconnut aussitôt. Sans savoir si elle avait repéré la Fiesta, il freina instinctivement et la laissa presque disparaître avant de la suivre. Dans le silence de ce pays plat, il entendit Remus aboyer avec frénésie.

Il s'étonna de pouvoir la suivre aussi facilement. Ils traversèrent le village de Lydsett, où elle tourna à droite, et il craignit à ce moment-là qu'elle l'eût reconnu et se fût rendu compte qu'elle était suivie ; mais elle continua son chemin, apparemment sans s'en soucier. Quand elle eut franchi la grille, il attendit qu'elle eût disparu de l'autre côté de la crête avant de s'arrêter, d'éteindre les phares de sa voiture et de continuer un peu à pied. Il la vit prendre quelqu'un ; une fille très mince aux cheveux hérissés jaunes à la racine, orange aux extrémités, fut brutalement éclairée par les phares l'espace d'un instant, après quoi la voiture repartit vers le nord, obliqua vers la centrale, puis de nouveau en direction du nord par la route côtière. Quarante minutes plus tard, leur destination était évidente ; le quai de Wells-next-the-Sea.

Il gara la Fiesta à côté de la Golf et les suivit, sans perdre de vue le bonnet bleu et blanc de Caroline. Elles marchaient vite, apparemment sans parler, et ni l'une ni l'autre ne se retourna. Sur le quai il les perdit momentanément de vue, puis il vit qu'elles montaient à bord d'un bateau. C'était le moment, il fallait qu'il parle à Caroline. Il courut presque vers elles. Elles étaient déjà montées à bord. C'était un petit hors-bord qui ne mesurait pas plus de quinze pieds, avec un rouf central très bas auprès duquel les deux filles se tenaient debout. Quand il arriva à leur hauteur, Caroline se retourna : « Qu'est-ce que tu fous ici ?

— Je veux te parler. Je te suis depuis que tu as quitté le bungalow.

— Je le sais bien, pauvre imbécile. Tu as été dans mon rétroviseur pratiquement tout le temps. Si j'avais voulu te semer, ça n'aurait pas été difficile. Tu devrais laisser tomber le genre masqué et couleur de muraille, tu ne vaux rien. Pas fait pour toi. »

Mais il n'y avait pas de colère dans sa voix ; seulement une sorte de lassitude irritée. Il dit : « Caroline, il faut que je te parle.

— Alors, attends à demain. Ou alors reste où tu es, si ça te tient à ce point-là. On revient dans une heure.

— Mais où allez-vous ? Qu'est-ce que vous faites ?

— Mais nom d'un tonnerre, c'est un bateau, mon bateau. Et là, tu vois, c'est la mer. Amy et moi nous allons faire un petit tour. »

Amy, se dit-il. Amy qui ? Mais Caroline ne la présenta pas. Il dit faiblement : « Mais il est si tard. Il fait noir et il y a de la brume.

— Ouais, il fait noir et il y a de la brume. On est en octobre. Écoute, Jonathan, mêle-toi de ce qui te regarde, veux-tu ? et va vers Maman. »

Elle s'affairait dans le rouf. Il se pencha pour agripper le bastingage et sentit le léger balancement de la houle. Il dit : « Je t'en prie, Caroline, parle-moi, ne t'en va pas, je t'aime.

— J'en doute. »

Tous deux semblaient avoir oublié Amy. Il dit avec

désespoir : « Je sais que tu m'as menti à propos de ta mère, elle n'a pas été ruinée par le père de Hilary Robarts, rien n'était vrai. Écoute-moi, si tu as des difficultés je veux t'aider. Il faut que nous parlions. Je ne peux pas continuer comme ça.

— Je n'ai pas de difficultés et si j'en avais, tu serais bien le dernier à qui je m'adresserais. Et lâche mon bateau. »

Il lui dit, comme si c'était la chose la plus importante entre eux : « Ton bateau ? Tu ne m'as jamais dit que tu avais un bateau.

— Il y a beaucoup de choses que je ne t'ai pas dites. »

Et soudain il sut. Plus de place pour le moindre doute. « Alors, rien n'était vrai, rien, absolument rien. Tu ne m'aimes pas, tu ne m'as jamais aimé.

— Aimer, aimer, aimer. Arrête donc de bêler ce mot, Jonathan ! Rentre chez toi, mets-toi devant une glace et regarde-toi bien. Comment as-tu pu supposer que c'était vrai ? Amy et moi, voilà ce qui est vrai. C'est à cause d'elle que je reste à Larksoken, et c'est à cause de moi qu'elle est ici. Maintenant, tu sais.

— Tu t'es servie de moi. »

Il sentait qu'il avait l'air d'un gosse pleurnichard.

« Oui, je me suis servie de toi. Nous nous sommes servis l'un de l'autre. Quand nous avons couché, je me servais de toi et tu te servais de moi. C'est ça, le sexe. Et si tu veux le savoir, c'était un sacré boulot et ça me donnait envie de vomir. »

Même dans les affres de sa souffrance et de son humiliation, il sentait en elle une hâte, une tension qui n'avaient rien à voir avec lui. La cruauté était délibérée, mais sans passion, ce qui la rendait plus intolérable encore. Sa présence n'était qu'une intrusion irritante mais mineure dans des préoccupations plus importantes. Désormais l'amarre était complètement dégagée de la bitte. Caroline avait mis le moteur en marche et le bateau s'éloignait du quai. Alors, pour la première fois, il remarqua l'autre fille. Muette depuis qu'il était arrivé, elle se tenait dans le rouf, sans un sourire, frissonnante, vulnérable, et il crut voir sur son visage enfantin un air de compassion interloquée; mais très vite les larmes commencèrent à lui piquer les yeux et le bateau avec ses occupantes s'estompa dans un brouillard tremblant. Il attendit qu'elles eussent presque disparu sur l'eau sombre et prit une autre décision : trouver un café et manger quelque chose en attendant qu'elles reviennent. Elles ne pouvaient pas rester bien longtemps en mer, sinon elles manqueraient la marée. Il fallait qu'il sût la vérité. Il ne pouvait pas passer une nuit de plus dans cette incertitude. Il resta un moment planté sur le quai, regardant fixement la mer comme si le petit bateau avec ses deux passagères était encore en vue, puis il se détourna et partit en traînant les pieds vers le café le plus proche.

44

Les pulsations du moteur, anormalement fortes, secouaient l'air calme. Amy s'attendait presque à voir des portes s'ouvrir, des gens arriver en courant sur le quai, à entendre des voix furieuses les interpeller. Caroline fit un mouvement, le bruit mourut dans un faible murmure et le bateau s'éloigna du quai. Amy dit, avec colère : « Qui est-ce? Qu'est-ce que c'est que cet empaillé?

— Un type de Larksoken. Jonathan Reeves. Aucune importance.

— Pourquoi est-ce que tu lui as menti? Menti sur nous. On ne couche pas ensemble.

— Parce que c'était nécessaire. Qu'est-ce que ça peut faire? Ça n'a pas d'importance.

— Pour moi, si. Regarde-moi, Caroline. Je te parle. »

Mais Caroline ne la regardait toujours pas. Elle dit calmement : « Attends que nous soyons sorties du port. J'ai quelque chose à te dire, mais je veux être déjà en eau profonde et j'ai besoin de me concentrer. Va à l'avant et tâche d'avoir l'œil. »

Amy hésita un instant, puis se fraya soigneusement un chemin sur le pont étroit en s'accrochant au toit du rouf. L'emprise que Caroline exerçait apparemment sur elle ne lui plaisait pas trop. Rien à voir avec l'argent qui arrivait irrégulièrement et anonymement déposé sur son compte postal, ou caché dans les ruines de l'abbaye. Ni même l'excitation, ou l'impression de détenir un pouvoir secret que lui valait l'appartenance à une conjuration. Peut-être, après cette première rencontre au café d'Islington qui avait conduit à son recrutement pour l'Opération Pipeau, avait-elle inconsciemment décidé de lui vouer fidélité et obéissance, et maintenant que l'heure de l'épreuve était venue, elle ne pouvait se débarrasser de cette allégeance tacite.

En se retournant, elle vit que les lumières du port pâlissaient, que les fenêtres des maisons devenaient de petits carrés, puis de simples points lumineux. Le moteur retrouva une vie pétaradante et, debout à l'avant, elle sentit l'énorme force de la mer du Nord sous elle, le sifflement des eaux déchirées, les vagues intactes, lisses et noires comme du pétrole émerger de la brume, le bateau qui se soulevait, vibrait, puis retombait. Au bout de dix minutes, elle quitta son poste et revint vers le rouf. Elle dit : « Écoute, nous sommes loin de la terre, maintenant. Qu'est-ce qui se passe ? Est-ce que tu étais obligée de lui dire tout ça ? Je sais que je suis supposée me tenir à l'écart des gens de Larksoken, mais je le trouverai et je lui dirai la vérité. »

Caroline, toujours à la barre, regardait droit devant elle. Dans la main gauche, elle tenait une boussole. Elle dit : « Nous ne reviendrons pas. C'est ça que j'avais à te dire. »

Avant qu'Amy pût ouvrir la bouche, elle dit : « Ne commence pas à piquer une crise et ne discute pas. Tu as droit à une explication et si tu restes calme, tu l'auras. Maintenant je n'ai plus le choix, il faut que tu connaisses la vérité, du moins en partie.

— Quelle vérité ? De quoi parles-tu ? Et pourquoi est-ce que nous ne reviendrons pas ? Tu disais que nous serions parties une heure pas plus. Tu disais que nous allions rencontrer des camarades et recevoir de nouvelles instructions. J'ai laissé un mot à Neil pour lui dire que je n'en avais pas pour longtemps. Il faut que je retourne vers Timmy. »

Mais Caroline ne la regardait toujours pas. Elle dit : « Nous ne rentrerons pas parce que nous ne pouvons pas rentrer. Quand je t'ai recrutée dans ce squat de Londres, je ne t'ai pas dit la vérité. Ce n'était pas dans ton intérêt et je ne savais pas jusqu'à quel point je pouvais te faire confiance. D'ailleurs, moi-même je ne savais pas toute la vérité, mais seulement ce qui m'était nécessaire. C'est comme ça que l'opération fonctionne. Elle n'a rien à voir avec l'occupation de Larksoken pour défendre la cause des animaux. Elle n'a rien à voir avec les animaux. Rien à voir avec les baleines menacées, ou les phoques malades, les animaux de laboratoire torturés, les chiens abandonnés et toutes les souffrances bidon qui te font pâmer. Elle concerne des choses bien plus importantes. Elle concerne les êtres humains et leur avenir. La manière dont nous organisons notre monde. »

Elle parlait très bas et avec une extraordinaire intensité. Dominant le bruit du moteur, Amy lui dit : « Je ne t'entends pas ! Je ne t'entends pas bien. Arrête donc ce moteur !

— Pas encore. Nous allons loin. Nous devons les retrouver à un point précis. D'abord filer cap au sud-est, puis prendre un relèvement des installations de pompage de la centrale et du phare de Happisburgh. J'espère que la brume ne va pas épaissir.

— Qui ? Nous allons retrouver qui ?

— Je ne connais pas leurs noms, ni leur place dans l'organisation. Comme je te l'ai dit, nous savons ce que nous avons besoin de savoir, c'est tout. Mes instructions étaient que si l'Opération Pipeau était brûlée, je devais appeler un certain numéro et activer la procédure d'urgence pour me dégager. C'est pourquoi j'ai acheté ce bateau et veillé à ce qu'il soit toujours prêt à partir. On m'a dit exactement où on nous prendrait. Ensuite nous serons emmenées en Allemagne, munies de faux papiers, d'une nouvelle identité et incorporées dans l'organisation qui nous trouvera un autre boulot.

— Pas moi, foutre non, pas moi ! » Amy regarda Caroline avec horreur : « Ce sont des terroristes, hein ? Et toi aussi tu en es une. Une salope de terroriste ! »

Caroline dit calmement : « Et les agents du capitalisme, qu'est-ce qu'ils sont ? Les armées, les polices, les tribunaux, qu'est-ce que c'est ? Et les multinationales qui oppriment les trois quarts de la population du globe, qui les maintiennent dans la pauvreté, qui les affament ? N'emploie donc pas des mots que tu ne comprends pas.

— Ce mot-là je le comprends très bien. Et tes airs supérieurs, tu peux te les mettre où je pense. Tu es folle ou quoi ? Qu'est-ce que vous vouliez faire, pauvres cons ? Saboter le réacteur, libérer toute cette radioactivité, pire qu'à Tchernobyl, tuer tout le monde sur le cap, Timmy et Neil, Smudge et Whisky ?

— Pas besoin de saboter les réacteurs, ni de libérer la radioactivité. Une fois les centrales occupées, la menace suffirait.

— Les centrales ? Combien ? Où ça ?

— Une ici, une en France et une en Allemagne. L'action serait coordonnée et elle suffirait. Ce qui est en question, ce n'est pas ce que nous serions capables de faire après les avoir prises, mais ce que les gens nous croiraient capables de faire. La guerre est démodée et inutile. Nous n'avons pas besoin d'armée. Nous avons simplement besoin de quelques camarades entraînés, intelligents et dévoués, ayant les connaissances nécessaires. Ce que tu appelles terrorisme peut changer le monde et il coûte moins cher en vies humaines que l'industrie militariste de la mort où mon père a fait carrière. Ils n'ont qu'une chose en commun : un soldat doit être prêt à mourir pour sa cause. Nous le sommes. »

Amy cria : « Mais c'est impossible ! Les gouvernements ne laisseront pas faire ça.

— C'est en train de se produire et ils ne peuvent pas l'arrêter. Ils ne sont pas assez unis et ils n'ont pas assez de volonté. Ça n'est que le commencement. »

Amy la regarda : « Arrête ce bateau. Je saute.

— Et tu nageras jusqu'à la côte ? Ou tu te noies ou tu meurs de froid. Et la brume qui épaissit. »

Amy ne l'avait pas remarqué. A un moment donné, il lui avait semblé qu'elle voyait les lumières lointaines de la terre comme des étoiles, le noir des vagues flasques et puis soudain, lentement, inexorablement, une humidité poisseuse s'étendait sur tout. Elle cria : « Oh, mon Dieu, ramène-moi. Il faut que tu me débarques. Je veux Timmy. Je veux Neil.

— Je ne peux pas, Amy. Écoute, si tu ne veux pas du tout participer à l'entreprise, dis-le quand le bateau arrivera. On te débarquera quelque part, pas nécessairement sur cette côte mais quelque part. Les recrues qui renâclent, on n'en veut pas. Ce serait déjà assez difficile de te trouver une nouvelle identité. Mais si tu ne voulais pas t'engager, pourquoi as-tu tué Hilary Robarts ? Tu crois qu'on avait besoin d'une enquête de police centrée sur Larksoken, tous les poulets aux aguets, Rickards sur les lieux, le passé de tous les suspects examiné au crible, plus rien de privé ? Et si Rickards t'avait arrêtée, comment être sûre que tu ne craquerais pas, que tu ne parlerais pas de l'Opération Pipeau ? »

Amy hurla : « Mais tu es folle ! Je suis sur ce bateau avec une sacrée garce de folle ! Je ne l'ai pas tuée !

— Alors qui ? Pascoe ? Presque aussi dangereux.

— Je me demande bien comment il aurait fait. Il rentrait de Norwich. On a menti à Rickards pour l'heure ; en fait, il est arrivé dans la caravane à neuf heures quinze et on y est resté toute la soirée avec Timmy. Et toutes ces histoires avec le Siffleur qui lui avait entaillé le front, les poils, on n'en a jamais rien su. On croyait que c'était toi qui l'avais tuée.

— Et pourquoi ?

— Parce qu'elle avait éventé l'Opération Pipeau. C'est pas pour ça que tu t'enfuis, parce que tu n'as pas le choix ?

— Tu as raison, je n'ai pas le choix, mais ce n'est pas à cause de Robarts. Elle n'a rien trouvé. Comment aurait-elle pu? Mais quelqu'un était sur la piste. Il n'y a pas que le meurtre de Hilary Robarts. Les services de sécurité commençaient à s'intéresser à moi. Ils ont eu un renseignement, probablement par une des cellules allemandes, ou une taupe de l'IRA.

— Comment le sais-tu? Tu te sauves peut-être pour rien.

— Trop de coïncidences. Cette dernière carte postale que tu avais cachée dans les ruines de l'abbaye, je t'ai dit qu'elle avait été replacée dans le mauvais sens. Quelqu'un l'avait lue.

— N'importe qui aurait pu la trouver et le message ne lui aurait rien dit du tout. Il ne m'a jamais rien dit à moi.

— Trouvée fin septembre, alors que la saison des pique-niques est finie et bien finie? Trouvée et remise soigneusement en place? Et ça n'est pas tout. Ils sont allés fouiner dans l'appartement de ma mère. Elle a une gouvernante qui a été ma nanny autrefois. Elle m'a téléphoné pour me prévenir aujourd'hui. Après ça, je n'ai pas attendu. J'ai envoyé le signal pour dire que je filais. »

A tribord, les lumières de la côte, encore visibles, étaient estompées par la brume et le bruit du moteur paraissait moins agressif, presque un fredonnement de bonne compagnie. Amy se dit qu'elle s'y était peut-être habituée, mais quelle sensation extraordinaire que ce mouvement si calme, si régulier dans l'obscurité, pendant que la voix de Caroline disait des choses ahurissantes, parlant de terrorisme et de fuite aussi calmement que s'il s'agissait des détails d'un pique-nique! Et Amy avait besoin d'entendre, besoin de savoir. Elle s'entendait demander : « Où les as-tu rencontrés, ces gens pour qui tu travailles?

— En Allemagne. J'avais dix-sept ans, ma nanny était malade et j'avais dû passer l'été avec mes parents. Mon père était en garnison là. S'il ne s'est pas beaucoup occupé de moi, quelqu'un d'autre l'a fait.

— Mais il y a des années de ça !

— Ils savent attendre et moi aussi.

— Et cette nanny-gouvernante, elle fait aussi partie de l'Opération Pipeau ?

— Elle ne sait rien, absolument rien. C'est bien la dernière personne que j'aurais choisie. Une vieille cruche qui vaut à peine le vivre et le couvert, mais ma mère lui a trouvé une utilité et moi aussi. Je lui ai dit que ma mère — qu'elle hait — me faisait surveiller, qu'elle me prévienne s'il y avait des coups de téléphone ou des visites pour moi. Ça aide à lui rendre la vie avec ma mère tolérable. Ça lui donne de l'importance, ça l'aide à croire que je tiens à elle, que je l'aime.

— C'est vrai ? Tu l'aimes ?

— Autrefois oui. Les enfants ont besoin de quelqu'un à aimer. Mais j'ai dépassé ça. Bon, il y a eu un coup de fil et une visite. Mardi, un Écossais ou quelqu'un qui prétendait l'être a téléphoné. Et aujourd'hui, il en est venu un autre.

— Quel genre ?

— Un homme jeune qui racontait qu'il m'avait vue en France. Un mensonge. C'était un imposteur. Il venait du M 15. Qui d'autre aurait pu l'envoyer ?

— Mais tu ne peux pas en être sûre. Pas assez sûre du moins pour envoyer ce signal, tout planter là et te mettre à leur merci.

— Si, je suis sûre. Réfléchis, qui ça pouvait bien être d'autre ? Trois incidents séparés : la carte, le coup de fil, la visite. Qu'est-ce qu'il fallait attendre de plus ? Que les services de sécurité enfoncent ma porte ?

— Il ressemblait à quoi, ce type ?

— Jeune. Nerveux. Plutôt moche. Pas particulièrement convaincant. Même Nanny ne l'a pas cru.

— Drôle d'officier du M 15. Tu crois qu'ils ne peuvent pas faire mieux ?

— Il était supposé être quelqu'un que j'avais rencontré en France, à qui j'avais plu, qui souhaitait me revoir, et qui avait pris son courage à deux mains pour venir à l'appartement. Bien sûr, il avait l'air jeune et nerveux. C'était bien le genre de type qu'ils auraient envoyé. Pas un vétéran de Curzon Street, un vieux routier de quarante ans. Ils savent choisir l'homme qu'il faut pour chaque mission. C'est leur boulot. Il n'était peut-être même pas destiné à être convaincant. Ils essayaient peut-être de me faire peur, de m'amener à réagir et à me découvrir.

— Eh bien, pour réagir, tu as réagi. Mais si tu t'es trompée, trompée sur toute la ligne, qu'est-ce qu'ils feront, les gens pour qui tu travailles ? En te sauvant comme ça, tu as coulé l'Opération Pipeau.

— Cette opération-là, oui, mais l'avenir n'est pas compromis. Mes instructions étaient de téléphoner si j'avais eu les preuves solides que nous étions brûlés. Et il y en avait. D'ailleurs, ce n'est pas tout. Mon téléphone est sur table d'écoute.

— Tu ne peux pas le savoir.

— Je ne peux pas en être sûre, mais je le sais. »
Soudain, Amy s'écria : « Qu'est-ce que tu as fait de Remus ? Tu lui as donné à manger, une provision d'eau ?

— Bien sûr que non. Il faut que ça ait l'air d'un accident. Il faut qu'on croie que nous sommes des lesbiennes parties faire une promenade en mer et victimes d'un accident. Il faut qu'on croie que nous pensions être absentes pour peu de temps. Je lui donne à manger vers sept heures. Il faut qu'on le trouve affamé et assoiffé.

— Mais on commencera peut-être pas à te chercher avant lundi ! Il sera affolé, il va hurler, pleurer, et il n'y a pas de voisins pour l'entendre. Sacrée garce ! »
Soudain, elle se jeta sur Caroline en vociférant des obscénités et en essayant de lui griffer le visage. Mais l'autre était trop forte pour elle. Des mains comme des étaux d'acier lui enserrèrent les poignets et la projetèrent contre le bord. A travers des larmes de rage impuissante elle murmura : « Mais pourquoi ? Pourquoi ?

— Pour une cause qui mérite qu'on lui sacrifie sa vie. Il n'y en a pas tant.

— Rien ne mérite qu'on lui sacrifie sa vie, sauf peut-être une autre personne, quelqu'un qu'on aime. Je mourrais pour Timmy.

— Ça n'est pas une cause. C'est de la sentimentalité.

— Et si je veux mourir pour une cause, je la choisirai. Et ça sera pas pour ton sacré terrorisme. Pour des salauds qui balancent des bombes dans les cafés et qui tuent mes amis et qui se foutent des gens ordinaires parce qu'ils ont pas d'importance. »

Caroline dit : « Tu as bien dû soupçonner quelque chose. Tu n'es pas cultivée, mais tu n'es pas idiote. Je ne t'aurais pas choisie si je n'avais pas été sûre de ça. Tu ne m'as jamais questionnée et tu n'aurais pas eu de réponse si tu l'avais fait, mais tu n'as quand même pas pu croire que nous nous donnions une peine pareille simplement pour des petits chats trouillards ou des bébés phoques dépiautés ? »

L'avait-elle cru ? Amy se le demandait. La vérité, c'était peut-être qu'elle avait cru à l'intention, mais jamais à l'exécution. Et entre-temps, il avait été amusant de faire partie de la conspiration. Elle avait joui de l'excitation, du secret qu'elle détenait en cachette de Neil, du frisson de peur à demi simulé quand elle quittait la caravane une fois la nuit tombée pour glisser les cartes postales dans les ruines de l'abbaye. Cachée derrière un brise-lames à moitié démoli, elle avait failli éclater de rire la nuit où elle avait presque été surprise par Mrs. Dennison et R. Dalgliesh. L'argent lui avait rendu service aussi, rémunération généreuse pour un si petit travail. Et puis le rêve, le drapeau à l'image encore inconnue mais qui serait hissé sur la centrale et qui commanderait le respect, l'obéissance, la réaction immédiate. Il dirait au monde entier : « Arrêtez ! Arrêtez tout de suite. » Il parlerait au nom des animaux captifs dans les zoos, les baleines menacées, les phoques malades, les animaux de laboratoire torturés, les bêtes terrifiées poussées dans des abattoirs puant le sang et la mort, les poules serrées au point de ne pas même pouvoir picorer, tout l'ensemble du règne animal exploité et maltraité. Mais cela n'avait été qu'un rêve. La réalité, c'étaient les quelques planches dérisoires sous ses pieds, la brume suffocante, les vagues huileuses griffant leur fragile bateau. La réalité, c'était la mort, il n'y en avait pas d'autre. Tout dans sa vie, depuis l'instant où elle avait rencontré Caroline à Islington, avait conduit à cette heure de vérité, à cette terreur.

Elle gémit : « Je veux Timmy. Mon bébé, qu'est-ce qu'il va devenir ? Je veux mon bébé.

— Tu ne seras pas obligée de le laisser, pas pour toujours. On trouvera bien un moyen de vous réunir.

— Tu es folle, non ? Il en aurait une vie, avec une bande de terroristes. Ils tireront un trait sur lui, comme sur tous les autres. »

Caroline dit : « Et tes parents ? Ils ne pourraient pas s'en occuper ?

— Ça va pas la tête ? Je me suis sauvée parce que mon beau-père rossait ma mère ; quand il a commencé le même cirque avec moi, j'ai filé. Tu crois que je voudrais leur laisser Timmy, à lui ou à elle ? »

Sa mère avait paru aimer la violence, ou du moins ce qui venait après. Les deux années avant sa fuite lui avaient appris une chose : ne coucher qu'avec les hommes qui vous désirent plus que vous ne les désirez. »

Caroline demanda : « Et Pascoe ? Tu es sûr qu'il ne sait rien ?

— Bien sûr qu'il sait rien. On couchait même pas ensemble. Il me voulait pas et je le voulais pas. »

Mais il y avait quelqu'un qu'elle avait voulu, et elle se revit brusquement avec une netteté fulgurante allongée à côté d'Alex dans les dunes, l'odeur de la mer, du sable et de la sueur, le visage de l'homme grave, ironique. Eh bien, elle ne parlerait pas d'Alex à Caroline. Elle avait un secret bien à elle. Elle le garderait.

Elle pensa aux curieux itinéraires qui l'avaient conduite à cet instant dans le temps, à ce lieu dans l'espace. Peut-être, si elle se noyait, toute sa vie lui apparaîtrait-elle dans un éclair comme on le disait, tout ce qui avait été connu, compris, enfin ordonné dans cet ultime instant de l'annihilation. Mais pour le moment, elle voyait le passé telle une série de diapositives cliquetant à toute vitesse, image brièvement reçue, émotion à peine ressentie avant de disparaître. Soudain elle se mit à trembler violemment. « J'ai froid.

— Je t'avais dit de prendre des vêtements chauds et rien d'autre. Ce chandail n'est pas suffisant.

— C'est tout ce que j'ai de chaud.

— Sur le cap? Et qu'est-ce que tu mets l'hiver?

— Neil me prête quelquefois son pardessus. On partage. Celui qui sort prend le pardessus. On se disait qu'on pourrait trouver un manteau pour moi à la vente de charité du Vieux Presbytère. »

Caroline ôta sa veste : « Tiens, mets ça.

— Non, c'est à toi. J'en veux pas.

— Mets ça.

— Je t'ai dit que j'voulais pas. »

Mais comme une enfant, elle laissa Caroline lui enfiler les bras dans les manches et resta docilement immobile pendant que le vêtement était boutonné. Puis elle se tapit sous le banc étroit qui courait tout le long du bateau pour exclure l'horreur de ces vagues qui avançaient silencieusement. Il lui semblait ressentir pour la première fois et dans chacun de ses nerfs l'inexorable puissance de la mer. Elle voyait en imagination son corps pâle et sans vie couler jusqu'au fond à travers des milles d'obscurité liquide, rejoignant les squelettes de marins noyés depuis bien longtemps, les carcasses de vieux navires où s'ébattaient des créatures indifférentes. Et la brume, moins épaisse désormais mais plus effrayante, était mystérieusement devenue vivante, respiration silencieuse qui lui volait son propre souffle, insinuant la terreur par chaque pore. Il semblait impossible de croire qu'il y avait quelque part une terre, des fenêtres éclairées derrière les rideaux, de la lumière débordant des portes de cafés, des rires, des gens installés au chaud, en sécurité. Elle vit la caravane comme elle l'avait vue si souvent quand elle revenait de Norwich à la nuit tombante, solide rectangle de bois enraciné dans le cap, défiant les coups de vent et la mer, la chaude lueur de ses fenêtres, la spirale de fumée au-dessus de la cheminée. Elle pensa à Timmy et à Neil. Combien de temps attendrait-il avant d'avertir la police ? Il n'était pas du genre à se précipiter. Après tout, elle n'était plus une enfant, elle avait le droit de s'absenter. Il ne ferait peut-être rien avant le matin, et encore. Mais peu importait. La police ne pouvait rien. Personne, sauf ce personnage effondré sur le quai, ne savait où elles étaient et s'il donnait l'alerte, ce serait trop tard. Inutile même de croire à la réalité des terroristes. Elles étaient abandonnées là, au milieu de l'obscurité ruisselante. Elles allaient tourner, tourner indéfiniment jusqu'à ce que le carburant manque, après quoi elles dériveraient vers le large jusqu'à ce qu'un caboteur les aborde et les coule.

Elle n'avait plus aucun sens du temps. Les pulsations rythmées du moteur l'avaient comme anesthésiée ; ce n'était pas la paix certes, mais une acceptation hébétée qui ne la laissait plus consciente que du bois dur contre son dos et de Caroline debout dans le rouf, aux aguets.

Le moteur s'arrêta. Pendant quelques secondes, silence absolu. Puis, tandis que le bateau roulait doucement, Amy entendit le bois craquer et l'eau le gifler. Elle respira une humidité suffocante, sentit le froid traverser la veste et pénétrer jusque dans ses os. Il semblait impossible que quelqu'un pût les trouver dans ce sinistre désert d'eau et elle avait cessé de s'en soucier.

Caroline dit : « Voilà, c'est ici. C'est ici qu'ils vont nous retrouver. Il n'y a qu'à tourner en rond jusqu'à ce qu'ils arrivent. »

Amy entendit de nouveau le moteur, mais cette fois ce n'était qu'un ronronnement presque imperceptible. Et soudain elle sut. Pas de raisonnement conscient, non, seulement une certitude aveuglante et terrifiante qui l'éblouit avec la netteté d'une vision. Son cœur s'arrêta, puis bondit, et ses battements violents rappelèrent son corps à la vie. Elle sauta presque sur ses pieds : « Ils ne vont pas me débarquer, hein ? Ils vont me tuer. Tu le sais. Tu l'as toujours su. C'est pour ça que tu m'as amenée ici, pour que je sois tuée. »

Caroline, les yeux fixés sur deux lumières, les feux intermittents du phare et l'étincellement de la centrale, lui dit froidement : « Tu perds la tête.

— Ils ne peuvent pas me laisser partir. J'en sais trop. Et tu as dit toi-même que je ne leur servirais pas à grand-chose. Écoute, il faut m'aider. Dis-leur que j'ai été terriblement utile, que ça vaut la peine de me garder. Si seulement je peux débarquer, je m'arrangerai bien pour m'échapper. Mais il faut que j'aie une chance. Caroline, c'est toi qui m'as entraînée dans cette affreuse histoire. Il faut que tu m'aides. Il faut que je débarque. Écoute-moi ! Écoute-moi, Caroline ! Il faut qu'on parle.

— C'est ce que tu es en train de faire. Et ce que tu dis est grotesque.

— Vraiment ? Vraiment, Caroline ? »

Elle savait désormais qu'elle ne devait pas supplier. Elle aurait voulu se jeter aux pieds de Caroline et hurler : « Regarde-moi. Je suis un être humain. Une femme. Je veux vivre. Mon enfant a besoin de moi. Je ne suis pas une bien bonne mère, mais il n'en a pas d'autre. Aide-moi. » Mais elle savait, avec l'instinctive lucidité née du désespoir, que les supplications abjectes, les mains tordues, les sanglots, les gémissements ne feraient que rebuter. Elle défendait sa vie. Il fallait qu'elle reste calme, qu'elle s'appuie sur la raison, qu'elle trouve les mots qui porteraient. Elle dit : « Je ne suis pas toute seule. Il y a toi aussi. Ça pourrait être le choix entre la vie et la mort pour toutes les deux. Ils ne te voudront pas non plus. Tu leur étais utile quand tu travaillais à Larksoken, que tu pouvais leur donner des détails sur la façon dont ça fonctionnait, sur les gens qui étaient de garde à telle ou telle heure. Mais maintenant tu les encombres, exactement comme moi. Pas de différence. Quel travail est-ce que tu peux faire pour eux qui vaudrait la peine de t'entretenir, de te donner une nouvelle identité ? Ils ne peuvent pas te trouver une place dans une autre centrale et si le M 15 est vraiment alerté, il continuera à te serrer de près. Il ne croira peut-être pas si facilement à un accident, à moins que nos corps ne soient rejetés sur la côte. Et ils ne le seront pas à moins qu'on nous tue. Qu'est-ce que c'est que deux cadavres de plus ou de moins pour eux ? Pourquoi nous donner rendez-vous ici ? Pourquoi si loin ? Ils auraient pu nous prendre bien plus près de la côte. Et même par avion s'ils avaient eu vraiment besoin de nous. Caroline, retournons d'où nous venons. Il n'est pas trop tard. Tu pourrais dire aux gens pour qui tu travailles qu'on a pas pu venir, que la brume était trop épaisse. Ils trouveront un autre moyen pour te prendre. Si tu veux partir, je ne parlerai pas. J'aurai bien trop peur. Je te le jure sur ma vie. On peut retourner maintenant et on aura été que deux amies qui ont fait un petit tour en bateau et qui sont revenues à bon port. C'est ma vie, Caroline, et ça pourrait être la tienne. Tu m'as donné ta veste. Je te demande la vie. »

Elle ne la toucha pas. Elle savait qu'un geste mal à propos, n'importe quel geste peut-être, pourrait être fatal. Mais elle savait aussi que celle qui se tenait devant elle, rigide, les yeux fixes, était à l'instant de la décision. Et en regardant ce profil comme sculpté dans le marbre, Amy se rendit compte pour la première fois de sa vie qu'elle était totalement seule. Même ses amants, vus à ce moment-là comme un défilé de visages tendus, suppliants et de mains accrocheuses, fouilleuses, n'avaient été que des étrangers fortuits lui donnant l'illusion que la vie pouvait être partagée. Et elle n'avait jamais connu Caroline, elle ne pourrait jamais la connaître, ni comprendre ce qui, dans son passé, sa jeunesse peut-être, l'avait conduite à cette dangereuse conspiration, cet instant décisif. Physiquement elles étaient si proches l'une de l'autre que chacune entendait et pouvait presque sentir le souffle de l'autre. Mais chacune était aussi seule que si cette vaste mer n'avait pas contenu d'autre bateau, ni d'autre être vivant. Peut-être étaient-elles vouées à mourir ensemble, mais chacune ne pourrait souffrir que sa propre mort, comme chacune n'avait vécu que sa propre vie. Et il n'y avait plus rien à dire. Elle avait plaidé sa cause et les mots étaient épuisés. Désormais elle attendait dans l'obscurité et le silence de savoir si elle allait vivre ou mourir.

Il lui semblait que le temps lui-même s'était arrêté. Dans le silence fantomatique, Amy entendait un sourd martèlement insistant, les battements de son cœur. Et puis Caroline parla. D'une voix calme, posée, comme si Amy avait posé un problème difficile qui exigeait réflexion pour être résolu.

« Il faut qu'on s'éloigne du point de ralliement. Ce bateau n'a pas assez de puissance pour les distancer s'ils nous trouvent et nous poursuivent. Notre seul espoir, c'est d'éteindre tous les feux, de nous éloigner le plus possible et de faire du sur place sans un bruit en souhaitant qu'ils ne nous trouvent pas, dans la brume.

— On peut pas rentrer au port?

— Pas le temps. Il y a plus de dix milles et ils ont un moteur puissant. S'ils nous trouvent, ils sont sur nous en quelques secondes. Notre seule chance, c'est le brouillard. »

Et c'est alors qu'elles entendirent, amorti par la brume mais bien reconnaissable, le bruit d'un bateau qui approchait. Instinctivement, elles se serrèrent l'une contre l'autre dans le rouf et attendirent, n'osant même pas chuchoter. Chacune savait que désormais leurs seules chances, c'étaient le silence, la brume, l'espoir que leur petite embarcation ne serait pas repérée. Mais le bruit du moteur augmenta pour devenir une vibration régulière, sans direction. Et puis, alors qu'elles pensaient que le bateau allait surgir de la brume, le bruit cessa de croître et Amy devina qu'elles étaient lentement encerclées. Soudain, elle poussa un hurlement. Le projecteur coupant le brouillard dirigeait son faisceau droit sur leur visage. Si éblouissant qu'elle ne voyait qu'un cône géant dans lequel les particules de brume nageaient comme des molécules de lumière argentée. Une voix rude, étrangère, héla : « Ohé du bateau ! Le *Lark* du port de Wells ? »

Un instant de silence, puis la voix de Caroline sonna, forte et claire, mais Amy y détecta la stridence de la peur : « Non, nous sommes un groupe de quatre amis de Yarmouth, mais nous allons probablement relâcher à Wells. Tout va bien. Pas besoin d'aide, merci. »

Mais le projecteur ne bougea pas. Le bateau semblait suspendu entre mer et ciel dans un flamboiement de lumière. Les secondes passèrent. Plus un mot ne fut échangé. Puis les feux s'éteignirent et elles entendirent de nouveau le bruit des moteurs qui s'éloignaient. Pendant une minute, trop effrayées pour parler, elles partagèrent l'espoir désespéré que la ruse avait réussi. Et puis, elles comprirent. La lumière les saisit à nouveau. Et cette fois le bateau, tous cylindres rugissants, fonça droit sur elles, laissant juste à Caroline le temps de mettre une joue glacée contre celle d'Amy. Elle dit : « Pardonne-moi. Pardonne-moi. »

Et puis la grosse coque les écrasa. Amy entendit le craquement du bois éclaté, le bateau bondit hors de l'eau, elle se sentit projetée à travers une éternité d'obscurité liquide, pour retomber dans le puits sans fond de l'espace et du temps. Puis ce fut la gifle de la mer et du froid, si intense que pendant un instant, elle ne sentit rien. Elle reprit connaissance en arrivant à la surface, haletante, suffoquée, n'ayant plus conscience du froid mais de la douleur atroce d'une barre de métal qui lui écrasait la poitrine, de la terreur, luttant désespérément pour se maintenir la tête hors de l'eau, pour survivre. Quelque chose lui racla le visage avant d'être emporté par une vague. En se débattant, elle heurta une planche du bateau qui lui donna au moins une chance. Elle reposa ses bras dessus et, les muscles détendus, elle éprouva un soulagement inouï. Désormais capable de penser, elle se dit que son radeau de fortune pourrait la soutenir jusqu'à l'aube, mais elle serait morte de froid et d'épuisement bien avant. Nager jusqu'à la côte était son seul espoir, mais où était la côte ? Si le brouillard se dissipait, elle pourrait voir les lumières, peut-être même celles de la caravane. Neil serait là qui lui ferait des signes. Mais c'était stupide. La caravane était à des kilomètres. Neil devait être fou d'inquiétude à cette heure-là. Et elle n'avait pas fini ses enveloppes. Timmy était peut-être en train de la réclamer, de pleurer. Il fallait qu'elle retourne auprès de Timmy.

Finalement, la mer fut miséricordieuse. Le froid qui lui engourdissait les bras désormais incapables de se tenir à la planche lui engourdit aussi le cerveau. Elle glissait dans l'inconscience lorsque le projecteur la retrouva. Elle avait dépassé la pensée comme la peur quand le bateau vira de bord et l'éperonna de toute sa puissance. Et puis ce fut le silence et l'obscurité et une planche qui dansait doucement là où la mer était teintée de rouge.

45

Il était plus de huit heures quand Rickards rentra chez lui le samedi soir, mais c'était encore plus tôt que d'habitude et pour la première fois depuis des semaines il put se dire qu'une soirée libre lui offrait ses choix : un repas pris à loisir, la télévision, la radio, un petit rattrapage sans passion des besognes domestiques, un coup de fil à Susie et le lit. Mais il était nerveux. Il ne savait pas vraiment que faire de ces quelques heures de loisir. Il se demanda pendant un moment s'il n'allait pas aller dîner au restaurant, mais l'effort du choix, la dépense et même la nécessité de retenir une table semblaient hors de proportion avec un quelconque plaisir. Il prit une douche et se changea comme si l'eau fumante était une purifi-

cation rituelle éliminant meurtre et échec, un céré-
monial qui pourrait donner un sens et un agrément à
la soirée qui l'attendait. Sur ce, il ouvrit une boîte de
haricots, fit griller quatre saucisses et deux tomates,
puis emporta son plateau dans la salle de séjour
pour regarder la télévision.

A neuf heures vingt, il ferma la porte et resta
immobile quelques minutes, son plateau toujours
sur les genoux. Tandis qu'il essayait de rassembler
assez d'énergie pour aller faire la vaisselle, la dépression familière tomba sur lui, l'impression d'être un
étranger dans sa propre maison. Il s'était senti plus
chez lui dans cette pièce aux murs de pierre de Larksoken Mill, en train de boire le whisky de Dalgliesh,
que là dans sa propre salle de séjour et son fauteuil
familier au rembourrage dur, en train de manger
son propre dîner. Et ce n'était pas seulement
l'absence de Susie, lourdement enceinte, dans le fauteuil en face de lui. Il se mit à comparer les deux pièces, cherchant la raison de ses différentes réactions à
un accablement grandissant dont sa salle de séjour
semblait pour partie le symbole, pour partie la
cause. Ce n'était pas seulement que le moulin avait
un vrai feu de bois, sifflant et crachant de vraies étin-
celles et sentant l'automne, alors que le sien était
artificiel ; ni que le mobilier de Dalgliesh était vieux,
poli par des siècles d'usage, disposé pour la commodité et non pour l'effet, ni même que les tableaux
étaient des huiles ou des aquarelles véritables, ni que
la pièce avait été agencée sans qu'apparemment rien
y eût été jugé particulièrement précieux ni digne
d'un respect spécial. Non, il conclut que la différence
devait sûrement tenir aux livres, aux deux murs
recouverts de rayonnages contenant des livres pour
être lus, manipulés, consultés, des livres pour le plaisir. Sa petite collection et celle de Susie étaient dans
la chambre. Elle avait décrété que les volumes
étaient trop désassortis, trop fanés pour être dignes
de l'endroit qu'elle avait baptisé petit salon. Et puis il
n'y en avait pas beaucoup. Il avait eu si peu le temps
de lire pendant les dernières années : une collection

d'aventures modernes, des romans brochés, quatre volumes d'un club auquel il avait appartenu pendant deux ans, quelques récits de voyages reliés, des manuels de police, les prix de Susie (ordre et couture). Mais un enfant doit grandir au milieu des livres. Il avait lu quelque part que c'étaient les meilleurs débuts pour une vie, des parents qui encourageaient la lecture. Ils pourraient peut-être encastrer des étagères de chaque côté de la cheminée et commencer : Dickens (il l'avait beaucoup aimé à l'école), Shakespeare, bien sûr, et les grands poètes. Sa fille — ni lui ni Susie n'en doutaient, ce serait une fille — apprendrait à aimer la poésie.

Mais tout cela devrait attendre. Il pouvait au moins commencer par donner un coup de plumeau. L'air de morne prétention de la pièce était dû en partie, il venait de s'en rendre compte, à la saleté. Elle ressemblait à une chambre d'hôtel où personne ne mettait son amour-propre, parce qu'on n'attendait pas de clients et que s'il en venait, ils ne se soucieraient pas de ça. Il aurait dû garder Mrs Adcock, qui venait trois heures tous les mercredis, mais elle ne travaillait chez eux que depuis les deux derniers mois de la grossesse de Susie, il l'avait à peine rencontrée et l'idée de confier les clefs de la maison à une étrangère lui avait déplu, plus par attachement farouche à son intimité que par manque de confiance. Aussi, malgré les appréhensions de Susie, avait-il donné une petite avance à la femme de ménage en assurant qu'il s'en tirerait très bien. Il ajouta donc la vaisselle de son souper au chargement déjà dans la machine et prit un chiffon dans le tiroir où ils étaient soigneusement pliés. Toutes les surfaces étaient recouvertes d'une épaisse couche de poussière. Dans la salle de séjour, il passa le chiffon le long de l'appui de la fenêtre et vit avec étonnement la ligne noire de saleté qui en résultait.

Il passa ensuite dans l'entrée. Le cyclamen sur la table à côté du téléphone avait inexplicablement périclité malgré ses arrosages quotidiens précipités, ou peut-être à cause d'eux. Il était planté là, torchon en main, se demandant s'il fallait le jeter ou si un sauvetage était encore possible, quand il entendit le crissement des roues sur le gravier. Il ouvrit la porte, puis lança le battant avec une telle force qu'il se rabattit et le loquet cliqueta. D'un bond il se retrouva à la porte du taxi, prenant doucement le corps déformé dans ses bras.

« Ma chérie, oh ma chérie, pourquoi n'as-tu pas téléphoné ? »

Elle s'appuya contre lui et il vit avec compassion la peau transparente, les cernes noirs sous les yeux. Il lui semblait sentir bouger son enfant sous le tweed épais du manteau.

« Je n'ai pas voulu attendre. Maman était juste allée au bout de la rue voir Mrs Blenkinsop. Je n'ai eu que le temps d'appeler un taxi et de lui laisser un mot. Il fallait que je vienne. Tu n'es pas fâché ?

— Oh mon amour, ma chérie. Comment te sens-tu ?

— Juste un peu lasse. » Elle rit : « Chéri, tu as laissé la porte se refermer. Tu vas être obligé de prendre ma clef. »

Il prit le sac qu'elle lui tendait, fouilla dedans pour trouver la clef, le porte-monnaie et paya le chauffeur, qui avait posé l'unique mallette à côté de la porte. Il tremblait tellement qu'il eut du mal à enfiler la clef dans la serrure. Il la porta presque en haut des marches et la fit asseoir dans le fauteuil de l'entrée.

« Attends un instant ici, ma chérie, pendant que je rentre la mallette.

— Terry, le cyclamen est mort. Tu l'as trop arrosé.

— Pas du tout. Il s'est trop ennuyé de toi. »

Elle rit. Un carillon fort heureux, comblé. Il avait envie de la soulever dans ses bras et de crier. Soudain, sérieuse, elle demanda : « Maman n'a pas appelé ?

— Pas encore, mais elle n'y manquera sûrement pas. »

A cet instant, comme un signal, le téléphone sonna. Il l'empoigna. Cette fois, attendant la voix de sa belle-mère, il était parfaitement sans peur, sans appréhension. Par ce geste magnifique, cette affirmation unique, Susie les avait mis l'un et l'autre définitivement à l'abri de l'emprise destructrice de sa mère. Il y eut une seconde où il vit l'air angoissé de Susie, si aigu que ce fut comme un spasme de douleur, puis elle se leva péniblement et s'appuya contre lui en glissant sa main dans la sienne. Mais ce n'était pas Mrs Cartwright.

Oliphant dit : « Jonathan Reeves a appelé le centre, chef, et ils me l'ont passé. Il dit que Caroline Amphlett et Amy Camm sont parties ensemble dans un bateau. Ça fait trois heures qu'on ne les a pas revues et le brouillard s'épaissit.

— Pourquoi s'adresse-t-il à la police ? Il aurait dû prévenir le garde-côte.

— Je l'ai déjà fait. En réalité, c'est pas vraiment pour ça qu'il appelait. Il a pas passé la soirée de dimanche dernier avec Amphlett. Elle était sur le cap. Il voulait nous dire qu'elle avait menti. Et lui aussi.

— Je suppose que ce ne sont pas les seuls. On les cueillera demain matin à la première heure et on entendra leurs explications. Je suis bien sûr qu'elle en aura une. »

Oliphant ne lâchait pas prise : « Mais pourquoi elle aurait menti si elle avait rien à cacher ? Et puis, c'est pas seulement l'alibi qui saute. Reeves dit que leur liaison, c'était juste un prétexte, qu'elle faisait semblant de l'aimer pour couvrir ses rapports avec Camm. Des lesbiennes. Manquait que ça. A mon idée les deux femmes sont dans le coup, chef. Amphlett devait bien savoir que Robarts allait nager la nuit. Tout le personnel de Larksoken le savait. Et puis c'était elle qui était la plus proche de Mair, son assistante personnelle. Il a pu donner tous les détails sur ce dîner et la façon dont le Siffleur opérait. Pas de problème pour se procurer les baskets L'Abeille. Camm connaissait la caisse pour la vente de bric-à-brac, même si Amphlett était pas au courant. Son gosse a eu des vêtements qui en venaient. »

Rickards dit : « Pas de problème pour se procurer

les chaussures. Plus difficile de les porter. Elles ne sont pas grandes, ces bonnes femmes-là. »

Oliphant rejeta prestement ce qui était sans doute pour lui une objection puérile. « De toute façon, elles ont pas eu le temps de les essayer. Alors il vaut mieux poisser une paire trop grande que trop petite et des godasses souples plutôt que du cuir qui prête pas. Et puis Camm a un mobile, chef. Un double mobile. Elle a menacé Robarts quand elle a bousculé le gosse. On a le témoignage de Mrs Jago sur l'accrochage. Et si Camm voulait rester dans la caravane, près de sa goton, c'était important d'arrêter le procès intenté par Robarts à Pascoe. Et Camm savait presque sûrement où Robarts allait se baigner tous les soirs. Si Amphlett lui a pas dit, Pascoe l'a probablement fait. Il nous a avoué qu'il se glissait quelquefois dehors pour l'espionner. Un petit vicelard. Et encore autre chose, Camm a une laisse à chien, vous vous rappelez. D'ailleurs Amphlett aussi, j'y pense. Reeves dit qu'elle promenait son chien sur le cap dimanche soir.

— Pas de marques de pattes sur les lieux, brigadier. Ne nous montons pas trop le bourrichon. Elle était peut-être sur les lieux, mais le chien n'y était pas.

— Laissé dans la voiture, chef. Elle l'avait peut-être pas avec elle, mais je parie qu'elle s'est servie de la laisse. Et puis encore autre chose. Ces deux verres à Thyme Cottage. Je parie que Caroline Amphlett était avec Robarts avant qu'elle aille prendre ce dernier bain. Assistante personnelle de Mair, Robarts l'aurait fait entrer sans piper. Tout ça concorde, chef. L'affaire est dans le sac. »

Rickards se dit qu'en fait de sac, c'était plutôt une passoire. Mais Oliphant avait raison, il y avait là une théorie qui se tenait, même si on n'avait pas encore la moindre trace de preuve. Il ne fallait pas que son antipathie pour l'homme risquât d'obscurcir son jugement. Et un fait ressortait avec une déprimante évidence : s'il arrêtait un autre suspect, cette thèse, malgré le manque de bases solides, serait un fameux cadeau pour l'avocat de la défense.

Il dit : « Ingénieux, mais rien que des présomptions. De toute façon, ça peut attendre à demain. On ne peut rien faire ce soir.

— On devrait voir Reeves, chef. Il peut changer son histoire d'ici à demain matin.

— Eh bien, voyez-le. Et prévenez-moi quand Camm et Amphlett reviendront. Je vous verrai à Hoveton à huit heures. On les cueillera à ce moment-là. Et je ne veux pas qu'elles soient interrogées avant que je les aie vues. C'est bien compris ?

— Oui, chef. Entendu, chef. »

Quand il eut reposé l'appareil, Susie dit : « S'il faut que tu y ailles, ne t'inquiète pas pour moi. Tout ira bien, maintenant que je suis à la maison.

— Rien d'urgent. Oliphant peut très bien s'en charger. Il aime ça, diriger, faire l'important. Il est ravi.

— Je ne veux pas te gêner, mon chéri. Maman pensait que la vie serait plus facile pour toi si je n'étais pas là. »

Il se retourna, la prit dans ses bras et sentit ses propres larmes qui coulaient, tièdes, sur le visage de la jeune femme. Il dit : « La vie n'est jamais ni agréable ni facile pour moi quand tu n'es pas là. »

46

Les corps furent rejetés deux jours plus tard à trois kilomètres au sud de Hunstanton, ou du moins ce qu'il en restait suffit-il pour permettre de les identifier de façon certaine. Le lundi matin, un contrôleur des contributions en retraite promenant son dalmatien sur la plage le vit flairer ce qui ressemblait à un gros bout de lard entortillé dans des algues, roulant et glissant au bord de l'eau. Au moment où il s'approchait, l'objet d'abord aspiré par une lame qui se retirait fut projeté à ses pieds par la suivante et il découvrit avec horreur le buste d'une femme coupé net à la taille. Il en resta pétrifié pendant une seconde, tandis que l'eau bouillonnait dans l'orbite vide de l'œil gauche et ballottait les seins flasques. Puis il se détourna, secoué par des vomissements explosifs, avant de s'éloigner en titubant comme un ivrogne.

Le corps de Caroline Amphlett, intact, fut rejeté par la même marée avec des planches du bateau et une partie du toit de la cabine. Daniel le Dingue, un inoffensif et souriant batteur de grève, les trouva lors d'une de ses sorties régulières. Le bois attira d'abord son attention et il tira les planches au sec avec des gloussements de satisfaction, puis, sûr de son trésor, examina la noyée avec perplexité. Ce n'était pas le premier corps qu'il trouvait depuis quarante ans qu'il écumait les plages et il savait ce qu'il fallait faire, les gens qu'il fallait prévenir. D'abord, il la prit sous les bras et la tira hors d'atteinte de la marée, puis, gémissant doucement comme s'il déplorait sa maladresse et le manque de réaction du corps, il s'agenouilla à côté d'elle, retira sa veste et l'étendit sur les lambeaux de la blouse et du pantalon de la noyée.

« On est bien co' ça ? demanda-t-il. On est bien co' ça ? »

Puis il écarta avec soin les cheveux qu'elle avait dans les yeux et, tout en se balançant doucement, il se mit à lui fredonner une berceuse, comme à un enfant.

47

Dalgliesh se rendit trois fois à pied à la caravane après le déjeuner, le jeudi, mais sans jamais trouver Neil Pascoe. Il hésitait à téléphoner pour vérifier si l'homme était revenu, car en somme il n'avait aucune raison valable pour souhaiter le voir, aussi lui semblait-il préférable d'inclure son passage dans une promenade, comme si la décision de s'arrêter un moment à la caravane était le fait du hasard. Dans un certain sens, cela aurait pu être une visite de condoléances, mais il ne connaissait Amy Camm que de vue et ce prétexte lui semblait malhonnête aussi bien que peu convaincant. Peu après cinq heures, alors que le jour commençait à baisser, il fit une nouvelle tentative. Cette fois la porte de la caravane était large ouverte, mais de Pascoe aucune trace. Alors qu'il restait là, hésitant, un nuage de fumée suivi par un bref éclair de flamme s'éleva au-dessus du bord de la falaise, et remplit aussitôt l'air d'une odeur âcre.

Du haut de la falaise, il découvrit un spectacle extraordinaire. Pascoe avait construit une manière de foyer avec de grosses pierres, des blocs de béton, et allumé un feu de broussailles dans lequel il vidait papiers, cartons, fiches, bouteilles et ce qui semblait être un assortiment de vêtements. La pile qui attendait d'être brûlée était retenue par les barreaux du berceau de Timmy, lui aussi évidemment promis aux flammes ; un matelas sale était enroulé sur le côté en guise d'abri-vent, bien inefficace. Uniquement vêtu de shorts crasseux, Pascoe s'agitait comme un démon fou, les yeux telles des soucoupes blanches dans son visage noirci, les bras et la poitrine nus luisants de sueur. Quand il vit Dalgliesh se laisser glisser sur la pente sableuse de la falaise, il lui adressa un bref signe de tête, puis se mit à tirer une petite mallette très fatiguée, arrachée sous les barreaux du berceau avec une hâte désespérée. Il sauta ensuite d'un bond sur le large rebord du foyer, les jambes écartées. Dans la lueur rouge des flammes tout son corps ruisselant parut un instant transparent, comme éclairé du dedans, et les grosses gouttes de sueur coulaient sur ses épaules comme du sang. Avec une sorte de hurlement, il brandit très haut la mallette au-dessus du brasier et l'ouvrit. Les vêtements du bébé tombèrent en cascade bariolée et les flammes sautèrent comme des langues vivantes pour les attraper en plein vol, les faisant tourbillonner un bref instant en torches brûlantes avant qu'ils retombent noircis au cœur du feu. Pascoe resta un moment immobile, haletant, puis sauta par terre avec un cri mi-exultant mi-désespéré. Dalgliesh comprenait et partageait jusqu'à un certain point son exaltation devant cette tumultueuse juxtaposition de vent, de feu et d'eau. Tandis que Pascoe vidait un autre carton de papiers, les fragments calcinés s'élevèrent en dansant comme des oiseaux affolés, et vinrent heurter doucement le visage de Dalgliesh avant de se poser sur les pierres sèches en haut de la grève comme une peste noire. Il sentit la fumée lui piquer les yeux.

Il cria : « Vous n'êtes pas en train de polluer la plage ? »

Pascoe se tourna vers lui et parla pour la première fois, hurla plutôt pour dominer le rugissement du feu. « Quelle importance ? Nous polluons toute cette sacrée planète. »

Dalgliesh hurla en retour : « Jetez quelques galets là-dessus et laissez ça jusqu'à demain. Il y a trop de vent pour un autodafé ce soir. »

Il s'était attendu à ce que Pascoe ne lui prêtât aucune attention, mais à sa grande surprise ces mots parurent ramener ce dernier à la réalité, le corps vidé de son exultation et de sa vigueur. Il regarda le feu et dit d'un ton morne : « Vous avez peut-être raison. »

Il y avait une bêche et une pelle rouillées jetées à côté de la pile de débris. Ensemble les deux hommes ramassèrent un mélange de galets et de sable qu'ils jetèrent sur les flammes. Quand la dernière langue rouge se fut éteinte dans un sifflement rageur, Pascoe se détourna et se mit à remonter la grève en direction de la falaise. Dalgliesh le suivit. La question qu'il redoutait un peu — Vous êtes venu ici exprès ? Pourquoi voulez-vous me voir ? — n'avait été ni posée, ni apparemment envisagée.

Dans la caravane, Pascoe referma la porte d'un coup de pied et s'écroula les bras sur la table : « Vous voulez une bière ? Ou du thé ? Je n'ai plus de café.

— Rien, merci. »

Dalgliesh, immobile, regarda Pascoe se diriger à tâtons vers le réfrigérateur. Revenu à table, il arracha le couvercle de la boîte de bière et se versa le contenu dans la bouche, en un jet presque continu. Puis il se laissa retomber en avant, silencieux, la boîte toujours serrée dans sa main. Pas un mot ne fut prononcé et Dalgliesh eut l'impression que son compagnon était à peine conscient d'une présence à côté de lui. Il faisait noir dans la caravane et le visage de l'homme n'était plus qu'un ovale indistinct dans lequel le blanc des yeux luisait avec un éclat anormal. Puis il se leva non sans trébucher en marmonnant quelque chose à propos d'allumettes et un instant plus tard, un grattement, un sifflement et des mains se tendirent vers la lampe à pétrole sur la table. Dans la lueur qui se renforçait le visage semblait épuisé, hagard sous la crasse et les mâchurons de fumée, les yeux ternis par la souffrance. Le vent secouait la caravane, sans brutalité mais avec un balancement régulier, comme si elle était bercée par une main inconnue. La porte à glissière séparant l'habitacle en deux était ouverte et Dalgliesh apercevait sur le lit étroit une pile de vêtements féminins avec un méli-mélo de tubes, de pots et de bouteilles. A part cela, la caravane avait l'air bien rangée mais dénudée, moins un intérieur qu'un refuge provisoire mal équipé, tout en gardant encore l'odeur semblable à nulle autre d'un enfant — lait et matières fécales. L'absence de Timmy et de sa mère morte emplissait la caravane comme elle emplissait leur esprit.

Après quelques minutes de silence, Pascoe releva la tête et le regarda : « Je brûlais toutes les archives du PCPN avec le reste des débris. Vous avez sans doute deviné. Ça n'a jamais servi à rien. J'utilisais ça pour flatter le besoin que j'ai de me sentir important. Vous me l'avez plus ou moins dit la fois où j'étais allé vous voir au moulin.

— Vraiment ? Je n'en avais absolument pas le droit. Qu'est-ce que vous allez faire maintenant ?

— Aller à Londres et chercher un travail. L'université ne veut pas m'accorder un an de prêt supplémentaire. Je ne les blâme pas. Je préférerais retourner dans le Nord-Est, mais je pense que Londres offre plus de possibilités.

— Quelle sorte de travail ?

— N'importe lequel. Je m'en fous. Du moment que ça me rapporte de l'argent, et que ça ne peut absolument servir à personne. »

Dalgliesh demanda : « Et Timmy ? Qu'est-ce qu'il va devenir ?

— Les autorités locales l'ont pris en charge. Un couple d'assistantes sociales est venu le chercher hier. Elles n'avaient pas l'air mal, mais il ne voulait pas aller avec elles. Il a fallu qu'elles me l'arrachent des bras, il hurlait. Elle est jolie la société qui fait ça à ses enfants. »

Dalgliesh dit : « Je ne pense pas qu'on avait le choix. Il faut faire des plans à long terme pour son avenir. Il ne pouvait pas rester indéfiniment avec vous.

— Pourquoi pas ? Je me suis occupé de lui pendant plus d'un an. Et au moins j'aurais retiré quelque chose de tout ce gâchis. »

Dalgliesh demanda : « Ils ont retrouvé la famille d'Amy ?

— Ils n'ont pas eu encore beaucoup de temps, hein ? Et quand ils l'auront fait, je suis bien sûr qu'ils ne prendront pas la peine de me prévenir. Timmy a vécu ici un an, mais je compte moins que des grands-parents qu'il n'a jamais vus et qui se foutent sans doute bien de lui. »

Il tenait toujours la boîte vide. La tournant lentement dans ses mains, il dit : « Ce que je ne peux pas encaisser, c'est la tromperie. Je croyais qu'elle y tenait, oh pas à moi, mais à ce que j'essayais de faire. Rien que des mensonges. Elle m'utilisait, elle utilisait la caravane pour être près de Caroline. »

Dalgliesh dit : « Mais elles n'ont pas pu se voir souvent ?

— Qu'est-ce que j'en sais ? Quand je n'étais pas là,

elle se glissait sans doute dehors pour aller retrouver sa gougnotte. Timmy a dû passer des heures tout seul. Elle ne tenait même pas à lui. Les chats étaient plus importants pour elle que Timmy. Mrs Jago les a pris. Ils seront bien. Quelquefois, le dimanche après-midi, elle sortait en me disant brutalement qu'elle allait retrouver son amoureux dans les dunes. Je croyais que c'était une plaisanterie. J'avais besoin de le croire. Et pendant tout ce temps-là, elles étaient là-bas, elle et Caroline, qui se mélangeaient, qui se foutaient de moi. »

Dalgliesh dit : « Vous n'avez que le témoignage de Reeves pour supposer ça. Caroline a pu lui mentir.

— Non, non, elle ne mentait pas. Je le sais. Elles nous ont utilisés, tous les deux, Reeves et moi. Amy n'était pas — enfin, elle n'était pas frigide. On a vécu ensemble ici pendant plus d'un an. La deuxième nuit elle — eh bien, elle s'est offerte à moi. Mais c'était sa façon de payer son écot. Ça n'aurait pas été bien, ni pour l'un ni pour l'autre. Mais au bout d'un moment je suppose que j'ai commencé à espérer. Je veux dire : à force de vivre ici, je me suis attaché à elle. Mais elle, elle n'a jamais vraiment voulu de moi près d'elle. Et quand elle revenait de ces promenades du dimanche, je savais. Je me leurrais moi-même, je ne voulais pas le croire, mais je savais. Elle exultait. Elle brillait de bonheur. »

Dalgliesh dit : « Écoutez, est-ce que c'est si important pour vous, les relations avec Caroline, en admettant que ce soit vrai ? Ce que vous aviez ici, l'affection, l'amitié, la camaraderie, Timmy, tout ça ne compterait pas parce qu'elle avait trouvé sa vie sexuelle en dehors de cette caravane ? »

Pascoe dit, très amer : « Oublier et pardonner ? A vous entendre, c'est bien facile.

— Je ne pense pas que vous puissiez oublier, ni même que vous le vouliez. Mais je ne vois pas pourquoi vous emploieriez le mot pardonner. Elle n'a jamais promis plus qu'elle n'a donné.

— Vous me méprisez, hein ? »

Dalgliesh se dit que décidément, l'égotisme forcené des gens très malheureux était bien peu sympathique. Mais il avait encore des questions à poser. Il dit : « Et elle n'a rien laissé, ni papiers, ni notes, ni agenda, rien qui indique ce qu'elle faisait ici ?

— Rien. Et je sais pourquoi elle était venue ici. Elle était venue pour être près de Caroline.

— Est-ce qu'elle avait de l'argent ? Même si vous la nourrissiez, elle devait bien avoir quelque chose à elle.

— Elle avait toujours un peu de liquide, mais je ne sais pas d'où elle le tirait. Elle ne me l'a jamais dit et ça me gênait de demander. Je sais qu'elle ne touchait rien des services sociaux. Elle disait toujours qu'elle ne voulait pas qu'ils viennent fouiner ici pour voir si on couchait ensemble. Je ne la blâmais pas. J'étais bien du même avis.

— Pas de courrier ?

— Des cartes postales de temps en temps. Assez régulièrement, même. Donc elle devait avoir des amis à Londres. Je ne sais pas ce qu'elle en faisait. Elle les jetait, je suppose. Il n'y a rien dans la caravane que ses vêtements et ses produits de beauté et je vais les brûler demain. Après ça, il ne restera rien, pas une trace de son passage ici. »

Dalgliesh demanda : « Et le meurtre ? Croyez-vous que ce soit Caroline Amphlett qui a tué Robarts ?

— Peut-être. Je m'en moque. Ça n'a plus aucune importance. Si ça n'est pas elle, Rickards s'en servira comme de bouc émissaire, elle et Amy ensemble.

— Mais vous ne pouvez pas croire qu'Amy a participé à un meurtre ? »

Pascoe regarda Dalgliesh avec la colère impuissante d'un enfant qui ne comprend pas. « Je n'en sais rien. Je ne l'ai jamais connue. C'est ça que je suis en train de vous dire. Et maintenant que Timmy est parti, je m'en fous. Et je suis complètement perdu entre la colère quand je pense à ce qu'elle m'a fait et le chagrin de sa mort. Je ne croyais pas qu'on pouvait éprouver et colère et chagrin en même temps. Je devrais la pleurer, mais tout ce que je ressens, c'est cette terrible colère.

— Oh, dit Dalgliesh, on peut éprouver les deux en même temps. C'est même la réaction la plus commune en cas de deuil. »

Soudain Pascoe lâcha la boîte vide, qui heurta bruyamment la table, et pencha la tête très bas, les épaules secouées par les sanglots. Dalgliesh se dit que les femmes savaient mieux ce qu'il fallait faire en pareil cas. Combien de fois, il avait vu des auxiliaires de la police prendre tout naturellement dans leurs bras la mère affligée, l'enfant perdu. Certains hommes s'en tiraient bien aussi, certainement. Comme Rickards autrefois. Pour lui, les mots ne lui manquaient pas, mais ils faisaient partie de son outillage professionnel. Ce qu'il trouvait difficile, c'était ce qui venait si spontanément à ceux dont le cœur était vraiment généreux, le désir de toucher et d'être touché. Je suis ici sous de fausses apparences, pensa-t-il. Sans cela je pourrais peut-être moi aussi me sentir capable de dominer la situation.

Il dit : « Il me semble que le vent est tombé. Si nous achevions de brûler et de nettoyer toutes ces saletés sur la plage ? »

Une heure s'écoula encore avant que Dalgliesh fût prêt à partir pour le moulin. Au moment où il disait au revoir à Pascoe à la porte de la caravane, une Fiesta bleue avec un jeune homme au volant arriva en cahotant sur l'herbe.

Pascoe dit : « Jonathan Reeves. Il était fiancé à Caroline Amphlett, ou du moins il le croyait. Elle s'est moquée de lui comme Amy s'est moquée de moi. Il est venu une ou deux fois pour bavarder un peu. On s'était dit qu'on aurait pu aller au *Local Hero* pour une partie de billard japonais. »

Dalgliesh se dit que l'image de ces deux hommes qui se consolaient de la perfidie de leurs femmes respectives à coups de bière et de billard japonais n'avait rien d'attrayant. Mais Pascoe semblait vouloir lui présenter Reeves et il se retrouva en train de serrer une main étonnamment ferme en présentant des condoléances dans les règles.

Jonathan Reeves dit : « Je ne peux pas encore le

croire, mais je suppose que c'est toujours ce qu'on dit après une mort aussi brutale. Et je ne peux pas m'empêcher de penser que c'est ma faute. J'aurais dû les en empêcher. »

Dalgliesh dit : « Elles étaient adultes. On peut supposer qu'elles savaient ce qu'elles faisaient. A moins de les arracher par la force de ce bateau, ce qui n'était guère possible, je ne vois pas comment vous auriez pu les arrêter. »

Reeves répéta obstinément : « J'aurais dû. » Puis il ajouta : « Je fais tout le temps ce rêve. Un cauchemar, en fait. Elle se tient à côté de mon lit avec l'enfant dans ses bras, et elle me dit : "C'est ta faute, c'est ta faute." »

Pascoe dit : « Caroline vient avec Timmy ? »

Reeves le regarda, étonné qu'il pût être aussi obtus : « Pas Caroline, c'est Amy qui vient. Amy, que je n'ai jamais vue, qui est là, les cheveux ruisselants, l'enfant dans ses bras et qui me dit que c'est ma faute. »

48

Une heure plus tard exactement, Dalgliesh avait quitté le cap et filait vers l'ouest sur la A1151. Au bout de vingt minutes, il prit une étroite route de campagne en direction du sud. L'obscurité était tombée et les nuages bas déchirés par le vent volaient à toute allure comme une couverture en loques devant la lune et les étoiles. Il conduisait vite, sans une hésitation, à peine conscient de la poussée et des hurlements du vent. Il n'avait pris cet itinéraire qu'une fois, au début de la matinée, mais il savait où il allait — inutile de consulter une carte. Des deux côtés des haies, les champs s'étendaient, noirs, ininterrompus. Les phares de la voiture argentaient de-ci de-là un arbre tordu secoué par le vent, illuminaient l'espace d'un instant, comme des projecteurs, la façade sans expression d'une fermette isolée, faisaient surgir — pointes d'épingles lumineuses — les yeux d'un animal nocturne avant qu'il eût détalé pour se mettre à l'abri. Le trajet n'était pas long, moins de cinquante minutes, mais les yeux fixés droit devant lui et passant les vitesses comme un automate, il se sentit un instant désorienté comme s'il avait parcouru pendant des heures la sinistre obscurité de cette contrée plate et secrète.

La villa de brique victorienne se trouvait à la lisière d'un village. La grille était ouverte et il remonta lentement l'allée sablée entre les lauriers ébouriffés et les bourgeons craquants des hêtres, puis glissa la Jaguar entre les trois voitures déjà discrètement garées à côté de la maison. Les deux rangées de fenêtres sur la façade étaient noires et l'ampoule unique qui éclairait l'imposte parut être à Dalgliesh moins un signe de bienvenue que l'indication sinistre d'une vie secrète. Il n'eut pas besoin de sonner. Des oreilles devaient guetter l'approche de sa voiture, car la porte fut ouverte au moment précis où il l'atteignait par le même huissier petit, trapu et souriant qui l'avait accueilli lors de sa première visite, le matin. Il portait toujours le même bleu de travail, si bien coupé qu'il ressemblait à un uniforme. Dalgliesh se demanda quel était son rôle exact : chauffeur, garde, factotum ? Ou peut-être quelque fonction plus sinistre et spécialisée ?

Il dit : « Ces messieurs sont dans la bibliothèque, monsieur. Je vais apporter le café. Est-ce que vous aimeriez des sandwiches ? Il reste un peu de bœuf, ou alors un morceau de fromage ? »

Dalgliesh dit : « Juste le café, merci. »

Ils l'attendaient dans la même petite pièce au fond de la maison. Les murs étaient recouverts de boiseries très claires et il n'y avait qu'une seule fenêtre, carrée, masquée par de lourds rideaux de velours bleu fané. Malgré son nom, la fonction de la pièce n'était pas évidente. Certes le panneau en face de la fenêtre était strié de rayonnages, mais ils ne contenaient qu'une demi-douzaine de volumes reliés en cuir et des piles de vieux périodiques qui ressemblaient à des suppléments du dimanche. L'ambiance, curieusement troublante, était celle d'un gîte d'étape non dépourvu de confort, où les occupants provisoires essayaient de s'installer comme chez eux. Six fauteuils assortis, la plupart en cuir, étaient rangés autour d'une cheminée de marbre lourdement sculptée et tous munis d'une petite tablette. A l'extrémité opposée de la pièce, une table moderne entourée de six chaises. Le matin, elle avait été occupée par les restes du petit déjeuner et l'air, chargé d'une odeur de bacon et d'œuf. Mais les vestiges avaient été débarrassés, puis remplacés par des verres et des bouteilles sur un plateau. En regardant la variété des étiquettes, Dalgliesh se dit qu'ils se traitaient somptueusement. Ce plateau chargé donnait un air d'hospitalité à un lieu où fort peu d'autres choses étaient hospitalières. La température lui parut assez fraîche. Dans la cheminée, un grand éventail de papier bruissait à chaque gémissement du vent, et le radiateur électrique placé dans la grille était à peine suffisant, même pour une pièce de proportions aussi chiches et fort encombrée de surcroît.

Trois paires d'yeux se tournèrent vers lui quand il entra. Clifford Sowerby se tenait debout devant la cheminée exactement comme la dernière fois où Dalgliesh l'avait vu. Complet strict et chemise immaculée, il était aussi frais qu'à neuf heures du matin. Il dominait toujours la pièce. Robuste, bel homme, il avait l'assurance et la bienveillance contrôlée d'un directeur d'école ou d'un banquier prospère ; nulle inquiétude à avoir en entrant dans son bureau si l'on avait un compte amplement approvisionné. Dalgliesh, qui le rencontrait pour la deuxième fois seulement, éprouva de nouveau une gêne instinctive et apparemment irrationnelle. L'homme était à la fois impitoyable, dangereux et pourtant, pendant les heures où ils avaient été séparés, il aurait été incapable de se rappeler exactement son visage ou sa voix.

On ne pouvait pas en dire autant de Bill Harding.

Haut de six pieds, un visage pâle criblé de taches de rousseur surmonté par une tignasse rousse, il avait évidemment décidé que l'anonymat était impossible et opté pour l'excentricité. Il portait un costume à carreaux en gros tweed et une cravate à pois. Se levant non sans quelque difficulté de son fauteuil bas, il se dirigea vers la table et, quand Dalgliesh lui eut dit qu'il attendait le café, resta planté, la bouteille de whisky à la main, comme s'il ne savait trop quoi en faire. Mais il y avait un personnage de plus que le matin. Alex Mair, verre en main, se tenait devant les livres comme s'il s'intéressait vivement à l'assortiment de volumes reliés cuir et de périodiques empilés. Il se retourna quand Dalgliesh entra et lui lança un long regard appuyé, puis le salua brièvement de la tête. Il était de loin le plus élégant et le plus intelligent des trois hommes qui attendaient là. Mais quelque chose, assurance ou énergie, semblait l'avoir fui et il avait l'apparence diminuée d'un homme qui souffre physiquement et se contient avec peine.

Sowerby dit, une lueur amusée dans ses yeux aux paupières lourdes : « Vous vous êtes roussi le poil, Adam. A l'odeur on croirait que vous avez éteint un feu de joie.

— Exactement ce que j'ai fait. »

Mair ne bougea pas, mais Sowerby et Harding s'assirent de chaque côté du feu et Dalgliesh prit un siège entre eux. Ils attendirent que le café fût arrivé et qu'il eût une tasse dans les mains. Sowerby, renversé dans son fauteuil et les yeux au plafond, semblait prêt à attendre toute la nuit.

Ce fut Bill Harding qui dit : « Alors, Adam ? » Reposant sa tasse, Dalgliesh raconta exactement ce qui s'était passé depuis son arrivée à la caravane. Sans aucune note, il avait une mémoire infaillible. A la fin de son exposé, il dit : « Donc vous pouvez être rassurés. Pascoe croit à ce qui, j'imagine, va devenir la version officielle : que les deux filles avaient une liaison, qu'elles sont imprudemment parties faire une promenade en bateau et qu'elles ont été abordées par accident dans le brouillard. Je ne crois pas qu'il provoquera la moindre difficulté ni pour vous ni pour personne d'autre. Son potentiel de contestation semble épuisé. »

Sowerby dit : « Et Camm n'a rien laissé de compromettant dans la caravane ?

— Je doute beaucoup qu'il y ait eu quelque chose à laisser. Pascoe dit qu'il a lu une ou deux des cartes postales quand elles arrivaient, mais qu'il n'y avait rien, que les formules habituelles, des niaiseries de touristes. Apparemment, Camm les a détruites. Et lui, avec mon aide, a détruit les détritus de la vie qu'elle a menée sur le cap. Je l'ai aidé à emporter le reste des vêtements et des produits de beauté sur la plage pour les brûler. Pendant qu'il était occupé à entretenir le feu, j'ai eu la possibilité de retourner faire une fouille assez complète. Il n'y avait rien. »

Sowerby dit, protocolaire : « Vous nous avez rendu grand service, Adam, en faisant ça pour nous. Rickards n'étant au courant de rien en ce qui concerne nos intérêts, nous ne pouvions évidemment pas compter sur lui. Et puis, vous aviez un avantage considérable : Pascoe vous considérait plus comme un ami que comme un policier : ça ressort clairement de sa précédente visite à Larksoken Mill. Il a confiance en vous. »

Dalgliesh dit : « Vous m'avez tout expliqué ce matin. La demande que vous m'avez faite m'a paru raisonnable, vu les circonstances. En ce qui concerne le terrorisme, je ne suis pas naïf, et sans équivoque. Vous m'avez demandé de faire quelque chose et je l'ai fait. Je suis toujours persuadé que vous devriez mettre Rickards au courant, mais c'est votre affaire. Enfin, vous avez votre réponse. Si Camm travaillait avec Amphlett, elle ne s'est pas confiée à Pascoe et il ne se doute de rien, ni pour l'une ni pour l'autre. Il croit que Camm n'est restée avec lui que pour être près de son amie. Malgré ses idées libérales, il est aussi disposé qu'un autre à croire qu'une femme qui persiste à ne pas vouloir coucher avec lui est ou frigide ou lesbienne. »

Sowerby se permit un petit sourire sarcastique :

« Pendant que vous jouiez Ariel auprès de son Prospero sur la grève, je suppose qu'il n'a pas avoué le meurtre de Robarts ? C'est sans grande importance, mais on est tout naturellement curieux.

— J'avais mission de lui parler d'Amy Camm, mais il a fait allusion au meurtre. Je ne pense pas qu'il croie vraiment qu'Amy ait aidé à tuer Robarts, mais que les filles l'aient fait ou pas lui importe peu finalement. Vous-mêmes, vous êtes convaincus que ce sont elles ?

— Nous n'avons pas à l'être. C'est Rickards qui doit en être persuadé et j'imagine qu'il l'est. Soit dit en passant, vous l'avez vu ou vous lui avez parlé aujourd'hui ?

— Il m'a téléphoné vers midi, surtout, je crois, pour me dire que sa femme était rentrée. Je ne sais trop pourquoi, il pensait que ça m'intéresserait. En ce qui concerne le meurtre, il a l'air d'en venir à l'idée que Camm et Amphlett étaient dans le coup l'une et l'autre. »

Harding dit : « Et il a sans doute raison. »

Dalgliesh demanda : « Qu'est-ce qu'il a comme preuves ? Et puisqu'il n'a pas le droit de savoir que l'une au moins est soupçonnée de terrorisme, pour quel mobile ? »

Harding dit impatiemment : « En voilà assez, Adam ! Quelle preuve peut-il espérer avoir ? Et depuis quand le mobile est-il la première considération ? D'ailleurs, elles en avaient un, ou du moins Camm. Elle haïssait Robarts. Il y a au moins un témoin qui a assisté à un vrai pugilat entre elles le dimanche du meurtre, l'après-midi. Et Camm protégeait férocement Pascoe, elle était très active dans le groupe de pression qu'il avait lancé. Ce procès en diffamation l'aurait ruiné et mis le PCPN définitivement K-O. Il branle déjà dans le manche. Camm voulait se débarrasser de Robarts et Amphlett l'a tuée. C'est ce qu'on croira le plus généralement dans le coin et Rickards fera comme les autres. D'ailleurs, il est probablement sincère. »

Dalgliesh dit : « Camm protégeait férocement Pascoe ? Qui l'a dit ? C'est une supposition, pas une preuve.

— Mais il en a, des preuves. Indirectes, soit, mais maintenant c'est très probablement tout ce qu'il aura. Amphlett savait que Robarts allait nager le soir ; pratiquement tout le monde à la centrale le savait. Elle a concocté un faux alibi. Camm avait accès comme n'importe qui au bric-à-brac entreposé au presbytère. Et Pascoe admet maintenant qu'il pouvait être neuf heures et quart quand il est revenu de Norwich. Entendu, c'est juste, mais enfin pas impossible si Robarts est allée se baigner plus tôt que d'habitude. Tout ça se tient. Pas un dossier d'instruction en béton qui aurait permis de les arrêter si elles étaient encore en vie, mais suffisant pour qu'il soit bien difficile de condamner qui que ce soit d'autre. »

Dalgliesh dit : « Est-ce qu'Amy Camm aurait abandonné son enfant ?

— Pourquoi pas ? Il dormait probablement, sinon s'il s'était mis à brailler, qui l'aurait entendu ? Tout de même, Adam, vous n'allez pas nous dire que c'était une bonne mère ? Elle l'a bien laissé finalement, non ? Et définitivement, encore que ça n'ait peut-être pas été prémédité. Si vous voulez mon avis, ce gosse ne comptait pas beaucoup pour sa mère. »

Dalgliesh dit : « Donc, vous supposez une mère si indignée par un geste d'hostilité sans gravité envers son enfant qu'elle le venge par un meurtre et cette même mère le laissant seul dans une caravane pour aller se promener en bateau avec sa petite amie. Est-ce que Rickards ne trouverait pas ça difficile à concilier ? »

Sowerby dit avec un rien d'impatience : « Dieu seul sait comment Rickards concilie quoi que ce soit. Heureusement, nous ne sommes pas tenus de le lui demander. Au reste, Adam, nous connaissons un mobile très positif : Robarts aurait pu soupçonner Amphlett. Après tout, elle était responsable des services administratifs. Intelligente, consciencieuse — vous n'avez pas dit exagérément consciencieuse, Mair ? »

Tous regardèrent la silhouette debout devant la bibliothèque. Mair se retourna pour leur faire face. Il dit tranquillement : « Oui, elle était consciencieuse. Mais je doute qu'elle l'ait été au point de détecter une conspiration qui m'avait échappé. » Il se remit à contempler les livres.

Il y eut un instant de silence embarrassé, rompu par Bill Harding qui dit allégrement, comme si Mair n'avait pas parlé : « Donc, qui était mieux placé qu'elle pour éventer un brin de trahison ? Rickards n'a peut-être ni preuve solide, ni mobile suffisant, mais pour l'essentiel il a sans doute raison. »

Dalgliesh se leva et alla vers la table. Il dit : « Ça vous arrangerait que le dossier soit refermé, je le vois bien. Mais si j'étais chargé des investigations, il resterait ouvert. »

Sowerby dit avec une petite grimace : « C'est assez évident. Félicitons-nous donc que vous ne le soyez pas. Mais vous garderez vos doutes pour vous, Adam ? Ça va sans dire.

— Alors, pourquoi le dire ? »

Il reposa sa tasse sur la table, conscient que Sowerby et Harding surveillaient chacun de ses mouvements comme s'il avait été suspect et capable de déguerpir à n'importe quel moment. Revenant à son fauteuil, il dit : « Et comment Rickards ou un autre va-t-il expliquer la balade en bateau ? »

Ce fut encore Harding qui répondit : « Il n'aura pas à le faire. Elles couchaient ensemble, non ? Elles ont eu envie de faire un tour. C'était le bateau d'Amphlett après tout. Elle a laissé sa voiture sur le quai, au vu et au su de tout le monde. Elle n'a absolument rien emporté et Amy non plus. Elle a laissé un mot pour Pascoe disant qu'elle serait revenue dans une heure environ. Pour Rickards comme pour tout le monde, autant d'indices qui concordent pour faire croire à un accident. Et d'ailleurs, qui pourra dire le contraire ? Nous étions très, très loin d'avoir réuni les renseignements suffisants pour qu'Amphlett se sente menacée au point de paniquer et de prendre la poudre d'escampette ; pas encore.

« — Et nos gars n'ont rien trouvé dans la maison ? »

Harding regarda Sowerby. Une question à laquelle ils préféraient ne pas répondre et qui n'aurait pas dû être posée. Après un silence, Sowerby dit : « Rien. Ni radio, ni documents, ni traces de matériel compromettant. Si Amphlett avait l'intention de décamper, elle n'a rien laissé traîner avant de partir. »

Bill Harding dit : « Bon, si elle a vraiment paniqué et voulu filer, le seul mystère, c'est sa précipitation. Si elle avait tué Robarts et pensé que la police brûlait, ça aurait pu faire pencher la balance. Mais la police ne brûlait pas. Évidemment, ça a pu être une vraie promenade en mer et un vrai accident. Ou alors leur organisation a pu les supprimer toutes les deux. Une fois le projet Larksoken obsolète, elles perdaient toute utilité. Qu'est-ce que les camarades allaient bien pouvoir en faire ? Leur fournir de nouvelles identités, de nouveaux papiers, les infiltrer dans une centrale en Allemagne ? A mon avis, elles n'en valaient pas la peine. »

Dalgliesh dit : « Y a-t-il une preuve quelconque qu'il s'est agi d'un accident ? Est-ce qu'un bâtiment a signalé des avaries à l'avant, un possible abordage dans le brouillard ?

Sowerby dit : « Aucun jusqu'à présent, et je doute qu'il y en ait. Mais si Amphlett appartenait bien à l'organisation que nous soupçonnons, ils n'auraient pas hésité une seconde à sacrifier une paire de martyres involontaires à la cause. Je me demande à qui elle croyait avoir affaire ! Le brouillard les aurait aidés, mais ils auraient pu couler le bateau sans ça. Ou même les enlever et les tuer ailleurs. Mais simuler un accident était la solution tout indiquée, surtout avec le brouillard en prime. Moi, j'aurais joué le coup comme ça. » Et même sans trace de regret, se dit Dalgliesh.

Harding se tourna vers Mair : « Vous n'avez pas eu le moindre soupçon ?

— Vous me l'avez déjà demandé. Non. J'ai été étonné — un peu irrité même — qu'elle ne veuille pas m'accompagner dans ma nouvelle situation et plus encore de la raison qu'elle m'a donnée. Je n'aurais vraiment pas pensé que Jonathan Reeves puisse être l'homme de sa vie. »

Sowerby dit : « C'était habile. Un homme sans personnalité, qu'elle pouvait dominer. Pas trop intelligent. Déjà amoureux d'elle. Elle pouvait le larguer le jour où elle le voulait, et il n'aurait pas été capable de comprendre la raison. D'ailleurs, pourquoi avoir des soupçons ? Le sexe n'a rien à voir avec la raison, de toute façon. »

Il y eut un silence, puis il ajouta : « Est-ce que vous l'avez vue, l'autre fille, Amy ? On me dit qu'elle est allée visiter la centrale pendant une de ces journées portes ouvertes. Mais je ne pense pas que vous vous en souveniez. »

Le visage de Mair était un masque blanc. Il dit : « Je l'ai vue une fois, je crois. Cheveux blonds teints, une figure poupine, assez jolie. Elle portait l'enfant. Qu'est-ce qu'il va devenir, à propos ? Ou bien est-ce une fille ? »

Sowerby dit : « Recueilli par l'Assistance, je suppose, à moins qu'on retrouve le père ou les grands-parents. Il finira sans doute placé ou adopté. Je me demande bien à quoi pensait sa bougresse de mère. »

Harding s'écria avec une brusque véhémence : « Est-ce qu'elles pensent jamais ? Non — pas de convictions, pas de stabilité, pas d'esprit de famille, pas de fidélité. Elles volent à tous les vents, comme du papier. Et puis, quand elles trouvent quelque chose qui leur donne l'illusion d'être importantes, quelque chose en quoi elles peuvent croire, qu'est-ce qu'elles choisissent ? La violence, l'anarchie, la haine, le meurtre. »

Sowerby le regarda, surpris et un peu amusé, puis il dit : « Des idées qui pour certaines valent le sacrifice de leur vie. Tout le problème est là, bien entendu.

— Simplement parce qu'elles veulent mourir. Si vous n'êtes pas capable de vivre, cherchez une excuse, une cause que vous pouvez travestir en raison valable pour mourir, qui satisfera votre désir de mort. Avec un peu de chance vous rameuterez une douzaine de pauvres cons, des gens qui, eux, aiment la vie et n'ont pas du tout envie de mourir. Et puis il y a toujours l'illusion ultime, l'arrogance finale. Le martyre. Dans le monde entier, des imbéciles solitaires et incapables brandiront les poings et brailleront votre nom et trimbaleront des placards avec votre portrait et commenceront à chercher autour d'eux quelqu'un qu'ils pourraient faire sauter, fusiller, mutiler. Et cette fille, cette Amphlett. Pas même l'excuse de la pauvreté. Un père officier supérieur, la sécurité, une bonne éducation, des privilèges, de l'argent. Elle avait tout. »

Ce fut Sowerby qui répondit : « Nous savons ce qu'elle avait. Ce que nous ne pouvons pas savoir, c'est ce qu'elle n'avait pas. »

Harding ne releva pas : « Et qu'est-ce qu'ils pensaient en faire, de Larksoken, s'ils s'en emparaient ? Ils n'auraient pas tenu une demi-heure. Il leur aurait fallu des spécialistes, des programmeurs. »

Mair dit : « Vous pouvez être persuadé, je crois, qu'ils savaient exactement de qui et de quoi ils avaient besoin et prévu la façon de les avoir.

— Et pour les faire entrer dans le pays ?

— Par bateau, peut-être. »

Sowerby le regarda avec une certaine impatience : « Enfin, ils ne l'ont pas fait. Ils ne pouvaient pas le faire. Et notre travail, c'est de veiller à ce qu'ils ne puissent jamais le faire. »

Un silence, puis Mair dit : « Je suppose qu'Amphlett était l'élément dominant. Je me demande quels arguments ou quels appeaux elle a pu utiliser. La fille — Amy — m'avait paru très instinctive, pas du tout du genre à mourir pour une théorie politique. Mais bien sûr, c'est un jugement superficiel. Je ne l'ai vue qu'une fois. »

Sowerby dit : « Sans les connaître, impossible de savoir laquelle dominait l'autre, mais je pense aussi que c'était presque certainement Amphlett. Sur Camm, on n'a ni renseignements ni soupçons. Elle a sans doute été recrutée comme courrier. Amphlett devait avoir un contact dans l'organisation et le rencontrer de temps en temps, ne serait-ce que pour recevoir des instructions. Mais ils évitaient sans doute soigneusement de le faire directement. Camm recevait probablement des messages codés fixant le lieu et la date de la rencontre suivante et les transmettait. Quant à ses raisons, elle trouvait sans aucun doute sa vie peu satisfaisante. »

Bill Harding se pencha lourdement sur la table et se versa une grosse rasade de whisky. Il avait la langue épaisse, comme s'il était ivre : « La vie a toujours été peu satisfaisante pour la plupart des gens, la plupart du temps. Le monde n'est pas fait pour notre satisfaction. Ce n'est pas une raison pour essayer de nous le faire dégringoler sur le cabochon. »

Sowerby sourit, l'air finement supérieur, et dit, très dégagé : « Ils croient peut-être que c'est ce que nous sommes en train de faire. »

Un quart d'heure plus tard, Dalgliesh partit avec Mair. Tandis qu'ils ouvraient la portière de leur voiture, il se retourna et vit que l'homme attendait toujours sur le seuil.

Mair dit : « Il s'assure que nous quittons bien les lieux. Quels types extraordinaires ! Je me demande comment ils ont été mis sur la piste de Caroline. J'ai jugé inutile de poser la question puisqu'ils avaient très nettement fait comprendre qu'ils n'avaient pas l'intention de le dire.

— Non, ils ne l'auraient pas dit. Presque certainement un tuyau des services de sécurité allemands.

— Et cette maison ! Comment diable trouvent-ils des endroits pareils ? Qu'est-ce que vous croyez, qu'ils les possèdent, qu'ils les empruntent, qu'ils les louent, ou qu'ils forcent la porte, tout simplement ?

— Elle appartient sans doute à un de leurs propres officiers, retraité, j'imagine. Il ou elle leur laisse une clef pour des occasions comme celle-là.

— Et maintenant, ils sont en train de lever le camp, je suppose. Ils essuient les meubles, vérifient qu'ils ne laissent pas d'empreintes digitales, finissent les victuailles, coupent l'électricité. Dans une heure, personne ne saura qu'ils sont passés là. La perfection des locataires provisoires. Ils se trompent cependant sur un point : il n'y avait pas de rapports physiques entre Amy et Caroline. C'est inepte ! »

Il s'exprimait avec une force et une conviction tellement extraordinaires, presque outragé, que Dalgliesh se demanda un instant si Caroline Amphlett n'avait pas été plus que son assistante. Mair dut bien sentir ce que son compagnon pensait, mais il ne s'expliqua ni ne protesta. Dalgliesh dit : « Je ne vous ai pas encore félicité pour votre promotion. »

Mair, qui s'était glissé derrière le volant, avait mis le contact, mais la portière de la voiture était encore ouverte et le gardien, silencieux, attendait toujours patiemment à la porte.

Il dit : « Je vous remercie. Ces tragédies à Larksoken ont un peu terni la satisfaction immédiate, mais c'est tout de même le poste le plus important que j'occuperai sans doute jamais. » Puis, comme Dalgliesh se détournait, il lui dit : « Ainsi, vous croyez que nous avons toujours un tueur sur le cap ?

— Pas vous ? »

Mais au lieu de répondre, Mair demanda : « Si vous étiez Rickards, qu'est-ce que vous feriez maintenant ?

— Je chercherais avant tout à savoir si Blaney ou Theresa ont quitté Scudder's Cottage, le dimanche soir. Si l'un ou l'autre l'a fait, alors je crois que mon dossier serait bouclé. Je ne pourrais pas apporter des preuves irréfutables, mais logiquement il se tiendrait et je crois que ce serait la vérité. »

49

Dalgliesh sortit le premier de l'allée, mais Alex Mair, accélérant brutalement, le dépassa dans la première ligne droite et resta en avant. L'idée de suivre la Jaguar jusqu'à Larksoken lui était intolérable. Mais cela ne risquait rien; Dalgliesh conduisait comme un policier, en deçà de la vitesse limite — tout juste, mais en deçà quand même — et en arrivant sur la grand-route, Mair ne voyait plus les phares de la Jaguar dans son rétroviseur. Il conduisait presque automatiquement, les yeux fixés droit devant lui, à peine conscient des arbres ébouriffés, silhouettes noires qui passaient à toute allure, comme un film accéléré, et des catadioptres qui traçaient un chemin de lumière ininterrompu. Il avait compté sur une route dégagée et, arrivé au haut d'une côte, faillit ne pas voir à temps les phares d'une ambulance. Il donna un coup de volant violent, sortit de la route et freina en catastrophe sur l'herbe. Puis il resta là, à écouter le silence. Il lui sembla que les émotions impitoyablement refoulées pendant les trois dernières heures le secouaient comme le vent secouait sa voiture. Il lui fallait discipliner ses pensées, organiser et donner un sens à ces sentiments étonnants dont la violence et la déraison l'horrifiaient. Était-il possible qu'il fût soulagé par cette mort, ce danger écarté, cet embarras évité, et en même temps déchiré par une souffrance et un regret si atroces qu'ils ne pouvaient qu'être du chagrin? Il dut se maîtriser pour ne pas se cogner la tête contre le volant de la voiture. Elle avait été si vaillante, si libérée, si divertissante. Et elle avait tenu ses engagements envers lui. Il n'avait eu aucun contact avec elle depuis leur dernière rencontre, le dimanche du meurtre, et elle n'avait pas essayé de le joindre par lettre ou par téléphone. Ils avaient convenu que leur liaison devait prendre fin et que chacun garderait le silence. Elle avait respecté le contrat comme il savait qu'elle le ferait. Et elle était morte. Il répéta son nom tout fort : « Amy, Amy, Amy. » Soudain, un spasme tendit les muscles de sa poitrine, telles les affres d'une crise cardiaque, et il sentit les bienheureuses larmes qui ruisselaient sur son visage, libératrices. Il n'avait pas pleuré depuis son enfance et, même en cet instant où il goûtait l'étonnante amertume sur ses lèvres, il se dit que ces minutes d'émotion étaient bonnes et curatives. Il les lui devait et une fois passées, le tribut payé, il pourrait la mettre hors de son esprit comme il avait prévu de la mettre hors de son cœur. C'est une demi-heure plus tard seulement, en remettant le contact, qu'il pensa à l'ambulance et se demanda lequel des rares habitants du cap on avait emmené d'urgence à l'hôpital.

50

Tandis que les deux ambulanciers descendaient l'allée du jardin avec leur brancard, le vent arracha un coin de la couverture rouge et la gonfla comme un ballon. Les courroies la retinrent, mais Blaney se jeta presque sur le corps de Theresa comme pour la protéger d'un danger bien plus grand que le vent. Il clopinait en crabe le long de l'allée à côté d'elle, plié en deux, sa main tenant la main de sa fille sous la couverture. Il la sentait chaude et moite et toute petite, et il lui semblait tâter chacun des os délicats. Il aurait voulu chuchoter des mots rassurants, mais la terreur lui avait desséché la gorge et, quand il essayait de parler, il bégayait comme s'il avait été paralysé. Au reste, il n'avait aucun réconfort à apporter. Le souvenir était trop frais d'une autre ambulance, d'un autre brancard, d'un autre trajet. Il osait à peine regarder Theresa de peur de voir sur son visage ce qu'il avait vu sur celui de sa mère, cette expression de pâle acquiescement qui signifiait qu'elle s'éloignait déjà de lui, de toutes les préoccupations profanes de la vie, même de son amour, dans le pays des ombres où il ne pouvait ni la suivre ni être accueilli. Il essaya de trouver un encouragement dans les propos roboratifs du Dr Entwhistle.

« Rien de bien méchant. Une appendicite. Nous allons l'emmener à l'hôpital immédiatement. On opérera ce soir et avec un peu de veine elle sera rentrée chez vous dans quelques jours. Pas pour faire le ménage, hein ? On en reparlera plus tard. Maintenant, le téléphone. Et puis, finissez donc de paniquer, mon vieux. On ne meurt pas de l'appendicite. »

Mais si, on en mourait. On mourait sous l'anesthésie, ou parce que la péritonite se déclarait, ou parce que le chirurgien avait fait une erreur. Il avait lu des articles sur ces cas-là. Il était sans espoir.

Tandis que le brancard était soulevé doucement et glissé avec l'aisance née de l'expérience dans la voiture, il se retourna pour regarder Scudder's Cottage. Il haïssait cette maison désormais, il haïssait ce qu'elle lui avait fait et ce qu'elle lui avait fait faire. Comme lui elle était maudite. Mrs Jago se tenait sur le seuil, Anthony dans ses bras maladroits, avec une jumelle postée, silencieuse, de chaque côté. Il avait lancé un SOS au *Local Hero* et George avait immédiatement amené sa femme en voiture pour qu'elle garde les enfants jusqu'à ce qu'il revienne. Il n'y avait personne d'autre qui pût aider. Il avait bien téléphoné à Alice Mair, mais il n'avait eu que le répondeur. Mrs Jago leva la menotte d'Anthony et la secoua pour lui faire dire au revoir, puis elle se pencha vers les jumelles. Obéissantes, elles agitèrent aussi la main. Il grimpa dans l'ambulance dont les portes furent soigneusement refermées.

La voiture cahota prudemment tant qu'il fut dans le petit chemin, puis accéléra en arrivant sur l'étroite route menant à Lydsett. Soudain elle fit une embardée telle qu'il fut presque jeté hors de son siège. L'infirmier devant lui jura :

« Sacré dégueulasse qui fonce comme un dingue. »

Il ne répondit pas. Assis tout contre Theresa, leurs deux mains toujours serrées l'une dans l'autre, il priait comme s'il pouvait rebattre les oreilles d'un dieu auquel il ne croyait plus depuis l'âge de dix-sept ans. « Ne la laisse pas mourir. Ne la punis pas à cause de moi. Je croirai. Je ferai n'importe quoi. Je peux changer, être différent. Punis-moi, mais pas elle. Ô mon Dieu, fais qu'elle vive. »

Et soudain, il se retrouva dans cet épouvantable petit cimetière, la voix du père McKee lui ronronnant dans l'oreille, la main de Theresa dans la sienne, toute froide aussi. La terre était recouverte de gazon synthétique. Mais un des tertres était resté nu et il vit de nouveau l'or nouvellement tranché de la terre. Il ne savait pas que celle du Norfolk avait une teinte aussi somptueuse. Une fleur blanche était tombée de l'une des couronnes, un petit bouton torturé, une épingle plantée dans sa tige entortillée et il avait été pris d'une envie presque incoercible de la ramasser avant qu'elle soit jetée dans la fosse avec la terre, de l'emporter, de la mettre dans l'eau, de la laisser mourir en paix. Mais il n'avait pas osé et elle était restée là, bientôt étouffée et engloutie sous les premières mottes.

Il entendit Theresa chuchoter et se pencha si bas pour écouter qu'il sentit son haleine. « Papa, est-ce que je vais mourir ?

— Non, non. »

Il avait presque crié le mot, comme un défi lancé à la mort et sentit l'infirmier se lever à moitié. Il dit calmement : « Tu as bien entendu ce que le Dr Entwhistle a dit. C'est tout simplement l'appendicite.

— Je veux voir le père McKee.

— Demain. Après l'opération. Je lui dirai. Il viendra te voir. Je n'oublierai pas, je te promets. Reste bien tranquille maintenant.

— Papa, je veux le voir maintenant, avant l'opération. J'ai quelque chose à lui dire.

— Tu lui diras demain.

— Je peux te le dire ? Il faut que je le dise à quelqu'un maintenant. »

Il dit presque rageusement : « Demain, Theresa. Attends à demain. » Et puis, atterré par son égoïsme, il chuchota : « Dis-moi, ma chérie, dis-moi, s'il le faut. » Et il ferma les yeux pour qu'elle ne voie pas l'horreur, le désespoir.

Elle chuchota : « La nuit où Miss Robarts est morte, je suis sortie tout doucement et je suis allée dans les ruines de l'abbaye. Je l'ai vue courir dans la mer, Papa, j'étais là. »

Il dit, la voix rauque : « Ça ne fait rien. Tu n'as pas besoin de m'en dire plus.

— Mais je veux te dire. J'aurais dû te le dire avant. Je t'en prie, Papa. »

Il mit son autre main sur celle de Theresa : « Dis-moi.

— Il y avait quelqu'un d'autre aussi là-bas. Je l'ai vue marcher vers la mer, elle venait du cap, c'était Mrs Dennison. »

Le soulagement l'inonda, vague après vague, comme une mer d'été, chaude, purificatrice. Au bout d'un moment de silence, il entendit de nouveau la petite voix : « Papa, tu vas le dire à la police ?

— Non, dit-il. Je suis content que tu me l'aies dit, mais ça n'est pas important. Ça ne signifie rien de particulier. Elle faisait un tour au clair de lune. Je n'en parlerai pas.

— Pas même que j'étais dans les ruines ce soir-là ?

— Non, dit-il fermement. Même pas ça. Pas pour le moment du moins, mais nous en reparlerons. Nous verrons après l'opération ce que nous avons à faire. » Et pour la première fois, il put arriver à croire qu'il y aurait un temps pour eux après l'opération.

51

Le bureau de Mr Copley, derrière la maison, donnait sur la pelouse hirsute et les trois rangées de buissons tordus par le vent que le vieux ménage appelait le bosquet. C'était la seule pièce où Meg n'aurait pas songé à entrer sans avoir frappé ; il était admis que c'était le domaine privé de l'ecclésiastique, comme s'il avait encore la charge d'une paroisse avec des sermons à préparer et des ouailles à recevoir quand elles souhaitaient lui demander conseil. C'était là que chaque jour, il récitait matines et vêpres, avec sa femme et Meg pour toute assemblée, leurs voix féminines psalmodiant les répons et les versets alternés. Le jour de son arrivée, il lui avait dit doucement mais sans embarras : « Je récite l'office matin et soir dans mon bureau, mais ne vous croyez pas obligée d'y assister, si vous ne le souhaitez pas. »

Elle avait préféré participer, d'abord par politesse, mais ensuite parce que ce rite quotidien, les belles cadences à demi oubliées dont la séduction l'attirait vers la foi, donnaient forme à la journée. Et le bureau lui-même, parmi toutes les pièces de cette maison laide mais confortable, semblait représenter une inviolable sécurité, un grand rocher dans une contrée épuisée contre lequel tous les souvenirs obsédants de l'école, les irritations mesquines du quotidien, voire l'horreur du Siffleur et la menace de la centrale viendraient se briser. Elle doutait qu'il eût beaucoup changé depuis que le premier curé victorien en avait pris possession. Un mur était recouvert d'ouvrages de théologie que, selon elle, Mr Copley devait rarement consulter désormais. Le vieux bureau d'acajou était en général vide et Meg soupçonnait le vieil homme de passer le plus clair de son temps dans le fauteuil qui regardait le jardin; les trois autres murs étaient voués aux représentations figurées; le canot à huit de ses années d'université, visages jeunes, graves et moustachus sous des casquettes ridiculement petites, ordinands de son collège théologique, aquarelles insipides dans des cadres dorés, souvenirs du « grand tour » de quelque ancêtre victorien, eaux-fortes de la cathédrale de Norwich, de la nef de Winchester, du grand octogone d'Ely. D'un côté de la cheminée lourdement sculptée, un crucifix qui semblait à Meg très ancien et probablement précieux, mais elle n'avait jamais posé de question. Le corps du Christ était jeune, tendu dans le dernier spasme de l'agonie; la bouche ouverte semblait lancer un cri de triomphe ou de défi au Dieu qui l'avait abandonné. Rien d'autre dans le bureau n'était fort ni inquiétant; meubles, objets, tableaux, tout respirait l'ordre, la certitude, l'espoir. Tandis qu'elle frappait et attendait l'aimable

« Entrez ! » de Mr Copley, elle eut l'idée qu'elle cherchait le réconfort autant auprès de la pièce elle-même que de son occupant.

Il était assis dans le fauteuil, un livre sur les genoux, et fit mine de se lever avec une raideur maladroite quand elle entra. Elle dit : « Je vous en prie, ne vous dérangez pas. J'aurais souhaité vous parler en privé quelques minutes. »

Elle vit aussitôt la lueur d'anxiété dans les yeux bleu fané et se dit : Il a peur que je vienne donner mes huit jours. Elle ajouta très vite, mais fermement : « En tant que prêtre. Je souhaite vous consulter en tant que prêtre. »

Il posa le livre et elle vit que c'était celui qu'ils avaient choisi, sa femme et lui, le vendredi précédent à la bibliothèque de prêt, le dernier H.R.F. Keating. Le couple aimait beaucoup les romans policiers et elle était toujours un peu irritée de voir que par consentement mutuel, c'était invariablement lui qui lisait le livre le premier. Ce petit rappel inopportun d'égoïsme domestique prit sur le moment une importance disproportionnée et elle se demanda pourquoi elle avait cru qu'il pourrait l'aider. Pourtant, avait-elle le droit de le critiquer pour les priorités que Dorothy Copley avait établies elle-même et doucement maintenues depuis plus de cinquante-trois ans ? Elle se dit qu'elle consultait le prêtre et non pas l'homme. Après tout, elle ne demanderait pas à un plombier comment il traitait sa femme et ses enfants avant de le lâcher sur une fuite d'eau.

Il lui désigna un deuxième fauteuil, qu'elle tira en face de lui. Il marqua la page de son signet en cuir avec une soigneuse lenteur et posa le roman aussi respectueusement que s'il se fût agi d'un livre de dévotion, en joignant les mains dessus. Elle eut l'impression qu'il s'était concentré et légèrement penché en avant, la tête inclinée sur le côté, comme s'il était dans le confessionnal. Elle n'avait rien à lui avouer, juste une question à lui poser qui, dans sa simplicité nue, semblait aller au cœur même de la foi chrétienne qu'elle professait, orthodoxe mais non pas aveugle. Elle dit : « Si nous nous trouvons devant un dilemme, comment savoir ce qui est bien ? »

Elle crut déceler une détente sur le vieux visage, comme s'il était reconnaissant que la question fût moins difficile qu'il l'avait craint. Mais il prit son temps avant de répondre :

« Notre conscience nous le dira si nous voulons bien l'écouter.

— La petite voix qui est comme la voix de Dieu ?

— Non pas *comme*, Meg. La conscience *est* la voix de Dieu, du Saint Esprit qui est en nous. Dans la collecte du dimanche de Pentecôte, nous prions pour avoir un jugement droit en toutes choses. »

Elle reprit avec une douce persistance : « Mais comment pouvons-nous être sûrs que ce n'est pas notre propre voix que nous entendons, nos désirs subconscients ? Le message que nous écoutons avec tant d'attention doit passer par notre propre expérience, notre personnalité, notre hérédité, nos besoins profonds. Pouvons-nous jamais nous libérer des desseins et des désirs de notre propre cœur ? Notre conscience ne nous dit-elle pas ce que nous souhaitons entendre ?

— Je ne l'ai jamais constaté. Elle m'a généralement dirigé là où je ne souhaitais pas aller, à l'opposé de mes désirs.

— Ou de ce que vous pensiez être vos désirs à l'époque. »

Mais c'était le presser trop fort. Il restait là, les yeux clignotants, comme s'il cherchait l'inspiration dans de vieux sermons, de vieilles allocutions, des textes familiers. Il y eut un moment de silence, puis il dit : « J'ai toujours trouvé bénéfique de me représenter la conscience comme un instrument, un instrument à cordes peut-être. Le message est dans la musique, mais si nous n'entretenons pas l'instrument, si nous ne l'utilisons pas régulièrement pour des exercices méthodiques, nous n'obtiendrons qu'un résultat imparfait. »

Elle se rappela qu'il avait joué du violon ; ses mains étaient trop percluses de rhumatismes désormais pour tenir l'instrument, mais celui-ci était toujours dans sa boîte sur un coin du bureau. La métaphore avait peut-être un sens pour lui, mais pas pour elle.

Elle dit : « Mais même si ma conscience me dit ce qui est bien, je veux dire bien selon la loi morale, voire la loi du pays, cela ne signifie pas nécessairement la fin de la responsabilité. Si j'obéis à ma conscience, si je fais ce qu'elle me dicte, je peux causer du tort à quelqu'un d'autre et même le mettre en danger.

— Nous devons faire ce que nous jugeons bien et nous en remettre à Dieu pour les conséquences.

— Mais toute décision humaine doit prendre en compte les conséquences probables, c'est ça le sens de la décision. Comment séparer la cause de l'effet ? »

Il dit : « Est-ce que cela vous aiderait de me dire ce qui vous trouble — si vous estimez que vous pouvez le faire, bien sûr ?

— Le secret ne m'appartient pas, mais je peux vous donner un exemple. Supposons ceci : je sais que quelqu'un vole régulièrement. Si je le dénonce à son employeur il sera renvoyé, son mariage sera mis en danger, sa femme et ses enfants, pénalisés. Je pourrais penser que le magasin est en mesure de perdre quelques livres par semaine plutôt que de causer tout ce tort à des gens innocents. »

Il resta un moment silencieux. Puis il dit : « La conscience vous dirait peut-être de parler au voleur plutôt qu'à son employeur. Lui expliquer que vous êtes au courant, le persuader de cesser. Bien entendu, il faudrait rendre l'argent. Je vois bien que ça pourrait présenter une difficulté pratique. »

Elle le regarda lutter avec la difficulté pendant un moment, front plissé, évoquant le mari et père voleur, habillant le problème moral de chair vivante. Elle dit : « Mais s'il ne peut, ou ne veut pas arrêter ses larcins.

— S'il s'agit d'une pulsion irrésistible, alors bien entendu, il a besoin du secours de la médecine. Oui, certainement il faudrait essayer ça, encore que je n'aie jamais eu grande confiance dans le succès de la psychothérapie.

— S'il ne veut pas alors, ou promet de s'arrêter et puis continue.

— Vous devez néanmoins faire ce que votre conscience vous dicte. Nous ne pouvons pas toujours évaluer les conséquences. Dans le cas que vous avez supposé, laisser les vols se poursuivre sans intervenir, c'est se rendre complice. Une fois que vous avez découvert ce qui se passe, vous ne pouvez pas prétendre ne pas savoir, vous ne pouvez abdiquer votre responsabilité. La connaissance entraîne toujours la responsabilité. C'est aussi vrai pour Alex Mair à la centrale de Larksoken qu'ici dans ce bureau. Vous dites que les enfants seraient lésés si vous parlez; ils le sont déjà par la malhonnêteté de leur père, comme l'épouse qui en profite. Et puis, il y a les autres membres du personnel à considérer, ils risquent peut-être d'être soupçonnés à tort. La malhonnêteté, dans le cas où elle ne serait pas décelée, peut s'aggraver au point que finalement la femme et les enfants seraient dans une situation encore pire que si le processus était arrêté maintenant. C'est pourquoi, mieux vaut rechercher avant tout ce qui est bien et laisser les conséquences à Dieu. »

Elle voulait lui dire : Même si nous ne sommes plus sûrs qu'il existe? Même si cela semble n'être qu'une autre façon d'esquiver cette responsabilité personnelle dont vous venez de me dire que nous ne pouvons ni ne devons l'esquiver?

Il voulait retourner à l'inspecteur Ghote, le gentil détective indien de Keating qui, malgré ses incertitudes, arriverait finalement au but parce que c'était de la fiction; les problèmes pouvaient être résolus, le mal serait vaincu, la justice, défendue, et la mort elle-même, réduite à un mystère élucidé dans le dernier chapitre. Il était mal de tourmenter ce très vieil homme. Elle aurait voulu poser la main sur sa manche et lui dire que tout était bien, qu'il ne se tourmente pas. Au lieu de cela elle se leva et, utilisant pour la première fois le nom qui lui venait naturellement, elle prononça le pieux mensonge.

« Merci, Père, vous m'avez beaucoup aidée. Maintenant j'y vois plus clair. Je saurai ce que je dois faire. »

52

Chaque tournant, chaque obstacle de l'allée mal entretenue qui conduisait à la grille donnant accès au cap était si familier à Meg qu'elle avait à peine besoin de suivre la lune cahotante projetée par sa lampe électrique et le vent, toujours capricieux à Larsoken, semblait avoir épuisé le paroxysme de sa furie. Mais quand elle atteignit une petite côte et aperçut la lumière de Martyr's Cottage, il reprit de plus belle et fondit sur elle comme s'il voulait l'arracher au sol et la renvoyer, tournant tel un toton, dans l'abri paisible du presbytère. Au lieu de lutter, elle s'appuya sur lui, la tête baissée, le sac tambourinant sur ses côtés, l'écharpe tenue à deux mains sur sa tête jusqu'à ce que, l'accès de rage passé, elle pût de nouveau se tenir droite. Le ciel, lui aussi, était turbulent, les étoiles brillantes mais très haut, la lune roulant frénétiquement derrière les nuages en charpie comme une fragile lanterne de papier. Tout en avançant péniblement vers le cottage, Meg avait l'impression que tout le cap tourbillonnait dans le chaos autour d'elle, si bien qu'elle ne pouvait plus savoir si le rugissement dans ses oreilles était le vent, son sang, ou la mer. Quand elle atteignit enfin la porte de chêne, hors d'haleine, elle songea pour la première fois à Alex Mair et se demanda ce qu'elle ferait s'il était chez lui. Elle trouva étrange que cette possibilité ne lui soit pas venue à l'esprit auparavant. Elle savait pourtant qu'elle ne pouvait pas l'affronter, pas encore. Mais ce fut Alice qui répondit au coup de sonnette. Meg demanda : « Vous êtes seule ?

— Oui, Alex est à Larksoken. Entrez, Meg. »

Meg retira manteau et écharpe qu'elle accrocha

dans l'entrée et suivit dans la cuisine Alice, qui était visiblement en train de corriger ses épreuves. Elle se rassit à son bureau, fit pivoter son siège et regarda gravement Meg prendre sa place habituelle près du feu. Pendant quelques instants, ni l'une ni l'autre ne parla. Alice portait une longue jupe brune en laine fine avec une blouse boutonnée jusqu'au menton et, par-dessus, une chasuble sans manches aux fines rayures brunes et fauves qui tombait presque jusqu'au sol. Elle lui donnait une dignité hiératique, presque sacerdotale, faite à la fois d'autorité sereine et de confort total. Un petit feu de bois qui brûlait dans l'âtre emplissait la pièce d'une âpre odeur automnale et le vent, amorti par les gros murs du XVIe siècle, soupirait et gémissait pour lui tenir compagnie. De temps en temps, une bourrasque fouettait les flammes, qui reprenaient vie. Les vêtements, la lumière du foyer, l'odeur du bois brûlé dominant celles, plus subtiles, des herbes aromatiques et du pain chaud étaient familières à Meg, après les nombreuses soirées passées ensemble, et tout cela lui était cher. Mais ce soir-là était effroyablement différent. Après, elle ne se sentirait peut-être plus jamais chez elle dans cette cuisine.

Elle demanda : « Je vous interromps ? »

— Évidemment, mais cela ne veut pas dire que l'interruption ne soit pas la bienvenue. »

Meg se pencha pour sortir une grande enveloppe brune de son sac.

« Je vous apporte les cinquante premières pages des épreuves. Comme vous me l'avez demandé, je n'ai corrigé que les coquilles. »

Alice prit l'enveloppe et la posa sur le bureau sans un regard. Elle dit : « C'est ce que je voulais. Je suis si absorbée par l'exactitude des recettes que je laisse parfois échapper des erreurs dans le texte. J'espère que ça n'a pas été trop ennuyeux.

— Pas du tout. Je l'ai fait avec plaisir. Cela m'a rappelé Elizabeth David.

— Pas trop, j'espère. Elle est si merveilleuse que j'ai toujours peur d'être exagérément influencée par elle. »

Silence. Meg se dit : On croirait que le dialogue a été écrit pour nous, comme si nous étions non pas exactement des étrangères, mais des personnes qui pèsent chaque mot parce que l'espace entre eux est chargé de pensées dangereuses. Au fond, qu'est-ce que je sais d'elle ? Qu'est-ce qu'elle m'a jamais dit d'elle-même ? Juste quelques détails de sa vie avec son père, des bribes de renseignements, quelques phrases au détour d'une conversation, comme une allumette qui tombe, illuminant durant un court instant les contours d'un vaste terrain inexploré. Je lui ai presque tout confié de moi, mon enfance, le problème racial à l'école, la mort de Martin. Mais notre amitié a-t-elle jamais été établie sur un pied d'égalité ? Elle en sait plus sur moi que n'importe quel autre être vivant. Moi, tout ce que je sais vraiment sur elle, c'est qu'elle cuisine bien. »

Elle sentait sur elle le regard appuyé, presque railleur, de son amie. Alice dit : « Vous n'avez pas lutté contre la tempête simplement pour me rapporter cinquante pages d'épreuves ?

— J'avais à vous parler.

— Eh bien, c'est ce que vous faites ? »

Meg soutint le regard inflexible d'Alice. Elle dit : « Les deux filles, Caroline et Amy, les gens disent qu'elles ont tué Hilary Robarts. Vous le croyez ?

— Non. Pourquoi me demandez-vous ça ?

— Je ne le crois pas non plus. Pensez-vous que la police essaiera de leur mettre ça sur le dos ? »

La voix d'Alice était calme : « Je ne pense pas. Ça n'est pas une idée un peu mélodramatique ? Pourquoi le feraient-ils ? L'inspecteur Rickards me semble être un policier honnête et consciencieux, sinon particulièrement intelligent.

— Ce serait commode pour eux, non ? Deux suspects éliminés. Dossier refermé. Plus de morts.

— Elles étaient soupçonnées ? Vous semblez être dans les petits papiers de l'inspecteur plus que moi.

— Elles n'avaient pas d'alibi. Le garçon de Larksoken à qui Caroline était prétendument fiancée — Jonathan Reeves, je crois — a, semble-t-il, avoué qu'ils n'étaient pas ensemble, cette nuit-là. Caroline l'avait forcé à mentir. A la centrale, la plus grande partie du personnel le sait maintenant. Et, bien entendu, tout le village — George Jago a appelé pour me le dire.

— Bon, elles n'ont pas d'alibi, et après ? Elles ne sont pas les seules. Vous non plus, par exemple. Ne pas avoir d'alibi n'est pas une preuve de culpabilité. Moi-même j'ai passé toute cette soirée ici, mais je ne pourrais sans doute pas le prouver. »

Et voilà que le moment était enfin arrivé, le moment qui hantait les pensées de Meg depuis le meurtre, le moment de vérité qu'elle avait tant redouté. Elle lui dit, les lèvres sèches, raidies : « Mais vous n'étiez pas chez vous, n'est-ce pas ? Vous avez dit ça à l'inspecteur Rickards quand je me trouvais ici, dans cette cuisine, lundi matin, mais ce n'était pas vrai. »

Il y eut un moment de silence. Puis Alice dit calmement : « C'est pour me dire ça que vous êtes venue ?

— Je sais qu'il y a une explication. C'est même ridicule de poser la question. C'est simplement que cela me préoccupe depuis si longtemps. Et puis vous êtes mon amie. Une amie doit pouvoir demander. Il doit y avoir une honnêteté, une confiance sans réserve.

— Demander quoi ? C'est obligatoire que vous parliez comme une conseillère matrimoniale ?

— Demander pourquoi vous avez dit à la police que vous étiez ici à neuf heures. Vous n'y étiez pas. Une fois les Copley partis, j'ai eu tout à coup besoin de vous voir. J'ai essayé de téléphoner, mais je n'ai eu que le répondeur. Je n'ai pas laissé de message. A quoi bon ? Je suis venue. La maison était vide. La salle de séjour était éclairée, la cuisine aussi et la porte, fermée à clef. Je vous ai appelée. L'électrophone marchait, très fort. Le cottage était plein d'une musique triomphante. Mais il n'y avait personne. »

Alice resta silencieuse un moment, puis dit calmement : « Je suis allée faire un tour au clair de lune. Je n'attendais pas de visite impromptue. Je n'en ai jamais, sauf les vôtres, et je vous croyais à Norwich. Mais j'avais pris la précaution évidente contre toute intrusion. J'avais fermé la porte à clef. Comment êtes-vous entrée ?

— Avec votre clef. Vous ne pouvez pas avoir oublié, Alice. Vous m'avez donné une clef, il y a un an. Je l'ai toujours gardée depuis. »

Alice la regarda et Meg vit sur son visage l'éveil du souvenir, la contrariété et même, avant qu'elle détourne la tête, l'ébauche d'un sourire triste. Elle dit : « Si, j'avais complètement oublié. Comme c'est extraordinaire ! Ça ne m'aurait peut-être pas inquiétée, d'ailleurs, même si je m'en étais souvenue, puisque je vous croyais à Norwich. Mais j'avais oublié. Nous avons tant de clefs, les unes ici, les autres à Londres. Vous ne m'avez jamais rappelé que vous en aviez une.

— Je l'ai fait, au début, et vous m'avez dit de la garder. Comme une idiote j'ai cru qu'elle signifiait quelque chose, la confiance, l'amitié, le signe que Martyr's Cottage m'était toujours ouvert. Vous m'aviez dit qu'un jour je pourrais avoir besoin de l'utiliser. »

Cette fois, Alice rit tout fort. « Et vous avez eu besoin de l'utiliser. Ironie du destin. Mais ça ne vous ressemble pas de venir sans y avoir été invitée, surtout en mon absence. Vous ne l'aviez jamais fait auparavant.

— Mais je ne savais pas que vous n'étiez pas là. La lumière était allumée et j'entendais de la musique. Quand j'ai sonné pour la troisième fois sans avoir de réponse, j'ai eu peur que vous soyez malade, incapable de demander de l'aide. Alors j'ai ouvert la porte, je suis entrée dans un flot de musique merveilleuse. J'ai reconnu la symphonie en sol mineur de Mozart. Quel choix extraordinaire !

— Je ne l'ai pas choisie. J'ai simplement mis l'électrophone en marche. Qu'est-ce que j'aurais dû choisir à votre avis ? Une messe de requiem pour saluer le départ d'une âme à laquelle je ne crois pas ? »

Meg poursuivit comme si elle n'avait pas entendu : « J'ai traversé la cuisine. Éclairée elle aussi. C'était la première fois que je me trouvais seule dans cette pièce. Et brusquement j'ai eu l'impression que j'étais une étrangère, que je n'avais rien à faire là, que je n'avais pas le droit d'y être. C'est pourquoi je suis partie sans vous laisser un mot. »

Alice dit tristement : « Tout à fait juste. Vous n'aviez pas le droit d'être ici. Et vous éprouviez un besoin tel de me voir que vous avez traversé le cap avant d'avoir appris la mort du Siffleur ?

— Je n'avais pas peur. Le coin est tellement vide, il n'y a pas un endroit où un rôdeur peut se cacher, et je savais qu'une fois arrivée au cottage je serais avec vous.

— Non, vous n'êtes pas peureuse, n'est-ce pas ? Vous avez peur en ce moment ?

— Pas de vous, mais de moi. J'ai peur de ce que je pense.

— Donc le cottage était vide. Qu'est-ce qu'il y a d'autre ? Parce qu'il y a évidemment autre chose. »

Meg dit : « Cette communication enregistrée par votre répondeur. Si vous l'aviez vraiment reçue à huit heures dix, vous auriez téléphoné à la gare de Norwich, en me laissant un message pour me dire de vous rappeler. Vous saviez à quel point les Copley étaient contrariés d'aller chez leur fille. Personne d'autre sur le cap ne le savait. Eux n'en parlaient jamais, et moi je ne l'ai dit qu'à vous. Vous auriez appelé, Alice. Il y aurait eu une annonce par le haut-parleur de la gare et je les aurais ramenés chez eux. Vous y auriez pensé. »

Alice dit : « Un mensonge à Rickards qui pouvait être simple affaire de commodité et un exemple de négligence crasse. C'est tout ?

— Le couteau. Le couteau du milieu dans votre bloc. Il n'était pas là. Ça ne signifiait rien sur le moment, bien sûr, mais le bloc avait un drôle d'air. J'étais si habituée à voir ces cinq couteaux soigneusement rangés par rang de taille, chacun dans son étui. Il est revenu, maintenant. Il était là quand je suis venue le lundi après le crime. Mais dimanche soir, il n'y était pas. »

Elle aurait voulu crier : « Vous n'allez pas vous en servir, Alice, ne vous en servez pas ! » Au lieu de cela, elle s'obligea à poursuivre, en essayant de garder une voix calme, de n'implorer ni réconfort ni compréhension.

« Et le lendemain matin, quand vous avez téléphoné pour me dire que Hilary était morte, je n'ai pas parlé de ma visite. Je ne savais que croire. Ce n'est pas que je vous soupçonnais, ça m'aurait été impossible, ça l'est toujours d'ailleurs. Mais j'avais besoin de temps pour réfléchir. La matinée était déjà bien avancée quand j'ai pu venir vous voir.

— Et alors vous m'avez trouvée avec l'inspecteur Rickards et vous m'avez entendue mentir. Et vous avez vu que le couteau était de nouveau à sa place. Mais vous n'avez rien dit, ni à ce moment-là ni depuis, pas même, je présume, à Adam Dalgliesh. »

Le coup de sonde était habile. Meg dit : « Je n'en ai parlé à personne, comment aurais-je pu ? Pas avant que nous ayons parlé ensemble. Je savais que vous deviez avoir une raison qui vous semblait bonne pour mentir.

— Et puis, je suppose que lentement, peut-être à votre corps défendant, vous avez commencé à deviner ce que cette raison pouvait être ?

— Je ne croyais pas que vous aviez tué Hilary. Ça paraît insensé de prononcer des mots pareils, grotesque même de songer à vous soupçonner. Mais le couteau manquait et vous n'étiez pas là. Vous aviez menti et je ne pouvais pas comprendre pourquoi. Je ne le peux toujours pas. Je me demande qui vous couvrez. Et parfois — pardonnez-moi, Alice — parfois je me demande si vous n'étiez pas là quand il l'a tuée, là pour faire le guet, peut-être pour l'aider en coupant les poils. »

Alice était si immobile que les mains aux longs doigts posées sur ses genoux et les plis de la chasuble auraient pu être sculptés dans la pierre. Elle dit : « Je n'ai aidé personne et personne ne m'a aidée. Nous n'étions que deux sur la grève, Hilary Robarts et moi. J'ai tout préparé seule et tout fait seule. »

Pendant un moment, le silence régna. Meg sentait un grand froid. Elle avait entendu les mots et savait qu'ils étaient vrais. L'avait-elle toujours su ? Elle se disait : Je ne serai plus jamais avec elle dans cette cuisine, je ne trouverai plus jamais la paix et la tranquillité que j'avais trouvées ici. Et puis, il lui vint à l'esprit un souvenir incongru : elle se revit assise dans ce même fauteuil en train de regarder Alice faire une pâte sablée, tamisant la farine sur une plaque de marbre, ajoutant les cubes de beurre mou, cassant l'œuf, ses longs doigts pétrissant délicatement le mélange pour former une boule de pâte luisante. Elle dit : « C'étaient vos mains. Vos mains qui serraient la ceinture autour de son cou, vos mains qui coupaient les poils, vos mains qui tailladaient ce L sur son front. Vous avez tout préparé seule et vous avez tout fait seule. »

Alice dit : « Il a fallu du courage, mais peut-être moins que vous ne croyez. Elle est morte très vite, très facilement. Si nous souffrons aussi peu, nous aurons de la chance. Elle n'a même pas eu le temps d'avoir peur. Elle a eu une mort plus facile que celle qui attend la plupart d'entre nous. Quant à ce qui a suivi, ça n'avait plus d'importance. Plus pour elle. Et même plus beaucoup pour moi. Elle était morte. C'est ce que vous faites aux vivants qui exige les émotions fortes, courage, haine et amour. »

Elle resta un moment silencieuse, puis dit : « Dans votre hâte à prouver que je suis une meurtrière, ne confondez pas soupçon et preuve. Vous ne pouvez rien prouver, absolument rien. Vous dites que le couteau manquait, bon, mais si moi, je soutiens le contraire ? Et s'il manquait, je peux dire que j'étais allée faire un petit tour sur le cap et que le meurtrier a profité de l'occasion.

— Et replacé le couteau ensuite. Il ne pouvait pas savoir qu'il y en avait ici.

— Bien sûr que si. Tout le monde sait que je suis cuisinière, et une cuisinière a toujours des couteaux bien aiguisés. Et pourquoi ne l'aurait-il pas remis ?

— Mais comment serait-il entré ? La porte était fermée à clef.

— C'est vous qui le dites. Je dirai que je l'avais laissée ouverte. C'est ce qu'on fait généralement par ici. »

Meg aurait voulu crier : Non, Alice, je vous en supplie. Ne recommencez pas à préparer des mensonges. Qu'il y ait au moins la vérité entre nous. Elle dit : « Et le portrait, la vitre brisée, c'était vous aussi ?

— Bien sûr.

— Mais pourquoi ? Pourquoi toutes ces complications ?

— Parce que c'était nécessaire. Pendant que j'attendais que Hilary sorte de l'eau, j'ai aperçu Theresa Blaney. Elle a brusquement surgi au bord de la falaise, vers les ruines de l'abbaye. Elle n'y est restée qu'un moment et puis elle a disparu. Mais je l'ai vue. Avec le clair de lune, impossible de se tromper.

— Mais si elle ne vous avait pas vue, si elle n'était pas là quand... quand Hilary est morte ?

— Vous ne comprenez pas ? Ça voulait dire que son père n'aurait pas d'alibi. Elle m'a toujours paru franche et elle a reçu une formation religieuse très stricte. Si elle disait à la police qu'elle était sortie cette nuit-là, Ryan serait terriblement en danger. Et même si elle avait assez de jugeote pour mentir, combien de temps tiendrait-elle ? La police ne la rudoierait pas, Rickards n'est pas une brute, mais une enfant habituée à dire la vérité a du mal à mentir de façon convaincante. Quand je suis revenue ici après le meurtre, j'ai écouté les messages sur le répondeur. J'avais eu l'idée qu'Alex pourrait changer ses projets et appeler. C'est à ce moment-là, trop tard, que j'ai eu le message de George Jago. J'ai su que le meurtre ne pouvait plus être attribué au Siffleur. Il fallait que Ryan ait un alibi. J'ai donc essayé de lui téléphoner pour lui dire que j'allais passer prendre le tableau. Quand j'ai constaté que je ne pouvais pas le joindre, j'ai compris qu'il me fallait aller à Scudder's Cottage et le plus vite possible.

— Vous auriez pu prendre le portrait, frapper à la

porte pour le prévenir et le voir. Cela aurait suffi à prouver qu'il était chez lui.

— Ça avait un air trop arrangé, trop combiné, Ryan avait nettement fait comprendre qu'il ne voulait pas être dérangé, que je devais prendre le portrait sans plus. Il l'avait dit carrément et devant Adam Dalgliesh qui était avec moi. Pas n'importe quel visiteur, mais l'homme le plus intelligent de Scotland Yard. Non, il m'aurait fallu un prétexte valable pour frapper et parler à Ryan.

— Alors vous avez mis le portrait dans le coffre de votre voiture et vous lui avez dit qu'il n'était pas dans l'atelier ? » Il semblait extraordinaire à Meg que l'horreur pût être, même brièvement, refoulée par la curiosité, le besoin de savoir. On aurait pu croire qu'elles discutaient de préparatifs compliqués pour un pique-nique.

Alice dit : « Exactement. Il n'aurait pas eu l'idée que c'était moi qui l'avais pris une minute avant. Bien entendu, il était ivre, ce qui facilitait les choses. Pas aussi ivre que je l'ai raconté à Rickards, mais très évidemment incapable de tuer Robarts et de revenir chez lui à dix heures moins le quart.

— Même pas avec la fourgonnette ou à bicyclette ?

— La voiture n'était pas en état de rouler et il n'aurait pas pu se tenir sur sa bicyclette. D'ailleurs, je l'aurais rencontré sur le chemin du retour. Mon témoignage le mettait hors de danger. Même si Theresa avouait qu'elle était sortie de la maison. Après l'avoir quitté, j'ai traversé le cap complètement désert, je me suis arrêtée un instant au pied de la casemate et j'ai jeté les baskets dedans. Je n'avais aucun moyen de les brûler, sauf dans l'âtre avec le papier et la ficelle qui avaient emballé le portrait, mais je craignais que le caoutchouc laisse des traces et une odeur persistante. Je ne pensais pas que la police les rechercherait, parce que je ne pensais pas qu'elle trouverait une empreinte. Mais même dans ce cas, rien ne rattachait ces souliers-là en particulier au meurtre. Je les ai bien lavés sous le robinet dehors avant de m'en débarrasser. Le mieux aurait été de les remettre dans la caisse de bric-à-brac, mais je n'osais pas attendre et je savais que ce soir-là, comme vous étiez à Norwich, la porte de derrière serait fermée à clef.

— Et alors vous avez jeté le portrait au travers de la vitre de Hilary ?

— Il fallait que je m'en débarrasse d'une manière ou d'une autre. Comme ça, on pouvait croire à un acte de vandalisme, de haine, et il ne manquait pas de suspects, pas tous sur le cap, d'ailleurs. C'était une complication de plus et un indice de plus en faveur de Ryan. Personne ne croirait qu'il ait pu détruire délibérément son œuvre. Mais mon but était double : je voulais entrer dans Thyme Cottage. J'ai cassé assez de vitre pour pouvoir passer.

— Mais c'était terriblement dangereux, vous auriez pu vous couper, ramasser un éclat de verre dans vos semelles et là c'étaient les vôtres. Vous aviez jeté les baskets.

— J'ai examiné très soigneusement les semelles. Et j'ai fait particulièrement attention aux endroits où je posais les pieds. Elle avait laissé les lumières allumées en bas, je n'ai donc pas eu à utiliser ma lampe électrique.

— Mais pourquoi ? Qu'est-ce que vous cherchiez ? Qu'est-ce que vous espériez trouver ?

— Rien. Je voulais me débarrasser de la ceinture. Je l'ai roulée très soigneusement et mise dans le tiroir de sa chambre où il y en avait déjà, avec des bas, des mouchoirs, des collants.

— Mais si la police l'avait examinée, il n'y aurait pas eu les empreintes de Hilary dessus.

— Pas les miennes non plus. Je portais encore mes gants. D'ailleurs pourquoi l'aurait-on examinée ? On aurait pensé que le meurtrier s'était servi de la sienne et l'avait reprise. L'endroit le moins vraisemblable pour la cacher aurait bien été le cottage de la victime. C'est pourquoi je l'ai choisi. Et même si on avait décidé d'examiner toutes les ceintures et tous les colliers de chien du secteur, je doute qu'on aurait trouvé des empreintes utilisables sur quelques centimètres de cuir que des douzaines de mains ont dû toucher. »

Meg dit avec amertume : « Vous vous êtes donné bien de la peine pour fournir un alibi à Ryan. Et les autres suspects ? Ils couraient tous des risques, ils en courent toujours. Vous n'avez pas pensé à eux ?

— Je ne me souciais que d'un autre, Alex, et il avait l'alibi le plus solide de tous. Il est obligé de passer par le contrôle de sécurité quand il entre dans la centrale et quand il en sort. »

Meg dit : « Je pensais à Neil Pascoe, Amy, Miles Lessingham, même moi.

— Aucun d'entre eux n'est responsable de quatre enfants sans mère. Il me semblait très improbable que Lessingham ne soit pas en mesure de se trouver un alibi et même s'il n'en avait pas, il n'y avait aucune preuve contre lui. Il ne pouvait pas y en avoir. Il ne l'a pas fait, mais j'ai l'impression qu'il a deviné la vérité. Lessingham est loin d'être idiot. Seulement, il ne parlera jamais. Neil Pascoe et Amy se protégeaient mutuellement et vous, ma chère Meg, vous ne pouviez pas vous considérer sérieusement comme une suspecte, n'est-ce pas ?

— J'ai l'impression d'en être une. Quand Rickards me questionnait, il me ramenait dans la salle des professeurs à l'école devant tous ces visages froids, accusateurs, sachant que j'avais déjà été jugée et condamnée, me demandant si je n'étais pas vraiment coupable.

— La possible détresse de suspects innocents, même de vous, était tout en bas sur ma liste de priorités.

— Et maintenant, vous les laissez imputer le meurtre à Caroline et Amy, toutes les deux mortes et toutes les deux innocentes ?

— Innocentes ? De ça, bien sûr. Vous avez peut-être raison et la police trouvera commode de supposer qu'elles l'ont fait, l'une d'elles ou ensemble. Du point de vue de Rickards, mieux vaut deux suspects morts que pas d'arrestation. Et maintenant, elles ne risquent plus rien. Les morts sont hors d'atteinte du mal, celui qu'ils font et celui qu'on leur fait.

— Mais c'est injuste, c'est inique.

— Meg, elles sont mortes. Mortes. L'injustice est un mot et elles sont passées au-delà du pouvoir des mots. Ils n'existent plus. Et la vie est injuste. Si vous estimez qu'il vous incombe de faire quelque chose, un geste contre l'injustice, occupez-vous donc de celle qui est faite aux vivants. Alex avait droit à ce poste.

— Et Hilary Robarts, elle n'avait pas droit à la vie ? Je sais qu'elle n'était pas très sympathique, ni très heureuse. Pas de famille proche pour la pleurer, semble-t-il. Pas de jeunes enfants abandonnés. Mais vous lui avez pris ce que personne ne peut lui rendre. Elle n'avait pas mérité de mourir. Personne d'entre nous ne le mérite, peut-être. Pas comme ça. Nous ne pendons plus les Siffleurs, maintenant. Nous avons appris depuis Tyburn, depuis les bûchers de sorcières, depuis Agnes Poley. Rien de ce que Hilary Robarts a fait ne méritait la mort.

— Je n'en disconviens pas. Je ne me soucie nullement de savoir si elle était heureuse, ou sans enfants, ou même inutile à tout le monde sauf à elle. Ce que je dis, c'est que je voulais qu'elle meure.

— Ça me semble si abominable que ça passe ma compréhension. Alice, ce que vous avez fait est un affreux péché. »

Alice rit, à pleine gorge, presque gaiement, comme si l'amusement était réel. « Meg, vous continuez à m'étonner. Vous employez des termes qui ont disparu du vocabulaire courant et même, à ce qu'on me dit, de celui de l'Église. Les implications de ce simple petit mot passent ma compréhension, mais si vous voulez considérer la situation en termes de théologie, pensez donc à Dietrich Bonhoeffer : "Nous devons parfois accepter d'être coupables." Eh bien, j'accepte d'être coupable.

— Être coupable, oui. Mais ne pas se sentir coupable, voilà qui facilite les choses.

— Oh, mais je me sens coupable. On m'a obligée à me sentir coupable depuis mon enfance. Et si au fin fond de vous-même il vous semble que vous n'avez pas le droit d'exister, alors un motif de culpabilité de plus ou de moins, quelle importance ? »

Meg se dit que jamais elle ne pourrait désapprendre ce qui s'était passé ce soir-là. Mais elle avait besoin de savoir ; si pénible que fût la vérité, elle en voulait plus qu'une moitié. Elle dit : « Le soir où je suis venue ici pour vous dire que les Copley allaient chez leur fille... »

Alice dit : « Vendredi après le dîner. Il y a treize jours.

— Seulement ? On croirait à une autre dimension du temps. Vous m'aviez demandé de venir dîner avec vous en revenant de Norwich. Est-ce que ça faisait partie de votre plan ? Est-ce que vous vous êtes servie même de moi ? »

Alice la regarda : « Oui. Désolée. Vous auriez été ici vers neuf heures et demie, ce qui me donnait juste le temps de rentrer et d'être prête, avec un repas chaud dans le four.

— Un repas préparé plus tôt dans l'après-midi. Pas grand risque, avec Alex à la centrale.

— C'est ce que j'avais prévu. Quand vous avez refusé, je n'ai pas insisté. Ça aurait paru louche par la suite, comme une manœuvre pour établir un alibi. D'ailleurs, vous ne vous seriez pas laissé convaincre. Vous ne changez jamais d'avis, n'est-ce pas ? Mais l'invitation à elle seule aurait été utile. Normalement une femme n'invite pas une amie, même à un petit repas sans façons, si dans le même temps elle prépare un meurtre.

— Et si j'avais accepté, si j'étais arrivée ici à neuf heures et demie, ça aurait été bien gênant, n'est-ce pas, étant donné votre ultime changement de plan ? Vous n'auriez pas pu aller à Scudder's Cottage pour fournir un alibi à Ryan Blaney. Et vous seriez restée avec les souliers et la ceinture sur les bras.

— Ce sont les souliers qui auraient posé le plus gros problème. Je ne pensais pas qu'on établirait jamais une connexion avec le crime, mais j'avais besoin de m'en débarrasser avant le lendemain matin. Impossible d'expliquer comment ils étaient en ma possession. Je les aurais sans doute lavés et cachés en espérant avoir la possibilité de les replacer dans la caisse du presbytère le lendemain. Seulement, il aurait fallu que je trouve le moyen de mettre Ryan hors de cause. Je vous aurais sans doute dit que je ne pouvais pas le joindre par téléphone et qu'il fallait que nous allions tout de suite lui apprendre la mort du Siffleur. Mais enfin, tout cela est sans intérêt pratique. Je ne m'inquiétais pas. Vous aviez dit que vous ne viendriez pas et je savais que vous ne viendriez pas.

— Mais je suis venue. Pas pour dîner. Mais je suis venue.

— Oui. Pourquoi, Meg?

— Un peu de dépression après une journée harassante, l'ennui d'avoir vu partir les Copley, le besoin de vous voir. Je n'avais pas l'intention de manger quoi que ce soit. J'avais dîné de bonne heure et fait une promenade sur le cap. »

Mais il y avait encore autre chose qu'il lui fallait demander : « Vous saviez que Hilary allait nager après avoir regardé le début du principal bulletin d'informations. Je pense que la plupart des gens le savaient, parmi ceux qui étaient au courant de ses habitudes. Et vous vous efforciez de fournir un alibi à Ryan pour neuf heures et quart ou peu après. Mais si le corps n'avait été découvert que le lendemain? Normalement, on ne se serait pas inquiété de sa disparition avant le lundi matin, au moment où elle aurait dû prendre son service à la centrale. Peut-être même le lundi soir. Elle aurait pu aller se baigner le matin, pour une fois.

— En général, le médecin peut fixer le moment de la mort avec une précision raisonnable. Et je savais qu'elle serait trouvée ce soir-là. Je savais qu'Alex avait promis d'aller la voir en sortant de la centrale. Il se rendait au cottage quand il a rencontré Adam Dalgliesh. Et maintenant, je crois que vous savez tout, sauf ce qui concerne les baskets. J'ai traversé le jardin derrière le presbytère samedi en fin d'après-midi. Je savais que la porte serait ouverte et c'était l'heure où vous faisiez un goûter dînatoire. J'avais pris un sac avec quelques bricoles pour mettre dans la caisse si j'avais été vue, mais je n'ai rencontré personne. J'ai pris des chaussures souples, faciles à porter, qui avaient l'air à peu près à ma taille. Et une des ceintures. »

Restait une question. La plus importante de toutes. Meg dit : « Mais pourquoi ? Alice, il faut que je sache. Pourquoi ?

— C'est une question dangereuse, Meg. Êtes-vous sûre que vous voulez vraiment la réponse ?

— J'en ai besoin, besoin pour comprendre.

— Elle voulait épouser Alex et j'étais résolue à ce qu'elle ne l'épouse pas. Ce n'est pas suffisant ?

— Ce n'est pas pour ça que vous l'avez tuée. Ce n'est pas possible. Il y avait quelque chose de plus, il fallait qu'il y ait quelque chose de plus.

— Oui. Je pense que vous avez le droit de savoir. Elle faisait chanter Alex. Elle aurait pu l'empêcher d'avoir ce poste, ou s'il l'avait eu, l'empêcher d'y réussir. Elle pouvait briser sa carrière. Par Toby Gledhill, elle savait qu'Alex avait volontairement différé la publication du résultat de leurs recherches, parce qu'il risquait de compromettre le succès de l'enquête sur le deuxième réacteur à Larksoken. Ils avaient découvert que certaines des hypothèses posées dans l'élaboration des modèles mathématiques avaient des conséquences plus graves qu'on ne l'avait cru. Les opposants à la construction du deuxième réacteur auraient pu l'exploiter pour provoquer des retards, fomenter une nouvelle poussée d'hystérie.

— Vous voulez dire qu'il a falsifié les résultats ?

— C'est une chose dont il serait bien incapable. Tout ce qu'il a fait, c'est de différer la publication. Elle aura lieu dans un mois ou deux. Mais c'est le genre d'information qui, une fois diffusée par la presse, aurait causé des dommages irréparables. Toby était presque décidé à mettre Neil Pascoe au courant, mais Hilary l'en avait dissuadé. L'information était bien trop précieuse. Elle avait l'intention de l'utiliser pour amener Alex à l'épouser. Elle l'avait mis en face de la situation quand il l'avait raccompagnée chez elle après le dîner du jeudi et tard ce soir-là, il me l'a dit. J'ai tout de suite su ce que j'avais à faire. La seule façon peut-être qu'il aurait eue de l'acheter, ç'aurait été de la nommer directeur administratif en titre et c'était presque aussi impossible pour lui que de falsifier un résultat scientifique.

— Vous voulez dire qu'il l'aurait épousée ?

— Il aurait pu y être contraint. Mais quelle sécurité aurait-il eue, même ainsi ? Elle aurait tenu cette épée de Damoclès sur la tête d'Alex toute sa vie. Et quelle vie ! Lié à une femme qui l'avait obligé à l'épouser par le chantage, une femme qu'il ne pouvait ni respecter ni aimer ? »

Et puis, elle dit d'une voix si basse que Meg l'entendit à peine : « Je devais une mort à Alex. »

Meg dit : « Mais comment pouviez-vous être assez sûre pour la tuer ? Vous n'auriez pas pu lui parler, la convaincre, raisonner avec elle ?

— Je lui ai parlé. Je suis allée la voir dimanche après-midi. C'est moi qui étais avec elle quand Mrs Jago est passée avec le journal paroissial. On peut dire que j'étais allée lui donner une chance de vivre. Je ne pouvais pas la tuer sans m'être assurée que c'était nécessaire. C'était faire ce que je n'avais encore jamais fait, lui parler d'Alex, essayer de la convaincre que ce mariage n'était dans l'intérêt ni de l'un ni de l'autre. J'aurais pu m'épargner cette humiliation. Il n'y a pas eu de discussion raisonnable, elle avait dépassé ce stade. Elle avait perdu toute retenue ; par moments, elle m'invectivait comme une possédée. »

Meg dit : « Et votre frère ? Il était au courant de votre démarche ?

— Il ne sait rien. Je ne lui en ai pas parlé sur le moment ni depuis, mais il m'avait dit ce qu'il comptait faire, lui promettre le mariage et puis, une fois sa nouvelle situation assurée, tout casser. Ça aurait été désastreux. Il n'a jamais compris à qui il avait affaire, la passion, le désespoir. Fille unique

d'un homme riche, gâtée ou négligée alternativement, elle a essayé toute sa vie de rivaliser avec son
père, qui lui enseignait que ce que vous voulez vous
appartient de droit si vous avez le courage de vous
battre pour l'avoir. Et du courage, elle en avait. Elle
était obsédée par Alex, par le besoin qu'elle avait de
lui, surtout le besoin qu'elle avait d'un enfant. Elle
disait qu'il lui devait un enfant. Est-ce qu'il croyait
qu'elle était domptable comme un de ses réacteurs,
qu'il pouvait faire glisser dans cette turbulence
l'équivalent de ses barres d'acier au bore, pour
contrôler la force qu'il avait déchaînée ? Quand je l'ai
quittée cet après-midi-là, je savais que je n'avais pas
le choix. Dimanche était le dernier délai. Il avait
prévu de passer à Thyme Cottage en rentrant de la
centrale. Heureusement pour lui, je l'ai devancé.
   Le pire a sans doute été d'attendre qu'il rentre, ce
soir-là. Je n'osais pas téléphoner à la centrale. Je ne
pouvais pas être sûre qu'il serait seul dans son
bureau ou dans la salle des ordinateurs et je n'avais
encore jamais appelé pour savoir à quelle heure il
rentrerait. J'ai attendu presque trois heures. Je pensais que ce serait lui qui trouverait le corps. Ayant
constaté qu'elle n'était pas chez elle, son premier
mouvement serait d'aller voir sur la plage. Il trouverait le corps, téléphonerait à la police depuis sa voiture, puis à moi ensuite. Comme il ne le faisait pas,
j'ai commencé à m'imaginer qu'elle n'était pas vraiment morte, que j'avais raté mon coup. Je me le
représentais en train de faire du bouche-à-bouche,
essayant désespérément de la sauver, je voyais les
yeux qui s'ouvraient lentement. J'ai éteint les
lumières et je suis passée dans la salle de séjour pour
surveiller la route. Seulement, ce n'est pas une
ambulance qui est passée mais les voitures de la
police, tout l'attirail du crime. Et Alex ne revenait
toujours pas. »
   Meg demanda : « Et quand il est arrivé ?
   — Nous avons à peine parlé. J'étais montée me
coucher. Je savais que je devais faire ce que j'aurais
fait normalement, ne pas l'attendre. Il est venu dans

ma chambre me dire que Hilary était morte et comment elle était morte. J'ai demandé : "Le Siffleur?" et il m'a répondu : "La police ne le pense pas. Il était mort avant qu'elle ne soit tuée." Ensuite il est parti. Je crois que nous n'aurions ni l'un ni l'autre supporté d'être ensemble, tant l'air était chargé de non-dit. Mais j'ai fait ce que j'avais à faire et cela en valait la peine. Le poste est à lui. Et on ne le lui retirera pas. On ne peut pas le sacquer parce que sa sœur est une criminelle.

— Mais si l'on découvrait pourquoi vous l'avez fait?

— Impossible. Deux personnes seulement le savent et je ne vous en aurais pas parlé si je ne pouvais pas vous faire confiance. Sur un plan moins élevé, je doute d'ailleurs qu'on vous croie, en l'absence d'autres témoignages. Or Toby Gledhill et Hilary Robarts, les deux seuls qui auraient pu les apporter, sont morts. » Après une minute de silence, elle ajouta : « Vous en auriez fait autant pour Martin.

— Oh, non, non.

— Pas comme je l'ai fait. Je ne vous vois pas du tout faisant usage de la force physique. Mais pendant qu'il se noyait, si vous vous étiez trouvée sur le bord de cette rivière et si vous aviez pu choisir entre celui qui mourrait et celui qui vivrait, auriez-vous hésité?

— Non, certainement pas. Mais c'était complètement différent. Je n'avais pas prévu, provoqué une noyade, je ne l'avais pas souhaitée.

— Ou si on vous disait que des millions d'êtres vivront plus en sûreté si Alex obtient un poste que personne n'est capable d'assumer comme lui, mais au prix de la vie d'une femme, est-ce que vous hésiteriez? C'était le dilemme que j'affrontais. Ne l'esquivez pas, Meg. Moi, je ne l'ai pas esquivé.

— Mais comment un meurtre pourrait-il le résoudre? Le meurtre ne résout jamais rien. »

Alice dit avec une soudaine passion : « Oh si, si, il le peut et il le fait. Vous connaissez sûrement l'Histoire, n'est-ce pas? Vous savez ça. »

Meg se sentait épuisée. Elle aurait voulu que ce terrible dialogue pût cesser, mais il y avait encore trop de choses à dire. Elle demanda : « Qu'est-ce que vous allez faire ?

— Ça dépend de vous. »

Mais dans l'horreur et le refus, Meg avait trouvé le courage. Et plus que le courage, l'autorité. Elle dit : « Oh, non ! C'est une responsabilité que je n'ai pas demandée et je n'en veux pas.

— Vous ne pouvez pas l'éviter. Vous savez ce que vous savez. Appelez l'inspecteur Rickards maintenant. Vous pouvez vous servir de ce téléphone. » Et comme Meg ne bougeait pas : « Vous n'allez pas jouer les E.M. Forster, j'espère. Si j'avais le choix entre trahir mon pays ou trahir mon ami, j'espère que j'aurais le courage de trahir mon pays. »

Meg dit : « Ce sont de ces formules brillantes qui lorsqu'on les analyse, ne signifient rien, ou signifient quelque chose d'assez stupide. »

Alice dit : « Rappelez-vous que vous ne pouvez pas la ressusciter, quoi que vous fassiez. Vous avez diverses possibilités, mais pas celle-là. Très satisfaisant pour la vanité humaine de découvrir la vérité, demandez à Adam Dalgliesh. Plus satisfaisant encore d'imaginer qu'on peut venger l'innocent, restituer le passé, défendre le droit. Les morts restent morts. Tout ce que vous pouvez faire, c'est du tort aux vivants au nom de la justice, de la rétribution ou de la vengeance. Si cela vous procure le moindre plaisir, faites-le, mais n'imaginez pas qu'il y ait une vertu quelconque dans votre démarche. Quelle que soit votre décision, je sais que vous ne reviendrez pas dessus. Je peux vous croire et je peux vous faire confiance. »

En regardant le visage d'Alice, Meg vit que le regard posé sur elle était sérieux, ironique, provocant. Mais certainement pas suppliant. Alice dit : « Voulez-vous un peu de temps pour réfléchir ?

— Non. A quoi bon ? Je sais ce que je dois faire. Je dois parler, mais je préférerais que ce soit vous qui le fassiez.

— Alors, donnez-moi jusqu'à demain. Une fois que j'aurai parlé, il n'y aura plus rien de privé. Il y a des choses que j'ai besoin de faire ici. Les épreuves, mes affaires à mettre en ordre. Et puis, je serais heureuse d'avoir douze heures de liberté. Si vous pouvez me les donner, je vous en serais reconnaissante. Je n'ai pas le droit de demander plus, mais cela je vous le demande. »

Meg dit : « Mais quand vous avouerez, il faudra bien leur donner un mobile, une raison, quelque chose qu'ils puissent croire.

— Oh, ils me croiront bien. La jalousie, la haine, la rancune d'une pucelle vieillissante envers une femme belle et vivant comme elle vivait. Je dirai qu'elle voulait l'épouser, me le prendre après tout ce que j'avais fait pour lui. Ils me considéreront comme une femme névropathe, en pleine ménopause et provisoirement déséquilibrée. Passion contre nature. Sexualité refoulée, c'est ainsi que les hommes parlent des femmes comme moi. C'est le genre de mobile qu'un homme tel que Rickards peut comprendre. C'est celui que je lui donnerai.

— Même s'il vous conduit à Broadmoor ? Alice, vous pourrez le supporter ?

— Eh bien, c'est une possibilité, n'est-ce pas ? Ça ou la prison. Le meurtre avait été soigneusement préparé. Même l'avocat le plus habile ne pourra pas le présenter comme un passage à l'acte, sans préméditation. Et je doute qu'il y ait une grande différence entre Broadmoor et la prison en ce qui concerne la nourriture. »

Meg eut l'impression que plus rien ne serait jamais certain. Non seulement son univers intérieur avait volé en éclats, mais les objets familiers du monde extérieur n'avaient plus aucune réalité. Le bureau à cylindre d'Alice, la table de cuisine, les chaises cannées, les rangées de casseroles étincelantes, les fourneaux, tout semblait prêt à disparaître au moindre toucher. Elle se rendit compte que la cuisine qu'elle parcourait des yeux était vide. Alice n'était plus là. Elle se rejeta en arrière, prête à s'évanouir, et ferma les yeux pour les rouvrir quand elle eut conscience du visage d'Alice penché très bas au-dessus d'elle, immense, presque lunaire. Elle tendait un verre à Meg : « C'est du whisky. Buvez ça, vous en avez besoin.

— Non, Alice, je ne peux pas, vraiment pas. Vous savez bien que je déteste le whisky, il me rend malade.

— Pas celui-ci. Il y a des moments où le whisky est le seul remède possible. C'est le cas maintenant. Buvez, Meg. »

Elle sentit ses genoux trembler et au même instant les larmes jaillirent et se mirent à couler en torrent salé sur ses joues, sa bouche. Elle se dit : Ça n'est pas possible, ça n'est pas vrai. Pourtant, c'était exactement ce qu'elle avait éprouvé quand Miss Mortimer l'avait fait appeler et asseoir doucement dans un fauteuil en face d'elle pour lui annoncer la mort de Martin. Il fallait concevoir l'inconcevable, croire l'incroyable. Les mots gardaient la signification qu'ils avaient toujours eue : meurtre, mort, chagrin, souffrance. Elle revoyait la bouche de Miss Mortimer qui bougeait, les phrases décousues qui en sortaient comme des bulles dans une bande dessinée, remarquait de nouveau qu'elle avait dû essuyer son rouge à lèvres avant l'entretien. Peut-être avait-elle pensé que seules des lèvres nues pouvaient annoncer une nouvelle aussi atterrante. Elle revoyait le premier bouton du cardigan qui pendait au bout d'un fil et s'entendait dire : « Miss Mortimer, vous allez perdre un bouton. »

Elle serra les doigts autour du verre qui semblait être devenu énorme et lourd. Comme une pierre. L'odeur du whisky lui donna la nausée, mais elle n'avait pas la force de résister. Elle le leva lentement à ses lèvres, consciente du visage d'Alice toujours très proche, des yeux qui l'épiaient. Elle y trempa les lèvres et rejeta la tête en arrière pour avaler le tout d'un trait quand, doucement, mais fermement, le verre lui fut retiré des mains et elle entendit la voix d'Alice : « Vous avez raison, Meg. Le whisky ne vous a jamais convenu. Je vais faire du café pour toutes les deux et je vous raccompagnerai au presbytère. »

Un quart d'heure plus tard, Meg aidait à laver les tasses comme s'il se fût agi d'une veillée ordinaire, puis elles se lancèrent pour traverser le cap. Elles avaient le vent dans le dos et Meg avait l'impression qu'elles volaient sans presque toucher le sol, comme des sorcières. A la porte du presbytère Alice demanda : « Qu'est-ce que vous allez faire, Meg? Prier pour moi?

— Pour toutes les deux.

— Du moment que vous ne comptez pas sur mon repentir... Je ne suis pas croyante, comme vous le savez, et je ne comprends pas ce mot, à moins qu'il signifie, comme je le suppose, le regret de voir quelque chose tourner moins bien que nous l'espérions. Si on s'en tient à cette définition, je n'ai pas grand repentir à avoir, sauf de la malchance qui a voulu, ma chère Meg, que vous ne connaissiez rien à la mécanique. »

Puis, mue par une brusque impulsion, elle serra le bras de Meg, si fort qu'elle lui fit mal. Celle-ci pensa un instant qu'Alice allait l'embrasser, mais l'étreinte se relâcha, les mains retombèrent, elle lança un bref au revoir et tourna les talons.

La clef enfoncée dans la serrure, Meg regarda derrière elle en ouvrant la porte, mais Alice avait disparu dans l'obscurité et les sanglots désespérés qu'elle avait pris, l'espace d'un incroyable instant, pour ceux d'une femme n'étaient que le vent.

53

Dalgliesh venait juste de finir le tri des papiers de sa tante quand le téléphone sonna. C'était Rickards. Sa voix forte, montée de plusieurs tons par l'euphorie, lui parvint aussi nettement que si sa présence emplissait la pièce. Sa femme venait de mettre une petite fille au monde une heure plus tôt. Il appelait de l'hôpital. La maman allait très bien, le bébé était merveilleux. Il n'avait que peu de minutes. Encore quelques soins à donner et il pourrait retourner auprès de Susie.

« Elle est arrivée à la maison juste à temps, Mr Dalgliesh. Un coup de veine, hein ? La sage-femme a dit qu'elle avait rarement vu un travail aussi rapide, pour un premier. Seulement six heures. Elle pèse sept livres, juste le poids qu'il faut. Et nous voulions une fille. Nous l'appelons Stella Louise. Louise c'est le prénom de ma belle-mère ; on peut bien lui faire ce plaisir, à cette vieille nénette. »

Reposant l'appareil après de chaleureuses félicitations sans doute jugées très insuffisantes par Rickards, Dalgliesh se demanda pourquoi il avait été honoré par une telle rapidité dans les transmissions et conclut que l'inspecteur, ivre de joie, téléphonait la nouvelle à tous ceux qu'elle pouvait intéresser, pour occuper les minutes avant de retourner vers son épouse. Ses derniers mots avaient été : « Je ne peux pas vous dire ce qu'on éprouve, Mr Dalgliesh. »

Mais Dalgliesh se rappelait bien ce qu'on éprouvait. Il s'immobilisa un instant afin d'affronter des réactions qui lui semblaient trop complexes pour une nouvelle aussi banale et attendue, reconnaissant avec un certain dégoût que l'envie y tenait une place. Il se demanda ce qui lui donnait ce désir bref mais violent d'avoir lui aussi un enfant — sa venue sur le cap, l'impression qu'on y ressentait d'une vie transitoire mais toujours renouvelée, le cycle de la naissance et de la mort, ou encore la mort de Jane Dalgliesh, sa dernière parente ?

Ni lui ni Rickards n'avaient parlé du meurtre. L'inspecteur l'aurait certainement ressenti comme une intrusion indécente dans son extase privée, quasi sacrée. Et d'ailleurs, il ne restait pas grand-chose à dire. Rickards avait nettement indiqué qu'il considérait l'affaire comme terminée. Amy et Caroline étaient mortes toutes les deux et il était fort improbable que leur culpabilité pût jamais être établie ; de plus, le dossier de l'accusation n'était pas d'une solidité parfaite. Rickards n'avait toujours aucune preuve que l'une ou l'autre connaissait dans les détails la manière d'opérer du Siffleur, mais il semblait que cela eût désormais moins d'importance pour la police. Quelqu'un avait pu parler, Camm recueillir des bribes d'informations au *Local Hero*, Robarts elle-même en parler à Amphlett. Ensuite, ce qu'elles ne savaient pas, elles avaient pu le deviner. L'affaire serait sans doute officiellement classée comme non résolue, mais Rickards s'était désormais persuadé qu'Amphlett, aidée par Camm qu'elle aimait, avait tué Robarts. Quand ils s'étaient brièvement rencontrés la veille au soir, Dalgliesh avait jugé nécessaire de donner un autre point de vue et de le soutenir calmement, logiquement, mais Rickards avait retourné ses propres arguments contre lui.

« Elle est très indépendante, vous l'avez dit. Elle a sa vie, sa profession. Qu'est-ce que ça peut lui foutre qu'il épouse celle-là ou une autre ? Il s'est déjà marié. Elle n'a pas essayé de l'en empêcher. Et ça n'est pas comme s'il avait besoin de protection. Vous vous imaginez Alex Mair faisant quelque chose qu'il ne veut pas faire ? C'est le genre d'homme qui mourra à sa convenance, pas à celle de Dieu. »

Dalgliesh avait dit : « L'absence de mobile est évidemment le point faible, et j'admets qu'il n'y a pas l'ombre d'une preuve matérielle. Mais Alice Mair répond à toutes les conditions. Elle savait comment le Siffleur tuait, elle savait où Robarts se trouverait peu après neuf heures, elle n'a pas d'alibi, elle savait où trouver ces baskets et elle est assez grande pour les mettre, elle avait la possibilité de les jeter dans la casemate en revenant de Scudder's Cottage. Mais il y a autre chose, n'est-ce pas ? A mon avis, le crime a été commis par quelqu'un qui, au moment de l'acte, ne savait pas que le Siffleur était mort, et qui l'a appris peu après.

— C'est ingénieux, Mr Dalgliesh. »

Dalgliesh avait envie de lui dire que c'était simplement logique. Rickards se sentirait obligé d'interroger à nouveau Alice Mair, mais il n'en obtiendrait rien. Et puis, ce n'était pas son enquête. Dans deux jours il serait de retour à Londres. Toutes les sales besognes que les types du M 15 voudraient faire faire, ils pourraient les faire eux-mêmes. Il était déjà intervenu plus que la situation ne le justifiait et certainement plus qu'il ne l'eût souhaité. Il se dit qu'il ne serait pas honnête d'incriminer Rickards ou le meurtrier parce que la plupart des décisions qu'il pensait prendre sur le cap restaient en suspens.

Il se sentit quelque peu dégoûté par cet accès d'envie inattendu, et la découverte qu'il avait laissé dans la pièce en haut de la tour le livre qu'il était en train de lire n'arrangea rien; c'était une biographie de Tolstoï par A.N. Wilson qui lui procurait une satisfaction et un réconfort dont il avait particulièrement besoin pour l'heure. Aussi, fermant la porte du moulin solidement pour que le vent ne la rouvre pas, il atteignit non sans peine l'entrée de la tour, alluma la lumière et grimpa jusqu'au dernier étage. Dehors, le vent hurlait et rugissait comme une meute de démons enragés, mais là, dans cette petite cellule voûtée, le calme était extraordinaire. Depuis plus de cent cinquante ans, la tour avait résisté à des bourrasques bien pires que celle-là. D'un mouvement spontané, il ouvrit la fenêtre de l'est et laissa entrer le vent comme une force sauvage, purificatrice. C'est alors qu'il aperçut, au-dessus du mur bordant le patio de Martyr's Cottage, une lumière dans la fenêtre de la cuisine. Pas une lumière ordinaire. Regardant plus attentivement, il la vit vaciller, puis mourir, puis scintiller de nouveau, puis se renforcer pour devenir une lueur rouge. Il avait vu ce genre de lumière et savait ce que cela signifiait. Martyr's Cottage était en train de brûler.

Il se laissa presque glisser le long des deux échelles reliant les étages du moulin et se rua dans la salle de séjour, où il ne s'arrêta que le temps de téléphoner aux pompiers et à l'ambulancier, heureux de ne pas avoir encore rentré sa voiture au garage. Quelques secondes plus tard, il fonçait à toute vitesse sur l'herbe rude du cap et freinait à mort devant la porte du cottage. Fermée à clef. Il songea une seconde à l'enfoncer avec la Jaguar, mais elle était faite en chêne massif du XVIᵉ siècle et il risquait de perdre des secondes précieuses en manœuvres futiles. Au lieu de cela, il fit le tour, escalada le mur et retomba dans le patio derrière la maison. Il ne lui fallut qu'une seconde pour vérifier que la porte là aussi était verrouillée en haut et en bas. Il savait ce qu'il allait trouver à l'intérieur, il faudrait la sortir par la fenêtre. Il ôta sa veste et l'enroula autour de son bras droit tout en ouvrant le robinet extérieur à fond pour s'inonder la tête et le haut du corps. Il plia ensuite le coude, dont il heurta violemment la vitre; mais destinée à résister aux tempêtes d'hiver, elle était fort épaisse. Il dut grimper sur le rebord de la fenêtre et donner des coups de pied redoublés avant qu'elle cède et alors les flammes sautèrent sur lui.

A l'intérieur, un évier double. Il se roula dessus et suffoqué par la fumée tomba à genoux, puis se mit à ramper vers elle. Elle était allongée entre le fourneau et la table, long corps rigide comme un mannequin. Ses cheveux, ses vêtements, tout flambait, et elle était comme baignée par des langues de feu. Mais dans le visage encore intact, les yeux ouverts semblaient le regarder avec une telle intensité d'endurance à demi démente que l'image d'Agnes Poley s'imposa à lui, transformant les tables et les chaises incandescentes en bûchers pétillants de son atroce martyre et, plus forte que l'odeur âcre de la fumée, il sentit la puanteur de la chair brûlée.

Il tira sur le corps d'Alice Mair, mais il était malcommodément coincé et le bord de la table en feu lui était tombé sur les jambes. Il lui fallait par tous les moyens gagner quelques secondes. Il retourna à l'évier, titubant et toussant, ouvrit les deux robinets, empoigna une casserole, puis la remplit pour la vider encore et encore. Un petit carré de flammes siffla et se mit à mourir. Écartant du pied les débris brûlants, il parvint à la hisser sur ses épaules, et à gagner la porte. Mais les verrous surchauffés étaient bloqués. Il fallait la sortir par la fenêtre démolie. A moitié étouffé par l'effort, il poussa le poids mort vers l'évier, mais celui-ci s'accrocha aux robinets et il lui fallut une éternité suppliciante avant de pouvoir le libérer, le pousser vers la fenêtre et le voir enfin basculer hors de sa vue. Il aspira une grande bouffée d'air frais puis, empoignant le rebord de l'évier, essaya de se hisser. Mais il sentit soudain ses jambes plier, sans force, et il dut se retenir à la cuvette pour ne pas tomber dans le feu qui reprenait de plus belle. Jusqu'à cette minute, il n'avait pas senti la douleur, mais elle le mordait désormais aux jambes et au dos comme s'il était attaqué par une meute de chiens. Impossible de tendre le cou pour atteindre les robinets ouverts, mais il recueillit dans le creux de ses mains un peu d'eau qu'il lança sur son visage, comme si cette fraîche bénédiction pouvait soulager la douleur torturante de ses jambes. Soudain, il fut pris par la tentation presque irrésistible de tout lâcher, de se laisser retomber dans le feu, plutôt que de tenter l'impossible effort pour se sauver. Ce ne fut qu'une seconde de folie, mais elle l'aiguillonna pour une ultime tentative. Il saisit les robinets, un dans chaque main, puis lentement, douloureusement, se hissa sur l'évier. Désormais ses genoux pouvaient prendre appui sur le rebord dur et il parvint à se projeter en avant vers les fenêtres. La fumée tourbillonnait autour de lui et les grandes langues de flammes rugissaient dans son dos. Leur grondement lui faisait mal aux oreilles et emplissait le cap, si bien qu'il ne savait plus s'il entendait le feu, le vent ou la mer. Puis il fit un dernier effort, et se sentit tomber sur la douceur du corps d'Alice. Il roula sur l'herbe pour la dégager. Elle ne brûlait plus. Ses vêtements consumés s'accrochaient comme des loques noircies à ce qui lui restait de chair. Il parvint à se mettre debout et tituba jusqu'au robinet extérieur qu'il atteignit juste à l'instant où il perdait connaissance et la dernière chose qu'il entendit, ce fut le sifflement de l'eau éteignant le brasier de ses vêtements.

Une minute plus tard, il rouvrit les yeux. Les pierres meurtrissaient son dos brûlé, mais quand il essaya de se déplacer, le coup de poignard de la douleur le fit crier. Jamais il n'avait rien éprouvé de pareil. Cependant, un visage pâle comme la lune se penchait sur le sien et il reconnut Meg Dennison. Songeant à la chose noire près de la fenêtre, il parvint à dire : « Ne regardez pas. Ne regardez pas. »

Mais elle répondit doucement : « Elle est morte. Il fallait que je regarde. Ne vous inquiétez pas. »

Et alors il cessa de la connaître. Son esprit désorienté était dans un autre lieu, un autre temps. Soudain, au milieu de la foule des badauds bouche bée et des soldats gardant l'échafaud avec leurs piques, il y avait Rickards qui disait : « Mais ce n'est pas une chose, Mr Dalgliesh. C'est une femme. » Il ferma les yeux. Les bras de Meg l'entourèrent. Il tourna le visage vers elle et l'enfouit dans sa veste, mordant la laine pour ne pas se déshonorer en gémissant. Puis il sentit une main fraîche sur son visage.

Elle dit : « L'ambulance arrive. Je l'entends. Ne bougez pas, mon ami, tout va s'arranger. »

La cloche retentissante des pompiers fut le dernier son qu'il entendit avant de se laisser glisser de nouveau dans l'inconscience.

ÉPILOGUE

Mercredi 18 janvier

Adam Dalgliesh ne put revenir à Larksoken Mill que vers la mi-janvier, par une journée ensoleillée si tiède que le cap baignait dans la transparence lumineuse d'un printemps trop précoce. Meg, qui avait convenu de le retrouver au moulin dans l'après-midi pour lui dire au revoir, vit en traversant le jardin du presbytère les premiers perce-neige déjà en fleur et s'accroupit pour contempler avec un plaisir sans mélange leurs délicates corolles vertes et blanches tremblant dans la brise. Le gazon était élastique sous ses pieds et au loin, des mouettes tournoyaient et s'abattaient comme une pluie de pétales blancs.

La Jaguar était devant le moulin et par la porte une traînée de soleil jonchait la pièce dénudée. Dalgliesh à genoux rangeait les derniers livres de sa tante dans des caisses. Les tableaux déjà empaquetés étaient accotés contre le mur. Meg s'agenouilla à côté de lui et se mit à l'aider en lui passant les paquets déjà ficelés. Elle dit : « Et vos jambes, vos bras, comment vont-ils ?

— Encore un peu raides, les cicatrices me démangent à l'occasion, mais tout a l'air bien.

— Vous ne souffrez plus ?

— Non, plus du tout. »

Ils travaillèrent ensemble pendant quelques minutes dans un silence plein d'amitié. Puis Meg dit : « Je sais que vous ne voulez pas qu'on vous le dise, mais nous sommes tous très reconnaissants de ce que vous faites pour les Blaney. Le loyer que vous demandez pour le moulin est dérisoire et Ryan le sait. »

Dalgliesh dit : « Je ne lui fais pas de faveurs. Je voulais une famille d'ici pour habiter cette maison et il était tout indiqué. Elle ne peut pas convenir à tout le monde et s'il est gêné pour payer un loyer, il n'a qu'à se considérer comme un gardien. En somme, on pourrait admettre que c'est à moi de le payer.

— Il n'y a pas beaucoup de personnes qui choisiraient un artiste excentrique avec quatre enfants comme gardien. Mais en fait, c'est exactement ce qu'il leur faut : deux salles de bains, une vraie cuisine et la tour comme atelier pour Ryan. Theresa est transformée. Elle est beaucoup plus forte depuis son opération et maintenant elle éclate de bonheur. Elle est venue hier au presbytère pour nous raconter tout ça ; elle mesure les pièces et prévoit les endroits où ils vont mettre les meubles. Ça leur convient beaucoup mieux que Scudder's Cottage, même si Alex n'avait pas voulu le vendre et s'en débarrasser pour de bon. Je ne le blâme pas. Savez-vous qu'il vend aussi Martyr's Cottage ? Maintenant qu'il est tellement pris par ses nouvelles fonctions, je crois qu'il veut couper tous les liens avec le cap et ses souvenirs. Je pense que c'est naturel. Et je ne sais pas si vous êtes au courant, pour Jonathan Reeves. Il épouse une jeune fille de la centrale, Shirley Coles. Et Mrs Jago a reçu une lettre de Neil Pascoe. Après quelques faux départs, il a trouvé un travail stable dans les services sociaux à Camden. Elle dit qu'il a l'air assez content. Bonne nouvelle aussi pour Timmy, du moins je suppose que c'est une bonne nouvelle. La police a retrouvé la mère d'Amy, mais ni elle ni son compagnon ne veulent du petit, alors il va être adopté par un couple qui lui donnera amour et sécurité. »

Puis elle s'arrêta, craignant que tous ces potins locaux ne pussent guère l'intéresser. Mais il y avait une question qui la hantait depuis trois mois, qu'elle avait besoin de poser et à laquelle lui seul pouvait répondre. Elle regarda un moment en silence les longues mains sensibles ranger les livres dans la caisse, puis dit : « Est-ce qu'Alex accepte l'idée que sa sœur a tué Hilary ? Je n'ai jamais voulu le demander à l'inspecteur Rickards ; d'ailleurs, il ne me le dirait pas. Et je ne peux pas demander à Alex. Nous n'avons jamais parlé d'Alice ni du meurtre depuis sa mort. A l'enterrement, nous nous sommes à peine adressé la parole. »

Mais elle savait que Rickards se serait confié à Adam Dalgliesh. Il dit : « Je ne crois pas qu'Alex Mair soit homme à se leurrer pour fuir des réalités désagréables. Il doit savoir la vérité, ce qui ne signifie pas qu'il l'admettra devant la police. Apparemment, il accepte la version officielle, la meurtrière est morte, mais il est impossible maintenant de prouver s'il s'agissait d'Amy Camm, de Caroline Amphlett ou d'Alice Mair. La difficulté, c'est qu'il n'y a toujours pas l'ombre d'une preuve tangible pour établir un lien entre Miss Mair et le meurtre de Hilary Robarts et certainement pas assez de preuves indirectes pour l'accuser à titre posthume d'en être l'auteur. Si elle avait vécu et retiré la confession qu'elle vous avait faite, je doute que Rickards ait eu assez d'éléments pour opérer une arrestation. L'absence de conclusion à l'enquête publique indique que même la théorie du suicide n'est pas prouvée. Le rapport d'enquête sur l'incendie confirme que le feu a été provoqué par une casserole de graisse bouillante qui s'est renversée peut-être pendant qu'elle essayait une nouvelle recette. »

Meg dit amèrement : « Et tout repose sur mon histoire, n'est-ce pas ? Une histoire pas très convaincante, racontée par une femme qui a déjà provoqué des ennuis et qui a un passé de troubles psychiques. C'est clairement ressorti pendant mes interrogatoires. L'inspecteur Rickards semblait obsédé par la question de mes relations avec Alice. Est-ce que j'avais une rancune contre elle, est-ce que nous nous étions querellées ? Quand il a eu fini, je ne savais

plus s'il me considérait comme une menteuse malveillante ou la complice d'une meurtrière. »

Trois mois et demi après sa mort, il lui était toujours difficile de repenser à ces longs interrogatoires
sans éprouver le mélange destructeur de souffrance,
de peur et de colère qu'elle connaissait si bien. Elle
avait dû répéter maintes et maintes fois son histoire
sous ces yeux perçants et sceptiques. Elle comprenait d'ailleurs pourquoi il avait eu tant de peine à la
croire. Elle avait toujours eu des difficultés pour
mentir de façon convaincante et il avait su qu'elle
mentait. Mais pourquoi ? demandait-il. Quelle raison
Alice Mair donnait-elle pour le meurtre ? Quel était
le mobile ? Son frère ne pouvait pas être contraint
d'épouser Hilary Robarts. Et d'ailleurs, il avait déjà
été marié. Son ex-femme était toujours en vie. Alors,
qu'est-ce qui rendait ce mariage si impossible pour
elle ? Et Meg ne le lui avait pas dit, sinon pour répéter obstinément qu'Alice avait voulu l'empêcher. Elle
avait promis de ne pas le dire et elle ne le dirait
jamais, même à Adam Dalgliesh, seul homme qui
aurait peut-être pu l'amener à le faire. Elle devinait
qu'il le savait aussi, mais qu'il ne le lui demanderait
jamais. Un jour où elle était allée le voir à l'hôpital,
elle lui avait dit brusquement : « Vous savez ? »

Et il avait répondu : « Non, je ne sais pas, mais je
peux deviner. Le chantage n'est pas un mobile exceptionnel pour le meurtre. » Mais il n'avait pas posé de
questions et elle lui en était reconnaissante. Elle
savait désormais qu'Alice lui avait dit la vérité uniquement parce qu'elle avait prévu que Meg ne serait
plus en vie le lendemain pour la révéler. Prévu
qu'elles mourraient ensemble. Le whisky qui contenait presque certainement des comprimés de somnifère lui avait été doucement mais fermement retiré
des mains. Finalement, Alice avait été fidèle à leur
amitié et elle serait fidèle à son amie. Alice avait dit
qu'elle devait une mort à son frère. Meg avait longuement réfléchi à ces paroles, sans pouvoir leur trouver
de sens. Mais si Alice devait une mort à Alex, elle,
pour sa part, devait loyauté et silence à Alice. Elle

dit : « J'espère acheter Martyr's Cottage quand les réparations seront finies. J'ai un peu d'argent de la vente d'une maison à Londres et la promesse d'une petite hypothèque. C'est tout ce dont j'ai besoin. J'ai pensé que je pourrais le louer l'été pour amortir les frais et m'y installer quand les Copley n'auront plus besoin de moi. J'aimerais l'idée que ce cottage m'attend. »

S'il fut surpris qu'elle souhaitât revenir en un lieu si plein de souvenirs cruels, il n'en dit rien. Comme si elle sentait la nécessité de s'expliquer, elle poursuivit : « Il est arrivé des choses terribles autrefois aux gens qui vivaient ici, pas seulement à Agnes Poley, à Hilary, Alice, Caroline et Amy. Mais je m'y sens toujours chez moi. Je sens toujours que c'est ici que je dois être, que je veux être. Et s'il y a des revenants à Martyr's Cottage, ce seront des esprits bienveillants. »

Il dit : « C'est un sol bien pierreux pour y pousser des racines.

— C'est peut-être le genre de sol dont mes racines ont besoin. »

Une heure plus tard, elle avait dit son dernier au revoir. La vérité était entre eux, inexprimée, et il partait et elle ne le reverrait peut-être jamais. Elle se rendit compte avec un sourire d'étonnement heureux qu'elle était un peu amoureuse de lui. Pas de drame. Le sentiment était aussi dénué de souffrance que d'espoir. En arrivant en haut d'une crête basse, elle se retourna et regarda vers le nord, vers la centrale, génératrice et symbole de la puissance mystérieuse qu'elle ne pouvait jamais dissocier de ce nuage en champignon curieusement beau, symbole aussi de l'arrogance spirituelle et intellectuelle qui avait conduit Alice au meurtre ; aussi lui sembla-t-il, pendant une seconde, entendre l'écho de la dernière sirène hurlant son terrible avertissement à travers le cap. Et le mal ne cessait pas avec la mort d'un seul malfaiteur. Quelque part, à cette heure même, un nouveau Siffleur était peut-être en train de préparer son épouvantable vengeance contre un monde où il ne s'était jamais senti chez lui. Mais c'était l'imprévisible avenir, et la peur n'avait pas de réalité. La réalité, elle était là, dans un moment de temps ensoleillé, dans les herbes qui frissonnaient sur le cap, la mer étincelante aux couches bleues et violettes empilées jusqu'à l'horizon, ponctuée d'une voile unique, les arches brisées de l'abbaye où les silex faisaient jaillir l'or du soleil mûrissant, les grandes ailes du moulin, immobiles et silencieuses, le goût de sel dans l'air marin. Là, passé et présent ne faisaient plus qu'un et sa propre vie, avec ses actions et ses omissions, semblait n'être qu'un instant insignifiant dans la longue histoire du cap. Et puis elle sourit à ces profondes considérations et, se tournant pour adresser un dernier geste d'adieu à la haute silhouette sur le seuil du moulin, elle se dirigea d'un pas résolu vers le presbytère. Les Copley devaient attendre leur thé.

Table

DU MÊME AUTEUR

La Proie pour l'ombre (An Unsuitable Job for a Woman), Mazarine, 1984, Fayard, 1989.

La Meurtrière (Innocent Blood), Mazarine, 1984.

L'Ile des morts (The Skull Beneath the Skin), Mazarine, 1985.

Meurtre dans un fauteuil (The Black Tower), Mazarine, 1986, Fayard, 1990.

Un certain goût pour la mort (A Taste for Death), Mazarine, 1987, Fayard, 1990.

Sans les mains (Unnatural Causes), Mazarine, 1987, Fayard, 1989.

Une folie meurtrière (A Mind to Murder), Fayard, 1988.

Meurtres en blouse blanche (Shroud for à Nightingale), Fayard, 1988.

Mort d'un expert (Death of an Expert Witness), Fayard, 1989.

A visage couvert (Cover Her Face), Fayard, 1989.

IMPRIMÉ EN FRANCE PAR BRODARD ET TAUPIN
Usine de La Flèche (Sarthe).
LIBRAIRIE GÉNÉRALE FRANÇAISE - 43, quai de Grenelle - 75015 Paris.
ISBN : 2 - 253 - 06193 - X   ✦ 30/9542/9